KB195795

거울로 드나드는 여자 2
클레르들뤼에서 사라진 사람들

Cet ouvrage, publié dans le cadre du Programme d'aide à la Publication Sejong,
a bénéficié du soutien de l'Institut français de Corée du Sud.
이 책은 주한프랑스문화원 세종 출판번역지원프로그램의 도움으로 출간되었습니다.

La Passe-miroir, Livre 2
Les Disparus du Clairedelune by Christelle Dabos

클레르 들륀에서 사라진 사람들

거울로 드나드는 여자 2

크리스텔 다보스 지음 / 이슬아 옮김

레모

거울로 드나드는 여자 1권(거울의 약혼자들) 줄거리

파열로 옛 세계가 끝나고, 공중에 떠 있는 분리된 영토인 아슈들이 삶의 터전이 되었다. 아슈마다 고유한 능력을 지닌 가문이 살고 있으며, 각각의 아슈는 머나먼 조상인 '집안의 정령'의 지배를 받는다.

오펠리는 아니마에서 몇 안 되는 거울로 드나드는 여자다. 혼자 있기 좋아하며, 서툴지만 신중한 그녀는 훌륭한 읽기 능력자이다. 물건을 손에 쥐고, 앞서 물건을 거쳐 간 모든 이들의 흔적을 구분하며 물건의 역사를 읽는다.

정략결혼으로 어쩔 수 없이 자신의 세계와 가족을 떠나 머나먼 아슈인 폴로 가던 날, 오펠리의 세상은 산산이 부서진다. 약혼자 토른은 무뚝뚝하고 이해할 수 없는 남자다. 오펠리는 그의 곁에서 하늘에 떠다니는 도시 시타시엘을 발견한다. 변형된 공간 시타시엘에는 시각적 환영이 가득하다. 궁정 내 경쟁 관계에 있는 클랜들은 그들의 공통 조상이자 전지전능하며 불멸인 집안의 정령 파루크 주위를 맴돌며 통탄스럽게도 속임수와 조종, 계략과 배신을 일삼으며 대립한다. 설상가상으로 폴의 감독관인 토른은 모든 클랜의 미움을 사고 있다.

피도 눈물도 없는 세계에 던져진 오펠리는 누구도 믿을 수 없는 세상의 이면을 탐험한다. 결혼식을 올릴 때까지 신분을 감추어야 하는 오펠리는 하인으로 변장해 시타시엘과 그곳 사람들의 민낯을 엿본다. 그러다가 폴의 집안 정령 파루크가 집착하는 아주 오래된 불가사의한 책의 존재를 알게 된다. 그리고 오펠리는 끔찍한 진실을 마주하게 된다. 바로 토른이 자신의 읽기 능력을 물려받아 파루크의 책을 해독하려고 결혼을 원한다는 사실이다.

오펠리는 가족들이 시타시엘에 올 거라는 소식을 접하고, 토른과 그의 고모 베르닐드에게는 비극적인 사건들이 닥친다. 드래곤 클랜의 마지막 생존자가 된 그들은 파루크의 보호를 요청해야 한다. 오펠리는 궁정에 정식으로 소개할 준비를 하며, 환영들의 미로에서 자신만의 길을 찾기로 다짐하고 새롭게 결의를 다진다.

차례

조각 : 환기

처음에 우리는 하나였다.

그러나 신은 우리가 그런 식으로는 자신을 만족시킬 수 없다고 판단했고, 그래서 우리를 갈라놓기 시작했다. 신은 우리와 실컷 즐겼고, 곧 지겨워하더니, 우리를 잊었다. 신은 아주 잔인하게 무관심을 드러냈는데, 그럴 때면 나는 공포에 떨었다. 또한 부드러운 면모를 보일 줄도 알았기에, 그 누구보다 신을 사랑했다.

신과 나, 그리고 다른 이들 모두 행복하게 살 수 있었을 것이다. 그 빌어먹을 책만 없었다면, 정말이지 끔찍한 책이었다. 그놈의 책과 내가 매우 역겨운 방식으로 연결되었다는 건 알고 있었지만, 공포는 나중에, 훨씬 뒤에야 찾아왔다. 당시엔 바로 알아챌 수 없었다. 나는 너무 무지했다.

그랬다. 나는 신을 사랑했다. 하지만 신이 별다른 이유 없이 펼쳐 들곤 하던 그 책은 싫었다. 신은 책을 펼치며 너무나 즐거워했다. 기분이 좋을 때면 신은 글을 썼고, 화가 날 때도 글을 썼다. 그러다 몹시 기분이 나빴던 어느 날, 신은 터무니없는 짓을 저질렀다.

세계를 산산조각 냈다.

*

신이 처벌받은 날이 떠오른다. 그날 나는 신이 전지전능하지 않다는 사실을 알았다. 그날 이후 다시는 그를 볼 수 없었다.

스토리텔러

게임

오펠리는 눈이 멀어버린 것 같았다. 양산 아래로 살며시 내다봤을 뿐인데, 사방에서 빛이 밀려들었다. 작열하는 태양이 반짝이는 산책로 나무 바닥에 반사되고, 온 바다 위로 환하게 부서지고, 귀족들의 보석을 밝게 비추었다. 눈이 부셨지만, 주위에 베르닐드도, 로즐린 이모도 없다는 것 정도는 알 수 있었다.

인정할 수밖에 없었다. 그녀는 길을 잃었다.

자기 자리를 찾겠다는 결연한 의지로 궁정에 온 오펠리에게 좋은 소식은 아니었다. 그녀는 파루크에게 공식적으로 소개하는 자리에 참석하기로 되어 있었다. 세상에서 절대로 기다리게 해서는 안 되는 이가 있다면, 그건 바로 이 집안의 정령이었다.

그는 어디에 있을까? 커다란 야자수 그늘에? 해변을 따라 늘어선 호화저택에? 바닷가 작은 오두막에?

오펠리는 공중에 코를 박았다. 파루크를 찾아보려고 난간 아래로 몸을 숙였는데, 눈앞의 바다는 움직이는 거대한 벽화에 불과했다. 모래 내음과 수평선, 파도 소리까지도 인위적이었다. 그녀는 안경을 고쳐 쓰고 주변 풍경을 바라보았다. 이곳은 가짜

투성이였다. 야자수도, 분수도, 바다도, 태양도, 하늘도, 주변의 열기까지도. 저택마저도 평면으로 된 외벽이 전부일 것이다.

환영들.

망루 6층에 있고, 그 망루는 도시에 불쑥 솟아 있으며, 그 도시는 현재 영하 15도를 밑도는 북쪽의 아슈 위를 맴돌고 있는데, 대체 무엇을 더 기대할 수 있을까? 이곳 사람들이 아무리 공간을 변형하고, 구석구석 환영을 만들어봤자, 그들의 창조력에는 한계가 있을 터였다.

오펠리는 눈속임을 경계했지만, 눈속임을 이용해 타인을 조종하는 사람들을 더더욱 경계했다. 그래서 자신을 밀쳐대는 귀족들 사이에 있자니 유달리 불편했다.

그들은 모두 환영술의 대가인 미라주였다.

미라주들의 압도적으로 큰 키와 옅은 색 머리카락, 투명한 눈과 클랜 고유의 문신 앞에서 오펠리는 그 어느 때보다 자신이 왜소하고, 짙은 머리카락에 지독한 근시 눈을 가진 이방인처럼 여겨졌다. 이따금 미라주들이 눈살을 찌푸리며 오펠리를 내려다봤다. 기를 쓰고 양산 안으로 숨으려는 여자아이의 정체를 궁금해하고 있을지도 모르겠다. 하지만 오펠리는 이 사실만큼은 들키고 싶지 않았다. 자신이 혼자이고 아무 보호도 받고 있지 못하다는 것. 그녀가 관료들 중 가장 미움을 받는 토른의 약혼자라는 사실이 알려진다면, 목숨을 빼앗길지도 모를 일이다. 아니면 머릿속을 어찌할지도. 근래 온갖 수난을 겪으며 갈비뼈에는 금이 가고, 눈은 퍼렇게 멍들고, 볼에는 깊게 베인 상처가 난 상태에서 상황을 더 악화시키고 싶지 않았다.

그래도 미라주들 덕에 오펠리는 한 가지 쓸모 있는 사실을 알았다. 그들은 모두 말뚝 위에 세워진 방파제 산책로를 향해 가고 있었다. 가짜 바다 위로 불쑥 솟아난 산책로는 환영 덕분에 제법 그럴싸해 보였다. 눈을 있는 대로 찡그린 오펠리는 저 길 끝에 보이는 반짝이는 것이 유리와 금속으로 된 거대한 구조물에 반사된 빛이라는 것을 알았다. 방파제 산책로는 또 다른 눈속임이 아닌, 진짜 황제의 성 안에 있었다.

오펠리가 운 좋게 파루크를 찾는다면, 그곳에 베르닐드와 로즐린 이모도 있을 것이다.

오펠리는 귀족 행렬을 따라갔다. 가능한 한 눈에 띄지 않고 싶었지만, 목도리를 미처 생각하지 못했다. 반은 발목을 휘감고, 나머지 반은 바닥에서 파닥대는 목도리는 들뜬 행렬 속 보아 뱀 같았다. 그럼에도 오펠리는 목도리를 풀 수 없었다. 몇 주 만에 멀쩡한 상태의 목도리를 다시 만나서 몹시 기뻤지만, 자신이 아니마 사람임을 동네방네 떠들고 싶지는 않았다. 적어도 베르닐드를 다시 만날 때까지는 그러고 싶지 않았다.

신문 가판대 앞을 지나던 오펠리는 자신의 얼굴 위로 양산을 더욱 내렸다. 신문에 대문짝만 하게 실린 기사가 눈에 들어왔다.

드래곤의 최후 :

사냥 간 사람이 자기 자리를 잃다.

정말 고약한 취향이었다. 드래곤들은 그녀의 새로운 가족이고, 그들은 얼마 전 숲에서 끔찍하게 목숨을 잃었다. 하지만 궁정 사람들 눈에는 그저 라이벌 클랜 하나 없어진 것에 불과했다.

오펠리는 방파제 산책로로 들어섰다. 조금 전 어렴풋이 보였던 반짝거림이 빛을 내뿜는 건물로 변해 있었다. 성은 그녀가 생각했던 것보다 훨씬 더 웅장했다. 금색 돔 위에 달린 첨탑은 번개처럼 하늘로 치솟아 태양을 찌를 듯했다. 꼭대기에 자리한 돔 아래 유리와 주철로 된 거대한 건축물이 자리하고, 그 주위로 작은 오리엔탈풍 탑들이 솟아 있었다.

오펠리는 한눈에 들어오는 성과 바다, 귀족 무리를 보며 '여기 있는 모든 것은 파루크 망루의 6층일 뿐이야'라고 생각했다.

그녀는 정말로 긴장되기 시작했다.

긴장감은 그녀를 향해 다가오는, 북극곰처럼 희고 커다란 개 두 마리를 보자 공포로 변했다. 자신을 뚫어져라 노려보는 개들 때문이 아니었다. 바로 그 개들의 주인 때문이었다.

"안녕하세요, 아가씨. 홀로 산책하시나요?"

금발 곱슬머리에 돋보기처럼 두꺼운 안경을 쓰고, 아기 천사처럼 통통한 볼을 한 얼굴을 알아본 오펠리는 두 눈을 의심했다.

기사. 이 미라주만 없었다면 드래곤들은 아직 살아 있었을 것이다.

겉보기에는 여느 아이와 다를 바 없었지만—심지어 다른 아이들보다 더 어리숙해 보인다—, 어떤 어른도 손쓸 수 없는 골칫거리로, 그의 가족마저도 그를 두려워했다. 주변에 환영을 퍼뜨리는 미라주들과 달리, 기사는 사람들 내면에 직접 환영을 불어넣었다. 능력을 남용하며 일탈행위를 일삼았다. 하녀가 히스테리 발작을 일으키고, 로즐린 이모를 추억 방울에 가두고, 드래곤들이 사냥하던 야수들에게 쫓기게 만든 것도 그였다. 이 모든 일을 저지르면서 단 한 번도 발각된 적이 없었다.

궁정의 누구도 설쳐대는 기사를 막지 못한다는 사실이 오펠리는 믿기지 않았다.

"길을 잃으신 것 같은데, 제가 길잡이 역할을 해드려도 될까요?" 기사는 극도로 예의를 갖춰 물었다.

오펠리는 아무 답도 하지 않았다. 최악의 상황을 피하려면 '네'라고 해야 할지, '아니요'라고 해야 할지 판단이 서지 않았다.

"이제야 찾았네! 대체 어디 있었던 거니?"

오펠리는 베르닐드를 보고는 크게 안도했다. 호수를 유유히 가로지르는 백조처럼 우아하게 드레스를 흔들며 귀족들 사이를 헤치고 나온 베르닐드는 오펠리의 팔을 있는 힘껏 잡아당겨 팔짱을 끼었다.

"안녕하세요, 베르닐드 부인." 기사가 웅얼거렸다.

기사의 두 볼이 새빨개지더니 서툴게 두 손을 자신의 선원 복에 가져가 문질렀다.

"서둘러, 오펠리." 베르닐드는 기사에게 눈길도 주지 않고, 인사도 건네지 않았다. "게임이 거의 끝나가. 네 이모님이 우리 자리를 맡아놓으셨어."

기사는 알 수 없는 표정을 지었다. 돋보기 같은 안경 때문에 그의 눈이 더 기괴해 보였지만 오펠리는 기사의 얼굴에서 당황한 기색을 읽을 수 있었다. 이해할 수 없는 아이라고 생각했다. 설마 클랜을 몰살하고 고맙다는 인사라도 받기를 기대한 걸까?

"저와는 이제 아무 말도 하지 않으실 건가요, 부인?" 그가 근심 어린 목소리로 물었다. "그러니까 제게 한마디도 안 하실 거냐고요."

망설이던 베르닐드는 이내 기사를 향해 몹시 아름다운 미소를 지어 보였다.

"그렇게 원하신다면, 기사님, 한마디가 아니라 몇 마디 해드리죠. 나이가 어리다고 영원히 봐줄 수는 없어요."

베르닐드는 예언 같은 말을 무심히 남기고 성을 향해 발걸음을 옮겼다. 뒤를 슬쩍 돌아본 오펠리는 등골이 오싹해졌다. 질투심으로 일그러진 얼굴을 한 기사는 베르닐드가 아닌 오펠리를 잡아먹을 듯 노려보고 있었다. 개들을 풀어서 쫓을 작정인가?

"혼자 있을 때 가장 기피해야 하는 인물이 바로 기사야." 베르닐드는 더욱 세게 팔짱을 끼며 오펠리에게 소곤거렸다. "내가 한 조언들은 아예 안 듣기로 한 거니?" 발길을 재촉하며 덧붙였다. "서두르자. 게임이 거의 끝나가. 절대로 파루크 폐하를 기다리게 해서는 안 돼."

"무슨 게임요?" 오펠리가 헐떡이며 물었다.

금이 간 갈비뼈 쪽이 점점 더 아렸다.

"폐하에게 좋은 인상을 심어줘야 해." 베르닐드가 미소를 머금고 명령하듯 말했다. "지금 우리에겐 동맹보다 적이 훨씬 많

아. 그 균형을 되찾는 데 파루크의 보호가 결정적인 역할을 할 거야. 네가 첫눈에 그의 마음을 사로잡지 못한다면, 우리는 사형선고를 받은 거나 다름없어."

베르닐드는 배 속 아기의 운명도 오펠리에 손에 달렸다는 듯 배 위로 손을 가져갔다.

걸음이 불편했던 오펠리는 발을 칭칭 감고 있는 목도리를 쉼 없이 흔들어댔다. 베르닐드의 말은 긴장을 더는 데 전혀 도움이 안 됐다. 드레스 주머니에 여전히 간직하고 있는 가족의 전보 탓에 두려움이 더 커졌다. 감감무소식인 오펠리가 걱정된 부모님과 삼촌, 이모, 고모, 동생, 여동생, 사촌들이 폴 방문 일정을 몇 달 앞당기기로 한 것이었다. 가족들은 자신들의 안전이 파루크의 선의에 달렸음을 분명 몰랐다.

오펠리와 베르닐드는 돔 모양 본관으로 들어섰다. 안에서 본 모습은 훨씬 더 화려했다. 건물 안에는 성당의 중앙 홀만큼 웅장한 회랑 다섯 개가 길게 뻗어 있었다. 거대한 스테인드글라스 아래서 아주 작은 속삭임이나 드레스 스치는 소리마저도 크게 울렸다. 바로 이곳에 장관들, 영사들, 예술가와 그들의 뮤즈들을 비롯한 사교계 인사들이 모두 모여 있었다.

금색 제복을 입은 하인장이 베르닐드에게 다가왔다.

"저를 따라 거위 정원으로 가시겠습니까? 게임이 끝나는 즉시 파루크 폐하께서 부인들을 맞이할 것입니다."

그는 오펠리의 양산을 받아 들면서, 다섯 개 회랑 중 한 곳으로 그들을 안내했다.

"이선 제가 갖고 있을게요." 오펠리는 목도리를 가져가려다 엉뚱하게 발목을 감고 있는 것을 보고 당황한 하인장에게 정중히 말했다. "이 목도리는 저도 정말이지 어쩌지 못한답니다."

베르닐드는 오펠리의 얼굴이 레이스 베일에 잘 가려져 있는 것을 보고 안도의 한숨을 내쉬었다.

"상처들을 내보이지 않도록 해, 정말 보기 안 좋으니. 이번에 별 탈 없이 잘 넘어가면 방파제 산책로가 네 두 번째 집이 될 거야."

오펠리는 속으로 자신의 첫 번째 집은 어디일까 생각했다. 폴에 도착한 뒤로 베르닐드의 저택, 클레르드들륀의 영지, 약혼자의 관리국을 다녀봤지만 그 어느 곳도 집처럼 느껴지지 않았다.

하인장의 안내를 받아 거대한 유리문을 통과한 순간, 박수 소리와 함께 환호성이 터져 나왔다. "브라보!", "멋진 공격입니다, 폐하." 오펠리는 거추장스러운 하얀 레이스 베일 너머로 실내 정원에 심어진 야자수 사이에서 무슨 일이 벌어지고 있는지 파악하려 애썼다. 잔디밭에는 가발을 쓴 귀족들이 작은 미로 같은 것 주변에 몰려 있었다. 앞에 있는 사람들 어깨 너머로 구경하기에는 오펠리의 키가 너무 작았다. 그런데 베르닐드는 아무렇지 않게 인파를 뚫고 맨 앞자리로 나아갔다. 귀족들은 베르닐드를 알아보고는, 배려라기보다는 조심성 차원에서 거리를 두기 위해 길을 내주었다. 귀족들은 파루크가 판결을 내리면 그에 동조했다.

오펠리가 베르닐드와 함께 오는 것을 본 로즐린 이모는 안도

하는 기색을 감추며 불만스러운 표정을 지었다.

"언젠가는 알려주렴." 그녀가 중얼거렸다. "허구한 날 감시를 빠져나가는 애를 어떻게 보살필 수 있는 건지."

이제 오펠리 눈에도 게임 장면이 훤히 들어왔다. 미로는 번호를 매긴 포석들로 이어져 있었다. 어떤 포석들 위에는 거위가 말뚝에 묶여 있었다. 나선형 길 위에 하인 둘이 자리 잡고 있었는데, 지시를 기다리는 듯 보였다.

오펠리는 그 순간 모든 이의 시선이 쏠린 곳을 바라보았다. 미로가 내려다보이는 작고 동그란 연단이었다. 연단과 같은 흰색으로 칠한 예쁜 테이블에 자리 잡은 선수가 주먹을 휘둘러대며 신이 나서 구경꾼들을 자극했다. 오펠리는 구멍 난 실크해트와 만면에 드리운 거만한 미소를 짓는 그를 알아봤다. 파루크의 대사, 아르쉬발드였다.

대사가 마침내 주먹을 펼치자 주사위 부딪치는 소리가 침묵을 깨고 울렸다.

"일곱!" 행사 진행자가 외쳤다.

그 즉시 하인 한 명이 일곱 개의 포석을 지나 전진하더니 구멍 속으로 사라졌다. 오펠리는 아연실색했다.

"우리 대사님 정말 운도 없지." 오펠리 뒤에서 비꼬는 목소리가 들렸다. "세 번째 판인데 매번 구멍에 빠지네."

아르쉬발드의 존재를 알아본 오펠리는 마음 한편으로 안심이 되었다. 결점이 없지는 않았지만, 이곳에서 그나마 친구 같은 사이였고, 투알에 속한다는 게 장점이라면 장점이었다. 몇몇 귀족을 제외하고는 온통 미라주 천지라, 그들이 뿜어내는 적대적인 기운에 오펠리는 숨이 막힐 지경이었다. 미라주들이 기사만큼 음흉하다면, 앞으로 끝내주는 날들이 펼쳐질 게 뻔했다.

오펠리는 다른 구경꾼들을 쫓아 이번에는 연단 위에 있는 다른 선수의 테이블에 집중했다. 처음에는 베일 탓에 한데 쌓아놓은 다이아몬드들을 보고 있다고 생각했으나, 결국에는 파루크의 팔에 매달린 수많은 애첩임을 알아차렸다. 한 명은 파루크의 긴 머리를 빗질했고, 다른 애첩은 파루크의 가슴에 몸을 바싹 붙이고, 또 다른 애첩은 그의 발치에 무릎을 꿇고 있었다. 그런 식으로 여러 명의 애첩이 있었다. 덩치에 비해 터무니없이 작은 테이블에 팔을 괴고 있던 파루크는 애첩들의 애정 표현에도, 참가 중인 게임에도 도통 관심이 없어 보였다. 주사위를 던지면서 요란하게 하품하는 그의 모습을 보며 오펠리가 짐작한 바로는 그랬다. 그녀가 있는 곳에서는 파루크의 표정을 구별하기가 힘들었다.

"다섯!" 박수 소리와 환호성 사이로 행사 진행자가 흥겹게 외쳤다.

이내 두 번째 하인이 한 칸 한 칸 뛰어가기 시작했다. 매번 사납게 울며 장딴지를 물 듯 덤비는 거위가 있는 포석에 발을 디뎠지만, 재빨리 발걸음을 옮겨 단숨에 다섯 칸을 이동해 나선의 정중앙에 있는 마지막 칸에 안착했다. 귀족들은 마치 올림픽 챔피언을 맞이하듯 갈채를 보냈다. 오펠리는 눈앞에 펼쳐진 광경이 비현실적으로 느껴졌다. 누군가 구멍에 빠진 다른 하인을 얼른 꺼낼 생각을 해주기를 바랐다.

연단 위 하얀 정장을 입은 키 작은 남자가 게임이 끝난 틈을 이용해 필기도구로 보이는 것을 들고 파루크에게 다가갔다. 그는 함박 미소를 띠며 파루크에게 귓속말을 건넸다. 어리둥절한 오펠리는 남자가 내민 서류를 거들떠보지도 않고 아무렇게나 도장을 찍는 파루크를 보았다.

“보리스 백작을 본받아.” 베르닐드가 속삭였다. “새 영지를 얻으려 호시탐탐 기회를 엿봤지. 준비해, 이제 우리 차례야.”

오펠리는 그 말을 듣지 못했다. 연단 위에서 모두의 관심을 한 몸에 받는 또 다른 남자의 존재를 막 알아보았기 때문이다. 뒤로 물러서 있는 그는 너무 어두운 곳에서 아무 미동도 하지 않아, 갑자기 시계 뚜껑을 딸각대지 않았다면 그곳에 있는지도 몰랐을 것이다. 그를 보자 오펠리의 몸속 깊은 곳에서부터 뜨거운 것이 올라와 귀를 타오르게 했다.

토른.

빳빳이 세운 깃과 묵직해 보이는 금빛 견장이 달린 검은 제복은 유리 천장으로 들어오는 숨 막히는 열기—물론 몹시 현실감 있는 환영이지만—에 적합하지 않았다. 머리부터 발끝까지 부자연스럽고, 사법경찰처럼 경직돼 있고, 그림자처럼 조용한 토른은 궁정이라는 기상천외한 세계와는 어울리지 않았다.

오펠리는 이런 곳에서 토른과 마주치지 않기 위해서라면 뭐든 줄 수 있을 것 같았다. 항상 그래왔듯 토른은 상황을 통제할 테고 오펠리의 역할을 정해주었을 것이다.

"베르닐드 부인과 아니마에서 온 부인들입니다!" 행사 진행자가 알렸다.

거위 울음소리 외에 아무 소리도 들리지 않는 숨 막히는 정적 속에서 모두의 시선이 오펠리에게 쏠리자, 그녀는 심호흡을 내뱉었다. 마침내 그녀가 게임에 들어설 시간이 왔다.

오펠리는 토른을 상대로, 토른에 맞서서 자기 자리를 찾을 것이다.

어린아이

오펠리는 호기심에 이글거리는 시선을 한 몸에 받으며 연단으로 나아갔다. 몸에 불이 붙을 것만 같았다. 그녀는 게임 테이블에 앉아 짓궂게 윙크를 날리는 아르쉬발드를 최대한 무시했다. 연단으로 이어지는 하얀 계단을 오르며 한 가지 생각에만 집중했다. '내 미래는 지금 이곳에서 벌어질 일에 달렸어.'

토른 때문에 신경이 쓰여서 그랬는지, 레이스 베일에 시야가 가려서 그랬는지, 발을 칭칭 감고 있는 목도리 때문인지, 아니면 그녀의 병적인 서투름 때문인지, 오펠리는 마지막 계단에 부딪혔다. 토른이 재빨리 그녀의 팔을 낚아채 완력으로 일으켜주지 않았다면 대자로 넘어질 뻔했다. 하지만 모두 그녀가 삐끗하는 것을 목격했다. 베르닐드의 얼굴은 미소와 함께 굳어졌고, 로즐린 이모는 두 손으로 얼굴을 감쌌고, 금이 간 갈비뼈의 통증은 오펠리의 옆구리를 미친 듯 압박했다.

거위 정원을 가득 메우던 웃음소리는 파루크가 이 상황을 전혀 즐기지 않는 듯 보이자, 이내 사그라들었다. 테이블에 팔을 괴고 몹시 지루해 보이는 파루크는 게임이 끝난 뒤로 머리칼 한을 움직이지 않았다. 다이아몬드로 치장한 애첩들은 몸의 일부인 양 그에게 달라붙어 있었다.

흰색에 가까운 옅은 푸른 눈의 파루크가 알 수 없는 시선으로 오펠리를 바라보자 그녀는 즉시 토른을 잊었다. 사실 파루크는 모든 것이 다 하얬다. 매끄럽고 긴 머리카락, 절대 늙지 않는 피부와 황제의 의복까지. 하지만 오펠리에게는 눈만 보였다. 집안의 정령들은 본래 압도적인 모습을 하고 있다. 단 한 곳을 제외하고 아슈마다 집안의 정령이 존재했다. 강력한 능력을 지닌 불멸의 정령들은 전 세계 커다란 가계도의 뿌리이자, 모든 거대한 혈통의 공동 부모였다. 단 몇 번 아니마의 정령인 아르테미스를 만났을 때 오펠리는 자신이 작게 느껴졌다. 그런데 그 순간 파루크가 내뿜는 위압감은 차원이 달랐다. 오펠리는 의전상 거리를 두고 떨어져 있었고, 파루크는 표정 없는 조각상 같은 굳은 얼굴로 눈 하나 깜박이지 않았지만 그의 정신력에 압도되는 것 같았다.

"누구지?" 파루크가 물었다.

오펠리는 자신을 기억하지 못한다고 파루크를 탓할 수 없었다. 딱 한 번 멀리서 스친 게 다였고, 당시에는 하녀로 위장해 있었으며, 눈 한 번 마주치지 않았었으니까. 파루크의 질문이 자신뿐 아니라 베르닐드와 토른에게도 해당된다는 사실을 알고 오펠리는 당황했다. 파루크는 무표정하게 두 사람을 바라보았다. 오펠리는 집안의 정령들이 형편없는 기억력을 지녔다는 사실을 알고 있었지만, 그래도 이건 지나치다! 토른은 시타시엘과 폴에 속하는 모든 지역을 관리하는 총감독관으로서 재정과 법무행정 상당 부분을 책임지고 있었다. 베르닐드는 파루크의 아이를 임신했을 뿐 아니라 지난밤도 함께 보내지 않았던가.

“기억 도우미는 어디 있나?” 파루크가 물었다.

“여기 있습니다, 폐하!”

오펠리와 엇비슷한 나이의 청년이 파루크의 의자 뒤에서 튀어나왔다. 이마에 새겨진 문신과 아름다운 금발은 투알 클랜의 특징이었다. 아마도 아르쉬발드의 사촌일 것이다.

“대사가 토른 감독관과 그의 고모 베르닐드 부인 그리고 약혼녀 오펠리 양의 상황과 관련해 폐하께 의논드리고자 회견을 청하였습니다.”

기억 도우미는 파루크에게 호명하는 사람들을 차례로 가리키면서 부드럽고 침착한 목소리로 말했다. 제대로 빗지 않은 머리 위로 실크해트를 비스듬히 쓴 아르쉬발드가 제일 먼저 앞으로 나왔다. 오펠리는 대사가 일부러 면도하지 않았다고 확신했다. 그는 격식을 갖춰야 할 순간이면 더욱더 관습을 무시했다.

“무슨 일로?” 벌써 지겨워 죽겠다는 듯 파루크가 물었다.

“드래곤 클랜의 실종 관련 문제입니다, 폐하.” 기억 도우미는 천사처럼 온화하게 기억을 상기시켜 주었다. “폐하의 사냥꾼들이 불의의 사고로 목숨을 잃었습니다. 아르쉬발드 대사가 오늘 아침 전부 보고 드렸습니다. 읽어보시죠, 폐하. 폐하께서 직접 수첩에 적으셨습니다.”

그때 기억 도우미가 파루크에게 수첩 하나를 내밀었는데 손을 하도 많이 타서 페이지 모서리가 전부 해져 있었다. 파루크는 한없이 느린 동작으로 게임 테이블에서 팔꿈치를 떼더니 수첩을 훑어보았다. 애첩들은 파루크를 붙잡고 있던 팔을 빼, 이내 다른 곳을 감으며 아주 작은 몸짓에도 기민하게 반응했다. 그 모습에 오펠리는 매혹과 동시에 반감을 느꼈다. 다이아몬드 왕관을 쓰고, 다이아몬드 목걸이를 하고, 다이아몬드 반지를 끼고 있는 애첩들이 더 이상 사람으로 보이지 않았다.

"드래곤들이 죽었다고?" 파루크가 말했다.

"네, 폐하. 폐하께서 마지막에 적으신 내용입니다." 기억 도우미가 대답했다.

파루크는 자신이 기록한 것을 보며 '드래곤들이 죽었다'고 되뇌었다. (대리석 덩어리처럼 꼼짝 않고 한참을 망설이던 그가 수첩을 넘겼다.) "베르닐드도 드래곤 클랜인데. 내가 여기 썼군."

파루크가 한 단어씩 끊어가며 말했다. 북쪽 지방 억양이 입속에서 폭풍우처럼 몰아쳤다. 너무 멀어서 잘 들리지 않았지만 가히 위협적이었다. 오펠리는 수첩에서 고개를 뗀 파루크의 얼굴에서 조금 전과 달리 걱정하는 기색을 보았다.

"베르닐드는 어디 있나?"

베르닐드는 아무 말도, 아무 인사도 없이 파루크에게 다가가 진짜 부인처럼 그의 볼을 어루만졌다. 이번에는 파루크가 그녀를 곧바로 알아본 것 같았다. 그 역시 아무 말 없이 베르닐드를 응시했다. 하지만 오펠리는 둘 사이의 침묵 속에서 세상의 모든 말보다 훨씬 더 많은 것을 느꼈다.

그 매혹적은 순간은 토른이 참을성 없이 회중시계 뚜껑을 떨각대는 바람에 깨졌다. 그러자 파루크는 표류하는 빙하처럼 다시 천천히 움직여 기억 도우미가 내민 만년필로 수첩에 새로 한 줄을 적었다. 오펠리는 그가 다시는 잊지 않기 위해 '베르닐드가 살아 있다'라고 쓰는 게 아닐까 생각했다.

"그러니까 부인, 가족을 전부 잃었군요. 조의를 표합니다." 파루크가 말했다.

지하에서 들려오는 듯한 그의 목소리에서 아무 감정도 느껴지지 않았다. 자신의 후손 가운데 한 계파가 유혈이 낭자하게 몰살된 것이 아니라는 생각이 들 정도였다.

"참으로 다행스럽게도 제가 유일한 생존자는 아닙니다." 베르닐드가 서둘러 설명했다. "어머니는 최근 벌어진 일들을 알지 못한 채 지방에서 요양 중이십니다. 이 자리에 있는 제 조카는 곧 아내를 맞죠. 드래곤 클랜 계승에는 문제가 없습니다."

오펠리는 괴로울 지경이었다. 언젠가 베르닐드에게 토른과는 서류상 부부로만 남고 아이는 갖지 않을 것임을 알려야 했다.

연단 주위에 모여 있던 귀족들이 항의하는 웅성거림이 점점 커지고 '사생아'라는 단어가 또렷이 들렸다. 토른은 체면을 지킬 생각이 없어 보였다. 일정이 상당히 지체되기라도 한 듯 이마에 구슬땀을 흘리며 회중시계 눈금에 코를 바짝 대고 있었다.

"바로 그래서 면담을 요청했습니다." 아르쉬발드가 환한 미소를 지으며 끼어들었다. "부인이 원하든 원치 않든, 부인의 조카는 한 번도 드래곤들에게 인정받지 못했고, 부인 어머님은 젊은 나이가 아니시죠. 머지않아 부인이 드래곤의 유일한 대표자가 될 것입니다. 그렇기 때문에 궁정에서 부인의 지위가 문제 되고 있습니다. 그 사실을 부인도 있는 그대로 인정해야 합니다."

대사의 일장 연설은 작은 박수를 받았다. 대사관을 대표하는 지위에 걸맞게 아르쉬발드는 다들 속으로만 생각해오던 것을 큰 소리로 말했다. 오펠리는 뒤에서 들리는 타자 소리에 몸을 돌렸다. 선수 테이블에 자리 잡은 서기가 오가는 말을 전부 다 기록하고 있었다.

"그런 이유로 우리 가문은 베르닐드 부인과 오펠리 양에게 공식적인 호의를 베풀었습니다." 아르쉬발드가 날카롭고 커다란 목소리로 말을 이었다.

대사의 선언에 거위 정원의 분위기가 급격히 싸늘해졌고, 이내 박수도 그쳤다. 미라주들은 그제야 베르닐드와 투알 클랜이 동맹을 맺었다는 사실을 알게 되었다.

"군사동맹이 아니라, 외교적 우호 관계입니다." 아르쉬발드는 재미난 농담을 하듯 쾌활하게 덧붙였다. "투알은 부인들에게 어떤 불상사도 일어나지 않도록 살피고자 합니다. 그렇지만 정치적 중립은 유지하고, 배후에서 벌어지는 사소한 악행에 개입하지 않을 것입니다. 다시 말해 그 누구의 목숨도 위협하지 않을 것이며, 그런 일을 대신할 누구도 고용하지 않겠다고 공식적으로 약속합니다."

오펠리는 이처럼 중대한 사안을 명랑하게 발표하는 아르쉬발드를 보며 당혹스러웠다. 아르쉬발드가 동맹관계를 언급했을 때, 그 실체를 밝히지 않았다는 사실에도 주목했다. 그것은 베르닐드가 아르쉬발드를 태어날 아기의 정식 대부로 삼았다는 사실이다. 집안 정령의 직계 후손 문제는 사소한 일이 아닌데도 말이다.

"우리 가문이 제공하는 우정에는 불가피하게 한계가 있습니다, 폐하." 아르쉬발드는 파루크를 향해 말했다. "이 여인들이 궁정에서 폐하의 직접적인 보호를 받을 수 있도록 허락해주시겠습니까?"

파루크는 듣는 둥 마는 둥 했다. 팔꿈치를 무릎에 기대고 지겨운 듯 몸을 숙이고 있었다. 남아 있는 모든 집중력은 무기력하게 수첩을 넘기는 데만 쓸 수 있는 것처럼 보였다.

오펠리는 팔에서 느껴지는 불편함이 어디서 온 것인지 의아해하다가 이내 토른의 손 때문임을 알았다. 토른은 오펠리가 삐끗한 뒤로 줄곧 그녀를 붙잡고 있었는데, 그의 길고 앙상한 손가락이 살을 파고들었다. 파루크가 수첩 중간에 시선을 고정하고 하얀 눈썹을 끝없이 치켜뜨자 토른은 손가락에 더욱 힘을 주었다.

"읽는 여자. 내가 여기에 베르닐드 부인이 읽는 여자를 데려올 거라고 썼다. 그녀는 어디 있나?"

"여기 있습니다, 폐하." 기억 도우미가 오펠리를 가리키며 말했다. "약혼자 옆에 있습니다."

'마침내 올 것이 왔구나.' 오펠리는 떨리는 손을 진정시키려 깍지를 꼈다.

"오, 그러니까 이 여자로구나." 파루크는 수첩을 덮으며 말했다.

어른이 아이 눈높이에 맞추듯 파루크가 몸을 웅크리고 오펠리 앞으로 다가오자 유리 천장 아래로 침묵이 내려앉았다. 오펠리로서는 예상치 못한 대면이었다.

파루크는 오펠리의 얼굴을 자세히 보기 위해 아무런 거리낌도 없이 레이스 베일을 걷었다. 파루크가 자신을 뚫어져라 한참을 살피는 동안, 오펠리는 달아나지 않으려 온 힘을 다해 버텼다. 파루크의 정신력은 오펠리의 시야를 흐릿하게 했고, 머리를 쪼개는 듯 아프게 했으며, 육신과 정신을 장악했다.

"상처가 있네." 그가 불량품을 보듯 실망한 목소리로 말했다.

서기는 이 말들을 성실하게 타자기로 쳤다.

"게다가 나는 어린아이들을 좋아하지 않아." 파루크가 말을 이었다.

오펠리는 왜 사람들이 파루크 앞에서 베르닐드의 임신에 대해 입도 뻥긋하지 않았는지 이해가 됐다. 오펠리는 심호흡을 했다. 바로 지금 이곳에서 아무 말도 하지 않는다면, 그녀의 미래 전체가 위태로워질 수 있다. 오펠리와 눈이 살짝 마주친 로즐린 이모는 솔직히 말하라는 신호를 보냈다. 오펠리는 파루크의 시선을 절대 피하지 않겠다고 다짐하며, 파루크의 비인간적인 아름다운 얼굴을 똑바로 응시했다.

"제가 키가 큰 사람이라고 말할 수 없을지 몰라도, 이제 어린아이가 아닙니다."

오펠리의 목소리는 작디작았고, 멀리서는 들리지 않기에 말을 자주 되풀이해야 했다. 그녀는 연단에 있는 모든 사람이 들을 수 있도록 필요한 호흡을 폐에서 모조리 끌어모았다. 단지 파루크에게만 하는 말이 아니었다. 그녀는 자신을 어린 여자아이 취급하는 고약한 버릇을 지닌 토른, 베르닐드, 아르쉬발드를 비롯한 모든 이를 향해 말했다.

파루크는 생각에 잠긴 듯 아랫입술을 살짝 두드렸고, 수첩 앞부분을 다시 펼쳤다. 오펠리는 서툴게 쓴 글자들과 엄청난 양의 스케치들을 거꾸로 봐도 파악할 수 있을 만큼 가까이에 있었다. 파루크는 막대기 같은 팔, 밤색과 오렌지색으로 칠한 곱슬머리에 두꺼운 안경을 쓴 사람을 그린 그림을 보며 뜸을 들였다.

"아르테미스지." 그는 느릿느릿 설명했다. "아르테미스는 내 누이고, 네 집안의 정령이니 내게는 아주 아주 아주 먼 조카뻘이 될 거 같은데?" 파루크는 그림에서 눈을 떼지 않고 결국 인정하듯 말했다. "맞아. 너를 보니 누이가 떠오르는 것 같군. 특히 그 안경 말이야."

오펠리는 파루크가 마지막으로 누이를 본 게 언제였을까 궁금했다. 아르테미스는 이 휘갈긴 그림과 닮은 구석이 하나도 없고 안경도 쓰지 않기 때문이었다. 집안의 정령들은 절대 자기 아슈를 떠나지 않았다. 파열 전 과거에 어린 시절을 함께 보냈을지 몰라도 생생한 기억을 간직한 것 같지는 않았다. 엄청나게 오래 살기에 으레 따라오는 부작용처럼 그들은 어떤 기억도 없었고, 그들의 과거 — 사실은 전 인류의 과거 — 는 베일에 가려져 있었다. 읽는 사람인 오펠리조차도 그들의 개인사에 대해 아는 바가 없었다. 그녀는 정령들도 아주 오래전에는 부모가 있었을까 때때로 궁금했다.

"그러니까 아르테미스의 아이인 네가 물건들의 과거를 읽을 수 있다는 건가?" 파루크가 말을 이었다.

"몹시 유감스럽게도 그것이 제가 열 손가락으로 제대로 할 수 있는 유일한 일입니다." 오펠리가 한숨짓듯 말했다.

거기에 더해 거울들을 통해서 이동할 줄도 알았지만 이를 전문적 능력으로 분류하기는 더 난해했다.

"유감스럽게 생각할 건 없다."

파루크의 처진 눈 아래로 섬광이 스쳤다. 그는 한없이 느린 몸짓으로 커다란 황제 망토 안에 손을 집어넣더니 표지에 보석들이 박힌 책 한 권을 꺼냈다. 파루크의 덩치에 비하면 포켓북 같은 크기였으나 오펠리에게는 백과사전만 했다.

"그럼 어디 내 책을 읽어보겠나?"

오펠리는 호기심만큼이나 강렬한 두려움을 느꼈다. 이건 분명 여느 책과는 달랐다. 오펠리는 오랫동안 이런 종류의 책이 아니마에 있는 아르테미스 개인 아카이브에 딱 한 권만 존재하리라 생각했었다. 워낙 독특한 고문서로, 오펠리는 물론이고 최고의 읽기 능력자들도 결코 해독해낼 수 없었다. 그녀는 폴에 도착해서야 아슈들에 다른 책들이 있다는 사실뿐 아니라 무엇보다 자신의 결혼이 파루크의 책 때문이라는 것을 알게 되었다.

그래서 마침내 자신의 운명과 엮인 책을 직접 보자, 손이 근질근질해지며 본능적으로 책을 향해 손을 뻗고 싶었다. 이 책의 비밀을 꿰뚫는다면 자유로워질 수 있지 않을까?

"그녀가 아닙니다."

음산한 목소리가 마치 장례식의 징 소리처럼 울렸다. 회견 내내 침묵을 지키던 토른이 처음으로 입을 열었다. 이 순간만을 기다렸다는 듯 토른은 거칠게 오펠리의 팔을 잡아끌어 자신의 그림자 뒤로 가렸다.

"제가 합니다."

책을 손에 쥐고 내내 구부정하게 있던 파루크는 낮잠을 깨웠다는 듯 얼빠진 얼굴로 토른을 향해 치켜뜬 눈을 깜박였다.

"폐하의 책은 제가 읽을 것입니다." 토른이 단호하게 되뇌었다. "넉 달하고 아흐레 후, 제가 아내의 능력을 물려받게 될 때, 그리고 그 능력을 사용할 수 있게 될 때 말입니다. 이게 저희의 계약 조건입니다."

토른은 회중시계를 정리하고 한 손을 제복 주머니에 찔러 넣고는 무뚝뚝하게 행정 서류를 펼쳤다. 다른 손으로는 여전히 약혼자를 붙들고 있었다. 오펠리는 그의 몸짓이 다정함의 표시도 보호를 위한 것도 아님을 알았다. 그것은 파루크와 궁정 전체를 향한 통보였다. 바로 자신이 오펠리의 읽는 능력을 독점하고 있음을 알린 것이다.

오펠리의 온몸이 머리부터 발끝까지 움츠러들었다. 폴에서 그녀가 알게 된 그 무엇도 지금보다 더 혐오스러웠던 적은 없었다. 기증 의식은 결혼을 통해 부부가 각자 집안의 능력을 서로 나누는 의례였다. 토른은 정략결혼의 유일한 목적이 아니마 사람으로서의 오펠리의 능력을 물려받아 읽는 사람이라는 자신의 진가를 발휘하는 것임을 들키지 않기 위해 극도로 조심했다. 어머니에게서 비상한 기억력을 물려받았으니, 두 집안의 능력을 결합한다면 파루크의 책을 해독하기 위해 머나먼 과거로 시간을 거슬러 올라갈 수 있을 거라 생각하는 듯했다.

토른은 역사적 발견 자체에는 관심이 없었다. 개인적 야심으로 가득 차 있을 뿐이었다.

"결혼할 때까지 약혼녀와 고모님을 폐하의 보호 아래 두시겠습니까?" 토른이 고집스레 물었다. "또한 폴을 방문하게 될 아니마 사람들도 보호해주십시오. 그래야 그들과 외교적 우호 관계를 유지할 수 있습니다."

토른이 지독히도 심한 북쪽 지방 억양으로 각 음절을 거칠게 발음한 탓에 파루크에게 이런 부탁을 하는 것을 정말로 못마땅해하는 것처럼 들렸다. 베르닐드는 차분히 침묵을 지켰다. 베르닐드를 잘 아는 사람은 온화한 미소 뒤에 숨겨진 근심을 읽을 수 있었다.

오펠리는 야유를 퍼붓기 위해 작은 실수만을 기다리고 있는 관객이 지켜보는 연극 무대에서 함께 연기를 하고 있음을 알아차렸다. 단어, 억양, 몸짓 하나하나가 모두 중요했다. 그런데 이 무대에서도 그녀의 최대 적은 토른이었다. 토른 때문에 사람들은 오펠리를 남편 그림자 뒤에 숨은 아내로만 기억할 수도 있을 것이다.

파루크는 따분해하며 토른이 내민 계약서 조항들을 다시 읽었다. 그러더니 망토 안에 책을 집어넣고 근육과 관절을 하나씩 펴서 완전히 일어섰다. 토른은 컸고 파루크는 거대했다.

“유일하게 잘 하는 게 읽는 것인데 내가 읽어달라고 할 수 없다면 저 여자를 무엇에 쓰지?” 파루크가 느릿느릿 말을 이었다. “나는 나를 즐겁게 해줄 사람만을 주위에 둘 뿐이다.”

다시없는 기회였다. 오펠리는 토른의 팔을 뿌리치고 그의 그림자를 벗어나 고개를 들고 파루크를 정면으로 응시했다. 고통스러웠지만 어쩔 수 없었다.

“즐겁게 해드릴 수는 없지만, 쓸모 있는 사람이 될 수 있어요. 저는 아니마에서 박물관을 관리했습니다. 이곳에서도 열 수 있어요. 박물관요. 박물관은 기억과 같죠. 폐하의 수첩처럼요.” 오펠리는 신중히 단어를 고르며 강조했다.

오펠리는 토른의 표정을 볼 수 없었지만, 웃음기가 싹 가신 베르닐드의 얼굴은 똑똑히 볼 수 있었다. 베르닐드가 오펠리에게 좋은 인상을 남기라고 요구했을 때 분명 이런 것을 생각하지는 않았을 것이다. 오펠리는 연단 주위에서 청중들이 놀라서 웅성거리는 소리를 있는 힘껏 무시했다. 그녀는 이런 요청을 함으로써 아마도 궁정 예절의 절반을 어겼을 터였다.

“어떤 종류의 박물관을 관리했나?” 파루크가 물었다.

“원시 역사박물관요.” 파루크의 호기심을 깨우는 데 성공해 마음이 놓인 오펠리가 서둘러 답했다. “옛 세계와 관련된 모든 것이었습니다. 물론 폐하가 보유하신 사료에 맞춰드릴 수 있습니나."

파루크는 정말 관심을 갖는 듯했고 오펠리는 잠시나마 자신만의 박물관과 독립 그리고 자유를 쟁취해냈다고 믿었다. 그러나 서기가 성실하게 타자기로 써 내려간 답변을 듣고 귀를 의심했다.

"그래 이야기*란 말이지. 잘되었군, 아르테미스의 아이여. 내게 이야기를 들려다오. 너와 네 가족을 보호해 주는 대가이다. 너를 부-스토리텔러로 임명한다."

* histoire라는 단어는 '역사'와 '이야기'의 의미를 동시에 가진다. 오펠리가 '역사'로 의미한 단어를 파루크는 '이야기'로 이해했다.

계약서

방금 벌어진 일에 얼이 나간 오펠리가 목도리 때문에 비틀거리며 연단을 내려가는 찰나 강렬한 플래시 조명이 그녀의 눈을 멀게 했다. 사진을 찍힌 게 태어나 처음인 데다, 아주 낙심한 사람처럼 보이는 순간에 벌어진 일이었다. 사진사는 마그네슘 연기에 휩싸인 사진기를 팔에 끼고 오펠리를 만나기 위해 달려들었다. 달걀 같은 민머리에 성미가 냄비처럼 펄펄 끓는 미라주였다.

"아니마 아가씨! 저는 시타시엘에서 최고의 구독률을 자랑하는 니베룽겐 편집장 체크오브입니다. 몇 가지 질문에 답해주실 수 있나요? 파루크 폐하께서 아가씨를 조금 전 부-스토리텔러로 임명하셨습니다." 그는 오펠리가 대답할 시간도 주지 않고 질문을 이어갔다. "현직 스토리텔러이신 에릭 선생님의 라이벌이 되는 건데 감당할 수 있을까요? 그의 황홀한 팬터마임 공연과 나란히 프로그램이 구성되려면 엄청난 재능이 필요할 겁니다. 사십 년간 공연을 해왔는데 누구도 대적할 자가 없었죠! 무대 위 당신의 자리를 지키기 위해 어떤 전략을 갖고 있나요?"

어찌 된 일인지 오펠리는 신문사 대표가 하는 말을 들었을 뿐인데 드레스가 땀으로 흠뻑 젖었다. 무대라고? 게다가 무대 위에서 공연까지 해야 한다고?

자신을 차갑게 노려보며 대답을 기다리는 귀족들을 보자 더더욱 어찌할 바를 몰랐다. 다행히 파루크가 연단 위에서 베르닐드의 머리에 왕관을 씌워 모두의 시선이 그리로 쏠렸기에 오펠리는 한숨 돌릴 수 있었다. 미라주들은 왕관을 씌우는 모습을 보며 마지못해 손뼉을 쳤다.

야자수와 부겐빌레아 꽃을 배경으로 다이아몬드로 치장한 베르닐드의 볼은 발그레해졌고, 두 눈은 유리 천장을 통해 들어온 환한 빛을 받아 더욱 반짝였다. 오펠리의 눈에는 이국의 여왕처럼 보였다. 여왕이라니? 아니지. 그냥 귀족이지.

"안쓰러워라." 군중 사이를 힘들게 헤치고 마침내 오펠리에게 다가온 로즐린 이모가 말했다. "다이아몬드가 있어야만 자기와 내밀한 관계의 여자들을 기억하는 남자를 사랑하기란 쉽지 않을 거야."

"저를 위해서 받아들인 거예요." 오펠리가 중얼거렸다. "파루크 폐하는 저를 궁정에서 지켜주고, 베르닐드는 저를 파루크에게서 지켜주는 거예요."

"실은 베르닐드보다 네가 더 안쓰러워. 토른이 무딘 사람이란 건 알고 있었지만, 그래도 오직 네 두 손만 보고 있다니. 분명 심장이 기계로 되어 있을 거야. 너, 전구처럼 창백하구나." 로즐린 이모가 걱정스레 말했다. "갈비뼈가 아프니?"

오펠리는 시야를 막는 성가신 레이스 베일을 모자에서 떼어 버렸다.

"제가 미련하게 굴어서 아픈 거죠. 언제고 가족들이 들이닥칠 텐데 제가 무대에서 펼칠 공연에 모두의 안전이 달려 있어요. 이모는 제가 스토리텔러 역할을 해낼 수 있다고 생각해요?"

로즐린 이모는 당혹감을 숨기지 못하고 입만 뻐끔대다 오펠리의 어깨를 붙들었다.

"귀족들이 한눈파는 사이에 여길 빠져나가자. 밖에서 베르닐드를 기다리자꾸나. 그리고 걸을 때 조심하렴. 네 목도리는 정말 제멋대로야."

오펠리는 베르닐드를 축하해주기 위해 귀족들이 몰려든 연단을 마지막으로 바라봤다. 토른은 여전히 그곳에 있었지만, 서기가 막 건넨 보고서를 읽는 데 집중하고 있었기에 그곳에서 베르닐드에게 아무 관심도 없는 유일한 사람처럼 보였다. 그가 오펠리를 보기 위해 타자로 친 문서 너머로 금속처럼 번뜩이는 눈을 들어 올리자 그녀는 곧바로 고개를 돌렸다.

"뭐 대단한 사랑은 아니네요! 안 그래요?"

한 여인이 정원의 야자수들 사이로 모습을 드러내며 속삭였다. 큰 키에 상당히 무거워 보이는 금 펜던트들이 매달린 베일을 쓰고 있었다. 눈꺼풀에 새겨진 미라주의 문신을 본 오펠리는 마음을 놓을 수 없었다. 여인이 당황스러울 정도로 친근하게 두 손으로 오펠리의 얼굴을 감싸고 상처를 살피자 경계심은 더욱 커졌다.

"토른이 당신을 이런 상황으로 몰았죠? 아가씨?"

토른 탓으로 돌릴 수 없는 단 한 가지가 있다면 그건 아마도 얼굴의 상처라고 답하고 싶었지만, 재채기만 나왔다. 여인에게서는 머리를 빙빙 돌게 할 정도로 독한 향수 냄새가 났다.

"누구신지요?" 로즐린 이모가 물었다.

"퀴네공드입니다." 미라주는 오펠리를 계속 주시하며 말했다. "연단 위에서 당신의 시도가 정말 마음에 들었어요. 아가씨와 난 비슷한 구석이 있는 것 같아요."

퀴네공드가 팔을 들어 올리자 금 장신구들이 방울처럼 찰랑거렸다. 그녀는 귀족 행렬에서 미라주 한 명을 가리켰다. 위풍당당하고 비대한 풍채의 남자가 눈에 들어왔다. 그럴싸한 환영 덕분에 프록코트 줄무늬가 온통 무지개 색으로 보였다. 오펠리는 어렵지 않게 멜키오르 남작을 알아봤다. 하인으로 위장해 일하던 시절 오펠리는 클레르들륀의 복도에서 그와 한 번 이상 마주쳤었다.

"당신에게 토른은 눈엣가시죠?" 퀴네공드가 오펠리의 귀에 소곤댔다. "저는 제 동생이 그래요. 금으로 된 손가락을 가진 남작! 위대한 환영을 만드는 재단사! 우아부 장관! 가문에 이바지한 공로로 레지옹도뇌르 훈장까지 받았죠. 멜키오르는 항상 스포트라이트를 차지했고, 그동안 나는 음지의 예술가로 머물러야 했어요. 왜 그런지 알아요, 아가씨? 남자들은 자기들만이 세상을 돌아가게 할 수 있다고 믿기 때문이죠."

"남자들의 그림자에서 벗어나려면 뭘 해야 하죠?" 퀴네공드의 말에 깊이 감명받은 오펠리가 물었다.

"힘을 합쳐야죠. 왜 클랜 사이의 터무니없는 소란 때문에 우리가 라이벌이 되어야 하죠? 우린 클랜에 속하기 이전에 여자들입니다. 그것도 진취적인 여자들요!"

"지당한 말씀이세요." 로즐린 이모가 끼어들었다. "전적으로 동의합니다, 존경하는 부인. 제 조카가 홀로 헤쳐 나갈 수 있다면 저는 안심하고 아니마로 돌아갈 거예요. 그런데 부인은 어떤 기술을 다루시죠?"

쿼네공드 얼굴에 미소가 번지며 붉은 입술이 벌어졌다.

"이마지누아*를 운영하고 있어요. 쉽게 말해, 음란한 환영을 만들어내는 곳이죠. 제가 '에로틱한 환희'라 이름 붙인 이 환영들은 확실히 말씀드리지만, 남자들만을 위한 게 아닙니다."

오펠리는 로즐린 이모가 두 눈을 치켜뜨는 모습에서 쿼네공드가 애초부터 '존경받는 부인'이 될 생각이 없었음을 눈치 챘다.

"파루크 폐하 주변에는 두 부류의 여자들이 있죠. 끼를 부리는 여자들과 도움을 주는 여자들. 폐하를 즐겁게 하지 못한다면 이곳에서 오래 살아남을 수 없을 거예요. 손을 좀 봐도 될까요, 아가씨?"

오펠리는 당황해서 망설이다가 읽는 사람용 장갑의 단추를 풀었다. 쿼네공드는 매료된 표정으로 칼날처럼 날카로운 붉은 손톱으로 오펠리의 손금을 따라 그었다.

* Imaginoir는 '검은 이미지'를 뜻한다.

"손이 참 작고 평범하네요… 그런데도 시타시엘 전체를 두려움에 떨게 하는 손이군요."

"파루크의 책 때문인가요?" 오펠리가 놀라서 물었다.

퀴네공드가 오펠리에게 윙크하자 순간 눈꺼풀의 문신이 드러났다.

"물건들은 당신 앞에서 어떤 비밀도 없겠군요. 말하자면 아가씨는 궁정에 숨겨진 작은 비밀들을 전부 파헤칠 수 있다는 거죠." 퀴네공드가 아주 작은 소리로 말했다. "비밀은 셀 수 없을 정도로 많아요."

오펠리는 거위 정원 울타리 주변에 모여 있는 귀족들을 보다 주의 깊게 둘러보았다. 멀리서도 자신을 쏘아보는 적대적인 시선이 느껴졌다. 여자들은 특히 머리핀 하나라도 잃어버리면 위태로운 상황에 처할 거라는 듯 초초하게 장신구를 확인했다.

"거래를 제안하죠, 아가씨." 퀴네공드가 오펠리의 손을 붙잡으며 말을 이었다. "당신을 위해 최고의 환영을 만들어줄게요. 현직 스토리텔러를 뛰어넘는 공연을 보장하죠." 그녀는 한층 목소리를 낮추며 말을 이어갔다. "그 대가로 당신의 손가락을 날 위해 쓸 수 있도록 해줘요."

퀴네공드가 바싹 달라붙자 향수가 화산 연기처럼 오펠리를 숨 막히게 했다.

"부인의 제안에 감사드립니다." 오펠리는 애써 기침을 참으며 답했다. "그런데 거절할 수밖에 없습니다. 물건 소유자가 동의하지 않는 한 아무것도 읽을 수 없거든요."

퀴네공드의 미소가 짙어지고 그녀의 손톱이 오펠리의 두 손을 파고들었다.

"거절한다고요?"

"네, 부인."

"내가 오해한 것 같군요. 연단 위에서 야심 찬 젊은 여인을 봤다고 생각했는데. 작은 충고 하나 드려도 될까요, 아가씨? (퀴네공드의 손톱이 오펠리의 두 손을 더욱더 세게 파고들자 로즐린 이모는 걱정스러운 기색을 숨길 수 없었다.) 미라주에게는 결코 '아니'라고 말하지 말아요."

"협박인가요?"

아르쉬발드가 구멍 난 프록코트 주머니에 두 손을 집어넣고 낡은 실크해트를 비스듬히 쓴 채로 한가로이 다가오며 물었다. 그와 함께 온 두 명의 노파는 장례식에 사용되는 종을 연상시키는 폭이 굉장히 넓은 까만 파딩게일을 입고 있었다.

"제안이죠, 대사님." 퀴네공드는 아르쉬발드보다는 두 노파에게 말하듯 답했다. "단순한 제안입니다."

퀴네공드는 이 말을 남기고는 오펠리에게 눈길도 주지 않고 펜던트를 찰랑거리며 자리를 떴다.

"한 번도 지질 않는군요, 토른 약혼자님!" 아르쉬발드가 불쑥 웃음을 터트렸다. "성에 들어오자마자 벌써 적부터 만들었어요. 그것도 대단한 사람을. 절망한 예술가보다 더 무서운 사람은 없죠."

오펠리는 통증 때문에 인상을 쓰며 장갑 단추를 채웠다. 퀴네뽕느의 손놉은 상당한 타격을 입혔다.

"절망한 예술가라고요?" 오펠리가 되물었다.

아르쉬발드는 프록코트 주머니에서 파란색 예쁜 모래시계 하나를 꺼냈다. 오펠리는 한 번도 사용해보지 않았지만, 그 명성은 익히 들어 알고 있었다. 연결 핀만 뽑으면 작동하는데, 모래가 떨어지는 동안 천국 같은 곳을 다녀올 수 있게 해주었다. '가장 생생한 색깔들과 가장 황홀한 향기, 가장 사랑스러운 애무를 상상해봐. 그래도 그 환영이 네게 가져다줄 것들을 실감할 순 없을 거야.' 르나르가 일전에 설명해주었다.

"퀴네공드 부인의 사업은 시들해졌죠." 아르쉬발드가 말했다. "일드가르드 부인이 이 모래시계들을 내놓은 뒤로 이마지누아는 하나둘 문을 닫고 있어요. 수치스러운 장소에 공공연히 모습을 드러낼 귀족이 어디 있겠어요? 아주 은밀하게 연결 핀만 제거하면 되는데." 그가 불쑥 말을 돌렸다. "여러분의 수행원들을 소개해드리죠. 제가 베르닐드 부인께 보호를 약속했었죠. 자 이분들입니다!"

아르쉬발드는 과장된 동작으로 뒤에 조용히 서 있는 두 노파를 가리켰다. 핏기 없는 두 눈 사이에 새겨진 가족 문신은 신비한 점을 그려놓은 것 같았다. 두 노파는 냉랭하고 사무적인 눈으로 오펠리를 바라보았다.

"이 부인들이 저희를 보호한다고요?" 로즐린 이모가 분개했다. "헌병들이 더 낫지 않을까요?"

"여러분은 파루크의 다른 애첩들처럼 규방에서 지내실 겁니다." 아르쉬발드가 설명했다. "남자들은 출입할 수 없죠. 걱정하지 말아요, 발키리들이 여러분의 안전을 최고로 보장해줄 테니."

놀란 오펠리가 눈썹을 치켜 올렸다. 클레르들륀에 오래 머물렀기에 발키리들에 대해 들어본 적이 있었다. 외교 수행에 특화된 부인들로, 작은 것까지 세심한 주의를 기울여 살피고, 모든 대화를 경청했다. 발키리는 투알의 다른 구성원들과 텔레파시로 소통하였고, 투알 중 일부는 발키리가 보고 들은 것들을 밤낮으로 기록하는 임무를 맡았다. 발키리의 보호를 받는 인물들은 철저한 감시 하에 있었다. 귀족이라고 다 이런 보호를 받는 것은 아니다.

오펠리는 아르쉬발드의 눈을 정면으로 응시할 수 있도록 안경을 고쳐 썼다. 두 개의 창문 너머로 하늘을 바라보는 것 같았다.

"저는 엄청난 오해의 피해자가 되었어요. 제게는 이야기를 들려줄 능력이 없어요. 대사님, 저희 우정을 생각해서라도 오해를 풀도록 도와주실 수 있나요?"

아르쉬발드는 미안한 건지 비꼬는 건지 알 수 없는 미소를 지으며 고개를 저었다. 머리를 단정히 빗지도 않고, 면도도 제대로 하지 않고, 바느질이 엉망인 옷을 입고 있었지만, 도발적인 아름다움을 풍겼다.

"말하자면 이런 거예요, 토른 약혼자님. 이부자리를 깔았으면 잠을 자야죠. 더군다나 파루크와 함께인데."

"제 입장을 제대로 설명할 시간이 없었어요. 제 계획의 정당성을 더 잘 설명했더라면….”

“당신 계획요?” 아르쉬발드가 비웃었다. “설마 그 말도 안 되는 역사박물관 얘기는 아니겠죠? 그런 건 당장 잊어요, 이곳에서 그런 지겨운 일에 관심을 보일 사람은 아무도 없을 테니.”

“당신은… 아무렇게나 자른 널빤지보다 더 거친 분이시네요!” 로즐린 이모가 씩씩댔다.

아르쉬발드는 로즐린 이모의 모욕이 몹시 재미있다는 듯 그녀 주위를 맴돌았다.

“아니에요, 이모. 대사님 말이 맞아요.” 오펠리가 말했다.

유리 천장으로 들어온 강렬한 햇빛이 그녀의 안경에 쌓인 먼지를 두드러져 보이게 했다. 오펠리는 베르닐드가 준 아름다운 하얀 드레스가 더러워지든 말든 드레스에 안경을 닦고, 곰곰이 생각에 잠겼다. 그녀는 지난 몇 주간 새로운 생각이나 가능성들을 탐색할 시간이 있었지만, 그 대신 자신의 예전 삶에 매달려 있었다.

“이걸 한번 주의 깊게 봐주세요.” 아르쉬발드가 불쑥 끼어들었다. “행사 진행자에게 ‘빌렸’답니다.”

그는 거위 게임에서 사용했던 예쁜 주사위 두 개를 꺼냈다. 로즐린 이모는 대사가 내민 주사위들을 낚아채 직접 조카에게 전달했다. 대사의 집에서 그의 방탕한 짓거리들을 충분히 목격했기에 조카와 손가락이 스치는 것도 용납할 수 없었다.

오펠리는 주사위들의 면 어디에도 아무것도 새겨져 있지 않다는 것을 알았다.

"아시겠어요, 토른 약혼자님? 주사위는 속임수예요. 미라주가 행사 진행자라고요. 자기가 주사위를 던지고 어떤 숫자를 나타낼지 결정하죠."

"그래서 대사님이 매번 구멍에 빠지신 건가요?" 사실을 알고 충격을 받은 오펠리가 중얼거렸다.

"언제나 파루크가 이기죠. 아가씨가 파루크에게 치즈 가게를 열자고 제안했다면 그는 초콜릿 가게를 열라고 했을 겁니다."

바로 그 순간 거위 정원에서 환호성이 터져 나왔다. 오펠리는 야자수와 분수 때문에 선수용 연단을 볼 수 없었지만, 게임이 다시 시작된 거라고 짐작했다. 새로운 가짜 주사위들로 새로운 판이 벌어졌다.

"더 교활하지 못할 바에는" 영지를 얻기 위해 파루크의 승기를 기다리던 보리스 백작을 떠올리며 오펠리가 말했다. "박물관 얘기를 꺼내는 대신 그의 책을 읽겠다고 제안할걸 그랬어요. 토른이 저를 밟고 올라서도록 내버려둔 셈이에요."

아르쉬발드는 놀라움에 두 눈을 크게 뜨고 환한 미소를 지었다.

"이런! 이런! 당신보다 앞서 여기 왔던 읽는 사람들에게 무슨 일이 닥쳤는지 모르세요?"

"하나같이 실패해서 파루크의 불만을 샀다고 들었어요. 제 운을 시험해볼 수 있을 거예요. 자신 없는 것투성이지만 읽는 능력만큼은 훌륭해요."

"그런 생각은 버리세요." 아르쉬발드가 한 치의 망설임도 없이 말했다. "조금 전 연단 위에서 당신을 주의 깊게 살펴봤는데 파루크가 보기만 했는데도 졸도할 뻔했잖아요. 그가 분노하면 당신에게 어떤 결과를 초래할지 한번 상상해봐요. 파루크를 실망시켜서 피눈물을 흘리고 단단히 미쳐버린 사람들을 봤죠. 우리 집안의 정령은 자제할 줄을 몰라요."

오펠리는 여전히 발을 감고 있는 목도리를 흔들었다. 아르쉬발드가 그녀를 겁주려고 한 말이었다면 성공했다.

"책은 포기해요." 그가 고집스레 말했다. "우리 가문에서 책을 해독할 최고의 전문가들을 고용했다가 패가망신할 뻔했어요. 문헌학자들, 읽는 사람들, 그 비슷한 무리까지. 어쨌든 한 가지 교훈은 얻었죠. 그 책은 풀리지 않는 방정식이라는 것. 시간이 흘러도 변질되지 않으니 시대를 추정할 수가 없어요. 한 번도 본 적 없는 글씨로 쓰여 있어 번역도 불가능하죠."

"우리 집안의 정령인 아르테미스도 비슷한 책 한 권을 소장하고 있어요." 오펠리가 지적했다. "집안의 정령들은 전부 다 하나씩 갖고 있나요?"

"그 질문에는 답을 드리기가 어렵군요. 아슈마다 작은 비밀들을 지니고 있으니." 아르쉬발드가 알 수 없는 미소를 띠며 말했다. "그러니 당신 대신 토른 뼈가 으스러지게 내버려둡시다. 그럼 당신은 사랑스러운 어린 과부가 될 테니까요."

가짜 햇볕이 비추고 있었음에도 오펠리는 온몸에 소름이 돋았다. 그녀는 철저하게 무관심한 태도로 말없이 대화를 듣고 있는 두 명의 발키리를 차례로 본 뒤 낮은 소리로 물었다.

"파루크가 왜 그토록 자기 책에 집착하는 거죠?"

아르쉬발드는 실크해트가 잔디 위에 떨어질 정도로 폭소를 터트렸다.

"그 질문은 말이죠, 토른 약혼자님." 그는 숨을 한 번 고르고 나서 대답했다. "아마도 폴에 사는 이들 모두 당신처럼 궁금할 겁니다. 그 책은 파루크의 유일한 강박이죠. 당신을 위해 한 번 더 말씀드릴게요. 무슨 일이 있어도 절대 파루크 앞에서 그 얘길 꺼내지 마요."

아르쉬발드는 실크해트를 잡아서 공중에서 빙글 돌린 뒤 광대처럼 머리로 받아서 썼다. 그러나 오펠리는 아주 심각하게 그를 바라봤다. 대사는 선동가이고 자기중심적인 사람일지도 모르지만 최소한 가짜는 아니었다.

"이곳에서 제 안위를 걱정해주는 사람을 많이 보지 못했어요. 고마워요, 대사님."

"오, 고마워할 필요는 없어요. 제가 당신에게 정보를 주면 줄수록 당신이 갚아야 할 빚이 커질 뿐이니까요. 언젠가 비용을 청구할게요."

"빚이요? 무슨 비용요?" 오펠리가 놀라서 물었다. "제게 우정을 베푸신 거잖아요."

"바로 그겁니다. 계산을 바르게 해야 좋은 친구가 되는 법이죠. 걱정하지 말아요, 너무 즐거워서 또다시 빚을 지고 싶어 못 견딜 테니."

오펠리는 궁정에서 유일하게 기댈 수 있는 자가 저토록 음탕

한 인물이라는 사실이 딱하게 느껴졌다. 그가 가장 즐겨 하는 취미는 여자들을 불륜으로 이끄는 것이었다. 토른의 약혼녀가 아니었다면 아르쉴바드는 자신에게 절대 흥미를 보이지 않았을 터였다.

"그렇게 질 나쁜 사람들과 어울리지 말라고 했잖아!" 로즐린 이모가 격분해서 평소보다 노래진 낯빛으로 소리쳤다. "대사님, 제 조카와 거리를 유지하는지 제가 지켜볼 겁니다."

고무줄처럼 쭉 늘어난 아르쉬발드의 미소가 계속 커져갔다.

"로즐린 부인, 제가 부인을 아끼기에 이런 말씀 드리기 송구스럽지만, 언제나 아가씨를 감시하실 수는 없을 겁니다. 그건 감독관님도 마찬가지고요."

오펠리는 너무 갑작스럽게 몸을 돌리는 바람에 금이 간 갈비뼈가 아파져 숨이 멎을 지경이었다. 바로 뒤, 머리 두 개쯤 위로 토른이 보였다. 타자로 친 문서를 손에 들고 잔디밭에 거석처럼 서 있었다. 오펠리는 토른이 어느 곳에서도, 어떤 자리에서도, 어떤 테이블에서도, 어떤 모임에서도 편하게 있는 모습을 본 적이 없지만, 이국적인 정원에서는 특히 더 불편해 보였음을 인정해야 했다. 강렬한 햇살이 그의 얼굴에 난 상처 두 곳을 두드러지게 했고 옅은 머리카락에서는 땀이 뚝뚝 흘러내렸다. 제복 안은 분명 찜통 같았을 것이다. 하지만 토른은 더위로 누그러지기는커녕 머리부터 발끝까지 경직된 모습이었다.

토른은 바닥에 깔린 양탄자보다 아르쉬발드에게 더 무관심한 태도를 보이며 오펠리에게 종이를 건넸다.

"계약서를 주러 왔어."

"설명 따위는 필요 없어." 오펠리는 그의 손에서 서류를 빼내며 신경질적으로 말했다.

오펠리는 토른을 상대로 싸웠지만 처참히 패했다. 그녀는 아주 작은 비난이나 비아냥거림에도 분노를 터뜨릴 태세였다.

토른은 조금도 당황하지 않았다.

"당신 가족과 무선 전보로 연락을 취했다고 말해주려고. 가족들에게 당신 상황을 전해서 안심시켰고 방문 일정을 미뤘어."

아마도 종일 들었던 소식 가운데 가장 좋은 소식이었을 것이다. 그런데도 오펠리는 또 다른 모욕처럼 느꼈다.

"연락을 취할 때 내가 있었다면, 내가 기뻐했을 거라는 생각은 전혀 안 들었어? 우리가 떠나온 뒤로 부모님은 편지 한 통 받지 못했어. 우리도 그랬고. 이모와 내가 얼마나 고립된 상황인지 상상이나 할 수 있어?"

"가장 급한 것부터 처리했어." 토른은 이 상황이 즐겁다는 듯 지켜보는 아르쉬발드를 거들떠보지 않고 답했다. "지금 같은 시기에 여기 오는 건 우리 못지않게 당신 가족에게도 위험할 수 있어. 다음에 보내는 편지들은 잘 전달되도록 신경 쓸게."

"그러면 당신 계약서는?" 오펠리가 물었다. "내가 알아야 할 권리가 있는 거야? 아니면 그것도 내 알 바가 아닌가?"

계속 찌푸리고 있던 토른의 눈썹이 오펠리의 질문에 한층 더 일그러졌다. 그는 제복 안주머니에서 봉투를 꺼냈다.

"사본을 줄 생각이었어. 반드시 몸에 지니고 다니고 필요할 배나나 파루크 앞에 내보여."

오펠리가 봉투를 열자 안에 있던 종이가 떨어졌다. 그녀는 잔디 위에서 종이를 집어 들어 최대한 집중해 읽었다. 토른의 계약서 사본이었다. 전부 다 적혀 있었다. 아니마의 읽는 여자(오펠리의 이름은 명시되어 있지 않았다)와의 약혼, 8월 3일로 정해진 결혼식 날짜, 심지어 파루크의 책을 읽는 날까지 11월로 계획돼 있었다. 토른이 선택한 약혼녀는 이 계약과 관련해 어떤 책임도 없음이 아주 분명하게 적혀 있었다. 책 읽기에 대한 보상 조항에 이르자 오펠리의 안경은 침울한 색으로 물들었다.

성공하면 토른은 공식적으로 귀족 칭호를 얻으며 이후 사생아 신분은 폐기된다.

오펠리는 목이 메었다. 토른의 모든 야심이 단 한 줄로 요약되어 있었다. 그는 귀족 놀음을 위해 자신을 가족에게서 떼어내 위험에 처하게 했다. 베르닐드에 대한 언급은 어디에도 없었다. 조카의 계획을 도우려고 위험을 감수한 고모에 대해서는 아무런 생각도 하지 않은 것이다.

토른은 그 누구에 대해서도 신경 쓰지 않았다. 그래서 오펠리도 그에게 신경을 끄기로 결심했다.

"언젠가 비용을 지급하겠어요." 오펠리는 아르쉬발드에게 약속했다. "어떤 식으로 지급할지는 제게 선택권을 주세요. 공정하게 지급할게요."

온갖 종류의 미소를 지을 줄 아는 아르쉬발드는 오펠리가 한 번도 보지 못한 인상을 썼다. 자기 때문에 당혹스럽다는 표정이었다. 그래봐야 눈 한 번 깜박일 순간이었다. 이내 장난스러운 손짓으로 실크해트를 건드렸다.

"계산서를 어서 보고 싶네요, 토른 약혼자님! 그때까지 당신과 떨어져 있어야겠어요. 너무 오랫동안 클레르드륀을 비웠거든요." 그는 이마의 작은 문신을 톡톡 건드리며 말했다. "고양이가 없으면 쥐들이 설치기 마련이죠."

쥐들은 그가 조심스럽게 돌보던 누이들이었다. 아르쉬발드가 한 바퀴 휙 돌고 발길을 돌리려는 찰나 바로 옆에 있던 로즐린 이모와 부딪칠 뻔했다. 턱 끝을 들고, 머리는 하늘을 향해 작게 틀어 올렸으며, 말처럼 엄한 얼굴을 하고, 장식 없는 드레스를 입고 가지런히 두 손을 모으고 있는 로즐린 이모는 온몸으로 여성의 품위를 드러냈다.

"대사님은 소금통보다 더 음란하군요. 제가 토른에게 정말로 호감을 갖고 있다면 거짓말이겠죠." 이모는 자기 시계 말고는 다른 데 관심을 두지 않는 당사자를 흘긋 보며 말했다. "어쨌든 토른은 정식 약혼자예요. 당신이 제 조카를 또 만나도록 허락할 적당한 이유를 하나라도 대보시죠."

"부인께서 허락해주실 겁니다." 아르쉬발드는 뻔뻔하게 답했다. "왜냐하면 부인은 누구보다도 제 배우자를 찾아주실 분이니까요."

아르쉬발드는 그의 말을 듣고 모욕감에 입이 벌어진 로즐린 이모의 볼에 가볍게 입을 맞췄다. 오펠리는 숨을 꾹 참았다. 이모는 손에 입을 맞추는 것조차 음란한 행동으로 간주해왔기에, 그런 식의 허물없는 행동에는 호되게 따귀를 날리는 것 외에 다른 반응을 보이지 않을 터였다.

따귀는 없었다. 로즐린 이모의 노란 낯빛이 붉게 물들고 무미건조한 얼굴에 강렬한 감정이 일며 부드러워지는 것을 보며 오펠리는 두 눈을 의심했다. 이모는 아르쉬발드의 하늘 같은 눈 속으로 날아오른 듯 그를 바라보았다.

아르쉬발드는 로즐린 이모와 발키리들 그리고 오펠리에게 마지막으로 모자를 들어 인사를 하고 파란 모래시계 체인을 유쾌하게 돌리며 야자수 사이로 사라졌다.

"이모?" 오펠리가 걱정스레 물었다. "괜찮아요?"

사실대로 말하자면 이모는 스무 살은 더 젊어진 것 같았다.

"뭐라고?" 로즐린 이모가 말을 더듬었다. "당연히 괜찮지. 그걸 질문이라고. 유리 천장 때문에 숨이 막히는구나." 신경질적으로 부채질을 하면서 덧붙였다. "나가자."

오펠리는 몹시 당황해하며 멀어지는 이모를 바라보았다. 궁정의 모든 여자들이 아르쉬발드의 매력에 빠지는 것을 보았다고 해도, 그의 매력에 굴복한 이모의 모습을 보는 것은 완전히 다른 차원의 문제였다.

"아르쉬발드와 동맹을 맺은 게 좋은 생각은 아닌 것 같아." 회중시계를 들어 올리며 토른이 말했다.

오펠리는 최대한 침착하게 토른을 향해 고개를 들었다.

"그래. 나한테 할 말은 그게 다지?"

"아니."

둘만 남게 되자 토른의 냉혹한 눈빛이 굳어졌다. 오펠리는 대략 짐작하고 있었다. 파루크 앞에서 공공연하게 토른에게 맞선 뒷감당을 피하기를 바랄 수는 없었다.

"정말로 무슨 생각을 하고 있는지 알려줘." 오펠리가 참지 못하고 말했다. "끝을 봐야지."

"조금 전 연단에서 당신이 한 일 말이야." 토른은 납덩이처럼 묵직한 목소리로 말했다. "용감했어."

그는 회중시계를 제복 주머니에 넣고 뒤도 돌아보지 않고 자리를 떴다.

소각: 첫 번째 시도

처음에 우리는 하나였다. 그러나 신은 우리가 그런 식으로는 자신을 만족시킬 수 없다고 판단했고, 그래서 우리를 갈라놓기 시작했다.

벽. 흔들거리는 손전등 불빛. 벽지마다 압정으로 고정한 아이들의 낙서 같은 그림들.

추억은 상대적으로 명확하다. 그는 벽을 쳐다보며 수십 시간을 보내야만 했다. 하지만 방의 나머지 공간이 어떻게 생겼는지 기억나지 않는다. 지금은 벽, 손전등, 아이들의 그림 외에 그 무엇도 존재하지 않는다.

빛의 각도가 바뀌고 그대로 정지 상태다. 계속해서 벽을 비출 수 있게 손전등을 탁자 위에 둔 것 같다. 아니, 탁자 위라고 하기에는 빛의 각도가 지나치게 낮다. 어쩌면 의자나 침대 위에 두었을 것이다. 그는 방 안에 있는 것 같다. 자기 방인가?

처음에 흐릿하고 거대했던 그의 그림자는 벽에 다가설수록 또렷해진다. 무엇이 흥미롭기에 그는 이 그림들을 그토록 뚫어져라 보는 걸까? 특히 그는 그림 하나에 주의를 집중한다. 다양한 색으로 서툴게 그린 그림에서 그는 다른 이들과 함께 있다. 그는 조심스럽게 네 개의 압정을 하나씩 뽑아낸다.

그림 뒤에 구멍이 있다. 그림이 걸렸던 벽의 바로 그 자리에는 벽지도, 내장재도, 벽돌도 없다. 물건을 숨겨두는 곳인가?

그는 구멍에 눈을 가져다 댄다. 온통 까맣다. 벽의 다른 쪽에 무엇이 있는지 알아볼 수 없다.

"아르테미스?" 자신의 속삭이는 목소리가 들린다.

그는 자기 목에서 나온 이상한 억양의 가냘픈 목소리를 알아채는 데 꽤 애를 먹었다. 그러니까 예전에 그는 이렇게 말했단 말인가?

"아르테미스!" 벽을 조심스럽게 두드리면서 속삭이는 자신의 목소리를 다시 한번 듣는다.

아주 희미한 발소리, 벽돌 하나를 떼어낼 때 나는 긁히는 소리, 그리고 마침내 구멍 가장 안쪽에서 깜빡거리는 눈. 아르테미스의 눈인가?

"채광창으로 별들을 보고 있었어. 재밌는걸. (아르테미스의 차분하고 생기 없는 목소리가 두꺼운 벽 너머로 둔탁하게 들렸다.) 너도 나처럼 네 벽돌을 이렇게 놓아봐. 우리는 이제 대화할 수 없어, 알지?"

사실 그는 정말 기억하고 싶었다. 그는 벽의 구멍에 있던 아르테미스의 눈과 목소리와 말들을 완벽하게 기억한다. 그러나 왜 그들이 갈라지게 된 건지는 기억나지 않는다.

"다른 이들은?" 또다시 속삭이는 자신의 목소리가 들린다. "다들 잘 있겠지?"

"다들 너보다 순종적이잖아." 아르테미스의 눈이 말한다. "자뉘스의 벽에 대고 말 안 한 지 며칠 됐어. 좀 따분해했지만 그래도 잘 지내고 있었어. 자뉘스가 페르세폰의 벽 소식도 알려줬지. 역시 잘 지낸다고 했어. 그런데 너는? 엘렌의 벽은?

“전혀 답이 없어.”

“엘렌은 다 듣고 있어.” 아르테미스의 눈이 말한다. “엘렌은 집 안 반대편에서 눈 깜박이는 소리도 들을 거야. 답을 안 한다면 그건 엘렌이 복종했기 때문이야. 우리도 똑같이 그럴 거야. 잠자리로 돌아가.”

그는 이번에 자기가 대답하는 소리를 듣지 못한다. 벌써 기억이 빠져나간 건가? 아니, 그건 아니다. 그는 아르테미스의 눈에 답하지 않았다. 예상치 못한 것이 그를 막아섰기 때문이다.

신의 그림자.

그는 벽 위로 자기 그림자에 겹쳐진 신의 그림자를 똑똑히 다시 본다. 신은 그의 방 안, 그의 바로 뒤에 있다. 아르테미스의 눈은 구멍 속으로 사라지고 그녀는 재빨리 벽돌을 제자리에 돌려놓는다.

그는 이제 기억한다. 그와 아르테미스, 엘렌, 자뉘스, 페르세폰 그리고 다른 이들까지, 그들을 갈라놓은 것은 신이다. 그는 벽에 비친 신의 그림자를 보며 그 순간 자신을 관통했던 두려움과 분노를 거의 그대로 느낄 수 있었다. 그는 몸을 돌리고 벽을 그만 쳐다보고 신을 정면에서 바라봐야만 한다.

마침내 그가 몸을 돌린다. 그러나 기억은 천천히 다가오는 신의 얼굴, 생김새, 목소리를 끝끝내 알려주지 않는다.

기억은 여기서 끝난다.

비고 : "네 눈부심을 닫아라." 이 말은 누가 했고 무슨 의미인가?

편지

궁정에서 보낸 처음 몇 주는 오펠리의 상상과는 정말 달랐다. 오펠리는 규방에서 꼼짝도 않고 있었다.

파루크가 오펠리를 부-스토리텔러로 임명한 뒤, 그녀는 베르닐드와 함께 방파제 산책로 바로 위에 있는 망루 7층의 규방에 자리 잡고 그곳을 벗어나지 않았다. 매일 아침 시종장이 엘리베이터의 황금 철창을 넘어와 종이 한 장을 펼치고 파루크를 수행하기 위해 선택된 귀족들을 한 명씩 불렀다. 매번 명단에 오른 베르닐드와 달리 오펠리의 이름은 한 번도 불리지 않았다.

그런데 파루크에게 잊혀서 불리한 장소가 한 곳 있다면 당연히 규방이었다.

규방은 동양 판화에서 그대로 튀어나온 듯한 감미로운 세상이었다. 절대 태양이 지지 않는 곳이었다. 귀족 부인들에게는 각자 자기 방이 있었다. 베르닐드의 방에는 소파, 쿠션, 러그, 동양풍 벤치들이 놓여 있고, 격자창 사이로 채광이 스며들어 관능적이고 시적인 분위기를 풍겼다.

이런 감미로움은 속임수였다. 규방에 머무는 귀족들은 대부분 미라주였고, 자신들의 거처에 새로 온 라이벌들을 무척이나 못마땅하게 바라보았다. 엘리베이터 철창이 닫히기 무섭게 베르닐드를 향한 적개심이 활개 쳤다. 어느 아침 오펠리는 머리부터 발끝까지 온몸이 두드러기로 뒤덮였다. 다음 날에는 끔찍한 오물 냄새를 풍기기 시작했다. 또 그다음 날에는 움직일 때마다 배에 가스가 찬 듯 우레 같은 소리가 났다. 모두 오펠리가 방심한 사이 미라주들이 수를 부려 만든 일시적인 환영들이어서 다행히 몇 시간이 지나면 사라졌다. 그러나 오펠리를 모욕하려는 미라주들의 상상력에는 끝이 없었다.

"참을 수 없어!" 어느 저녁 베르닐드가 방파제 산책로에서 돌아왔을 때 로즐린 이모가 끝내 폭발했다. "여기 사람들이 마음대로 이 아이를 괴롭히는데, 당신네 발키리들은 대체 뭘 하는 거죠?"

로즐린 이모가 나무라듯 손가락질했지만 두 노파는 눈 하나 깜빡하지 않았다. 발키리들은 머리뼈의 그림자처럼 눈에 띄지 않게 조용히 오펠리와 베르닐드가 가는 곳마다 따라다녔고, 옆에서 잠을 잤으며, 같은 식탁에서 식사했지만, 한 번도 일상에 끼어드는 법이 없었다.

"아직은 애들 장난이네." 베르닐드가 이번엔 우스꽝스러운 돼지 코를 달고 있는 오펠리를 돌아보며 단언했다. "어쨌든 이 상황이 계속 이어지면 안 되지. 내가 이곳 부인들을 아는데 파루크가 네게 눈길을 주지 않는 한 그녀들은 점점 더 대담하게 위협하려 들 거야. 파루크가 너를 거들떠보지도 않는다면 넌 계약을 지킬 수 없고, 계약을 못 지키면 그의 보호도 끝나. 파루크에게 네 얘기를 슬쩍 꺼내보려 했어. 한데 이렇게 엉망인 상태로 어떻게 시종장이 네 이름을 명단에 올리기를 바라겠니?”

오펠리는 살롱의 티 테이블에 앉아 부모님께 보낼 편지를 쓰는 데 몰두해 있어서 아무 대답도 하지 않았다. 토른이 편지를 책임지겠다고는 했지만, 부모님께서 근심하지 않게 이곳 생활을 이야기하기란 쉽지 않았다.

오펠리는 자신의 몰골을 흉하게 바꾸어놓은 환영보다 언젠가 수행해야 할 부-스토리텔러 임무 때문에 더 심란했다. 규방에는 소재를 얻을 만한 책이 한 권도 없었다. 하는 수 없이 자유시간 동안 발성을 개선하기 위해 발음 연습을 했다. 최소한 파루크가 어떤 종류의 이야기를 듣고 싶어하는지라도 알았으면 좋았을 것이다. 그런데 오펠리는 자신도 무슨 이야기를 들려주고 싶은지 알지 못했다.

폴의 집안 정령이 아니마의 이야기를 들려달래요. 혹시 좋은 아이디어 없을까요?

오펠리는 결국 작은할아버지에게 편지를 썼다.

할아버지는 기록 보관원인 데다, 오펠리가 가장 친근하게 느끼는 가족이었다. 그런데도 여기서 실제로 무슨 일이 벌어지고 있는지를 선뜻 털어놓을 수 없었다.

하루하루 지날수록 르나르와 가엘을 향한 오펠리의 그리움은 더 커졌다. 오펠리가 폴에서 만난 유일한 진짜 친구들이었지만, 그들은 그녀와 다른 세계를 맴돌며 이미 충분히 힘든 삶을 살고 있었다. 오펠리가 금으로 치장한 화장실에서 볼일을 보는 동안 그들은 클레르들륀의 화장실을 청소했다.

때때로 오펠리는 오랫동안 자신의 정체를 완벽히 숨겨주던 밈의 제복이 그리웠다. 가령 규방에서 퀴네공드를 마주칠 때가 그랬다. 그 미라주는 다른 귀족들에게 음란한 환영들을 선사해주는 대가로 어디든 출입할 수 있었다. 오펠리는 그녀의 베일에 달린 펜던트가 찰랑대는 소리가 들리거나, 회랑 모퉁이에서 그녀의 독한 향수 냄새가 날 때마다 몸서리쳤다. 퀴네공드는 오펠리에게 절대 말을 거는 법이 없었지만, 매번 의미심장한 눈빛을 보내며 거위 정원에서 당한 모욕을 잊지 않고 있음을 상기시켰다.

퀴네공드가 오펠리를 불편하게 했다지만, 이는 기사를 마주쳤을 때와는 비교도 안 되었다. 게다가 생각보다 지나칠 정도로 자주 기사를 보았다.

규방에는 특별히 아이들만 방문할 수 있는 시간이 정해져 있었다. 그들은 파루크의 직계 자식은 결코 아니었다. (베르닐드가 임신한 아기가 유일한 예외였다.) 어쨌든 기사는 그 시간을 이용해 베르닐드에게 선물을 가져다주었다. 그녀를 위해 가장 멋진 꽃과 향수의 환영을 선사했지만 베르닐드는 완강하게 모든 선물을 거부했다.

"내가 없을 때 절대로 그 아이에게 문을 열어주지 말아요." 베드닐드가 오펠리와 로슬린 이모에게 당부했다. "누군가 그에게 맞서는 게 처음이라 어떻게 반응할지 종잡을 수 없거든요."

사실은 훨씬 더 끔찍했다. 베르닐드에게 지나치게 집착하던 기사는 무시당하자 어쩔 줄 몰랐다. 언젠가 기사는 다른 아이에게 미소를 짓는 우를 범한 베르닐드를 보고 병적인 질투심에 사로잡혀 그 아이를 공격했다. 아이는 보이지 않는 불길에 휩싸인 듯 안뜰을 가로질러 뛰다가 바닥을 데굴데굴 구르더니 엄마에게 도움을 청했다. 적어도 겉보기에는 아이에게 아무 흉터도 남지 않았고, 기사는 '웃자고 한 장난'이었다고 잡아뗐다. 그러나 그 광경을 목격한 오펠리는 공포에 사로잡혔다. 그날 이후 그녀는 밤마다 침대 발치에서 번뜩이는 안경이 보이는 것 같아 소스라치게 놀라며 잠에서 깼다.

"어떻게 그렇게 자제하실 수 있지요?" 블라인드 틈새를 신경질적으로 쳐다보며 로즐린 이모가 중얼거렸다. "어린 미라주 때문에 내 머리핀들이 쭈뼛 서버렸는데. 왜 그 아이를 다들 '기사'라고 부르는지 이해가 안 가요. 완전히 공공의 적인데 말이에요!"

"자기 마음대로 그렇게 불렀죠." 베르닐드가 탄식하듯 말했다. "정말 웃긴 건 그게 내 명예를 위해서라는 거예요. 나를 섬기는 기사라고 우기면서요."

"그러니까 그 애를 통제할 어른이 단 한 명도 없단 말이에요? 그렇다고 기사를 피해 도망 다니며 세월을 보내지는 않을 거예요."

"아롤드 백작이 그의 삼촌이자 보호자예요. 귀가 어두운 노인인데 좀체 밖으로 나오는 법이 없죠. 조카 교육보다 개 키우는 데 더 열심이죠. 그 아이가 그렇게 되는데 나도 한몫한 것 같아요." 베르닐드는 부풀어 오른 배를 쓰다듬으며 중얼거렸다. "한번 마음먹으면 손을 쓸 수 없어요."

"왜 그렇게 말씀하세요?" 오펠리가 물었다.

베르닐드는 대답하지 않았다. 그녀의 아름다운 두 눈엔 평소 보지 못한 슬픔이 어렴풋이 비쳤고 그 모습에 오펠리는 깊은 생각에 잠겼다. 아마도 기사의 부모에게 물려받은 베르닐드의 저택과 관련 있을 것이다. 오펠리는 그 이상한 영지에 들어섰을 때 처음 느꼈던 놀라움을 아직도 기억하고 있었다. 인위적인 가을과 원래 주인이 돌아오기를 기다리는 듯한 미스터리한 아이 방까지. 베르닐드는 기사를 증오할 이유가 셀 수 없이 많았지만 사실 그를 적극적으로 거부하지는 않았다.

기사가 오펠리에게 다소 지나칠 정도로 가까이 접근했던 그날 저녁까지는 그랬다.

기사는 방문 시간이 아니었지만, 문이 열린 틈을 타 로즐린 이모와 발키리들 몰래 베르닐드의 거처로 숨어들었다. 목욕하고 있던 오펠리는 욕실로 들어와 세상 태평하게 말을 거는 기사를 보고 소스라치게 놀랐다.

오펠리가 있는 욕조에 팔꿈치를 괴고 있는 기사를 발견하고 깜짝 놀란 베르닐드는 낯빛이 창백해지더니 그만 힘을 주체하지 못하고 기사를 복도 반대편으로 내던졌다. 기사가 심한 충격을 받고 나서 일어섰을 때 그의 두꺼운 안경은 깨져 있었다.

"만일 이 아이를 건드린다면 제가 할퀴기 공격으로 기사님을 죽여버리겠어요." 베르닐드가 식식대며 말했다. "어서 떠나요. 그리고 다시는 내 앞에 얼씬도 하지 마요."

기사는 분노와 슬픔에 일그러진 얼굴로 규방에서 도망쳤다. 그리고 다음 날도, 그다음 날도, 그 후로 다시는 돌아오지 않았다. 오펠리는 베르닐드의 그런 모습을 한 번도 본 적이 없었다. 자기 삶을 자주 험난하게 만들었던 이 까다로운 여자가 자신을 친딸처럼 지킨 것이다.

"놀라운 일을 하셨어요." 로즐린 이모가 치켜세웠다. "드디어 조금이나마 평화를 누리겠어요!"

이후 이모의 말과는 다른 상황이 펼쳐졌다.

4월의 어느 아침 우편함이 열렸다 닫히는 소리가 집 안에 울려 퍼졌다. 편지 봉투에 적힌 자기 이름을 본 오펠리의 심장이 토끼처럼 날뛰었다. 그런데 곧바로 가족이 보낸 편지가 아님을 알아차렸다.

부-스토리텔러님께

당신은 8월 3일에 감독관과 결혼할 예정이지. 당신에게 이런 소식을 전하게 되어 유감이오. 내 충고를 따르지 않는다면 당신은 그 전에 죽을 것이오. 가능한 한 빨리 폴을 떠나시오. 그리고 다시는 돌아오지 마시오.

신은 당신이 여기 있길 원하지 않소.

"뭐니?" 로즐린 이모가 오펠리 뒤에서 물었다.

"잘못 온 거예요." 오펠리는 편지를 숨기며 둘러댔다. "이모, 발성 연습하려면 어떤 문장을 제일 많이 연습해야 할까요? '저기 있는 말뚝이 말 맬 말뚝이냐 말 못 맬 말뚝이냐.' 아니면 '저기 가는 저 상장사가 새 상상장사냐 헌 상상장사냐' 중에서요?"

오펠리는 침대 안에 들어갈 때까지 기다렸다 편지를 읽고 또 읽었다.

신은 당신이 여기 있길 원하지 않소.

오펠리는 과거에도 위협을 받기는 했지만 결코 이런 어조는 아니었다. 장난이었을까? 많은 아슈에서 집안의 정령만이 절대자를 의미하기 때문에 아니마에서도 종교와 교리연구는 낡은 민속학에 속했다. 이 편지의 '신'은 파루크를 가리키는 걸까?

물론 편지에는 서명도 없었고 봉투 어디에도 발신인의 이름이 적혀 있지 않았다. 오펠리는 잠자리에 들기 위해 꼈던 읽는 사람용 장갑을 벗고 편지지를 꼼꼼히 더듬었다. 자기 앞으로 온 편지에 능력을 사용하는 게 비양심적인 건 아니지 않나? 그것도 죽이겠다는 협박 편지인데.

오펠리는 특별히 느껴지는 게 없어 당황했다. 강렬한 인상도 특별한 이미지도 없었다. 편지를 타자기로 쳤지만 작성자는 필연적으로 종이를 건드릴 수밖에 없지 않은가. 오펠리는 편지를 너 주의 싶게 살펴보다 편지지와 봉투를 핀셋으로 다룬 듯한 자국을 발견했다.

덧창 틈새로 스며든 가짜 햇살이 침대 모기장을 가득 채우고 숨 막히는 열기가 털 이불처럼 오펠리를 짓눌렀지만, 소름이 오싹 돋았다. 오펠리는 거리를 두고 다룬 물건들은 읽을 수 없었다. 익명의 발신자는 오펠리가 손으로 할 수 있는 것과 할 수 없는 것을 아주 잘 알고 있는 것 같았다.

오펠리는 편지의 내용이 아니라 편지에 쓰여 있지 않은 것 때문에 더더욱 당혹스러웠다. 왜 사람들은 기를 쓰고 토른의 결혼이 실패하길 원하는 걸까? 파루크를 둘러싸고 끝없이 권력 다툼을 벌이는 클랜 사이의 단순한 적대관계 때문일까?

오펠리는 침대 밖으로 튀어나와 뒤죽박죽 쌓인 물건들을 뒤져 토른이 건네준 계약서 사본을 찾았다.

계약서를 다시 읽었다. '성공하면 토른은 공식적으로 귀족 칭호를 얻으며 이후 사생아 신분은 폐기된다.'

잘 생각해보면 그 대가라는 게 결국은 별것이 없었다. 토른은 이미 사람들이 두려워하는 고위 공직자이고, 그가 작위를 받는다고 해도 적들에게는 근본적으로 달라질 게 하나도 없었다. 그러니 단 하나의 의미였다. 토른의 반대파는 그의 신분 상승을 우려했다. 말 그대로 토른이 파루크의 책을 읽는 것을 그들은 두려워했다.

그런데 그게 왜 문제가 되지?

"토른은 대체 날 어떤 상황에 처박은 걸까?"

그다음 주 어느 오후 오펠리가 쉬지 않고 '저기 계신 저분이 박법학박사이시고 여기 계신 이분이 백법학박사이시다'를 연습하면서 로즐린 이모와 테라스에 빨래를 널려고 하는데 전화가 울렸다.

"오펠리 양에게 걸려온 전화가 있습니다." 오펠리가 수화기를 들자 여자 목소리가 들렸다.

"음…. 전데요."

"오펠리 양인가요?"

"네, 누구시죠?"

"관리국에서 통화를 요청했습니다. 잠시만 기다려주세요."

오펠리는 관리국에 관한 거라면 그 어떤 것과도 엮이고 싶지 않다고 따지려던 찰나, 우박이 떨어지는 소리에 정신이 산만해졌다. 빨래집게 상자를 뒤엎은 것이다. 어깨와 목 사이에 수화기를 걸치고 집게들을 주워 담고 있는데 무뚝뚝한 목소리가 귓가에 울려 퍼졌다.

"여보세요?"

오펠리는 토른의 목소리를 듣자 너무 신경이 곤두서 전화를 끊을까 심각하게 고민했다.

"여보세요?" 토른이 다시 말했다.

"비서를 바꿨어?" 오펠리는 빨래집게가 흩어져 있는 마룻바닥에 앉아서 물었다.

"아니. 웬 비서 얘기야?"

토른의 볼멘 목소리를 듣는 것만으로 오펠리는 그가 눈살을 찌푸리고 있는 모습이 그려졌다.

"여자가 전화했길래."

"교환원이야." 마치 세상에서 가장 뻔한 사실을 말하듯 토른이 설명했다. "파루크의 망루와 관리국은 전화국이 다르고 자동으로 연결되는 시스템이 아니야."

오펠리는 도통 이해가 되지 않았다. 아니마에서는 전화기들이 알아서 영리하게 연결해줬었다.

"나한테 할 말이라도 있어?

"당신이 내게 할 말이 있을 텐데." 토른이 단조로운 목소리로 대꾸했다. "궁정에 온 뒤로 소식 한번 안 줬잖아."

오펠리가 마지막 빨래집게를 통에 넣으려는데 그녀의 분노에 전염된 집게가 돌연 살아 움직이며 손가락을 물었다. 오펠리는 순간 타자기로 친 편지 얘기를, 코앞에 닥친 위험을 토른에게 말해야 하나 생각했다. 토른과 그의 빌어먹을 야심이 그녀를 어떤 위험에 처하게 했는지. 하지만 그런다고 뭐가 달라지겠는가. 토른은 이미 위험들을 자각하고 있었지만 그렇다고 약혼을 파기하지는 않았다.

"당신이 알 필요가 있는 건 하나도 없어."

"나한테 계속 화가 나 있네." 토른이 무미건조한 목소리로 말했다. "난 우리 사이에 조율을 끝냈다고 생각했는데. 당신이나 나나 둘 다 잘못된 길로 들어섰다는 데 동의했잖아."

오펠리는 감정이 격해져 눈을 감았다. 덩달아 흥분한 빨래집게가 그녀의 손가락에 매달려 성난 게처럼 파닥거렸다.

"아니, 토른. 너 혼자 동의했어."

"당신도 그렇게 생각해주지…."

"내 말 잘 들어." 오펠리가 그의 말을 끊었다. "베르닐드 부인이 강제로 당신을 나와 결혼시키려 했고, 우리 둘 다 그녀의 꼭두각시라고 생각했기 때문에 솔직히 당신을 가엾게 여겼어. 그런데 이제는 알아. 처음부터 꼭두각시는 딱 하나였고, 그게 나였다는 걸. 당신은 내 손 때문에 결혼을 원한 거고, 난 그 사실을 용납할 수 있어. 당신이 어떤 세상에서 자랐는지 봤으니까. 그런데 그 사실을 당신이 아닌 다른 사람 입을 통해서 알게 됐지." 오펠리는 들릴 듯 말듯 중얼거리며 말을 맺었다. "그건 절대로 용서할 수 없어."

무덤 같은 침묵이 갑자기 수화기를 가득 채웠다. 오펠리는 화를 비워낼 수 없었지만 모든 숨은 토해냈다. 발성 연습한 보람이 없지 않았다. 그녀는 심술궂게 장갑의 실밥을 뜯고 있는 빨래집게를 빼내려 애쓰며 방 안의 꽃무늬 벽지를 응시했다.

"내가 방금 한 얘기 들었지, 토른? 아니면 다시 말해줘야 해?"

"그럴 필요 없어."

토른의 북쪽 지방 억양이 평소보다 더 강하게 들려 그가 언짢은 건지 아닌지 가늠하기 어려웠다.

"알았어. 끊기 전에 다른 할 말 있어?"

오펠리는 아니라고 말해주길 바랐다. 손이 심하게 떨려 묵직한 자개 수화기를 얼마나 더 오래 귀에 대고 버틸 수 있을지 알 수 없었다.

"와줘야 할 것 같아." 잠시 고민하던 토른이 답했다. "될 수 있으면 혼자서."

"뭐라고?"

지지직 소리가 날 정도로 전화 음질이 형편없었기에 오펠리는 자신이 잘못 들은 걸 수도 있다고 생각했다.

"만나자. 미래의 남편과 미래의 아내의 공식적인 만남. 내 얘기 듣고 있지?"

"응, 그래. 듣고 있어." 오펠리가 말을 더듬었다. "그런데 대체 왜 만나야 해? 방금 말했듯이…."

"우리는 적이 되어서는 안 돼, 그게 다야." 토른이 잘라 말했다. "당신은 원망에 사로잡혀 내 삶을 복잡하게 만들고 있어. 우리는 반드시 화해해야 해. 난 규방에 들어갈 수 없으니 당신이 관리국으로 와서, 날 욕하든, 따귀를 날리든 해. 원한다면 내 머리에 접시라도 깨트려. 그러고는 그 얘긴 다시 꺼내지 말자. 날짜는 당신이 정해. 나는 이번 목요일이 괜찮을 것 같아. 그러니까… (수화기 너머 급히 페이지 넘기는 소리가 들렸다.) 11시 반에서 12시 사이. 내 일정표에 적을까?"

기가 찬 오펠리는 화가 나서 토른의 머리에 수화기를 내려치듯 전화를 끊었다.

"해가 떠도 아무짝에 쓸모가 없어!" 로즐린 이모는 오펠리가 돌아오는 것을 보며 말했다. "우리보다 이불보가 더 똑똑해서 해가 가짜라는 걸 다 알고 있어. 제아무리 황녀의 옷이라 해도 마르지 않을 거야."

토른과 통화한 뒤로 오펠리를 떠나지 않던 불같은 분노는 하인 하나가 편지 두 통과 세 개의 소포 상자를 가져다준 어느 저녁에 사그라졌다. 처음에 오펠리는 또 다른 살해 협박 편지가 아닐까 두려웠다. 그런데 이번에는 '아니마' 우체국 소인이 찍혀 있었다.

"뭐래, 뭐래, 뭐라고 쓰여 있니?" 오펠리가 서툴게 첫 번째 편지 봉투를 찢고 있을 때 로즐린 이모가 재촉했다.

"엄마가 화는 났지만 마음이 놓이신대요." 오펠리는 편지를 읽어가면서 설명해주었다. "제가 아무 소식이 없어서 심장 박동이 더 빨라졌다고 뭐라 하시네요. 제가 묘사해드린 걸 전혀 이해할 수 없다고 다음번엔 사진을 보내달래요. 북쪽 지방에서 한겨울에 해가 내리쬔다는 걸 듣고 무척 놀라셨어요. 그래서 다른 아슈에 가 있는 거 아니냐고. 아, 엄마가 새 코트를 보내셨어요. 그런데 재단사만큼이나 성질이 못돼 보인다고…. 저기 꿈틀대고 있는 큰 상자 같아요. 엄마는 제가 새 가족에게 좋은 인상을 심어줬기를 바라세요."

"네 시가가 네게 좋은 인상을 남겼기를 바란다는 말로 시작했어야지." 로즐린 이모가 긴 치아 사이로 중얼거렸다. "그래 그 다음은?"

"다음은 아가타가 썼어요. 또 아기를 가졌대요."

"벌써? 정말이지, 네 언니는 시간을 낭비하지 않는구나."

"임신했다고 결혼식에 참석 못 하는 건 아니래요. 결혼식에 입고 오려고 특별히 자기 눈동자 색에 맞춰 드레스를 만들었대요. 벌써 임신 육 개월 사이즈로 맞춰두었고, 동생들 입을 예쁜 흰 드레스도 준비했대요."

"그게 다야?"

"아뇨. 결혼 준비 목록을 알려주지 않았다고 절 나무라고 있어요. 제 목도리를 숄로 바꿔주고 싶은데 색깔을 고민 중이래요."

"코트, 드레스, 숄…." 눈을 굴려 가며 로즐린 이모는 하나씩 나열했다. "그래 그다음은?"

"다음으로 아빠가 쓰셨어요. 제가 약혼자와 그의 가족과 잘 지내는지 알고 싶어하시고, 빨리 결혼식에서 저를 보고 싶으시대요. 그리고 아빠가…."

"아빠가 뭐라 그랬다고? 마지막 말을 잘 못 들었어."

오펠리는 소리 내 읽을 수 없었다. 아빠를 용서해다오. 오펠리는 목이 메고, 코가 시큰대고, 두 눈은 평소보다 훨씬 더 흐려졌다. 편지를 계속 읽기 위해서 감정을 추스르고 목소리를 가다듬어야 했다.

"엑토르가 마지막으로 썼어요. 왜 폴은 밤인데도 해가 떠 있냐고 묻네요. 왜 '시타델'이 아니라 '시타시엘*'이라고 썼냐고요. 그리고 왜 토른 얘기는 쏙 빼놓았냐고. 동생이 생명을 불어넣어 계속 혼자 도는 팽이를 하나 보냈대요. 저기 가르랑거리는 작은 상자 같아요."

* 시타시엘은 '성채'를 뜻하는 citadelle과 '하늘'을 뜻하는 ciel을 조합하여 만든 지명이다.

“네 동생이 제일 똑똑하구나.” 로즐린 이모가 딱 잘라 말했다.

오펠리가 두 번째 봉투를 찢는 틈을 이용해 로즐린 이모는 최대한 티가 나지 않게 손수건에 대고 숨을 내쉬었다. 오펠리는 오펠리대로 자기 턱이 얼마나 떨리는지 이모가 알아차리지 못하기를 바랐다.

“대부예요.” 오펠리가 자기도 모르게 미소를 띠며 말했다. “제 말 한마디면 폴에 오는 첫 번째 비행선을 타고 오시겠대요.”

오펠리는 물론 작은할아버지가 그렇게 하기를 원치 않았다. 로즐린 이모를 위험에 처하게 한 것만으로 충분했다. 다른 가족까지 휘말리게 하고 싶지 않았다. 그렇지만 할아버지의 몇 마디 말이 엄청난 위로가 됐다.

“마지막 소포는 작은할아버지가 보낸 거예요. 저를 놀라게 해 주려고 더 적지 않으셨어요.”

오펠리는 상자를 감싸고 있는 포장지를 찢었다. 그림책이 들어 있었다. 어딘가 지하실 냄새가 나는 제법 두꺼운 책으로, 이런 제목이었다.

사물들 이야기 그리고 아니마 사람들의 다른 이야기

(옛 세계의 우화를 자유롭게 각색함)

오펠리, 네게 도움이 되길 바라며. 첫 페이지 위에 흘려서 쓰여 있었다. 아르테미스가 개인 컬렉션으로 소장한 책의 사본이야. 그녀의 남동생 마음에 들지 않을까?

오펠리는 날이 있었다면 작은할아버지 품으로 뛰어들었을 것이다.

"대부가 센스 있네."

베르닐드는 오펠리가 편지를 다 읽기를 기다렸다가 드레스를 가볍게 스치는 소리를 내며 다가왔다. 반지 낀 두 손가락으로 초대장을 집고 있었다. 오펠리가 초대장을 잡자마자 작은 불꽃놀이 환영이 눈앞에서 터졌다.

서프라이즈 밤!

오늘 밤, 자정의 종이 칠 때,

파루크 폐하가 스플랑디드* 에서 열리는 시각 연극에

모든 궁정 사람들을 초대합니다.

"모든 궁정 사람." 오펠리가 강조해 말했다. "저도 포함된다고 생각하세요?"

"초대장을 끝까지 읽어야지." 베르닐드가 넌지시 권했다.

행사 프로그램을 확인하자 오펠리의 안경이 코 위에서 창백해졌다.

스토리텔러의 화려한 팬터마임에 이어

부-스토리텔러의 이야기가 최초 공개됩니다.

* splendide는 '화려한'이란 뜻이다.

"농담이죠?"

"한 시간 뒤야." 베르닐드는 더없이 진지하게 강조했다. "난 이제 막 전망대 산책로에서 돌아왔어! 겨우 옷만 갈아입었다고."

극장

오펠리는 『사물들 이야기 그리고 아니마 사람들의 다른 이야기』의 첫 문장을 스무 번째 읽었지만 여전히 이해하지 못했다. 주변의 대화 소리와 웃음소리는 도움이 되지 않았다. 망루 7층에서 6층으로 내려온 엘리베이터는 만원이었다. 오펠리는 그 어느 때보다 진지하고 조용히 장의자에 앉아 있는 나이 든 발키리들의 파팅게일 사이에 껴서 작은할아버지가 보낸 책을 초조하게 훑어보았다. 이 이야기를 골라야 할까? 아니면 저게 나을까? 대놓고 조롱하는 얼굴로 다가와 행운을 빈다고 말하는 애첩들 때문에 계속 맥이 끊겼다. 베르닐드는 애첩들을 멀리 보내기 위해 외교적 수완을 발휘하고 입에 발린 말들을 해야 했다.

"가발에 분을 엉망으로 칠했네!" 로즐린 이모가 거칠게 말했다. "저 여자들은 우리가 온 뒤로 말 한번 안 걸더니, 조용해야 할 순간에는 혀를 가만두지 못하는구나. 그리고 너, 책장 좀 그만 넘겨." 이모는 오펠리의 손가락을 건드리며 말했다. "그만 들춰봐. 하나만 골라서 처음부터 끝까지 여러 번 읽으라고."

오펠리는 이모의 충고를 말 그대로 따랐다. 아무렇게나 하나를 골랐는데 〈인형〉이라는 제목이었다. 한 줄도 이해하지 못했지만 처음부터 끝까지 읽고 또 읽었다. 오펠리는 엘리베이터 철창이 열려 궁정을 환히 비추는 태양 빛이 쏟아질 때도, 귀족 무리 속에 섞여 전망대 산책로 회랑으로 떠밀려갈 때도, 부츠의 끈이 풀려 여러 번 균형을 잃을 뻔할 때에도, 금색 가로 봉으로 고정된 레드 카펫이 깔린 계단을 올라갈 때조차도 책에서 눈을 떼지 않았다.

하인장이 귀에 대고 기침 소리를 내자 비로소 고개를 들었다.

"부-스토리텔러님, 이쪽으로 오세요."

오펠리는 눈이 부셔 눈을 깜박였다. 극장 로비의 흰 타일 바닥, 흰 기둥, 흰 조각상들이 눈처럼 창문을 통해 들어온 빛을 반사했다. 시타시엘의 상류층 인사들은 전부 다 한 손에 샴페인 잔을, 다른 손에는 파란 모래시계를 들고 모여 있었다. 여자들은 몸에 꽉 끼는 반짝이는 드레스를 입고 긴 진주 목걸이를 걸고 있었으며, 남자들은 흰 정장에 검정 나비넥타이를 매고 파란색 리본을 두른 밀짚모자를 쓰고 있었다. 오펠리는 턱밑까지 단추를 채운 작은 보라색 드레스를 입고 뜨개질을 하다 만 듯한 낡은 목도리를 감고 있었다. 게다가 깜박하고 손질하지 못한 볼품없는 헤어스타일을 한 자신이 그 어느 때보다 촌스럽게 느껴졌다.

"이쪽입니다." 하인장은 자기 주먹에 대고 헛기침을 하며 참을성 있게 반복해 말했다. (그는 오펠리에게 접수대 뒤에 숨겨진 문을 가리켰다.) "부-스토리텔러는 원래 극장 뒤 아티스트 전용 출입문으로 들어가셔야 합니다."

"파루크 폐하가 계시나요?"

"네, 폐하는 이미 자리에 앉아 계십니다. 부-스토리텔러님의 이야기를 빨리 듣고 싶어하십니다. 죄송하지만, 부인." 하인장이 접수대 뒤로 오펠리를 따라가려는 로즐린 이모를 보고 덧붙였다. "이곳은 일반인 출입 금지입니다."

"뭐요?" 로즐린 이모가 화를 냈다. "이것 봐요, 앤 제 조카라고요!"

"스플랑디드 극장에서는 아닙니다, 부인. 이곳에서 이분은 파루크 폐하의 부-스토리텔러입니다. 무대 출입은 보안상 엄격히 통제하고 있습니다."

"보시다시피, 제 치마 속에 폭발물 같은 건 없어요!"

"걱정 말아요, 이모. 다 잘될 거예요." 오펠리는 전혀 그렇게 생각하지 않았지만 이모를 안심시켰다. "무대 근처로 자리를 잡아보세요. 이모를 보면 용기가 날 것 같아요."

"이거 받아." 로즐린 이모는 손에서 빗을 건네주며 속삭였다. "잠시라도 짬이 나면 엉킨 머리라도 풀도록 하렴."

"마지막으로 해주실 조언 있나요, 부인?" 오펠리가 베르닐드 쪽을 돌아보며 물었다.

베르닐드는 오펠리가 처음 보는 미소를 띠었다. 평소 노련한 배우처럼 상황에 딱 맞게 지어 보이던 표정과는 달랐다. 입술을 바르르 떨며 부서질 듯 짓는 미소, 그것은 걱정하는 엄마의 미소였다.

“강렬한 인상을 남겨야 해.” (베르닐드는 벨벳 장갑을 낀 한 손을 오펠리의 볼에 댔다.) “너를 불안하게 만들려고 하는 말이 아니야. 네가 그렇게 할 수 있으니까 하는 말이야. 내가 이미 여러 번 봤거든.”

오펠리는 숨겨진 문을 향해 비틀대며 걸어가는 자신이 전혀 인상적으로 느껴지지 않았다. 퀴네공드가 길을 막고 서서 기다란 빨간 손톱으로 그녀를 가리키자 더욱 그랬다.

“아가씨, 준비물은 그게 다인가요?” 퀴네공드는 오펠리의 책을 가리키며 물었다. “내 제안은 여전히 유효해요. 당신 두 손과 내 환영을 교환하는 거요. 제안을 받아들이세요.” 퀴네공드가 달콤하게 속삭였다. “그러면 오늘 저녁부터 당신을 새로운 정식 스토리텔러로 만들어줄 화려한 특수 효과들을 제공하죠.”

“관심 없어요.” 오펠리가 거절했다.

퀴네공드가 애석하다는 듯 고개를 젓자 베일에 매달린 금색 펜던트들이 방울처럼 찰랑댔다.

“당나귀 고집이네요.” (그녀는 몸을 숙여 오펠리 귓가에 입술을 가져갔다.) “소문 못 들으셨나 보죠?” 그녀는 아주 낮은 소리로 속삭였다. “당신이 아끼는 아르쉬발드의 손님 가운데 한 명이 영문도 모르게 사라져버린 것 같아요. 두 분의 우정을 어쩌면 다시 생각해봐야 할 거예요, 아가씨.”

대화가 끝났다고 생각한 오펠리는 숨겨진 문으로 살며시 들어가 극장 무대 뒤로 휩쓸리듯 들어갔다. 퀴네공드의 말이 무엇을 암시하는지 전혀 알 수 없었지만 당장은 신경 쓸 겨를도 없었다.

심상이 누근대고 미칠듯한 긴장감에 오펠리는 눈에 들어온 첫 번째 의자에 앉았다. 나중에서야 옆에서 작은 채색 유리판을 헝겊으로 꼼꼼히 닦고 있는 노인을 발견했다. 눈두덩이에 미라주 표식이 있었다.

"안녕하세요." 오펠리가 소곤댔다. "저는 오펠리예요. 스토리텔러, 에릭 씨죠?"

그러자 노인이 의자에 앉은 채로 그녀 쪽으로 천천히 몸을 돌렸다. 나이에 비해 몸이 다부졌다. 파란색으로 물들인 머리카락과 턱수염은 가슴 위에서 한 갈래로 엮여 바닥에 닿을 정도로 길게 늘어뜨려져 있었다. 그는 아주 잠깐 오펠리의 머리 위로 놀란 눈을 치켜떴는데, 아마도 엉망인 곱슬머리를 보고 당황한 것 같았다. 그러더니 역시 파란색으로 물들인 눈썹을 찡그렸다.

"영감이 많이 떠오르길 바라요, 부-스토리텔러." 그는 돌을 씹어 먹듯 혀를 거칠게 굴리며 말했다. "그러면 나는 우리의 이름이 두 번 다시 초대장에 함께 오르지 않도록 할 테니까."

그는 이 말을 남기고는 한 손에 유리 상자를 다른 손에 마법 조명을 들고 무대 뒤 구석진 곳으로 자리를 피했다.

이제 오펠리의 유일한 동반자는 흥분한 목도리뿐이었다. 두 무릎이 서로 부딪치는 게 느껴졌다. 아직 준비가 안 되었다. 이미 〈인형〉 이야기의 절반을 잊어버렸다. 그렇다고 한 번 더 읽었다가는 병이 날 것 같았다. 오펠리는 거위 게임을 했던 연단 위에서 파루크가 자신을 바라보기만 했는데도 느꼈던 고통을 떠올렸다. 그런 존재를 실망하게 하면 과연 무슨 일이 벌어질까? 실패하면 오펠리에게 두 번째 기회가 주어질까, 아니면 그녀의 앞날은 위태로워질까?

오펠리는 두 손으로 뭐라도 해야 할 것 같아서 로즐린 이모가 건네준 빗을 덥수룩한 머리에 가져갔다. 하지만 엉킨 머리에 빗질을 시작하자마자 빗살 하나가 나갔다.

"이걸 마셔요."

오펠리는 갑자기 코앞에 등장한 컵을 선망의 눈으로 바라보았다. 아르쉬발드가 맞은편에서 특유의 미소를 짓고 있었다.

"사양하겠어요." 오펠리는 즉시 시선을 회피하며 중얼거렸다.

그녀는 갈증이 났지만, 베르닐드가 궁정에 돌아다니는 독에 대해 늘어놓았던 장광설의 핵심을 기억하고 있었다. 절대로 모르는 사람이 내미는 선물을 받으면 안 된다. 대사관에서 한동안 시간을 보냈다 해도, 오펠리는 아르쉬발드를 잘 알지 못했다.

"확실히 말씀드리지만 그저 물일 뿐이에요." 그가 유혹하는 듯한 목소리로 말했다. "봐요, 제가 한 모금 마시죠."

그는 과장된 몸짓으로 자기 말을 행동으로 옮긴 뒤 오펠리에게 다시 잔을 내밀었다. 이번에는 잔을 받았지만, 오펠리는 여전히 아르쉬발드를 정면으로 보지 않았다.

"여기서 뭘 하시죠?" 그녀는 방어하듯 물었다. "무대 뒤는 일반인 출입 금지인데요."

아르쉬발드는 조금 전 늙은 에릭이 앉았던 의자를 돌려 거꾸로 앉아서 등받이에 태평하게 팔꿈치를 괴었다.

"제가 달리 대사겠어요. 대부분의 장소에 저만의 출입문이 있죠. 세나가 낭신이 알아야 할 게 있어서요."

"뭘 말이죠?"

아르쉬발드는 벽에 기대 놓인 거울을 잡아서 소매로 먼지를 닦더니 과장된 몸짓으로 들이밀었다. 규방에 틀어박힌 뒤로 한 번도 거울을 통과하지 못했던 오펠리는 아르쉬발드가 내민 거울 속으로 들어가 다시는 밖으로 나오고 싶지 않았다.

머리에 우스꽝스러운 당나귀 귀 두 개가 달려 있었다.

오펠리는 귀를 뽑아버리고 싶었지만 연기로 만들어졌는지 손이 그대로 통과했다. 물론 환영이었다. '당나귀 고집이네요.' 퀴네공드가 말했었다. 그 표현을 말 그대로 실행에 옮길 미라주는 한 명뿐이었다.

아르쉬발드는 자신이 건넨 유리잔을 꼭 쥐고 있는 오펠리를 바라보았다.

"당신은 제 호기심을 자극해요, 토른 약혼자님. 저는 원래 그런 사람이 아닌데, 좀 새롭네요."

그는 의자를 앞으로 기울여 오펠리와 눈을 맞추기 위해 고개를 비틀었다. 희미한 촛불 사이로 그의 난처한 미소와 하늘색 커다란 눈, 헝클어진 금발 머리가 눈에 들어오자마자 오펠리는 고개를 돌리고, 눈가리개를 하듯 손을 안경에 가져다 댔다.

"제 상상인가요 아니면 제 시선을 피하는 건가요?" 아르쉬발드가 갑자기 웃음을 터트렸다.

"대사님이 무슨 수로 여자들을 꾀는지 모르겠지만, 저는 넘어갈 마음이 추호도 없어요. 특히 오늘 밤에는요."

거위 정원 사건 이후로 로즐린 이모는 대화 중 아르쉬발드 이름만 나와도 심하게 얼굴을 붉혔다. 오펠리는 대사가 이모를 어떻게 한 건지 이해하고자 이모와 얘길 나눠보려 애썼지만, 매번 말을 돌리고 빠져나갔다.

"대화하기에 아주 편하진 않군요." 아르쉬발드가 차분히 말을 이었다.

"대화하고 싶지 않아요. 대사님은 제 주의를 흩트리고 있어요."

아르쉬발드는 운동선수 같은 반사 신경으로 오펠리가 막 놓친 잔을 잽싸게 잡았다.

"맞아요. 저는 당신의 두려움을 흩트리고 있죠. 좋아요, 당신을 편안하게 해주려면 이 방법밖에 없군요." 그가 속삭였다. (아르쉬발드는 옆에 놓인 조그만 원탁에 잔을 내려놓고, 실크해트의 가장자리를 확 채서 코까지 눌러썼다.) "자, 이러면 제 시선이 두렵지 않겠죠."

코맹맹이 소리에 구멍 뚫린 모자 바닥으로 머리 뭉치가 삐져나온 그의 모습이 어찌나 우스꽝스럽던지 오펠리는 자신도 모르게 미소를 지었다.

"잠시라도 진지해보세요, 대사님. 왜 여기 계신 거죠? 고작 저한테 물 한 잔 주려는 건 아니시죠?"

아르쉬발드는 의자 등받이 위에 올린 팔짱 낀 두 팔 위에 턱을 괴었다. 눌러 쓴 실크해트 때문에 오펠리에게는 입꼬리가 크게 올라간 옆모습만 보였다.

"말했잖아요, 토른 약혼자님. 호기심 때문이라고. 당신이 저를 정식으로 친구 삼았다는 사실을 환기해드려야 하나요? 그동안 당신을 지켜봤어요. 처음에는 그저 죽을 위험에 처해 있지는 않나 확인차 종종 엿보는 것에 불과했죠. 그런데 거기에 재미를 붙였어요. 발음 연습, 서툰 행동들, 아니마 사람다운 태도, 온갖 시련에도 의연한 모습 같은 거요, 이모님도 마찬가지고요. 당신이 일상을 보내는 방식이 마음에 들어요. 조금 전 읽은 편지는 정말이지 심금을 울릴 뻔했죠."

오펠리는 어이가 없었다. 아르쉬발드가 한 말 때문이 아니라, 자신의 경솔함 때문이었다. 발키리들! 이 할머니들이 아르쉬발드를 비롯한 투알 가족 구성원들과 연결되어 있음을 어떻게 깜박할 수 있었을까? 오펠리는 여태껏 많은 사람 앞에서 말하고, 먹고, 잠을 잤다. 수도 없이 화장실에 가면서 어떤 읽을거리를 가져갈까 궁리했었는데, 그것도 바로 이 두 노파의 눈앞에서. 그사이 오펠리는 귀족들이 객석에 자리를 잡고, 무대 커튼 뒤 웅성거리는 소리가 커지고 있는 것도 거의 잊었다.

"정말 당혹스럽네요."

"왜죠?" 모자를 눌러 쓴 아르쉬발드가 놀라며 말했다.

"대사님은 아무렇지도 않으세요? 사생활도 없어요? 대사님이 보는 것, 대사님이 하는 일 전부를 온 가족과 공유하는 게 아무렇지 않아요?"

아무렇게나 의자를 앞뒤로 흔들던 아르쉬발드가 어깨를 가볍게 으쓱했다.

“덕분에 전화비를 아끼죠. 그런데 이상한 생각은 하지 말아요, 토른 약혼자님. 지금 이 순간 투알 전체가 우리의 대화를 흡수하고 있다고 믿는 것 같군요. 엄밀히 말해… 그런 건 아니랍니다. 어떻게 설명해야 할까요? (실크해트 아래로 보이는 아르쉬발드의 입이 생각에 잠긴 듯 삐죽거리다 미소를 띠었다.) 생각났다! 당신이 가족과 한 방에 모여 있다고 상상해봐요. 각자 자기 일에 빠져 있죠. 내내 혼란스럽고 소란스러운 분위기가 그려지나요? 당신 언니나 엄마가 이 순간 뭘 하는지 알고 싶다면, 그때는 언니나 엄마가 있는 쪽을 향해 귀를 기울여야 해요. 하지만 동시에 다른 사람들이 뭘 하고 있는지까지는 분명히 알 수 없을 거예요. 우리도 엇비슷해요!”

“그런데 파루크 폐하는….” 오펠리는 불현듯 생각이 떠올라 중얼댔다. “후손들의 능력을 다 지니고 있지 않나요? 그러니까… 당신들의 대화를 전부 듣는 건가요? 지금 우리 얘기도요?”

“파루크의 집중력은 콩알만 해요.” 아르쉬발드가 거침없이 대꾸했다. “일반적인 대화도 못 따라가는걸요. 아니, 정말 다른 아슈들을 여러 군데 다녀봤지만 저렇게 자기 능력 값도 못 하는 집안의 정령은 본 적이 없어요.”

오늘 저녁이 완전한 실패로 끝난다고 할지라도 오펠리는 최소한 한두 가지 새로운 사실을 알게 되어서 조금이나마 위안이 되었다.

“익명의 편지를 받았어요.” 오펠리가 느닷없이 털어놓았다.

“어떤 편지요?”

"협박 편지요. 파루크의 책과 관련이 있어 보여요."

"이곳에서 협박은 다반사죠. 발키리들 곁에 있어요."

아르쉬발드가 모자를 눌러쓰고 있어서 그의 눈을 볼 수는 없었지만, 그가 미소 지으면서도 의자에 앉아 몸을 움츠렸다고 장담할 수 있었다. 별안간 퀴네공드의 귓속말이 떠올랐다.

"사람들 하는 말이 사실이에요? 손님 한 명을… 그러니까… 영영 잃어버렸나요?"

"저는 거짓말을 못 해요." 아르쉬발드가 말했다. "이 질문에 답하지 않도록 해주세요."

막대로 바닥을 탕탕 치는 소리가 극장에 울려 퍼지자 커다란 암막 뒤로 관객들의 웅성거림이 잦아들었다.

"폐하, 그리고 신사 숙녀 여러분, 자정이 됐습니다!" 유쾌한 목소리가 외쳤다. "야회 시작을 선포합니다!"

갑작스레 밤이 된 것처럼 어둠이 내려앉자, 오펠리는 극장의 불빛이 모두 꺼졌다고 생각했다. 아르쉬발드 옆에 놓인 작은 탁자 위 촛불만이 무대 뒤 사다리와 가구들의 윤곽을 구분할 수 있게 해주었다.

아코디언 소리가 깔리고 늙은 에릭의 목소리가 커지는 것을 들으며 오펠리는 숨을 죽였다.

"폐하, 오늘 밤에는 애꾸눈 방랑자가 어떻게 세 영웅의 운명을 바꾸었는지 이야기해드리겠습니다!"

그는 계속 혀를 심하게 굴려가며 발음했지만, 음색은 오펠리를 협박할 때와는 완전히 달랐다. 늙은 에릭의 울려 퍼지는 매력적인 저음은 첫 문장부터 주의를 사로잡았다. 진짜 이야기꾼의 소리였다. 그의 목소리를 들으면서 오펠리는 목을 가다듬기 위해 물 한 잔을 더 마시고 싶을 정도였다. 의자에서 일어난 오펠리는 까치발로 걸어가 거대한 암막 틈새로 보이는 무대를 살폈다.

오펠리가 목격한 장면은 늙은 에릭이 얼마나 옳았는지를 깨닫게 해주었다. 두 사람의 무대를 같은 공연으로 엮는 것은 이 직업에 대한 모독이었다.

무대 앞에 커다란 흰 막이 내려져 있어 관객석이 잘 보이지 않았다. 무대 뒤쪽에 모습을 감춘 늙은 에릭은 아코디언 두 개의 건반 위에서 현란한 손가락 춤사위를 선보였다. 그의 옆에서는 마법 조명이 흰 막 위로 거대한 광선을 쏘며 유리판에서 움직이는 환영들을 선보였다. 망토를 두른 키 큰 사람이 동굴로 들어갔는데, 그 안에는 검을 벼리는 일에 몰두한 난쟁이가 있었다. 무대 뒤에서 바라보니 관객들 시선과 반대로 환영이 펼쳐지고 그 환영은 몇 초마다 반복되었지만, 무대의 아름다움에는 변함이 없었다. 오펠리는 놀랍도록 진짜 같은 디테일들을 매번 새로이 발견했다. 난쟁이 대장장이의 망치에서 튀긴 불꽃들, 동굴의 거울 벽에 비친 무지갯빛 반사들, 애꾸눈 방랑자가 걸친 망토의 움직임까지, 이 모든 것이 입체가 아닌 평면에 펼쳐진 공연이라는 게 믿기지 않았다.

오펠리는 막 너머로 관객들을 흘끗 보려고 했다. 희미한 빛 아래로 눈에 들어온 광경에 그녀는 깊은 생각에 빠졌다. 어떤 귀속도 팬터마임을 보고 있지 않았다. 뒷줄에 앉은 관객들은 앞줄 관객들이 손뼉을 치고 감탄하고 웃어야지만 손뼉을 치고 감탄하고 웃었다. 연못에 던진 조약돌이 파동을 만들어내는 것 같았다. 물론 이 이상한 파동의 진원지는 맨 앞줄에 앉은 파루크가 분명했다. 막에 가려져 그를 볼 수 없었지만 오펠리는 알 수 있었다. 봄의 오페라 때와 똑같았다. 파루크가 하품하면 다들 하품을 했고, 파루크가 칭찬하면 다들 칭찬했다.

오펠리는 늙은 에릭이 환영 유리판을 바꾸면서 끊임없이 아코디언을 연주하고, 괴물들과 거인들이 잔뜩 나오고, 죽은 자와 산 자가 음산한 환상 속에서 함께하는 영웅 서사를 들려주는 모습을 한참 동안 지켜보았다. 이야기의 다른 에피소드들은 명예를 되찾고, 근친상간을 저지르고, 유혈이 낭자한 살인을 저지르는 등 하나같이 소름이 끼치는 내용이었다.

오펠리는 자신이 들려줄 인형 이야기와 당나귀 귀가 조금 멍청하게 느껴졌다.

“잘하네요.” 의자로 돌아온 오펠리는 중얼거렸다. “정말 잘해요.”

“궁정의 정식 스토리텔러예요, 대체 뭘 예상한 거죠?” 아르쉬발드가 폭소를 터뜨렸다.

여전히 의자에 거꾸로 앉아 실크해트를 코까지 뒤집어쓰고 있었지만 오펠리는 이제 아르쉬발드가 전혀 우스꽝스럽게 느껴지지 않았다. 그녀는 기적이라도 튀어나오길 바라듯 『사물들 이야기 그리고 아니마 사람들의 다른 이야기』의 표지를 응시했다.

"살면서 이렇게 긴장해보긴 처음이에요. 절대로 에릭처럼 할 수 없을 거예요." 오펠리가 털어놓았다.

"그렇겠죠." 아르쉬발드는 특유의 솔직함을 드러내며 말했다.

"혼자 있게 해주세요, 대사님. 부탁이에요." 오펠리가 간청했다.

아르쉬발드는 실트해트를 그대로 쓴 채로 자리에서 일어나, 오펠리 쪽으로 고개를 까딱 숙이고는 허수아비처럼 치아를 드러내며 미소를 지었다.

"당신이 에릭처럼 할 수는 없겠죠. 다르게 해봐요." 그가 힘주어 속삭였다.

오펠리는 몸이 달린 이상한 모자 같은 모습으로 팔을 뻗어 더듬거리며 멀어지는 아르쉬발드를 바라보았다.

인형

‘다르게 해봐요.’ 오펠리는 마음속으로 되뇌며 작은할아버지가 첫 장에 ‘도움이 되길 바라며’라고 적은 글씨를 손으로 매만졌다. 아르쉬발드가 떠난 뒤 오펠리는 자신과 늙은 에릭의 다른 점을 모조리 나열해보았지만 어느 것 하나 유리한 게 없었다. 이야기는 인상적이지 않았고, 목소리에도 카리스마가 없었고, 악기를 연주할 줄도, 환영 영사기를 사용할 줄도 몰랐다.

퀴네공드 덕분에 당나귀 귀까지 달고 있었다.

새로운 이야기가 끝나고 박수갈채가 쏟아지자 오펠리는 속이 뒤집히는 것 같았다. 늙은 에릭이 보여줄 유리판이 아직 얼마나 더 남은 걸까? 질문에 답이라도 하듯 하인장이 무대 뒤로 조심스레 모습을 드러냈다.

“십 분 뒤에 시작합니다. 준비하세요.”

오펠리는 머릿속을 환기할 수 있는 것이라면 무엇이든 찾기 위해 얼빠진 얼굴로 주위를 둘러봤다. 옆에 놓인 작은 탁자 위에 있는 거라곤 양초, 빈 유리잔 그리고 늙은 에릭이 유리판을 포장할 때 사용한 것으로 보이는 신문들이 전부였다. 오펠리는 안절부절못하며 구겨진 신문 한 장을 펼쳤다. 발행일이 벌써 몇 주나 지난 니베룽겐이었다.

바퀴벌레를 주의하라!

바퀴벌레 천지다. 우리가 사는 곳에, 우리 삶에, 심지어 권력의 중심에도 바퀴벌레들이 침투했다. 그들은 몰락을 상징한다. 우리의 감독관이라고? 사생아 주제에 귀족이라니. 그의 고모는? 멸종의 길에 접어든 불길한 종족이다. 그런데 이제는 성인(聖人)중의 성인이 사는 궁정에 못 배운 아니마 여자까지 데려왔다! 그녀의 어리숙한 모습에 속지 말라. 이 음모꾼은 당신이 시선을 돌린 틈을 타서 호기심 어린 작은 두 손을 당신 물건에 갖다 댈 것이다. 독자들이여, 이방인들은 바퀴벌레와 같다. 당신 집에 한 마리라도 들였다가는 곧 빠르게 번식한다. 그런데 해충의 침입으로는 충분치 않은지, 이제 전락한 자들까지 복권을 요청하고 있다! 이 타락한 클랜들은 자기 부모가 저지른 과오를 벌써 잊은 것인가? 부디 정신 차리고 우리의 고귀한 시타시엘에서 바퀴벌레들을 몰아내자!

기사에는 토른을 형상화한 판화도 실려 있었다. 삽화가는 토른의 마른 다리와 긴 코, 찡그린 입을 풍자해 표현했다.

그림 밑에는 '감독관의 어머니는 전락한 자로, 과거에는 음모자 가운데 가장 파렴치한 자였다. 그 어머니에 그 아들?'이라는 설명이 달려 있었다.

오펠리는 신문을 찢어버렸다. 부아가 치밀어 올라 공포심을 까맣게 잊을 정도였다. 몰락, 사생아, 이방인, 유해, 타락. 도대체 무슨 권리로 신문이 한 인간을 이토록 멸시할 수 있을까? 오펠리는 전락한 자들에 대해 알지 못했다. 아직 한 명도 만나본 적이 없었다. 그러나 이 세계가 돌아가는 방식을 설명하면서 베르닐드가 "우리 집안의 정령 파루크의 총애를 받는 가문도 있고, 총애를 받았다가 잃은 가문도 있고, 한 번도 받지 못한 가문도 있죠"라고 한 말을 기억하고 있었다. 오펠리는 그 총애가 얼마나 얻기 쉽고 잃기도 쉬운지 직접 목격했다.

그런 파루크가 아니마 이야기를 듣고 싶다고? 이제 듣게 될 것이다.

"부-스토리텔러님? 음, 음. 부-스토리텔러님?" 하인장이 여러 번 불렀다.

오펠리는 관객의 박수 소리 때문에 갑자기 마룻바닥과 의자의 떨림을 느꼈다. 늙은 에릭의 공연이 끝난 것이다.

"제 차례인가요? 갈게요."

작은할아버지의 책을 팔에 끼고 암막 틈새로 들어가던 오펠리는 아코디언과 마법 조명을 든 늙은 에릭과 부딪쳤다. 머리카락과 턱수염을 엮은 기나긴 파란 타래가 땀으로 흥건히 젖어 있었다.

"이제 당신 차례군." 번번이 혀를 굴려가며 도발적으로 말했다.

무대에 올라서자 긴장감은 사라졌다. 무대 뒤 감정들을 다 잊은 듯 그녀는 실제로 아무것도 느낄 수 없는 야릇한 인상을 받았다. 영사기는 치워졌다. 환영을 보여주던 하얀 막도 거기에 없었다. 공연장 1층부터 발코니까지 이어진 관객석이 한눈에 들어왔다. 협박 편지를 쓴 자가 이들 가운데 있을까?

오펠리의 등장에 충격을 받은 듯한 웅성거림이 들렸다. 당나귀 귀가 분명 한몫한 것 같았다. 딱 한 사람만이 박수로 그녀를 반겼다. 오펠리는 관객들의 당황한 헛기침에도 아랑곳하지 않고 손뼉을 쳐대는 사람이 로즐린 이모인 것을 보지 않고도 알았다. 파루크가 잠자코 있는 한, 이모 말고 그 누구도 일말의 호감을 보이는 위험을 감수하지 않을 터였다.

'저들은 모두 파루크 자신이 끈을 조종하고 있다고 믿게 만들고 싶어해' 오펠리는 생각했다. '그런데 정작 꼭두각시는 파루크야.'

오펠리는 안경을 쓴 상태로 눈을 찡그리며 무대 끝으로 나갔다. 그녀의 예상대로 파루크는 맨 앞에 앉아 있었다. '앉아 있었다'는 적절한 표현이 아니었다. 그는 의자 여섯 개에 비스듬히 걸쳐 누워 있었다. 베르닐드는 그녀의 치마폭에 머리를 기대고 있는 파루크의 긴 백발을 엄마 같은 손길로 쓰다듬었다. 그는 잠든 듯 눈을 감고, 크고 흰 손으로 우유 잔을 살짝 들고 있어 언제라도 우유가 엎질러질 것 같았다. 다른 애첩들은 다이아몬드 담요가 되어 파루크의 거대한 몸을 덮고 있었다. 조용히 입술을 움직여 오펠리를 격려하는 베르닐드를 제외한 모든 이의 눈빛에 멸시가 서려 있었다.

'다르게 해봐요.'

오펠리는 바닥에 무릎을 꿇고, 바람을 불어 촛불 여러 개를 껐다. 그리고 놀라서 웅성대는 소리를 들으며 무대 가장자리로 가 그네를 타듯 두 다리를 늘어트리고 어설프게 앉았다. 파루크가 그녀의 유일한 관객이었고, 최대한 그와 가까이 있고 싶었다.

"안녕하세요." 오펠리는 작은 목소리로 낼 수 있는 가장 큰 소리를 냈다.

그녀는 늙은 에릭의 무대처럼 의례적으로 막대를 쳐서 공연 시작을 알리는 소리를 기다렸다. 하지만 아무 소리도 나지 않자 혼자 헤쳐나가기로 결심했다. 파루크가 눈꺼풀을 들어 올릴 때까지 발뒤꿈치로 무대 나무판을 두드렸다.

"안녕하세요." 오펠리는 두 손으로 책을 들며 다시 말했다. "제게는 조금 전 우편으로 받은 아니마 이야기 모음집이 있어요. 시간이 없어서 겨우 한 편밖에 못 읽었어요. 그래서 제 공연은 짧고, 어쩌면 원작에 그다지 충실하지 않을 수도 있어요. 미리 양해를 구합니다."

오펠리는 첫 번째 줄에, 베르닐드의 무릎 위에, 졸고 있는 얼굴에, 살짝 열린 눈에, 눈 사이로 살짝 비친 작은 번뜩임에 온 정신을 집중했다. 파루크가 너무 멀리 떨어져 있어서인지, 너무 졸고 있어서인지, 오펠리는 그의 정신적 존재를 느낄 수 없었다. 성대에 더 힘을 주어야 했다.

"옛날옛날 꼬마 여자아이에게 인형이 하나 있었어요." 오펠리가 시작했다. “아니마에서 흔히 볼 수 있는 평범한 인형으로 주인의 기분에 따라 눈을 깜박이고 팔을 들고 고개를 저었죠.”

뒤쪽 관객석 가장 어두운 곳에 있던 여자 관객이 소리쳤다. “더 크게!”

“아니마의 장난감들처럼 그 인형도 결국 자기만의 성격을 갖게 되었어요. 인형은 조용히 있고 싶으면 눈을 감았어요. 드레스가 더러워지면 팔을 흔들었고요. 반대할 때는 고개를 저어 의사를 표시했어요. 인형은 심지어 관절이 있는 다리로 걷기 시작했죠.”

“더 크게!” 극장 안에서 다른 누군가 외쳤다.

“어느 순간 인형은 자신이 인형인 게 지겨워졌어요. 더는 선반 위가 자신의 자리라고 느끼지 않았죠. 더는 꼬마의 장난감이 되고 싶지 않았어요. 인형에게는 꿈이 있었답니다. 자신만의 꿈. 인형은 배우가 되고 싶었어요.”

“더 크게!” 파루크의 침묵에 고무되어 여러 명이 한목소리로 외쳤다.

“어느 밤, 인형은 자신이 있던 선반과 방 그리고 집을 떠났지요. 관절로 이어진 다리로 홀로 세상으로 나아갔어요. 꿈을 이루고 싶은 생각뿐이었죠. 마침내 길에서 꼭두각시 극단을 마주쳤어요.”

극장 안에서 너도나도 “더 크게!”를 외쳐대는 바람에 오펠리조차도 자기 목소리가 잘 들리지 않았다. 안 그래도 분위기가 어수선한데 로즐린 이모가 관객석 중앙에 일어서서 열정적으로 손뼉을 쳤다.

오펠리는 집중력을 잃지 않겠다고 단단히 마음먹었다. 그녀의 메시지는 아직 파루크의 눈꺼풀 아래 번득이는 눈빛에 닿지 못했다.

"꼭두각시 조종사들은 벌써 이런 종류의 인형으로 어떤 공연을 할지, 어떻게 돈벌이로 이용할지 그림을 그려두었죠. 그들은 인형이 타고난 배우라며 입에 발린 말을 하고, 꿈을 이루도록 돕겠다고 했어요. 인형은 그들을 믿었죠. 그 어느 때보다도 지금처럼 인형이었던 적이 없었다는 사실을 깨닫지 못한 채로요."

오펠리는 입을 다물었다. 그녀는 그렇게 많은 단어를 연달아 발음한 적이 거의 없었다. 그것만으로도 꽤나 고되었는데, 거기에 더해 온 극장 안을 가득 메운 '더 크게!'라는 외침이 그녀의 목소리를 뒤덮었다.

파루크에게 몸을 바짝 붙이고 있던 애첩들도 관객을 따라 한목소리로 외쳤다. 이제 베르닐드는 당황한 기색을 미소 뒤에 숨길 수 없었다. 파루크의 눈꺼풀이 내려앉아 희미한 빛을 덮어버리는 순간, 오펠리는 패배를 깨달았다.

"더 크게! 더 크게! 더 크게!"

그때 예기치 못한 두 가지 사건이 벌어졌다. 먼저 맨 앞줄의 애첩들이 마치 다이아몬드 비가 내리듯 우수수 떨어지기 시작했다. 그다음엔 우유 잔이 극장을 가로질러 날아가 뒷좌석에 얼이 빠져 입을 벌린 관객들 얼굴 위로 하얀 우유를 튀겼다. 너무 순식간에 벌어진 일이라 오펠리는 상황을 파악하는 데 시간이 걸렸다.

몸을 일으켜 세운 파루크가 관객들 사이로 우뚝 솟아 있었다. 무대에 선 오펠리 눈에는 파루크의 거대한 황제 망토밖에 보이지 않았다. 백발은 하얀 모피와 하나가 되었다. 오펠리는 파루크가 이토록 민첩하게 움직일 수 있을 거라곤 상상도 못 했었다. 그가 벼락같은 굉음을 내자 오펠리는 자신이 객석에 없는 게 다행이라고 생각했다.

"한번 더 말을 잘라봐…."

파루크가 더 말할 필요가 없었다. 이번에는 경악한 관객석에 내려앉은 침묵에 귀가 아플 지경이었다. 우유 벼락을 맞은 사람들은 튄 우유를 닦을 생각도 못 했다.

파루크는 극도로 느린 동작으로 객석에서 고개를 돌렸다. 나머지 몸은 조금도 움직이지 않았고, 고개만 불안할 정도까지 꺾였다. 집안의 정령만이 뼈가 부서질 걱정 없이 이 정도로 몸을 비틀 수 있었다. 완전히 무대 쪽으로 고개를 돌린 파루크의 얼굴은 평상시만큼 무표정해 보였다. 그러나 그의 눈빛만으로도 오펠리는 귀에 벼락이 내려친 느낌을 받았다.

"인형은 어떻게 되었지?"

오펠리는 파루크의 반응에 너무 놀란 나머지 자기가 했던 이야기를 잊어버렸다. 무대 뒤에 두고 왔던 모든 감정이 놀라움과 흥분, 두려움이 뒤섞인 형언할 수 없는 상태로 다시 휘몰아쳤다. 그녀만큼이나 겁을 먹은 목도리가 오펠리의 목을 세게 조여 숨이 막힐 지경이었다.

"결말은 다음에 얘기해드리겠습니다, 폐하."

파루크의 눈썹이 미세하게 흔들렸다. 그게 불만의 표시인지, 고민의 표시인지 알 수 없는 상태로 긴 침묵이 이어지는 내내 오펠리는 자신의 심장 뛰는 소리를 들었다. 만약 다음이라는 기회를 얻게 된다면, 그녀는 첫 번째 승리를 거둔 것이리라.

"네 이야기가 정말 내 마음에 드는지 확신이 안 서." 마침내 파루크가 음절 하나하나를 끊어가며 분명한 발음으로 말했다.

"그런데 결말을 알고 싶으시죠? 인형이 꼭두각시 조종사들의 장난감으로 남는지 알고 싶으시죠? 그렇지 않으세요?"

오펠리는 자신의 목소리가 떨리는 것을 들키지 않기를 바랐다. 관객들의 적개심이 피부를 콕콕 찌르는 것처럼 느껴졌지만, 이제 그 누구도 감히 "더 크게!"를 외치지 않았다.

파루크는 머리 위치가 마침내 정상으로 돌아올 때까지 무기력하게 몸을 돌렸다. 그는 시간이 멈춘 듯 아주 느린 걸음으로 무대를 향해 걸어 나왔다. 그가 다가올수록 오펠리는 끔찍하게 심해지는 두통을 느꼈다. 온몸에 퍼져나간 신경통이 더 견딜 수 없어졌을 때, 파쿠르가 멈춰 섰다.

"아니, 난 그다음을 알고 싶지 않아. 난 이 이야기를 좋아하지 않아." 파루크가 생각에 잠긴 듯 덧붙였다. "그렇지만 발음은 정확했어."

놀란 관객들의 웅성거림이 그 즉시 극장을 훑고 지나가자, 오펠리는 그것이 일종의 칭찬이라고 추측했다.

"너를 부-스토리텔러로 임명하겠다." 파루크가 선언했다.

"저는 이미 부-스토리텔러입니다."

"아, 그래? 잘되었군. 불필요한 서류는 피할 수 있겠어."

오펠리는 두 손으로 이야기책을 꽉 쥐었다. 파루크가 가한 고통이 너무 커서, 오펠리는 조금 더 빨리 말을 하고 거리를 유지해달라고 간청하고픈 심정이었다. 그는 팔을 펼쳤다. 젊은 기억 도우미가 잽싸게 뛰어나와 파루크에게 수첩을 건네는 것을 보고야 대수롭지 않아 보이는 그 행동의 의미를 알았다. 파루크는 기억 도우미가 까치발로 서서 건네준 깃털 펜에 잉크를 적셔 부지런히 적기 시작했다.

"내일 저녁 다른 이야기를 들려다오, 부-스토리텔러."

객석 전체에 우레 같은 박수 소리가 울리자 오펠리와 목도리는 동시에 깜짝 놀랐다. 조금 전까지만 해도 '더 크게!'를 외치던 사람들이 기립박수와 함께 '브라보'를 외치고 손가락 끝으로 키스를 날려 보냈다.

가스등에 천천히 불이 들어오는 동안 오펠리의 눈에는 무기력하게 수첩을 덮는 파루크도, 우아하게 물결치는 드레스를 입고 자신을 만나러 오는 베르닐드도, 양산을 크게 흔들어 보이는 로즐린 이모도 들어오지 않았다.

커다란 검은 제복을 입고 사람들의 시선이 거의 닿지 않은 극장 제일 안쪽에 있는 토른만 보였다. 그는 손뼉을 치지 않았다.

이야기들

오펠리 삶의 변화는 우편함으로 찾아왔다. 하루아침에 온갖 색의 모래시계들이 '부-스토리텔러' 앞으로 도착했다. 환영 가장무도회, 하늘 정원에서의 티타임, 오페라극장의 발코니 좌석, 온천 내 문학 살롱까지 우편함 덮개가 여닫히는 소리가 끊이지 않았다.

오펠리는 일드가르드 부인을 깊이 존경했지만 그녀가 만든 모래시계 초대장은 내키지 않았다.

기발한 운송 수단이긴 했다. 모래시계를 작동시키는 연결 핀을 제거하기만 하면 그 즉시 예정된 목적지로 이동해, 모래가 완전히 떨어질 때까지 효과가 지속된다. 모래의 양과 구멍의 크기는 초대 손님의 중요성에 비례했고, 초대 시간은 몇 분에서 며칠까지 다양했다.

오펠리는 파란 모래시계가 없었다면 거기에 익숙해졌을지도 모른다. 계속해서 파란 모래시계들을 받다 보니 부주의로 핀을 뽑아버릴 뻔한 것도 여러 번이었다. 오펠리는 파란 모래시계를 절대 사용하지 않겠다고 다짐했었다. 파란 모래시계는 하인들이 들고 있는 쟁반 위, 샴페인 테이블 옆, 자판기 속 할 것 없이 궁정 곳곳에 널려 있었다. 오펠리는 얼마나 많은 귀족이 몇 분간 사라졌다가 극도의 행복에 젖어 제자리로 돌아온 것을 보았던가? 모래시계가 그들을 어디로 데려갔느냐고 물으면 다들 '천국이지, 물론!' 이라고 답했지만, 이 대답은 그녀를 조금도 안심시키지 못했다.

"더는 초대에 응하지 않겠어." 어느 아침, 일을 하기 위해 침대에 자리를 잡은 오펠리는 다짐했다. "온갖 파티들 때문에 진이 빠져. 난 이야기를 준비해야 해."

오펠리가 작은할아버지가 보내준 책을 펼치자마자, 베르닐드는 책을 덮어버리고는 그녀를 일으켜 세웠다.

"난 반대로 모든 초대에 응하라고 조언하겠어."

"왜죠? 거긴 제 자리가 아닌 것 같아요. 파루크 폐하의 초대에만 가면 되는 줄 알았어요."

"저도 같은 생각이에요." 로즐린 이모가 거들었다. "모래시계 하나로는 한 명밖에 이동할 수 없는데, 오펠리만 그걸 받잖아요. 그러면 어떻게 오펠리를 수행할 수 있겠어요?"

"알아요." 베르닐드가 한숨을 내쉬며 말했다. "하지만 오펠리는 외교 동맹으로 폴에 왔어요. 그녀가 이곳 귀족들의 초대를 거절하면 그들에게 엄청난 모욕을 안기게 될 테고, 그 모욕에 대한 대가는 언제고 치르게 되어 있죠." 그녀는 부드럽고 고운 목소리로 오펠리에게 단언했다. "그래도 걱정하지 마. 이것도 결국은 한때야, 오래가지 않을 거야. 파루크 폐하가 네 이야기를을 좋아하는 한, 누구도 감히 널 공격하지 않을 거야."

오펠리는 자신의 예상과는 전혀 다르게 파루크가 너그러운 관객임을 인정해야만 했다. 그녀는 매일 저녁 이번이 마지막이 될 거라고, 파루크가 자신에겐 아무런 재능이 없음을 불현듯 알아챌 거라고 생각했다. 그런데 놀랍게도 파루크는 저녁마다 다음 날 새로운 이야기를 들려달라고 요구했다.

차가운 대리석 같은 파루크의 얼굴은 일말의 감정도 드러내지 않았다. 웃긴 이야기에 미소 짓지도 않았고, 슬픈 이야기에도 눈썹 하나 까딱하지 않았다. 이야기의 끝을 알리기 위해 오펠리가 책을 덮을 때도 파루크는 말 한마디, 질문 하나 하지 않았다. 그저 거대한 팔다리를 펼치고, 자리를 뜨기 전 느린 목소리로 선언했다.

"내일 저녁 다른 이야기를 들려다오, 부-스토리텔러."

그러면 관객들은 기름칠 잘된 기계처럼 박수갈채를 보냈다.

"파루크가 정말 제 얘기를 들으며 즐거워하는 건지 모르겠어요." 오펠리는 이모에게 털어놓았다. "정말 듣고 있는지도 모르겠어요."

"파루크가 네 이야기를 듣는지는 모르겠지만, 최소한 너를 보고는 있겠지." 로즐린 이모가 답했다.

바로 그 점이 오펠리를 당황하게 했다. 파쿠르가 무대 발치에서 자신을 집어삼킬 듯 바라보고 있음을 잘 알고 있었다. 그 눈은 베르닐드를 조심스럽게 휘감는 갈구의 눈빛이나, 다른 사람들을 보는 따분해 죽겠다는 눈빛과는 전혀 달랐다. 아니, 파루크가 오펠리를 바라보는 눈빛은 흐릿하면서도 동시에 날카로웠다. 마치 그녀를 완전히 통과해 안에 있는 다른 누군가를 찾으려는 것처럼 보였다. 오펠리는 파루크가 자기 집안의 문제를 전부 다 깨우치게 되기를 얼마나 바랐던지! 그런데 파루크가 듣지 않는다면 이렇게 애써봐야 무슨 소용인가? 어느 저녁 오펠리는 파루크의 반응을 보려고 같은 이야기를 두 번 연달아 들려주었지만, 그는 전혀 눈치 채지 못했다.

유일하게 인형 이야기에 관심을 보였지만, 그렇다고 그 이야기를 더 듣고 싶어하지도 않았다.

'파루크는 정확히 뭘 바라는 걸까?' 오펠리는 베개 옆에 똬리를 틀고 있는 목도리를 어루만지며 밤마다 생각했다.

혼자만의 착각일지 몰라도, 오펠리는 파루크가 예전에 책을 통해 찾고자 했던 것을 이제는 그녀를 통해 찾으려는 것 같았다. 파루크가 오펠리 앞에서 한 번도 책을 언급하지 않은 것이 사실이라, 당장은 그의 머릿속에서 책이 완전히 사라졌다고 생각될 정도였다.

그렇다고 오펠리가 책에 관한 이야기를 할 수도 없었다.

이상한 협박 편지를 받은 지 한 달이 지났지만, 오펠리는 여전히 왜 사람들이 파루크의 책을 토른이 읽는 것을 그토록 두려워하는지 궁금했다. 아르테미스도 책 한 권을 갖고 있었지만, 오펠리가 아는 바로는 아니마에서 그 책을 해독하려다 살해당한 사람은 없었다. 무엇이 파루크의 책을 그토록 독특하고 두렵게 만들었을까? 알 수 없는 글자로 쓰인 책 어딘가에 위험한 비밀이라도 숨겨진 걸까? 파루크는 비밀을 기억할 수는 없지만 비밀의 존재는 알고 있는 걸까?

'한 번만 내가 해보겠다고 하면 될 텐데.' 오펠리는 손가락으로 침대를 두드리며 생각에 잠겼다.

오펠리는 읽는 사람으로서 직업적 호기심에 불타올랐고, 약혼녀로서 토른에 대한 복수심에 불타올랐다.

"나는 부-스토리텔러야." 마침내 오펠리는 목도리에게 선언했다. "내 일에 집중하고 목숨도 부지하도록 노력하겠어. 이 정도면 좋은 시작이야."

오펠리에게는 애석하게도, 니베룽겐의 편집장 체크오브는 오펠리 관련 기사를 대서특필할 기회를 절대 놓치지 않았다.

오월의 오늘 아침도 예외가 아니었다.

악독한 부-스토리텔러

"위험한 게임을 하고 있어, 오펠리." 기사 전체를 읽고 난 뒤 베르닐드가 한마디 했다. "모두가 네 속셈을 파악했어. 이야기를 이용해 궁정을 비난하는 걸 귀족들이 탐탁지 않아해."

"궁정에 대고 한 말이 아니에요." 오펠리는 수첩에 새로운 아이디어를 적으면서 말했다. "파루크 폐하에게 한 말이에요."

이야기는 오펠리의 유일한 표현 수단이자, 자신의 일에 의미를 부여할 수 있는 유일한 방법이었다.

"우리 집안의 정령을 가르치겠다는 거야?"

분홍빛 실크 가운을 두른 베르닐드는 불쾌해하기보다는 흥미로워하는 듯 보였다. 베르닐드는 여느 아침과 마찬가지로 의자에 앉아서 신문을 훑어보았고, 로즐린 이모는 그녀의 아름다운 금발 머리를 치장했다. 임신 육 개월에 접어든 베르닐드의 배는 드레스 밖으로 확실히 부풀어 올라 더는 사람들 눈을 피할 수 없게 되었고, 로즐린 이모는 그녀를 친조카처럼 돌보기 시작했다. 로즐린은 담배를 모조리 쓰레기통에 버렸고, 술잔을 빼앗았으며, 이모 눈에 지나치게 부산스러워 보이는 새로 유행하는 춤도 못 추게 했다. 무엇보다도 밤마다 망루 꼭대기에 있는 자신의 방으로 베르닐드를 불러대는 파루크를 못마땅해했다.

"네가 정말 용감하다면…." 베르닐드가 말을 이었다. "내 조카에게 말을 해야지. 매번 전화를 피할 구실 찾기에 바쁘잖아. 어제는 목이 아프다 그러고, 그제는 귀가 아프다 하고… 안 그래도 신경 쓸 일이 많은데, 네 마음까지 되돌리려고 애쓰는 아이가 불쌍하지도 않니?"

오펠리는 수첩 위로 얼굴을 찡그렸다. 토른과의 마지막 대화 이후 다시는 그와 말을 섞고 싶지 않았다.

"바로 그거예요. 할 일이 산더미이니 저라도 가만히 내버려 둬야죠."

오펠리의 말은 거짓이 아니었다. 드래곤들이 학살당한 뒤로 시타시엘에 진짜 식량 위기가 찾아왔다. 전문 사냥꾼이 없으니 궁정에는 사냥한 고기도 찾아볼 수 없게 되었고, 식료품 저장고는 걱정스러울 정도로 빨리 비어갔다. 미라주들이 사냥 기술을 써보며 애썼지만 결과는 재앙에 가까웠다. 바깥의 거친 현실과 동떨어진 작고 보드라운 환영들에 익숙한 미라주들은 전부 다 잡아먹힐 뻔했다. 오펠리는 그림이 아닌 진짜 야수들을 본 적이 한 번도 없었다. 그림만 봐도 미라주의 최면이 폴의 괴물 같은 동물들에게 안 통하리라는 것을 알 수 있었다. 미라주들은 짐승들의 화만 돋웠을 뿐이다. 결국 관리국은 해결책을 찾을 때까지 모두 허리띠를 졸라매라고 부탁했다.

"오펠리, 미리 말해두는데." 베르닐드는 신문 너머로 오펠리를 차분히 바라보며 말했다. "만에 하나 내 조카의 심장을 찢어 놓으면, 내가 널 산산조각 내버릴 거야."

오펠리는 커피를 잔 옆에 쏟아 부었다. 그저 말뿐이 아님을 아주 잘 알고 있었다. 베르닐드는 그보다 별거 아닌 일에도 이미 오펠리에게 할퀴기 공격을 가했었다.

"오! 그런 표정 짓지 마." 베르닐드가 단호하게 말했다. "아니마 사람들과 동거하는 것도 임신부에게 결코 쉬운 일이 아니니까. 시도 때도 없이 문이 쾅 닫히지를 않나, 괘종시계가 제멋대로 시간을 바꾸질 않나, 세면대 근처만 가도 수도꼭지에서 물이 쏟아지질 않나, 게다가 이 코트, 아 정말, 이 코트는 또 어떻고!" 베르닐드는 옷걸이에서 맹렬히 들썩대는 실루엣을 못마땅한 듯 바라보며 한탄했다. "가끔은 내가 유령의 집에 사는 것 같다니까."

오펠리는 엄마가 성미 고약한 외투를 보냈음을 인정해야 했다. 상자에서 꺼낸 순간부터 발광하는 바람에 로즐린 이모가 뒤에서 붙잡아 옷걸이에 매달아놓을 수밖에 없었다. 그 이후로 발키리들을 포함해 이 집에 사는 사람 모두가 격분해 바둥거리는 단추 달린 묵직한 소매를 피하려고 외투가 걸린 곳을 조심스레 피해 가는 습관을 갖게 되었다.

오펠리는 니베룽겐을 집어 들고 자신과 토른을 우스꽝스러운 꼴로 만든 수많은 삽화들을 넘겼다. 이 신문에서 흥미를 끌 만한 정보를 찾기란 힘들었다. 체크오브는 전락한 귀족과 외국인 야심가들, 대개는 미라주를 제외한 누구든 비방하는 기사만 잔뜩 써댔다. 그의 주요 표적은 여전히 일드가르드 부인이었다. 페이지마다 일드가르드 부인에게 파란 모래시계와 오렌지, 조미료 그리고 새집을 구매하지 말라고 독자들에게 당부했다.

오펠리는 마침내 풍자화도, 구매 만류의 글도 아닌 어떤 기사를 발견했다.

밀렵 : 이번에도 역시나 전락한 자들!

"기아가 우리의 아름다운 시타시엘 성문 앞까지 들이닥쳤는데, 전락한 자들은 태평스럽게 밀렵에 빠져 있다." 오펠리는 작은 목소리로 읽었다. "우리 접시에 올려야 할 고기를 약탈해 무능력자들에게 나누어주었다. 이런 비열한 조작은 분명 그들 가문의 명예를 회복하기 위함이다. 전락한 자들은 우리의 옛 사냥꾼들이 떠난 빈자리를 채웠을 뿐이라고 주장하지만, 우리는 물러나지 않을 것이다! 정말 악의적이네요." 오펠리는 니벨룽겐을 덮으며 짜증을 냈다. "그들은 궁정 사냥꾼들이 실패한 일을 해낸 것뿐이잖아요. 이 신문에 써 있는 것 말고 전락한 자들에 대한 다른 의견도 알고 싶어요."

"그 비천한 자들이 너와 무슨 상관이지?" 베르닐드가 비난하듯 말했다. "그들은 과거고 우리는 미래야."

"어느 정도 제 미래이기도 해요." 오펠리가 응수했다. "그들 중 일부는 곧 제 가족이 되겠지요. 지난번에 토른의 어머니가 크로니쾨르*였다고 하셨죠. 그 클랜에 대해서 아직 아무것도 몰라요."

베르닐드는 살롱의 긴 의자에 앉아 평소처럼 침묵을 지키며 주의를 기울이는 발키리들을 초조하게 바라보았다. 마치 증인들을 앞에 두고 이런 대화를 나누는 게 몹시 난처하다는 듯.

"전락한 자들은 아주 심각한 잘못을 저질렀어, 오펠리. 너무나 심각해서 그들 자신은 물론이고 그들의 후손까지도 모조리 궁정에서 영구 추방된 거야. 특권과 재산도 빼앗기고, 도시로 들어올 권리마저 잃었지."

"다른 말로 하자면." 오펠리는 눈살을 찌푸리며 말했다. "그들은 짐승 무리에 섞여 야생 상태로 살면서 사냥할 권리도 없다는 건가요? 그건 사형선고예요."

"걱정할 필요 없어." 베르닐드는 찻잔을 입가에 가져가며 빈정거렸다. "살아남으려고 알아서들 잘하고 있으니까."

* chroniqueur는 '연대기 작가'를 뜻한다.

"토른의 어머니도 마찬가지인가요?"

베르닐드의 미소가 일그러지더니, 마시던 차가 돌연 너무 써졌다는 듯 찻잔을 받침에 내려놓았다.

"토른 엄마 얘기는 금기야. 공공연하게 이름을 들먹이는 것만으로도 토른의 명성에 심각한 해를 끼칠 수 있어."

"왜죠?" 오펠리가 재차 물었다. "대체 어떤 끔찍한 일을 저지른 건가요?"

"토른은 곧 네 남편이 될 거야." 베르닐드는 반박할 수 없는 어조로 힘주어 말했다. "네가 질문을 해야 할 사람은 바로 토른이라고."

오펠리는 고집부리지 않았다. 그녀는 외교적으로 가능한 한 오래 토른과 엮이지 않겠노라 다짐했다.

그녀의 어설픔으로 인해 다짐은 지켜지지 않았다.

오펠리는 결국 우편함에 담긴 모래시계를 사용하지 않고 지내게 되었다. 사교 장소를 자주 드나들어 그곳에 있는 거울들을 잘 알게 되면서 자신의 능력으로 이동하기 시작한 것이다. 경탄의 눈으로 자기 모습을 비춰보던 점잖은 신사들과 교태 부리는 여인들은 오펠리가 거울에서 튀어나오자 놀라서 펄쩍 뛰었다.

오펠리는 이동의 자유를 되찾아 흡족한 나머지 조심성을 잃었는지도 모른다. 거울을 통과해 이동하려면 집중력은 물론 자기 자신과의 조화가 필요했다. 수면 부족과 연이은 파티 참석, 자기 자리를 찾지 못할 거라는 두려움까지, 이 모든 상황을 감안해 거울로 드나드는 능력을 극도로 자제해 사용했어야 했다.

유월 초 어느 오후, 오펠리는 꼼짝없이 끼이고 말았다.

머리와 어깨는 흡연실 거울 한가운데에 걸려 있는데 나머지 몸이 따라오지 않았다. 한쪽 발뒤꿈치를 들고 있는 거울 출발지로 몸을 돌려보려 했지만 다른 쪽 다리와 두 팔이 허공에서 바둥거리는 것 같았다. 오펠리는 얼마간 시간이 지난 후에야 서로 다른 거울에 몸이 끼였다는 사실을 깨달았다. 어깨를 이용해 무게 중심을 앞으로 쏠리게 해보았지만 꼼짝도 할 수 없었다. 그녀는 너무 많은 곳에 동시에 있었고 마음대로 움직일 수 없었다.

"도와주세요." 거울에 머리가 걸린 채로 오펠리가 외쳤다.

전망대 산책로에 있는 수많은 흡연실 중 한 곳에 머리가 튀어나왔는데, 공교롭게도 그곳에는 아무도 없었다.

오펠리는 두 다리로 힘들게 균형을 잡으며 도움을 요청했다. 영원같이 느껴지던 기다림 끝에 누군가 불쑥 나타나 그녀의 팔을 잡아당기기 시작했다. 오펠리는 여러 세상으로 뜯겨나가는 듯한 고통을 느끼며 갑작스럽게 끌어당기는 힘에 몸을 맡겼다. 그리고 바닥으로 거꾸로 나뒹그러졌다.

충격으로 얼이 나간 오펠리 주위로 미친 듯 비명을 지르거나 거친 말들을 쏟아내는 실루엣들이 희미하게 보였다. 바닥을 더듬거리며 안경을 찾던 오펠리에게 누가 안경을 건네더니 일어서는 것을 도와주었다. 그 은인이 토른임을 알아본 그녀는 어쩔 줄 몰라 '죄송하세요'와 '감사할래요'라고 말을 버벅거렸다.

"여기서 뭐 하는 거야?"

오펠리 머릿속에 스친 첫 번째 질문이었다. 그녀의 머리 두 개쯤 위에서 토른이 기나긴 눈썹을 찌푸리자 안 그래도 경직된 얼굴이 더 일그러졌다. 팔에 끼고 있던 서류 뭉치는 그가 공무 수행 중임을 분명히 말해주었다.

"그건 내가 물어야 할 것 같은데. 당신 손이 이 거울에서 뭘 하고 있었는지." 토른이 투덜대며 말했다. "기괴한 것에 이골이 난 부인들조차도 뇌졸중으로 쓰러질 뻔했어."

오펠리는 자신이 떨어진 곳이 애견 전시장 한복판임을 깨달았다. 오페라글라스를 든 한 무리의 귀족 노부인과 리본으로 장식한 몸집 큰 개들이 화난 기색으로 오펠리를 응시했다.

고개를 들었을 때 오펠리는 하늘 정원 안… 아니 하늘 정원 아래에 있음을 깨달았다. 천장이 완전히 열대 정글로 뒤덮여 있지 않았다면 망루 3층은 매끈하게 왁스칠한 나무 바닥과 대형 벽거울이 달린, 흔히 볼 수 있는 전시장이었을 것이다. 하지만 지금은 고개를 들기만 하면 서양 삼나무, 마호가니, 육식 식물 그리고 색색의 앵무새들로 가득한 식물 세계로 빠질 수 있었다. 한번은 양치식물이 무성한 곳에서 줄무늬 맹수를 보았다는 착각이 들 정도였다.

"귀부인 여러분, 죄송합니다. 제가 완전히 끼어 있었어요." 오펠리가 헝클어진 올린 머리를 뒤로 넘기며 말했다. "오랜만에 벌어진 일이에요."

처음으로 거울 이동을 시도했던 열두 살 때 오펠리는 동시에 두 장소에 끼어 있었다. 그녀는 자신의 오른쪽과 왼쪽을 조절할 수 없어서 빠져나올 때 완전히 뒤집혀 나왔다. 한밤중에 왜 그린 엉뚱한 시도를 했는지는 기억할 수 없었다. 반면 그 후에 이어진 길고 긴 재활 과정은 완벽하게 기억했다. 고쳐지지 않는 어설픔 때문에 이미 거울 사건을 겪었던 오펠리는 그날 실수로 더 서툴어지지 않기를 바랐었다.

토른은 로봇처럼 뻣뻣한 동작으로 늙은 귀족 부인들 쪽으로 몸을 돌렸다.

“실례합니다.” 그는 전혀 미안해 보이지 않는 어조로 말했다. “설문지 작성을 부탁드립니다. 오 분 뒤 회수하러 오겠습니다.”

토른은 오펠리의 의사를 묻지도 않고, 그녀의 어깨를 붙들고 아무도 없는 부속실로 데려갔다. 천장은 넝쿨 식물로 덮여 있고 나무 장식을 덧댄 아름다운 바닥 사이로 가짜 열대지방 새들이 날아다녔다.

“자.” 토른은 회계사다운 무미건조한 음색으로 말했다. “부-스토리텔러님께서는 폴에 사는 모든 이와 맺은 약속을 지키시던데, 이젠 내게도 시간 좀 내줄 수 있을까?”

항상 단정하게 뒤로 빗어 넘긴 토른의 머리카락이 점점 더 은색을 띠는 것처럼 보였다. 강철 같은 눈의 예리함마저도 사라진 것 같았다. 식량난 때문에 이렇게 된 것일까?

“빠져나오게 도와줬으니 잠시 시간을 내야겠지.”

“지금 여기 말고.” 토른은 부속실 문을 경계하는 눈으로 보며 말했다. “내일 관리국으로 와. 시간은 상관없어. 약속을 전부 취소할 수 있으니까.”

“베르닐드에게 말해볼게.” 오펠리가 한숨 쉬며 말했다. “우리가 한번 시간을….”

“고모도 당신 이모도 없이.” 토른이 단호하게 말을 잘랐다. “혼자 와. 계속 이렇게 지낼 수는 없어. 화해를 하자는 거야.”

오펠리는 이런 권위적인 말투가 전혀 마음에 들지 않았다. 토른이 그렇게 끔찍한 얼굴을 하고 있지 않았다면 매몰차게 거절했을 터였다.

“대체 뭘 하던 중이었어?” 오펠리는 손으로 설문지를 잡으며 물었다.

“반려동물 수를 집계하고 있어.”

강아지 수를 세고 있는 토른의 모습을 상상하자 오펠리는 웃음이 터질 뻔했다. 그러나 그 이유를 추측하자 끔찍해서 눈이 휘둥그레졌다.

“설마 그런 생각을 하는 건 아니겠지….”

“기근에서 벗어나기 위해서 모든 가능성을 알아보고 있어.” 토른은 회중시계를 확인하며 답했다. “단순히 나 혼자만의 문제였다면 먼저 제일 살찐 장관들을 골랐을 거야. 그런데 식인은 폴에서도 불법이거든.”

오펠리는 부속실의 살짝 열린 문틈으로 설문 작성을 하다 말고 수시로 대형 개들의 털을 쓰다듬고 안아 올리는 연로한 귀족 부인들을 보았다.

“저 부인들도 네가 무슨 생각을 하는지 알까?”

“우리 대화가 끝나면 알게 될 거야.” 토른이 무미건조하게 말했다. 억양 때문에 더 거칠게 들렸다. “제안한 지 오 분 지났어.

이젠 답을 들을 수 있을까? 나를 보러 올 거야 말 거야?"

오펠리는 음산한 장례업체 대표를 마주하듯 반감과 연민이 뒤섞인 눈으로 그를 응시했다.

"정말이지 난 당신 구두 속에 살고 싶지 않아."

토른이 워낙 표현에 인색한 사람이라 오펠리는 우두커니 있는 그의 모습을 처음에는 기다리는 중이라고 여겼다. 그런데 눈도 깜박이지 않고, 숨도 쉬지 않고, 뚫어지라 자신을 보는 토른이 사실은 자신의 말에 숨이 멎을 정도로 놀랐다는 것을 깨달았다.

"신발이 그렇게 편하지 않다는 거 인정해." 아주 긴 침묵 끝에 그가 한 음절씩 끊어가며 답했다. "아니, 그 이상이지. (그는 이미 완벽하게 단추가 채워진 제복 깃을 확인하고, 이미 완벽하게 빗질된 머리를 손으로 매만지고, 이미 시간이 완벽하게 맞춰진 시계태엽을 감고는 목소리를 가다듬었다.) 결국 오지 않겠다는 뜻이군. 그렇지?"

토른은 설문지를 회수하려고 손을 내밀었다. 그의 태도가 얼마나 사무적이었는지 오펠리는 죄를 지은 듯 당혹스러웠다. 베르닐드가 제대로 보았음을 인정해야 했다. 지난 몇 주 동안 오펠리가 토른을 피한 진짜 이유는 분노가 아닌 비겁함 때문이었다.

오펠리는 토른에게 서류를 건네며 그의 두 눈을 똑바로 쳐다보았다.

"당신 말이 맞아. 서로 피하며 여생을 보낼 순 없어. 함께 타협

점을 찾아야 해. 내일 무대에 오르기 전에 관리국으로 갈게. 혼자서."

토른의 찌푸린 표정이 희미하게나마 누그러졌다.

"그럼 내일 봐." 그가 말했다.

잊힌 자

상공에 부는 바람처럼 오펠리는 옛 세계 위를 날아다녔다. 옛 세계는 알 수 없는 이유로 파열되기 전 과거의 모습을 그대로 간직하고 있었다. 오펠리는 하늘에서 여전히 손이 닿지 않는 옛 세계의 도시와 숲 그리고 바다와 시골을 바라보았다. 그녀의 기억이 닿는 아주 오래전부터 늘 꾸던 꿈이다. 그러나 이번에는 평소와 달리 전개되었다. 구름이 카펫으로 바뀌었고, 오펠리가 카펫에 발을 내딛자마자 옛 세계도, 바다도, 도시도, 시골도 온데간데없이 사라졌다. 그녀는 이제 방 안에 있다. 특별한 방, 아니마에 있는 어린 시절 방이었다. 오펠리는 벽에 달린 거울 앞에 서 있었는데, 거울에 비친 모습은 훨씬 어렸고, 몸을 포근하게 감싸는 가운을 입고, 얼굴 주위로는 아직 적갈색을 띠는 곱슬머리가 내려와 있었다. 한밤중에 이곳에서 무엇을 하고 있는 걸까? 뭔가가 깨웠는데, 그것은 무엇이었을까? 이층침대에서 자고 있는 아가트 언니도, 이따금씩 조심스레 움직이는 가구들도 아니었다. 아니다, 다른 무언가였다. 그것은 거울이었다.

오펠리는 눈을 크게 떴다. 심장이 미친 듯 날뛰었다. 얼빠진 얼굴로 목도리와 놀고 있는 줄무늬 새끼 고양이를 보았다. 오펠리가 등을 세우고 의자에 앉자 고양이는 식탁에서 도망쳤다. 오펠리는 아침 식사를 하다가 졸고, 이야기책을 보다 잠이 들었다.

"이상한 꿈을 꿨어요." 커피포트를 가지고 온 로즐린 이모에게 말했다.

"고양이를 봤다면, 꿈이 아니야. 창문으로 들어왔어. 베르닐드는 누가 고양이를 쫓아주길 바라며 욕실로 들어가더니 나오질 않는구나. 동물은 질색인가 봐."

"아니요. 아, 그렇긴 하네요. 고양이를 봤어요. 근데 고양이 꿈을 말하는 게 아니에요. 무슨 소리를 들었어요…. 아, 모르겠어요… 그런 것 같아요." 오펠리는 안경 아래로 눈을 비비며 중얼거렸다. (정신이 돌아오자 꿈은 어렴풋해졌고 강렬한 인상도 사라졌다. 오펠리는 무엇이 자신을 이토록 당황스럽게 했는지도 기억하지 못했다.) "어제 거울 사건 때문일 거예요. 그 사건이 기억들을 불러냈어요."

"그래, 엽기 사건난에 기사 났더라." 로즐린 이모는 한탄하듯 말했다.

이모가 탁자 위에 올려놓은 그날 치 니베룽겐에는 조롱조의 제목이 달려 있었다.

몸을 여기저기 흘리고 다니는 외국 여자!

"지난주에는 배드리스들이 엘리베이터 제중을 유발했다는 기사를 쓰더니." 오펠리는 신문을 건성으로 넘기며 대꾸했다. "이런 바보 같은 이야기만 싣는 신문은 그만 읽을까 봐요. 이것도 무슨 정보라고."

오펠리는 하루치 우편물을 두는 받침대 위에 쌓여가는 편지 더미와 모래시계에 집중해보려 했다. 베르닐드와 로즐린 이모의 눈을 피해 두 건의 초대 사이에 짬을 내기란 쉬운 일이 아니었다.

"네 모습이 얼마나 우스꽝스러웠는지 봤니?" 로즐린 이모는 뒤집힌 소매를 따라 드러난 실밥을 가리키며 물었다. "쉬지 못했을 때는 거울로 이동하지 않는 게 좋겠다." 이모가 커피를 따라주며 말했다. "후유증이 남을 수도 있다는 생각은 안 드니? 모래시계로 이동하는 건 나도 내키지 않으니 같이 엘리베이터를 타고 다니자. 알겠지? 약속에 좀 늦어도 할 수 없지."

커피를 마시다 사레들린 오펠리는 목도리 위에 책을 덮고 자리를 박차고 일어서다 의자를 넘어뜨렸다.

"이모, 죄송해요. 저 가봐야 해요. 베르닐드는 차분히 목욕하게 두고, 제 얘기는 나중에 전해주세요."

"뭐라고? 어딜 가는데? 어떻게?" 얼이 빠진 로즐린 이모가 말을 더듬었다.

오펠리는 대답도 없이, 검은 드레스를 입고 평소처럼 장의자에 비스듬하게 팔짱을 끼고 앉아 있는 발키리들에게 다가갔다. 발키리들은 첫날과 다름없이 경직된 채로, 고요하게 촉각을 곤두세우고 있었다.

"아르쉬발드?" 오펠리는 노부인들 쪽으로 몸을 숙이며 불렀다. "아르쉬발드, 제 얘기 듣고 있다면 일 분 뒤 제가 대사님 사무실 앞으로 갈 거라는 것도 알겠죠? 헌병대에 붙잡히지 않도록 최대한 빨리 마중 나오세요. 관리소장과 함께 오세요. 거기서 전부 설명할게요. 미리 감사드려요."

전화기 취급을 받고 충격에 빠진 발키리들은 있는 대로 인상을 구기며 서로를 바라보았다.

"무슨 꿍꿍이야?" 여전히 커피포트를 손에 든 로즐린 이모가 방으로 향하는 오펠리를 따라가며 채근했다.

오펠리는 대답 대신 방금 전 열어본 쪽지를 내밀었다. 급하게 휘갈겨 쓴 단어 몇 개가 전부였다.

R이 곤경에 처했어. 그에게 진 빚이 있으니 그를 꺼내줘.

G가

"R이 누구야? G는 또 누구고?"

"클레르들륀 친구들이에요." 오펠리는 드레스를 잡아당겨 가지런히 정리하며 말했다.

이제껏 오펠리는 르나르와 가엘에 대해 함구해왔다. 다른 집안의 하인들에게 관심을 보이면 득보다 실이 더 클 것으로 생각해왔기 때문이었다. 하인들과의 우정은 윗동네에서는 금지된 일인 데다, 오펠리보다 그들의 평판에 더 타격을 입힐 터였다. 그럼에도 오펠리는 가엘의 메시지를 읽자마자 온몸이 타오르는 느낌이었다. 그녀는 더 이상 자신의 말과 행동이 초래할 결과를 냉정히 생각할 수 없었다. 르나르는 클레르들륀에서 그 누구보다 그녀를 열심히 도와주었다. 이제 초대도, 모래시계도, 의전도, 품위도 중요하지 않았다. 당장 그에게 은혜를 갚는 것만이 중요했다.

복도에 꼼짝하지 않고 서 있던 로즐린 이모는 쪽지와 조카 그리고 베르닐드가 부르는 유행 오페라가 새어 나오는 욕실 문을 번갈아 보았다.

"같이 가. 그 방탕한 놈의 소굴에 너 혼자 돌아다니는 건 절대 용납 못 해."

오펠리는 이모의 밀랍색 볼이 붉어지는 것을 모르는 체할 수 없었다. 이모가 동요하는 모습은 그 어떤 경고보다 훨씬 설득력이 있었다. 아르쉬발드를 상대하는 것은 불장난과 마찬가지였다.

"아니에요, 이모. 이모는 거울로 드나들 수 없잖아요. 그리고 엘리베이터는 너무 느려요. 엘리베이터를 갈아타고 일일이 검문을 통과하면 클레르들륀까지 한 시간 정도 걸릴 거예요. 친구는 제 도움이 필요해요. 상황이 위급한 것 같아요." 오펠리는 반박하려는 로즐린 이모의 말을 단호히 끊었다. "저를 만나러 거기로 오신다면 막지는 않을게요. 하지만 제발요, 지금은 시간이 없어요."

로즐린 이모는 긴 치아를 닫았다 열었다 하다가 커피포트를 콘솔 위에 요란하게 올려놓았다.

"가능한 한 빨리 합류할게. 그때까지 아르쉬발드가 널 농락하지 못하도록 특히 조심하렴!"

오펠리는 조금도 지체하지 않고 눈앞에 보이는 커다란 거울 속으로 얼굴을 들이밀었다. 그녀는 아르쉬발드의 개인 사무실로 이어진 복도에 있는 거울로 다시 나왔다. 마지막으로 그 거울에 자신의 모습을 비췄을 때는 궁정에 정식으로 입성하기 직전이었다. 아주 오래된 일처럼 느껴졌다.

오펠리가 나무 내장재와 청동, 가스등 들로 장식된 금빛 배경 사이로 등장해 두툼한 푸른 카펫에 발을 디디자마자 보초를 서고 있던 이각모 쓴 헌병이 눈살을 찌푸리며 군인 걸음으로 다가왔다. 대사관이 괜히 시타시엘에서 가장 감시가 삼엄한 곳이 아니었다.

"원위치하세요… 아가씨는… 아르쉬발드 대사님의 초대를…."

한 남자가 숨을 헐떡이며 복도 반대편에서 막 모습을 드러냈다. 오펠리는 그가 클레르들뤼의 관리소장 필리베르임을 알아봤다. 양피지처럼 누렇게 쭈글쭈글한 얼굴 탓에 하인들은 모두 그를 '씹은 종이'라고 불렀다. 피부도 옷도 성격도 심하게 흐리멍덩해서 평소 아무 배경에나 녹아드는 게 능력이라면 능력이었다. 어쨌든 그 순간만큼은 틀어진 가발과 달아오른 두 볼, 땀에 젖은 셔츠의 가슴 장식과 숨을 쉴 때나는 쇳소리 때문에 누구보다 시선을 사로잡았다.

“아가씨.” 필리베르는 팔에 장부를 낀 채 비틀거리며 오펠리를 맞이했다. “대사님 전화를 받자마자… 뛰어왔어요. 대사님께서 아가씨를 사무실로 안내하라고 부탁하셨어요…. 대사님은 곧 오신다고… 합니다.”

오펠리는 그가 권한 의자에 똑바로 앉아, 턱을 들고, 두 손을 가지런히 드레스 위에 포개고 짐짓 침착한 척 앉아 있었다. 베르닐드가 몇 달 전부터 그토록 애써 오펠리에게 가르쳐주려던 자세를 처음으로 배운 대로 해봤다. 르나르를 돕기 위해서 완벽한 부인의 행세를 해야 한다면, 오펠리는 그렇게 할 터였다.

“관리소장님?” 오펠리는 그를 눈으로 찾으며 불렀다.

“아가씨, 뭐 필요한 거라도 있으신가요?”

필리베르는 장부를 팔에 끼고 문 바로 옆에 서 있었다. 숨을 고르고 본래의 탁한 낯빛을 되찾은 그는 벌써 평상시처럼 눈에 띄지 않게 되었다.

“하인 르놀드는 클레르들륀의 고정 직원에 속하죠, 그렇죠?”

“무슨 말씀이시죠, 아가씨?” 필리베르가 단조로운 목소리로 말했다. “지난번 여길 다녀가셨을 때 유감스럽게 생각될 만한 안 좋은 대접을 받으셨나요?”

베르닐드는 클레르들륀에서 오펠리를 하인으로 변장시켜 몇 주 동안 사람들 눈을 속였다는 사실을 떠벌려서 좋을 게 없다고 했었다. 그 덕분에 가끔 대화가 더 복잡해지곤 했다.

“유감스러운 일은 전혀 없었어요. 그 반대예요. 그 하인의 태도가 마음에 들었기에 소식을 물은 것뿐이랍니다. 여전히 클로틸드 부인을 모시나요?"

"참 당혹스럽네요, 아가씨." 전혀 당혹스러워 보이지 않는 얼굴로 필리베르가 말했다. "클로틸드 부인은 몇 주 전 우리 곁을 떠나셨습니다. 장례식에 참석하지 않으셨나요?"

오펠리는 아무 말도 하지 못했다. 아르쉬발드의 할머니 건강이 좋지 않다는 것을 알고 있었지만, 이 지붕 아래 오래 머물렀던 그녀에게는 가히 충격적인 소식이었다.

"그러면 르놀드는요? 그는 어떻게 되었죠?"

이번엔 필리베르가 충격을 받았다. 클레르들륀에 초대받은 사람이 귀족의 죽음보다 하인의 처지를 더 신경 쓰는 태도가 모든 예법을 무시하는 것처럼 보였기 때문이다.

"아가씨가 정 알고 싶으시다면. (그는 금테 안경을 벗고 항상 몸에 지니고 다니는 장부를 펼쳤다.) 르놀드라 불리는 자는 현재 지하 감옥에 있습니다."

오펠리의 코 위에 있던 안경이 창백해졌다.

"어떻게 된 거죠?"

"이유란에 '열쇠 없음'이라고 적혀 있네요. 직원들에게 열쇠는 신분증 역할을 합니다. 헌병들은 매일 보안상의 이유로 열쇠 검사를 실시하죠. 대사관의 평판이 달린 문제입니다, 아가씨."

"정말이지 말도 안 돼요." 오펠리가 분노했다. "그 하인은 이곳에서 몇 년째 근무했잖아요. 딱 한 번 열쇠를 보여주지 못했다고 감옥에 처넣을 순 없어요."

"열쇠를 보여주지 못해서 그런 게 아닙니다, 아가씨." 필리베르는 점점 더 당황해서 하며 오펠리를 보고 말했다. “여기 적혀 있는 바에 따르면, 그는 열쇠를 갖고 있지 않았어요. (관리인은 이 사건의 특수성을 막 깨달은 듯 더 주의 깊게 장부를 읽었다.) 아, 이제야 이해되네요. 클로틸드 부인이 고인이 되자 르놀드는 절차에 따라 기존 열쇠를 반납했어요. 새 일자리와 새 열쇠를 받기 전에 열쇠 검사를 당한 것 같네요. 정말 운이 없었군요.” 필리베르가 한결같은 어조로 말을 마쳤다.

“그러니까 몇 주째 르놀드가 지하 감옥에 갇힌 이유가 당신들 일 처리가 늦어졌기 때문이라는 말인가요?”

“대사님만이 판결을 철회할 수가 있어요. 그런데 대사님이 몹시 바쁘셔서 그 문제에 대해 말 한마디 꺼낼 시간도 없었어요. 어쨌든 지금은 르놀드가 하인으로 근무할 수가 없어요. 정원이 다 찼거든요. 게다가 지하 감옥을 다녀온 하인은 저희 대사관 이미지에 누가 될 수 있고요.”

오펠리는 분노가 치밀어 올라 필리베르 손에서 장부를 빼앗아 모조리 찢어버리고 싶은 충동을 억누르려 안간힘을 썼다. 아르쉬발드가 바쁜 사람이라고? 이십삼 년 동안 자기 집안을 위해 일한 르놀드를 빨래통보다 못하게 취급하다니!

“예측 불가능한 분이시군요, 토른 약혼자님.”

아르쉬발드는 졸린 듯한 미소를 지으며 사무실 안으로 막 들어왔다. 분신 같은 실크해트를 쓰고 빨간 바탕에 검정 줄무늬가 들어간 구멍 난 낡은 파자마를 입고 있었다. 평상시처럼 머리도 제대로 빗지 않고 면도도 하지 않았다. 오펠리가 드레스를 뒤집어 입었더라도 그보다는 더 예의를 갖춘 것으로 보였을 것이다.

"제가 깨웠네요." 오펠리가 정중히 말했다.

서둘러 오느라 이른 아침인지도 몰랐다. 오펠리는 사과하고 싶은 마음이 추호도 없었다. 그동안 토른 아닌 다른 누군가에게 이토록 분노를 느낀 적이 없었기에.

"그것도 참 독특하게 말이죠." 아르쉬발드는 전용 의자에 몸을 파묻으며 히죽거렸다. "당신을 발키리들 감시 하에 둔 것은 그녀들을 사적 용도로 쓰라는 뜻은 아니었어요. (그는 길게 하품을 하며 기지개를 켜고 의자에 팔꿈치를 괸 뒤 초롱초롱한 눈으로 오펠리를 바라봤다.) 수행원 하나 없이 홑몸으로 시타시엘의 이렇게 낮은 곳까지 저를 보러 오시다니? 체면도 잊으셨군요."

"대사님께 급히 부탁드릴 일이 있어요. 대신 저도 대사님께 보답할게요."

아르쉬발드의 눈썹과 입꼬리가 동시에 올라갔다.

"예측할 수 없고, 순응적이지 않고, 대담하군요. 조심하세요. 이러다 언젠가는 당신에게 반할지도 모르니. 그건 그렇고, 토른 약혼자님께 무슨 청을 들어드리면 될까요?"

순간적으로 오펠리의 머리를 스친 온갖 아니마 욕설들을 늘어놓는 것은 그다지 영리한 행동은 아닐 것이다. 오펠리는 안경을 물들인 불쾌한 붉은 빛을 몰아내기 위해 심호흡을 해야 했다.

"규방에 일손이 모자라요. 믿을 수 있는 사람을 대사님께서 지원해주세요. 부탁드려요." 오펠리는 잠시 망설이다 할 수 있는 최대한의 예의를 갖춰 덧붙였다.

의자에 팔을 괴고 있던 아르쉬발드는 홀린 듯한 표정으로 오펠리를 바라보았다.

"하인 문제로 새벽 여섯 시에 저를 침대에서 끌어낸 건가요?"

"관리소장과 이야기했어요. 주인 없는 하인 한 명이 행정상 오류로 피해를 입었어요. 대사님만 허락하신다면 그를 고용하고 싶어요."

"르놀드라는 자입니다, 대사님." 필리베르가 무뚝뚝하게 사무적으로 말했다. "고인이 되신 대사님 할머니를 모셨었죠."

아르쉬발드는 발끝으로 실내화를 건드리며 어깨를 으쓱했다.

"그에 대해 기억나는 게 하나도 없네요. 당신 말을 믿죠. 토른의 약혼자님께 보낸다고 문제될 건 없으니. 대신 조건이 하나 있어요." 그가 오펠리에게 빈정대는 미소를 지으며 덧붙였다. "보답하겠다고 약속하셨죠. 그걸 지금 해주세요."

오펠리는 떨리는 손과 목도리를 진정시키기 위해 꿈틀거리는 목도리 안으로 손을 집어넣었다. 교양 있는 소녀의 몸가짐과 미소를 유지하려 애썼다. 그런 행세는 감옥에서 르나르를 꺼낼 때까지 계속할 수 있었다.

"당황스럽네요. 조금만 시간을 주시면…."

"지금요." 아르쉬발드는 부드러움을 유지하면서도 단호히 말을 잘랐다.

그는 갑자기 실내화를 신고 연기하듯 과장되게 허리를 굽히더니 오펠리가 일어설 수 있도록 정중히 손을 내밀었다. 남자의 팔을 잡는 것만으로도 너무 불편한 그녀에게 대사의 구멍 난 파자마 차림은 그다지 도움이 되지 않았다.

"송구스럽지만 제게는 대사님이 관심을 보일 만한 것이 아무것도 없는데요."

"틀렸어요." 아르쉬발드는 친근하게 오펠리의 머리를 다정하게 두드리며 말했다. "당신이 왔죠, 그 외에 어떤 것도 원치 않아요! 따라오세요, 토른 약혼자님. 관리소장이 기다리면서 당신 하인을 위해 필요한 조치를 취할 겁니다."

'뭘 기다린다는 거지?' 오펠리가 생각했다. 아르쉬발드는 부드러우면서도 거부할 수 없는 친밀한 태도로 그녀의 어깨를 팔로 감으며 벌써 사무실을 벗어나고 있었다.

"제게 뭘 원하시죠? 대사님?"

"걱정하지 말아요. 당신도 좋아할 거라 확신합니다."

의심을 떨치지 못한 오펠리는 아르쉬발드의 시선을 가능한 한 멀리 피하려 눈을 돌렸다. 로즐린 이모가 대사의 유혹에 빠지는 모습을 본 적이 있기에, 마음을 뺏길 다음 타자가 되고 싶은 생각은 전혀 없었다. 아르쉬발드는 오펠리를 조심스럽게 당구장으로 들여보냈다. 당구대에 깔린 천부터 벨벳 의자, 두툼하고 커다란 커튼과 벽지 그리고 전등갓까지 전부 녹색이었다. 단둘만 있다는 것을 깨달은 오펠리는 곧장 두 손으로 안경을 감쌌다.

"저런, 또 그러시는군요!" 아르쉬발드는 웃음을 터트리며 말했다.

"저를 유혹하지 않겠다고 약속해주실래요? 부탁드려요, 대사님. 그러면 우리 이야기를 이어가는 데 정말 편해질 것 같아요."

오펠리가 안경을 감싼 장갑을 응시하는 동안 기나긴 침묵이 이어졌다.

'그 정도로 당신이 나를 두려워하는지 몰랐어요.'

이 말은 오펠리의 귀를 타고 들려온 소리가 아니었다. 그녀의 마음속에서 들려왔다. 오펠리는 아르쉬발드가 자신의 생각을 강요할 수 있음을 잊고 있었다. 그래서 아르쉬발드가 그 지름길을 이용해 그녀 안에 주문을 걸까 봐 순간 두려웠다.

"부탁해요, 대사님."

"토른 약혼자님, 당신이 상상하는 것과 달리, 저는 여인들의 마음을 훔칠 능력도, 그러고 싶은 마음도 없어요. 여인들이 제게 넘어온다면 그건 저를 사랑해서가 아니라, 그녀들이 외롭다고 느끼기 때문이죠."

오펠리는 안경 속에서 두 눈을 찌푸렸다. 이번에는 진짜 아르쉬발드 목소리였는데 평소와 달리 사뭇 진지하기까지 했다.

"내 말이 안 믿기나요? 저희 가문은 파루크로부터 투명성이라는 더없이 귀한 능력을 받았죠. 당신은 당혹스러울 정도로 사생활이 없다고 판단하겠지만, 어쨌든 나는 클랜 구성원이 단 한 명이라도 살아 있는 한 절대로 고독을 느끼지 않아요. 내가 그 가련한 부인들과 나누는 것이라고는 그저 우리 사이에 '나'와 '타인'의 경계를 지운 순수하게 투명한 순간일 뿐이죠. 언젠가 우리 둘 다 후회할 약속을 당신에게 하고 싶지 않아요. 영혼의 일치… 그편이 더 로맨틱하다고 생각하지 않나요?"

오펠리는 대사의 생각이 자신이 상상했던 것보다 훨씬 더 정숙하지 못하다고 생각했다. 아르쉬발드가 그런 식으로 자기 이모에게 군림했다는 생각에 진저리를 쳤다. 대사는 여자들을 외로움에서 벗어나게 해주었다고 주장했지만, 자신의 이기심을 따랐을 뿐이었다. 오펠리는 그 말을 하고 싶어 입이 근질거렸지만 물론 자제했다. 대사의 기분을 상하게 할 수 있는 입장이 아니었다. 오펠리가 여기 있는 이유는 르나르를 위해, 오직 르나르를 위해서였다. 그래서 아르쉬발드가 자기의 손을 떼 얼굴을 정면으로 바라보게 하도록 내버려두었다. 실크해트를 비스듬하게 쓰고 경박한 미소를 드러낸 그의 모습은 진중한 목소리와 어울리지 않았다.

"당신은 내게 보답을 하려고 여기 있는 거예요, 제가 그 사실을 상기시켜줘야 하나요? (그는 갑자기 눈썹을 씰룩거렸고, 텅 빈 당구장을 한번 둘러본 뒤 유감스럽다는 듯 오펠리를 바라봤다.) 오, 이제 알겠어요. 토른을 두고 바람피우자고 당신을 여기 데려왔다고 생각해요? 아니, 아니요, 오늘 그럴 생각은 없어요. 이렇게 말해줘야 당신을 안심시킬 수 있나 본데, 지금 제 머릿속에는 다른 신경 쓸 일이 많아요. 사실 우리는 누구를 기다리고 있죠."

오펠리는 너무 놀라서 화가 난 것도 잊었다.

"누구요?"

"나요."

소름 돋는 환영이 당구장으로 막 들어섰다.

파이프

일드가르드 부인을 알아본 오펠리는 무슨 상황인지 도무지 이해되지 않았다. 지방과 뼈, 헤어롤과 시가—한 번에 두 개비를 피웠다—가 무질서하게 뒤섞여 있어 첫눈에 남자인지 여자인지를 구별하기 힘들었다. 원래 무슨 색이었는지 알 수 없는 그녀의 피부는 검버섯으로 덮여 있었다. 미라 같은 몰골을 한 이가 모래시계를 고안해서 유명세를 얻고, 천재 건축가로 공간을 고무처럼 자유자재로 개조하는 여성이라는 것을 누가 상상이나 할 수 있을까? 오로지 강렬하게 빛나는 검은 두 눈만이 그녀의 비범한 지능을 드러냈다.

"난 아침형 인간이 아니야." 일드가르드 부인은 외국인 억양이 강하게 느껴지는 걸걸한 목소리로 투덜댔다. "네가 직접 연락해서 나온 거라고, 오귀스탱."

"아르쉬발드입니다, 부인. 아르쉬발드요. 혼자 오시라고 부탁드렸는데요."

일드가르드 부인과 함께 온 작은 여자를 알아보자 오펠리의 심장이 더 세게 뛰었다. 기술자 작업복을 입고, 짙은 곱슬머리 위로 베레모를 눌러쓰고, 눈을 가려보려 했지만 소용없었다. 사실 그런 눈빛은 숨기는 게 불가능했다. 강렬한 파란 눈과 검은 외알 안경을 쓴 눈 중에서 어느 쪽이 더 매혹적인지 고르기 힘들었다.

가엘.

오펠리를 만나기 위해 클레르들륀 지하에서 나온 걸까? 참 터무니없는 짓이야! 오펠리가 귀족이 아니었던 것처럼, 가엘도 태어날 때부터 노동자는 아니었다. 가엘은 폴에 있는 다른 클랜들의 능력을 무력하게 만들 수 있는 니힐리스트 가문의 마지막 생존자였다. 외알 안경만이 스스로 '나쁜 눈'이라 칭한 자신의 눈을 필터처럼 막아주었다. 사람들 앞에 모습을 드러내는 것만으로도 정체가 발각돼 가족과 같은 운명을 겪게 될 위험을 감수하는 것이었다. 오펠리는 가엘에게 이제 그만 어깨를 움츠리라고, 그렇게 머리를 집어넣고 모자로 눈을 가리지 말라고 애원하고 싶을 지경이었다. 오히려 그것은 자기 얼굴을 뚫어져라 보아달라고 부추기는 꼴이었다.

"내 손녀야." 일드가르드 부인이 당당히 말했다. "나와 관련된 일은 이 아이와도 관련 있지."

누군가를 보호하기 위해 거짓말하는 이 노파의 모습을 보고 오펠리가 놀란 게 이번이 처음은 아니었다. 미심쩍은 미소를 짓는 아르쉬발드를 보며 오펠리는 그가 이런 일에 익숙하다고 짐작했다.

"부인의 동거인이라 해도 제가 혼자 오시라고 한 사실은 전히 변하지 않을 겁니다. 어쨌든 기술자 아가씨가 오셨으니 이층 화장실 점검을 부탁드려도 될까요?" 아르쉬발드가 가엘에게 말했다. "물 내리는 손잡이가 말썽이라고들 해서요."

"네, 세뇨르." 정말 둘이 가족이라고 믿을 만큼 가엘은 일드가르드 부인과 똑같은 억양으로 웅얼거렸다.

가엘은 주머니에 손을 넣고, 마지막으로 오펠리를 흘긋 쏘아보더니 벽에 몸을 바싹 붙이며 자리를 떴다. 오펠리는 가엘이 귀에 대고 속삭인 듯 그 메시지를 분명히 이해했다. 르나르를 감옥에서 빼내는 일이 이제 오펠리에게 달렸다는 것을.

"전화로 말했던 여자아이인가?" 일드가르드 부인은 작고 검은 두 눈으로 오펠리를 바라보며 물었다. "거울에 끼인다는 그 아이?"

토른이 아닌 자신이 약혼자라도 되는 양 아르쉬발드는 자기 사람처럼 오펠리의 갈색 머리를 만졌다.

목도리가 사납게 공격해도 전혀 개의치 않았다.

"부인, 아니마 최고의 읽는 사람을 소개해드리죠. 이 분의 방문 소식을 듣자마자 마침내 우리의… 상황을 명확히 할 기회라고 생각했죠."

그는 단어를 고르는데 꽤 공을 들였는데, 그러한 사실이 오펠리를 더욱 혼란스럽게 만들었다.

"오래 걸리지 않는 게 좋을 거야." 일드가르드 부인은 받침대가 있는 재떨이에 두 개의 시가를 하나씩 비벼 끄며 말했다. "밤늦도록 보리스 백작의 설계도를 검토했거든."

"움직이지 마요." 아르쉬발드가 오펠리 머리 위에 올려놓은 손에 힘을 주며 속삭였다.

일드가르드 부인은 수상쩍은 눈으로 복도 쪽을 흘긋 본 뒤, 조심스럽게 열쇠로 문을 잠그고 손가락을 맞부딪쳐 소리를 냈다. 바람도 일지 않고 조명도 변함이 없었지만 오펠리는 마치 우물 속으로 떨어지기라도 한 듯 갑자기 심장이 목까지 올라온 느낌이었다.

"천천히 숨을 들이쉬어요." 아르쉬발드가 친근하게 오펠리의 머리를 헝클어트리며 말했다. "괜찮아질 거예요."

오펠리는 새롭게 주의를 기울이며 주변을 둘러보았다. 당구장은 여전히 똑같은 녹색 천으로 덮여 있고 조명도 똑같이 초록빛이 돌았지만, 사소한 몇 가지가 달라졌다. 조금 전까지 포켓에 정리돼 있던 색색의 당구공들은 막 게임이 중단된 듯 당구대 위에 놓여 있었다. 냄새도 달랐다. 쾨쾨한 담배 냄새가 강하게 배어 있고, 재떨이는 비우지 않아 꽁초가 넘치도록 수북이 쌓여 있었다. 불과 몇 초 전 일드가르드 부인이 시가를 껐을 때만 해도 재떨이는 장담하건대 완전히 비어 있었다.

복제된 방. 그들은 당구장의 복제된 공간에 있었다. 당혹스러울 정도로 비슷하지만, 똑같은 장소는 아니었다. 오펠리는 일드가르드 부인이 두 개의 방을 하나로 포갤 수 있다는 것을 알았지만 —일전에 오펠리는 복제된 서재에 갇힐 뻔한 적도 있었다—, 건축가가 손가락 한 번 튕기는 것으로 다른 공간으로 이동할 수 있는지는 몰랐다.

아르쉬발드는 오펠리를 장의자 쪽으로 밀었는데, 그 위에는 누군가 깜박 잊고 두고 간 멋진 사기 파이프가 있었다.

"어떻게 보답해야 하는지 알려드리죠, 토른 약혼자님! 이 파이프를 읽어주세요. 당신이 형식적인 질문을 하기 전에 말씀드리죠. 네, 제 것이에요. 저희 집에 다녀간 손님에게 빌려주긴 했지만, 이 물건의 주인은 다행히도 접니다."

예상치 못한 부탁에 오펠리는 할 말을 잊었다. 그녀가 의아한 눈으로 일드가르드 부인을 쳐다보자, 작고 검은 눈이 헤어롤을 잔뜩 매단 머리카락 사이로 오펠리를 살폈다. 노파는 어린 여성이 실력을 발휘하기를 기대하고 있었다. 오펠리는 자신도 똑똑하고, 반항적이며, 직업적 성취를 이루어낸 이 외국 여인에게 인정받고 싶다는 것을 깨달았다.

오펠리는 사기 파이프가 놓인 긴 의자에 자리를 잡았다.

"여기서 파이프를 발견하신 뒤로 손대지 않으신 것 확실하죠? 읽기 전에 제가 알아야 할 사항이 있나요?"

"아니요." 일드가르드 부인에게 경고의 신호를 보내며 아르쉬발드가 대답했다. "설명은 나중에 할게요. 당신에게 영향을 주고 싶지 않거든요."

오펠리는 가장 가까이 있는 전등 빛 아래에서 파이프를 살펴보았다. 클레르들륀 문장(紋章)이 분명하게 새겨져 있었다. 읽는 사람용 장갑을 뺀 손으로 다시 파이프를 쥐자마자 감정의 동요가 일었다. 너무나 강렬해, 정신을 가다듬기 위해 파이프를 드레스 위에 내려놓아야 할 정도였다.

'이건 내가 느끼는 감정이 아니야. 이건 내가 아니야.' 오펠리는 여러 번 되뇌었다.

너무 오랫동안 쉬었더니, 초보자가 할 법한 실수들을 저질렀다. 떨리는 손가락이 진정되길 기다렸다가 읽기를 멈추었던 지점부터 다시 시작했다. 여전히 불안이 가시지 않았지만, 오펠리는 어둡고 심란한 그림을 보는 관객처럼 이번에는 거리를 두고 파이프를 응시했다. 이제 담배는 아무 효과가 없었다. 하루하루 지날수록(아니, 하루하루 시간을 거슬러 올라갈수록이 맞겠지. 읽기는 시간을 거꾸로 돌려 진행되니까), 아무리 담배를 피워도 전혀 진정되지 않았다. 전부 다 고약한 편지 두 통 때문이야! 그런데 벌써 한 달째 대사관에 있고, 아직까지 아무 일도 일어나지 않았다. 오펠리는 담배를 끊지 말았어야 했다. 담배의 효과가 사라지자마자 호수에 떠다니던 푸르스름한 시체가 다시 보였다. 물론 아무것도 후회하지 않았다. 자기 일을 했을 뿐이다. 밀렵꾼은 그저 밀렵꾼일 뿐. 어쨌든 그런 자들과 끝없는 소송에 휘말리지 않을 것이다. 신문이 맞았다. 전락한 자들은 바퀴벌레 같다. 그들은 현재 여기저기, 성안으로, 도시로, 시타시엘로 은밀하게 스며들고 있는 듯하다. 어쩌면 궁정 안에도! 이 가소로운 편지들은 분명 그들이 보낸 것이다. 그런 자들이 정의의 사도를 자처한다고? 정의, 그것은 바로 그녀, 오펠리다! 그런데 모두 잘 돌아가고 있다. 그녀는 어제부터 대사관에 머무르고, 이제 두 다리를 쭉 뻗고 잘 수 있다. 그리고 이 작은 파이프가 해가 되지 않을 것이다.

오펠리는 파이프를 장의자 위에 다시 내려놓았다. 심장이 요동쳤다.

"당신이 제게 감정을 부탁한 이유는 파이프의 마지막 사용자에 대한 정보를 얻기 위해서죠? 그 사람만 파악하면 되는 건가요?" 오펠리가 살짝 떨리는 목소리로 말했다.

당구대 가장자리에 앉아 팔꿈치를 허벅지 위에 올려놓고 있던 아르쉬발드는 호기심 어린 눈길로 오펠리를 흥미롭게 바라보았다.

"전문가 면모를 드러내니 꼬마 아가씨의 모습은 온데간데없네요. 맞아요, 거기까지만 하면 돼요."

오펠리는 양쪽 손목에 장갑 단추를 다시 채우며 사적인 감정을 내비치지 않으려 애썼다. 이번 읽기는 그녀를 혼란에 빠뜨렸다.

"일드가르드 부인 앞에서 편하게 말씀하시면 됩니다." 아르쉬발드가 망설이는 오펠리를 안심시켰다. "이 사건에 내 평판만큼이나 부인의 평판도 달려 있으니까요."

일드가르드 부인은 웃음인지 한숨인지 알 수 없는 콧소리를 냈다.

"상당히 민감한 문제예요." 오펠리가 말했다. "이 파이프의 주인이 당신이라 해도, 제가 읽은 것이 파이프를 사용한 사람에게 불리하게 사용되지 않을 거라고 어떻게 확신하죠?"

"그에게 해를 입히려는 게 아니에요." 아르쉬발드는 변함없이 침착하게 약속했다. "아시다시피 저는 절대 거짓말하지 않아요. 말씀해보세요, 무엇을 알려주실 건가요?"

“확실한 건, 이 남자는 극도로 초조해하고 있었어요. 차분한 정신이 아니었고, 바로 그런 이유로 당신에게 이곳, 클레르들뤼넨에 망명을 허락해달라고 요청했죠. 그는 두려워하고 있었어요…. 그러니까… 보복을요.”

“대단하군요.” 아르쉬발드가 고양이처럼 눈을 반쯤 뜨고 중얼거렸다. “그가 누구를, 왜 두려워했는지 파악했나요?”

“그에게 직접 물어보는 편이 낫지 않을까요?”

“오펠리, 중요한 문제가 아니라면 제가 묻지도 않았겠죠.”

오펠리는 대사와의 대화에서 자신의 이름이 들리는 게 믿기지 않았다. 이제껏 아르쉬발드는 자신을 항상 ‘토른 약혼자’라고 불렀다. 마침내 진지하게 대하기 시작한 것일까, 아니면 호감을 얻으려는 수작일까? 어쨌든 오펠리는 르나르가 지하 감옥에서 나올 수 있도록 돕는 일과 범죄자의 사생활을 보호하는 일 사이에서 오래 주저할 수 없었다.

“밀렵꾼들. 전락한 자들.”

일드가르드 부인은 감탄했다.

“정말 재능이 있군, 읽는 꼬마 아가씨.”

“이미 알고 계셨나요?” 오펠리가 놀라서 물었다.

“저는 손님들에 대한 정보를 파악하기 위해 세심한 정성을 기울이죠.” 내내 당구대 가장자리에 앉아 있던 아르쉬발드가 부드럽게 말했다. “그자가 전락한 자들에게 비열하게 군것도, 그런 행동이 목숨을 걱정할 만큼 대단히 심각하다는 것도 알고 있었어요.”

"그런데 왜 제게 읽으라고 부탁하신 거죠?"

"아주 단순한 질문에 대한 답을 찾기 위해서죠. 제 손님이 이 장의자 위에 파이프를 내려놓기 전에 정확하게 무얼 하고 있었나요?"

오펠리는 눈살을 찌푸렸다. 이 질문에 답을 하려면, 읽기를 시작한 순간 받은 첫 번째 인상을 떠올려야만 했다.

"대사님 댁에 머무는 내내 그는 신경이 무척 곤두서 있었어요. 진정하려고 담배를 많이 피웠지만 그마저도 점점 효과가 없다고 느꼈죠. 그가 했던 마지막 생각은 '담배도 이제 소용없다'였어요."

"그게 다예요?"

"그게 다예요."

"바로 그 점이 걸리는군요."

"왜요?"

아르쉬발드는 일드가르드 부인과 서로 합의하는 듯한 시선을 교환한 뒤에 오펠리에게 말했다.

"당신은 헌병 대장의 마지막 순간을 읽었어요."

오펠리의 눈이 휘둥그레졌다.

"사라진 당신 손님!" 오펠리가 문득 깨달았다. "그러니까 바로 그 사람이었어요?"

"늙은 세뇨르를 그리워할 사람은 없을 거야." 일드가르드 부인이 비꼬듯 말했다. "저런 작자들 때문에 이 아슈가 썩을 대로 썩었거든."

그녀는 특유의 억양으로 목을 긁는 소리로 말했다.

"일드가르드 부인, 개인적 발언은 삼가달라고 부탁드렸을 텐데요." 아르쉬발드는 천사 같은 미소를 띠며 말했다.

오펠리는 초록 벨벳 의자에 놓인 아름다운 사기 파이프를 완전히 새로운 눈으로 바라보았다.

"이 손님… 그러니까 헌병 대장이… 살해되었나요?"

"우리도 몰라요." 아르쉬발드는 어깨를 으쓱하며 답했다. "하인이 그를 마지막으로 보았는데, 이 주일 전 바로 이 장의자에 앉아 파이프 담배를 피우고 있었죠. 그리고 얼마 안 돼 사라졌어요. 아무 흔적도 없이! 충동적으로 제 발로 떠났을지도 모르지만 하인은 아무것도 모르는 눈치였죠. 헌병들이 코앞에 있는데 악한들이 침입해 손님 한 명을 납치한 거라면, 이게 우리 집안의 명예를 심각하게 훼손한다는 것쯤은 이해되시죠. 뿐만 아니라 대사관을 누구도 침범할 수 없는 장소로 만든 건축가의 명예까지도요." 아르쉬발드는 일드가르드 부인에게 공모의 의미로 윙크하며 덧붙였다. "수사하는 동안 이 방 위에 복제 방을 만들어야 겠다고 생각했죠. 문을 걸어 잠그는 것보다 은밀하고, 루머도 막을 수 있으니까요. 다행히도 헌병 대장 주변에는 사건을 누설할 만한 자가 없어요."

"편지가 있었어요." 생각에 잠긴 듯한 목소리로 오펠리가 중얼거렸다. "헌병 대장은 편지를 받고 온통 그 생각뿐이었죠. 협박 편지들이었어요."

오펠리는 편지 얘기를 꺼내기만 했을 뿐인데도 얼어붙는 느낌이었다. 헌병 대장은 왜 '신의 정의'를 생각했을까? 폴을 떠나라고 협박한 사람이 이 편지들을 쓴 걸까? 신은 당신이 여기 있길 원하지 않소. 아니다, 걱정이 지나쳤다. 밀렵꾼들을 살해한 남자를 벌하는 것은 한 여자의 결혼을 방해하는 것과는 하등 관계가 없다.

"헌병 대장이 제게 그 편지들 얘기를 했었죠." 아르쉬발드가 확인해주었다. "그런데 보여주지는 않았어요. 곤란한 내용을 담고 있다고 짐작했었죠. 결국 납치설이 힘을 얻네요."

일드가르드 부인이 손가락을 부딪쳐 소리를 내자 오펠리는 또다시 현기증에 사로잡혔고 갑자기 장소가 바뀌었다. 당구대에 놓여 있던 색색의 공들은 옆에 난 포켓에 들어가 있고, 큐들은 모두 가지런히 걸려 있었다. 장의자에 놓여 있던 사기 파이프는 온데간데없었다. 그들은 원래 방으로 되돌아왔다.

"수상쩍은 장교를 들이기 전에 한 번 더 고민했었어야지, 오귀스탱." 일드가르드 부인이 투덜거렸다. "네가 좀 더 긍지가 높았다면 전락한 자들을 보호했겠지. 진짜 추위와 진짜 배고픔을 겪은 사람들."

"부인도 박애주의자는 아니시죠." 아르쉬발드가 반박했다. "오렌지나 향신료를 공짜로 나눠주시는 것은 아니잖아요."

오펠리는 클레르들륀 어딘가에 아주 특별한 바람 장미가 실제로 존재한다는 것을 알았다. 수천 킬로미터를 건너뛰어 폴과 일드가르드 부인이 태어난 아르캉테르 아슈까지 이어주는 지름길이었다. 궁정 식료품 저장고에 있는 이국적인 먹을거리들은 전부 그곳에서 왔다.

"내게 선택의 여지가 있는 듯 말하는구나." 일드가르드 부인이 비웃었다. "네 관리인이 내 바람 장미 열쇠를 가지고 있잖아."

"제 관리인은 부인의 추천으로 대사관에 들어왔죠."

일드가르드 얼굴에 알 수 없는 미소가 번졌다.

"조만간 말이야, 오귀스탱. 내 가족이 통로를 닫아버리고 나도 슬그머니 사라질 수 있어. 폴의 공기가 점점 더 나한테 안 맞거든. 이곳은 오만한 악취가 너무 심해."

일드가르드 부인은 이 말을 남기고는 열쇠로 문을 열고 절뚝거리며 사라졌다.

오펠리는 일드가르드 부인이 이미 와서 기다리던 가엘과 만나는 것을 보았다. 가엘의 모자챙은 늘 그렇듯 두 눈을 가렸고, 작업복에는 더러운 물이 들어 있었다.

"부인이 왜 당신을 오귀스탱이라고 부르죠?" 오펠리가 물었다.

아르쉬발드는 파자마에 손을 찔러 넣고 생각에 잠긴 듯 받침 달린 우아한 재떨이에 남은 시가를 바라보았다.

"제 증조부의 이름이에요. 제가 증조할아버지를 꼭 닮았나 봐요. 예전에 두 분이 연인이었던 것 같아요. 일드가르드 부인은 아시다시피 연세가 지긋하세요. 공간에는 통달했지만 시간은 또 다른 문제죠. (아르쉬발드가 크게 한숨을 내쉬자 얼굴로 쏟아진 금발이 사방에 흩날렸다.) 정말이지 부인은 입조심을 해야 될 거예요. 적을 만드는 데 도가 트셨죠. 나야 도발해도 괜찮지

민, 부인은… 서너나 심각한 문제라도 생기는 날에 누가 부인을 지키겠어요?"

아르쉬발드는 입을 다물었다. 하늘빛 두 눈에 구름 같은 그림자가 스쳐갔다. 오펠리는 어떻게 이 남자는 한없이 짜증을 유발하는 동시에 사람을 무장 해제할 수 있는지 궁금했다.

"그런데 토른은? 무슨 짓을 했기에 토른이 당신을 그토록 싫어하죠?"

아르쉬발드가 오펠리 쪽으로 몸을 돌리며 손가락으로 툭 치며 실크해트를 고쳐 쓰자 그의 눈에 다시 여름날 같은 생기가 돌았다.

"토른은 질서의 화신이고, 난 혼돈의 화신이죠. 질문에 답이 되었나요?"

"토른은 대사님이 자기 고모에게 해를 입혔다고 비난했잖아요." 오펠리는 드래곤들의 학살 소식을 접한 직후 그들의 잊지 못할 대화를 떠올리며 말했다.

"아, 그거요?"

아르쉬발드는 날렵한 동작으로 큐대를 잡고, 아름다운 매트가 깔린 당구대 위에 공 세 개를 올려놓았다.

"이제 저를 조금 아시는군요, 오펠리. 제가 반항심이 있어서 누가 뭘 못 하게 하면 그걸 어기고 싶어져요."

"그게 베르닐드 부인과 무슨 관계죠?" 오펠리가 놀라며 물었다.

"뻔하죠, 뭐. 파루크가 제일 좋아하는 여자, 아름답지만 위험하고, 사랑에 충실한… 그녀야말로 최고의 금지된 과일이죠! 당시 저는 참 어렸고 저항할 수 없었어요. 투명성이라는 제 능력을 조금 과하게 썼죠." 그는 이마의 문신을 태평하게 두드리며 고백했다. "베르닐드는 제게 푹 빠져 일주일 동안 망루를 소홀히 했어요. 파루크가 이를 탐탁지 않아했고 베르닐드에게 일 년간 망루에 오르지 못 하게 했죠. 베르닐드는 그 치욕을 극복하지 못할 뻔했어요. 그녀가 아끼는 조카는 내게 책임을 물었죠, 당연하게도요."

아르쉬발드는 큐대를 두 손가락 사이로 미끄러트려 하얀 공을 맞춰 빨간 공을 집어넣었다. 공이 부딪치며 나는 완벽하게 선명한 소리에 오펠리는 불현듯 최면에서 깨어난 느낌이었다.

"제가 아무것도 후회하지 않았을 거라고 생각하지 말아요." 아르쉬발드가 다른 공을 넣으며 말을 이었다. "일이 지나치게 커졌어요. 토른은 저보다 훨씬 더 경솔하더군요. 사람들이 보는 앞에서 제게 주먹질을 하고 할퀴기 공격을 퍼부었어요. 그래서 이 멋진 상처가 두 개나 났죠."

오펠리는 그 장면을 좀처럼 상상할 수 없었다. 토른이 냉정을 잃은 모습을 본 적이 거의 없었고, 자기 고모에 관한 일이라면 손 하나 까딱하지 않던 그였다. 토른과 베르닐드 사이에서 가장 다정한 행동은 식탁에서 토른이 베르닐드에게 소금통을 건넨 것이 전부였다.

"사생아, 게다가 전락한 자의 아들은 출신 성분이 높은 사람을 공격해서는 안 되죠." 당구공 두 개를 연달아 맞추는 소리 너미로 아르쉬발드가 결론지었다. "자기 가족의 명예를 위해 복수하는 일이라 할지라도요. 토른이 감옥에 가지 않도록 고소하지는 않았어요. 그렇지만 법원에서 정식 경고를 받았죠. 한 번 더 귀족에게 손찌검을 하면 절단될 거라고."

아르쉬발드는 절단이라는 단어를 발음하면서 손가락으로 가위질 시늉을 하고 있었다. 절단은 최고형으로 집안의 정령이 능력을 잘못 사용한 자손에게서 그 능력을 빼앗는 것이었다. 아니마에서는 이런 판결이 절대 집행되지 않았지만, 다른 아슈에서는 실행되고 있음을 오펠리는 알고 있었다. 가족 전체를 위험에 빠뜨리는 경우에만 절단될 수 있음을 누누이 들어왔다. 그런데 왜 폴에서는 모든 게 이토록 극단적인 걸까? 이곳 사람들은 다른 집안들과 멀리 떨어져 세상 끝에서 살다 보니 절제의 의미를 완전히 잃어버렸을까?

'가장 걱정되는 게 뭔지 모르겠어. 그들에게 절대 익숙해지지 않는 걸까? 아니면 반대로 결국 그들에게 익숙해지는 걸까?' 오펠리는 생각했다.

"대사님?"

오펠리는 바로 옆에서 무덤덤한 목소리로 말하는 필리베르를 보고 소스라치게 놀랐다. 별 특색 없는 작은 남자가 마치 내내 그곳에 있었던 것처럼 장부를 팔에 끼고 당구장에 서 있었다.

불쑥 등장하는 관리인에게 익숙한 아르쉬발드는 조용히 코담뱃갑을 열고, 콧구멍으로 한 쪽씩 담배 가루를 들이마셨다. 그가 소매에서 손수건을 꺼냈을 때 오펠리는 그것마저도 모자와 파자마처럼 구멍이 나 있음을 알아차렸다.

"그래, 필리베르! 그 하인은?"

관리소장은 대답 대신 문 쪽을 향해 신호를 보냈다. 헌병 두 명이 녹색 등불 아래 등이 굽은 남자를 데려왔다. 그 남자의 다리는 체중을 지탱하지 못하고 흔들려 헌병들이 양쪽에서 그의 팔을 부축하고 있었다. 오펠리는 심장이 철렁했다. 그녀가 알고 있던 르나르는 벽난로 불꽃 같았는데, 이 남자는 잿더미를 떠올리게 했다. 덥수룩하게 곤두선 수염에 얼굴이 묻혀 있어 오펠리는 한참 동안 그의 시선의 흔적을 찾아야 했다. 그러나 그의 눈을 보자마자 한치의 망설임도 없이 알았다. 정말로 르나르였다.

"미리 씻겼어야지." 아르쉬발드가 구멍 난 손수건으로 코를 막으며 투덜거렸다. "정말 냄새가 고약하군. 저런 자를 부인에게 보내는 건 예의가 아니야, 가서 다른 하인을 찾아와."

"제가 감정한 대가로 이 남자를 데려가기로 합의했어요." 오펠리는 단호하게 말했다. "괜찮다면 그 조건을 바꾸지 않았으면 해요."

당황한 아르쉬발드는 그저 파자마 주머니에 두 손을 깊이 집어넣고 재미있다는 듯 구멍 밖으로 튀어나온 손가락을 바라볼 뿐이었다.

"가끔 당신을 따라가기가 힘드네요. 그렇지만 이게 당신이 바라는 거라면 그렇게 하세요. 하지만 이 상태로 물건을 넘길 수 없다는 건 이해하시죠? 대사의 체면이 걸렸어요. 필리베르, 이 남자를 데려가 제대로 씻기고, 면도하고, 이를 잡고, 머리를 손질하고, 옷을 입히도록 해."

"물론이죠, 대사님."

"그러는 동안 오펠리 당신은 제 손님입니다!" 아르쉬발드는 오펠리에게 그 어느 때보다도 화려한 미소를 지으며 말했다. "크로케 시합 해본 적 있어요?"

오펠리는 이 마지막 조건이 협상의 대상이 아니며 앞으로 몇 시간 더 입을 굳게 닫고 견뎌야 함을 깨달았다. 르나르를 이곳에서 빼낸 뒤 엄마가 보내준 코트를 아르쉬발드의 침실로 보내겠노라고 굳게 다짐했다.

"잠시만요." 헌병들이 르나르를 막 데려가려는 찰나 오펠리가 말했다.

오펠리는 천천히 르나르에게 다가갔다. 그러나 그는 갈 곳 잃는 시선으로 당구장을 계속 두리번거렸다. 처음에 르나르가 자신을 알아보지 못했다고 생각했지만—어쨌든 그는 그녀의 진짜 모습을 딱 한 번 보았을 뿐이고, 그때 그녀가 누구인지 몰랐었다—, 결국엔 그가 그녀를 그저 못 보는 것임을 알아차렸다. 너무 오랫동안 빛이 없는 곳에 있었기에, 은은하게 비추는 전등갓 불빛에도 눈부셔했다. 르나르는 아무것도 보지 못했고 아무것도 이해하지 못했다. 누구도 그에게 이 상황을 설명하는 수고를 들이지 않았다. 오펠리는 자신이 밈이라고, 이제 두려워할 일은 없을 거라고, 다른 사람들이 그에게 빼앗은 존엄성을 되찾아주겠노라고 외치고 싶은 마음을 억눌렀다.

"안녕하세요, 르놀드." 대신 오펠리는 자신에게 쏠린 모두의 시선을 의식하며 말했다. "나는 토른의 약혼자예요. 이제부터 당신은 나를 위해 일하게 될 겁니다. 잠시 뒤 더 자세히 설명할게요."

무성한 수염과 머리카락 그리고 눈썹 속에서 르나르의 눈꺼풀이 여러 번 떨렸다. 마치 뿌연 안개 속에서 자신에게 말을 거는 사람을 어렴풋이나마 보려는 듯. 더러운 수염과 머리털 사이로 여기저기 드러난 그의 얼굴 일부에서 아연실색한 표정을 알아본 오펠리는 그가 마침내 자신을 알아봤음을 깨달았다. 르나르의 눈이 번뜩이길, 공모의 미소나 안도의 한숨을 내쉬기를 기다렸다. 그러나 그 대신 르나르는 한층 어두워진 얼굴로 고개를 돌렸다.

"네, 아가씨." 쉰 목소리로 그가 중얼거렸다.

오펠리는 심장이 뒤집히는 것 같았다. 그리고 자신이 좋은 결정을 내린 것일까 스스로 묻기 시작했다.

질문

엘리베이터에 내려앉은 침묵은 오펠리가 이제껏 겪은 그 어느 것보다 불편했다. 금속이 끽끽거리고, 가구들이 삐걱대고, 샴페인 잔이 서로 부딪치고, 축음기가 연주하고, 급사는 마른기침을 했다.

오펠리는 두 번 휘감은 목도리 안으로 몸을 움츠린 채 고통스럽게 르나르를 바라보았다. 그는 군인에 가까운 자세로 팔을 축 늘어뜨린 채 뷔페 테이블과 전축 선반 사이에 엘리베이터 가구처럼 서 있었다. 씻기고 빗긴 그의 머리카락은 원래의 현란한 색을 조금 되찾았고 수염이 사라진 자리에는 강한 턱이 모습을 드러냈다. 마침내 빛에 익숙해진 그의 녹색 눈은 정면을 바라보면서 동시에 어디도 보고 있지 않았다. 척추는 철근처럼 펴졌고, 몸이 여위어 작업복이 헐렁해졌지만, 거울 달린 옷장 같은 체구는 그대로였다. 한나절 만에 일어난 변화는 극적이었다. 오펠리는 마침내 본모습으로 돌아온 르나르가 왜 여전히 그녀에게 이방인처럼 느껴지는지 이해하지 못했다.

"멈춰!" 갑자기 로즐린 이모가 명령했다.

보이는 엘리베이터의 수동 브레이크가 아니마인의 명령에 따라 내려가는 것을 얼빠진 눈으로 보았다. 나무와 유리, 금속이 내는 불협화음과 함께 엘리베이터가 멈춰섰다.

"건드리지 마요." 로즐린 이모가 운행을 재개하기 위해 브레이크를 올리려는 보이에게 말했다. "이 엘리베이터는 내가 결정을 내리기 전까지 출발하지 않을 겁니다."

그녀는 말 같은 치아를 바득바득 갈며 르나르와 오펠리를 잘못을 저지른 아이들 보듯 번갈아 보았다.

"겨자통 같은 것들, 말도 안 돼, 둘 다 정말 못 말려! 무슨 꿍꿍이인지 도통 모르겠지만 한 가지는 알지. 이 문이 열리면, 우리 모두 고개를 떳떳이 들어야 해." 로즐린 이모는 금색 철창을 손으로 가리키며 말했다. "네 평판이 아주 엉망이 되었거든. 온갖 초대를 다 거절하고 방탕한 자의 거울에 드나들면서 그 여파를 피할 수 없지. 베르닐드가 네게 단단히 화가 나 있는데, 이번만큼은 틀렸다고 말 못 하겠다. 무슨 일이 있어도 널 지지하지만, 부디 네가 벌인 일은 끝까지 책임지길 바라." 로즐린 이모는 오펠리의 안경이 창백해지는 것을 보며 조금 화가 누그러진 말투로 말했다.

잠시 직업적인 태도가 풀어졌던 르나르는 재빨리 차려 자세로 돌아갔다.

"제가 부인들을 난처하게 만들고 불편을 끼쳤다면 저는…."

"그만해요." 오펠리가 말을 잘랐다.

오펠리는 목이 멘 자신의 목소리를 들으며 르나르의 태도가 그녀를 얼마나 괴롭게 하는지 깨달았다.

"하인은 필요 없어요. 대신 당신을 내 조수로 고용하고 싶어요. 거처와 식사를 제공하고 당신에게 의견과 조언을 듣는 대가로 임금도 지불할게요."

오펠리는 이런 말을 하고 있는 게 비현실적으로 느껴졌다. 그녀는 가장 중요한 얘기를 빼놓고 말했다. 왜 가장 중요한 말은 나오질 않았을까? 친구에게 솔직하게 말할 수 없다면 매일 저녁 사악한 귀족들 앞에서 입을 여는 게 다 무슨 소용일까?

"죄송합니다, 아가씨. 전 하인일 뿐이에요. 아가씨께 드릴 의견도, 조언도 없어요." 르나르가 답했다.

그가 내뱉는 한마디 한마디가 마치 뜨겁게 달구어진 석탄처럼 오펠리 배 속에 떨어지는 느낌이었다. 오펠리도 누이들처럼 스스럼없이 자기 감정을 표현할 수 있기를 바라던 때가 있었다.

"적어도 시간을 갖고 제안을 생각해보세요. 조금 있으면 시각 연극에 가야 해요. 시험 삼아 저와 함께 가요. 제 이야기들이 끝난 뒤에 다시 얘기 나눠요." 오펠리는 엘리베이터 시계를 흘긋 보며 말했다.

"알았습니다, 아가씨."

르나르의 예의 바른 답변에 묻어나는 완고함 때문에 오펠리는 그가 이미 결정을 내렸음을 알았다. 르나르는 그녀가 내민 손을 원치 않았다. 그녀는 브레이크 제동을 못 풀게 해 엘리베이터가 올라가는 것을 막고, 철창이 열리지 않게 하고 싶었다. 그럴 수만 있다면 시간을 멈추고 과거로 돌아가고 싶었다. 다시 아무 책임도 지지 않는 아이가 되기를. 그녀의 박물관 접수대 뒤에 숨기를. 물건들이 유일한 친구가 되기를. 사실 그녀가 잘하는 건 그게 전부였다.

"지체할 시간이 없어." 로즐린 이모가 극장의 텅 빈 계단을 보며 말했다. "베르닐드는 벌써 자리를 잡았을 거야. 나는 빈 자리를 찾아볼 테니, 넌 네 일에 집중해. 걱정은 나중에 해도 늦지 않으니까." 로즐린 이모는 오펠리의 목도리 먼지를 털며 말했다.

"따라와요." 오펠리가 르나르에게 말했다. "뒤쪽에 전용 출입문이 있어요."

오펠리는 하얀 대리석으로 된 궁전 같은 극장을 돌아가면서 벽 너머에서 자신을 기다리는 무대를 생각할 겨를이 없었다. 발걸음을 옮기는 내내 르나르에게 건넬 말을 찾고 있었다.

그녀는 배우 전용 출입문 바로 옆 야자수 그늘 아래 놓인 의자에 앉아 있는 기사를 보자 머리가 새하얘졌다. 기사는 빌보케*를 하는데 온 정신을 집중했지만 번번이 공 끼우기에 실패했다. 거구의 개들은 그의 발밑에 입을 벌리고 혀를 축 늘어트리고 있었다. 환영으로 만든 기후에 적응하지 못해 힘들어하는 것 같았다.

"기다리고 있었어요." 기사가 오펠리를 알아보고 말했다.

아이의 입에서 나온 말이 살해 협박처럼 들렸다.

"당신과 말할 수 없어요. 그러다 늦을 거예요." 오펠리는 배우

* bilboquet는 한쪽 끝에 공 받이가 있고 끈에 공이 매달린 장난감이다.

전용 출입문을 향해 단호히 몸을 돌리며 말했다.

개 두 마리가 길을 막았다. 어떤 공격성도 보이지 않고 아무 소리도 내지 않았지만 거대한 황소가 움직이는 것 같았다. 기사에 대해 오펠리가 알고 있는 바를 모르는 르나르조차도 걱정스러운 듯 머뭇거렸다.

기사는 두껍고 둥근 안경을 코 위로 올려 썼다. 베르닐드가 복도에서 그를 날려 보내면서 깨졌던 안경과 완전히 똑같아 보였다.

"묻고 싶은 질문이 하나 있어요, 오펠리 아가씨. 답을 하면 일을 하도록 보내드릴게요. (그가 빌보케 공을 다시 튕겼지만 이번에도 막대에 끼우지 못했다.) 당신과 나 사이에 어떤 중요한 차이가 있는지 말해 줄수 있어요?"

오펠리는 기사와의 대화가 순조롭지 않을 것임을 알고 있었다. 이제껏 졸고 있던 목도리도 그녀의 어깨 위에서 들썩대기 시작했다.

"모르겠다고요?" 기사는 난감한 듯한 표정을 지었다. "쉬운 문제였는데. 우리의 차이점은 바로 베르닐드 부인이 당신을 좋아한다는 것이죠. 당신을 칭찬하려는 게 아니에요. 당신은 베르닐드 부인의 마음속에서 아주 작은 자리만 차지하고 있어요. 알겠어요? 그녀가 당신을 좋아한다. 그게 다예요. 베르닐드 부인과 나와의 관계는 전혀 달라요. 우리는 아주 강한 애증의 관계를 맺고 있죠." 기사는 사뭇 진지한 목소리로 말했다.

기사의 말에서 강한 맹목성이 느껴져 어린 소년의 입에서 나왔다는 게 믿기지 않았다.

"그녀를 위해, 오직 그녀만을 위해 나는 기사가 되었어요. 우리 엄마보다 더 사랑했어요. 그녀에게 선물 공세를 퍼붓고 가족까지 치워줬죠."

오펠리는 공포로 얼어붙었다. 기사가 처음으로 드래곤 학살과 관련해 자신의 책임을 분명히 언급한 것이다.

"진짜 당신이었군요." 오펠리가 중얼거렸다.

그녀는 내심 이 아이가 그런 범죄를 저질렀다는 것을 줄곧 믿지 않으려 했다.

"드래곤은 끔찍한 사람들이었어요. 베르닐드가 자기들보다 잘났다는 이유로 하나같이 그녀를 싫어했죠. 그들은 그녀가 사냥에서 살아서 돌아가길 원치 않았어요. 부인을 보호해야만 했죠." 기사는 또다시 빌보케를 실패하며 말했다. "부인의 감정을 상하게 하지 않으려고 모든 주의를 기울였어요. 살인을 목격하지 않도록 필요한 조치를 취했죠." 기사가 자세히 설명했다.

그래, 오펠리는 기억하고 있었다. 그는 오펠리가 클레르들륀의 모든 헌병들에게 쫓기게 만들고, 로즐린 이모를 치명적인 최면 상태에 빠지게 했다. 베르닐드가 원했더라도 그런 상태에서 사냥에 참여할 수는 없었을 것이다.

"아이들도 있었어요. 당신 또래의 아이들." 오펠리가 작은 목소리로 말했다.

그녀는 우연히 니베룽겐에서 눈에 반쯤 파묻혀 끔찍하게 찢긴 사냥꾼들의 시체 사진을 보았다. 프레이야의 세 쌍둥이 중한 명의 얼굴도 보았다. 아직도 그 장면 때문에 악몽에 시달렸다.

"모두 사냥꾼들이었죠." 기사는 금발 곱슬머리를 흔들며 말했다. "사냥꾼들은 짐승을 상대할 때마다 목숨을 걸어요. 베르닐드 부인에게 친절했더라면 내가 끼어들지 않았을 텐데. 난 그녀를 보호해야…."

"당신이 베르닐드에게 어떤 해를 끼쳤는지 모르는군요." 오펠리는 불쑥 그의 말을 잘랐다. "계속해서 해를 끼치고 있어요."

기사가 깊은 충격에 빠져 가는 눈썹을 찌푸리자 그의 허스키 개들이 입술을 들어 올리며 엄청난 크기의 송곳니를 드러냈다.

오펠리는 자신의 경솔함을 깨닫고 르나르에게 자리를 뜨자고 제안하려는 찰나, 그가 이미 사라졌음을 알아차렸다. 그녀는 르나르가 한마디 말도 없이 이렇게 가버렸다는 사실을 믿을 수 없었다.

"감히 어떻게 그런 말을 하죠, 감히 내게, 내가 베르닐드 부인에게 해를 끼쳤다는 말을?" 기사가 중얼거리듯 말했다. "아니면, 해를 끼친다는 말뜻을 모르나 봐요. 내가 그 의미를 알려줄까요, 아가씨?"

기사가 마지막 문장을 극도로 천천히 내뱉는 동안 안경알로 확대된 그의 눈이 오펠리의 영혼 깊은 곳까지 파고들었다. 이미 겪어본 적 있는 매스꺼움을 느끼며 그녀는 이 아이를 정면으로 바라보는 것을 멈춰야 한다는 것을 알았다. 어떤 기억도 없었지만 불현듯 그가 과거에도 이런 식으로 그녀를 함정에 빠뜨린 적이 있다는 확신이 들었다.

태양이 꺼지고, 이국적 배경이 사라지고, 오펠리는 가장 어둡고 가장 차가운 밤으로 떨어지는 것 같았다.

"부-스토리텔러님, 모두들 기다리고 있어요!" 명랑한 목소리가 외쳤다.

기사는 소스라치게 놀라고, 개들이 귀를 쫑긋 세웠다. 오펠리를 사로잡은 환영은 산산이 부서졌다. 그녀는 나락으로 떨어지기 직전 빠져나온 듯 어안이 벙벙했다.

놀랍게도 우아한 발걸음으로 그들을 만나러 온 이는 멜키오르 남작이었다. 그의 육중한 몸집에 맞춰 제작된 프록코트는 온통 은하수 환영으로 짜여져 있었다. 별똥별들이 오페라해트에 빛 꼬리를 남기며 떨어졌다. 괜히 우아부 장관이 아니었다. 금발 콧수염은 그의 둥근 얼굴에 대칭으로 매달린 두 개의 물음표처럼 보였다.

"안녕하세요, 멜키오르 삼촌." 기사가 모범적인 아이처럼 예의 바르게 인사했다.

"조카님, 여기서 개들을 산책시켜도 된다는 허가를 받지 않았잖아요. 게다가 지금 몇 시인 줄 아세요?" 멜키오르 남작이 바로 옆 인도 가운데에 있는 공중 시계를 가리키며 말했다. "아롤드 삼촌 댁으로 어서 들어가 잠자리에 드세요."

멜키오르 남작이 미소 짓자 그의 콧수염이 마법사 봉처럼 올라갔다.

"죄송해요, 멜키오르 삼촌. 삼촌 말이 맞아요. 오펠리 양 안녕히 계세요. 우리 조만간 다시 만나요." 기사가 말했다.

기사가 손 인사를 하며 빈정거리는 미소와 함께 속삭인 약속의 말을 듣자 오펠리는 위에 납덩이를 매단 느낌이었다.

기사와 그의 개들이 줄지어 늘어선 야자수 그림자 안으로 사라지자 멜키오르 남작은 안도의 한숨을 내쉬었다.

"저 아이는 점점 더 제멋대로죠. 아가씨 하인이 절 찾아 왔기에 망정이지."

남작 뒤에서 여느 하인처럼 꼿꼿하고 냉정한 자세로 서 있는 르나르를 보자 오펠리는 부끄러워 죽을 지경이었다. 잠시나마 그가 그녀를 버리고 갔다고 생각했다.

"조카는 우리 모두의 걱정거리랍니다." 남작이 콧수염을 쓰다듬으며 한탄했다.

"그걸 바꾸기 위해서 무얼 하시죠?"

평소라면 오펠리는 미라주에게 이런 말투로 말을 거는 위험을 절대 감수하지 않았을 것이다. 미라주에게 감사하는 마음을 느끼는 게 마땅했으나, 온몸의 신경이 그에게 방어적으로 굴었다. 그녀는 멜키오르 남작이 퀴네공드의 남동생임을 잊지 않았다. 그리고 퀴네공드와는 절대로 친구라 부를 수 없는 사이였다.

멜키오르 남작은 불쾌해하기는커녕 기사가 돌아올 것을 염려하듯 극장 주위를 조심스럽게 둘러보았다.

"훌륭한 질문입니다. 스타니슬라브는 내 어린 여조카가 베르닐드 부인에 관해 불쾌한 말을 했다는 이유로 개 한 마리를 풀었죠. 부-스토리텔러님, 열다섯 살인데 말이죠. 그 뒤로 그 아이는 정상적으로 걷지 못하게 되었답니다. 그 모든 피와 폭력이…

말 한마디 때문이었어요." 공작은 반감으로 얼굴을 찡그리며 말했다.

"스타니슬라브." 오펠리는 생각에 잠겨 되뇌었다. "기사의 본명도 몰랐어요. 그가 드래곤들을 살해했다는 것을 알고 계셨나요?"

멜키오르 남작의 분노나 어리둥절한 표정을 예상한 오펠리는 그가 알고 있었다는 듯한 얼굴을 하자 깜짝 놀랐다. 남작은 엿듣는 사람이 아무도 없는지 확인하기 위해 다시 한번 어깨 너머로 주위를 살피며 소곤댔다.

"의심하고 있었죠. 모두 마찬가지였어요. 아시다시피 미라주 가운데 극소수만이 동물에게 능력을 쓸 수 있어요. 스타니슬라브는 뭐랄까… 좀 특수한 상황에서 부모를 잃었어요. 내 사촌이자 그의 삼촌인 아롤드가 그의 후견인이죠. 그런데 내 추측으로는 그가 조카에게 비열하고 위험한 지식을 전해준 것 같아요. 아롤드는 범죄자는 아니죠." 멜키오르 남작은 곧바로 설명을 이었다. "절대로 스타니슬라브에게 그토록 막무가내로 행동하라고 요구하지 않았을 거예요. 하지만 의도치 않게 사건이 일어났을 수 있어요. 그럴 가능성이 다분하죠. 미라주의 이름이 그런 가슴 아픈 사건에 함께 언급되어 매우 유감스럽습니다."

"그 정도로 그가 두려워요?" 오펠리가 도발하듯 물었다.

멜키오르 남작은 여전히 주위에 아무도 없는지 확인하려고 제자리에서 거대한 팽이처럼 돌았다. 오펠리는 남작의 비대한 몸을 보며 그가 육류 부족 사태 이후 감독국에서 정한 식량 배

급을 지키지 않았을 거라고 의심했다. 나는 수많은 상관과 마찬가지로 남작도 망루 2층에 위치한 가족고등위원회에 오래 머물렀다. 들리는 말로는 그곳에선 상시 연회가 열리고 흥청망청 먹고 마시기 위한 구실이 넘쳐났다.

“그보다는 조금 더 복잡해요. 미라주는 절대 다른 미라주를 공개적으로 고발하지 않아요. 대신 운명에 약간의 도움을 줄 수는 있죠.” 남작은 삐딱한 미소를 지으며 덧붙였다.

“운명요?”

“다른 말로 하자면 ‘토른 씨’요. 제가 알기로는 우리의 감독관님이 반려동물 조사를 하고 계시더라고요. 내가 감독관이라면, 아롤드의 집 근처를 헤집으러 갈 겁니다. 물론 전 아무 말도 하지 않았어요, 그렇죠?”

“저는… 알겠어요.” 오펠리는 자신이 전부 잘 이해한 건지 확신이 서지 않은 채로 대답했다. “이제 정말 가봐야 해요.”

“잠시만요!”

멜키오르 남작은 오펠리에게 다가가 반지 낀 두꺼운 손가락을 그녀 코앞에 대고 주문을 걸 듯 휘둘렀다. 그의 행동에 어리둥절하던 오펠리는 남작이 자신의 드레스에 환영을 불어넣는 중임을 깨달았다. 연기의 모양과 색이 점점 더 선명해지면서 나비들이 살아난 듯 오펠리 몸을 따라 날갯짓하며 움직이기 시작했다. 오펠리는 환영의 발현을 처음으로 목격했다. 괜히 남작이 위대한 재단사로 명성이 자자한 게 아니었다.

“제가 온 공식적인 목적은 오직 이 선물을 선사하기 위해서입니다. 우아부 장관이 부-스토리텔러에게 드리는 작은 선물입니다. 그 외에 다른 대화는 없었습니다. 그렇죠?"

멜키오르 남작은 이렇게 말하고 오펠리와 르나르에게 정중히 모자를 들어 인사하며 떠났다.

"부-스토리텔러님이 드디어 도착하셨군요." 하인장은 오펠리가 배우 전용 출입문 종을 울리자 탄식하듯 말했다. "안 오셔서 걱정했어요. 스토리텔러님은 공연을 시작했습니다."

"어느 부분이죠?"

"애꾸눈방랑자가 벌써 첫 번째 영웅과 두 번째 영웅의 운명을 바꾸었어요, 부-스토리텔러님. 그가 세 번째 주인공을 만날 차례예요."

아직 조금의 시간이 있었다. 늙은 에릭이 저녁마다 같은 모험담을 들려줘서 오펠리는 여러 번 듣다 보니 언제 준비를 해야 하는지 알게 되었다.

"죄송합니다. 이 문은 일반인 출입이 금지되어 있어요." 하인장이 르나르를 어정쩡한 눈으로 바라보며 말했다.

"제 조수예요." 오펠리가 단호히 응수했다. "그가 반드시 필요해요. 무대 뒤에 있을 겁니다. 제가 늦지 않도록 부탁드려요." 고민하는 듯한 하인장을 보며 그녀가 덧붙였다.

"부-스토리텔러님, 실례했습니다." 하인장은 오펠리가 르나르와 들어갈 수 있도록 길을 내주며 말했다.

오펠리는 르나르에게 따라오라는 신호를 보내고, 무대 뒤 익숙한 어둠 속으로 들어갔다. 잘 아는 장소였지만, 그녀는 길목

곳곳에 장애물처럼 놓인 사다리, 의자, 무대 장치에 부딪혔다. 검고 두꺼운 막 너머로 둔탁하게 들리는 늙은 에릭의 걸걸한 목소리와 음산한 아코디언 소리가 무대 뒤 어둠을 더욱 짙게 만들었다.

하지만 이날 저녁 사방에 반향되는 소리는 바로 르나르의 침묵이었다.

오펠리는 가구에 기대며 몸을 떨게 하는 심리적 동요가 진정되기를 기다렸다. 다리에 힘이 풀려 더는 서 있을 수가 없었다.

"아가씨?" 오펠리와 부딪힐 뻔한 르나르가 물었다.

"잠시만요." 오펠리가 중얼거렸다. "그 아이 때문에 겁을 먹었어요. 도움을 청하러 가줘서 고마워요. (그녀는 심호흡을 했다.) 클레르들륀에 머무는 게 나았을 거라 생각하죠, 그렇죠?"

오펠리는 마룻바닥을 삐걱대는 르나르의 묵직한 실루엣 쪽으로 천천히 몸을 돌렸다. 그들은 그림자 가운데 하나가 되어 얼굴 없는 존재, 입 없는 목소리에 지나지 않았다. 오펠리는 이렇게 형상이 해체된 이곳에서 마침내 말을 할 수 있지 않을까 생각했다. 그녀는 얼굴을 내보이기 위해 목도리를 풀고 입을 열었다.

"이미 속으로 느꼈다는 거 알아요." 오펠리는 자신을 마주보고 있는 어둠 덩어리를 향해 중얼거렸다. "당신은 모든 사람과 잘 어울렸고 구석구석을 손바닥처럼 잘 알았어요. 또 언제 어떻게 발을 빼야 하는 지도요. 그리고 가엘이 있죠." 오펠리는 더 작은 목소리로 우물거렸다. "당신은 그녀를 항상 아꼈어요. 내게 연락한 사람도 그녀였다는 걸 아나요? 그리고 난, 내 멋대로 르놀드 당신을 빼내 이곳에 데려왔어요."

그녀 앞 어딘가에 있는 르나르의 긴장된 숨소리만이 들렸다.

"당신은 자유예요." 오펠리가 숨을 몰아쉬었다. "떠나는 것도, 머무는 것도 당신 자유예요. 당신을 새장에서 빼내 다른 새장에 가두지 않을게요. 당신도 봤듯이, 내 삶은 정말이지 평탄치 않으니까요. 고민할 시간도, 당신에게 말할 시간도 갖지 않고 당신의 운명을 결정했어요. 내가 이기적이었어요…. 그리고 여전히 그래요." 오펠리는 잠시 생각한 뒤 인정할 수밖에 없었다. "난 아직도 이기적이에요, 내 마음 깊은 곳에서는 당신이 곁에 있겠다고 결정하기를 바라고 있기 때문이죠. 나를 용서한다고 달라질 게 없다는 걸 알아요. 그래도 날 용서해줘요."

"아니에요, 아가씨."

르나르는 들릴 듯 말 듯한 목소리로 중얼거렸다. 하지만 오펠리는 그가 귀청이 떨어져라 소리를 질렀다고 해도 그보다 더 충격을 받지는 않았을 것이다.

"아니요, 아가씨." 르나르는 무뚝뚝하게 되뇌었다. "세상의 모든 모래시계를 준다 해도 클레르들륀에 머무르고 싶지는 않았을 거예요."

르나르가 사다리로 보이는 것에 기대자 그림자들이 움직였다. 암막 사이로 들어온 한 줄기 작은 불빛이 그의 머리 위를 비추었다. 르나르의 붉은 머리카락이 불붙은 듯 빛났다.

"아가씨는 내가 화가 났다고 믿는 것 같네요. 그저 내가 매우 난처하다는 생각은 못 하시나 봐요."

"난처하다고요?"

오펠리로서는 전혀 예상치 못한 답변이었다. 그녀는 흐릿한 조명을 받아 후광으로 둘러싸인 르나르의 옆모습을 응시했다. 그는 무대 뒤 어둠 속에서 보이지 않는다고 생각하며 사자 갈기 같은 머리카락을 신경질적으로 문질렀다.

"지난 일로 인해, 저는 아가씨 앞에서도 토른 씨 앞에서도 절대로 편안할 수 없을 거예요. 저를 조수로 삼으시겠다고요? 제 의견과 조언을 듣고 싶으시다고요? 제가 조금이라도 염치가 있다면 아가씨를 바라보지도 말아야죠."

"무슨 말이죠?" 오펠리가 어안이 벙벙해 물었다.

어둠 속에서 녹색 두 눈이 희미하게 빛나더니, 르나르는 눈을 크게 떴다.

"그러니까, 그게 말이죠… 아가씨도 알다시피…." 그가 말을 더듬었다. (사무적인 가면을 벗자, 그의 목소리는 억센 북쪽지방 억양을 되찾았다.) "전… 저는 아가씨 앞에서 완전히 벌거벗었잖아요."

그의 부풀었던 가슴이 서커스 풍선 터지듯 가라앉는 것을 보고 오펠리는 반신반의하면서도 안도했다.

"그게 다예요?" 오펠리는 목이 잠겼다. "이봐요, 르놀드, 나도 하인일 뿐이었어요. 당신이 어떻게 짐작할 수 있었겠어요?"

"그렇다고 제가 아가씨에게 버릇없이 굴었다는 사실이 바뀌지 않아요. 반말을 하고, 스스럼없이 대하고, 모래시계를 가져가고, 그것도 모자라 바로 코앞에서 몸을 씻었죠. 물론, 아가씨가 누구신지 몰랐어요. 신문을 보다 알게 되었고 사진을 보고 얼굴을 알아봤어요. 감독관의 약혼녀를요." 르나르는 한 음절씩 끊어가며 탄식했다. "하인들은 아무것도 아닌 일로도 교수형에 처해진답니다."

박수 소리로 바닥이 울렸다. 이야기를 마친 늙은 에릭이 곧 환영 영사기를 정리할 것이다.

"저기 르놀드." 오펠리는 함성을 뚫고 목소리가 들리도록 애쓰며 말했다. "당신은 이 세상이 어떻게 돌아가는지를 알려주었고, 내가 아무도 아니었을 때 헌병들로부터 날 지켜준 사람이에요. 내가 지금 기억하는 건 그게 전부예요. 당신이 아닌 다른 누구에게도 내 조언자가 되어달라고 부탁하지 않을 거예요. 그러니 마지막으로 고민해보고, 내가 이야기를 마치면 답을 주세요. 파루크 폐하가 내가 무대에 오르기를 기다리고 계세요."

무대 뒤 가스 전등에 불이 켜지자 오펠리는 어안이 벙벙한 르나르 얼굴을 보았다.

"불멸의 황제가? 여기 있어요?"

"바로 황제에게 내 아니마 이야기들을 들려주는 거예요. 무대 뒤에서 기다려요." 오펠리는 무대 막 안으로 살며시 들어가기 전에 속삭였다. "이따가 다 설명해줄게요."

눈부신 각광 아래 관객들이 마지못해 치는 박수 소리를 들으며 무대로 나아간 오펠리는 그제야 불편한 사실을 떠올렸다.

오늘 그녀는 파루크에게 무슨 이야기를 들려줄지 전혀 알 수 없었다.

모욕

여느 때처럼 무대 가장자리에 앉으려던 오펠리는 이모가 엘리베이터에서 한 말의 의미를 깨달았다. 관객석은 평소보다 가득 찼고, 하품하는 신사도, 시계를 보는 귀족도, 진주를 만지작거리는 부인도 없었다. 오늘 저녁 모든 관객들이 극장의 은은한 조명 아래 공연용 쌍안경을 끼고 그녀를 보고 있었다. 전날까지만 해도 그들에게 오펠리는 외국에서 온 조금 모자란 여자아이일 뿐이었다. 아르쉬발드 방에서 한나절을 보낸 뒤 그녀는 더 이상 순진한 꼬마가 아니었다. 그녀는 죄악식을 치르고 타락의 길에 첫 발을 내디딘 것이다. 한마디로 그들과 같은 사람이 되는 중이었다. 귀족들은 이제 오펠리를 조금 더 가까이에서 살펴보기로 한 것이다.

그들 중 첫 줄에 앉아 조명과 음영에 따라 다이아몬드를 반짝이는 베르닐드보다 오펠리를 걱정시키는 사람은 없었다. 공연 전 언제나 오펠리에게 응원의 눈길을 보내온 베리닐드였지만, 이번에는 아니었다.

오펠리가 이야기책을 잊고 오면 안 되는 저녁이 있다면 바로 오늘 저녁이었다.

파루크만이 고인 물 같은 극장 안에 감도는 이 해로운 분위기를 감지하지 못한 것 같았다. 그는 늘 그래왔듯 의자에서 일어나 무대로 다가왔다. 긴 머리카락을 하얀 실크 망토처럼 두른 파루크는 조각상 같은 표정 없는 얼굴을 하고 이 기묘한 의식을 수월하게 치를 수 있도록 극장 관장이 미리 놓아둔 쿠션들 가운데에 앉았다.

파루크는 이야기를 기다렸고, 오펠리는 영감을 기다렸다.

둘 사이에 흐르는 침묵이 지나치게 길어지자 관객들은 언성을 높이지 않으려 조심하면서 소곤대기 시작했다. 우유 벼락은 한 잔으로 족했다. 오펠리는 더 지체하지 말고 입을 열어야 한다는 것을 알았지만, 그녀의 머리는 절망적으로 텅 비어 있었다. 수없이 반복해 외우고 있던 이야기들조차도 멜키오르 남작이 환영으로 만든 드레스의 나비들처럼 머릿속을 스치고 날아가버렸다.

"사물들 이야기를 내일로 미뤄도 될까요?" 오펠리가 소심하게 물었다.

그녀의 목소리는 너무 작아 멀리 앉아 있는 귀족들에게 닿지 않았고, 귀족들은 쌍안경 뒤로 얼굴을 가린 채 계속 소곤댔다. 파루크는 여전히 눈썹 하나 움직이지 않았다. 그도 오펠리의 말을 듣지 못한 듯 멍한 눈으로 계속 그녀를 응시했다. 끝날 것 같지 않던 대면 뒤 파루크가 한없이 낮은 목소리로 한없이 느리게 또박또박 말했다.

"이야기를 들려나오."

"죄송합니다, 폐하. 오늘 저녁에는 못 할 것 같습니다."

파루크의 반쯤 감긴 무거운 눈꺼풀 아래로 한층 더 집중하는 눈빛이 보였다. 그저 조금 더 집중했을 뿐인데도 그의 정신적 파급력이 공기 중에 퍼져나갔다. 그 충격이 오펠리에게 닿자 그녀는 머리끝부터 발끝까지 온몸을 움츠렸다. 파루크의 힘은 신경계를 직접 건드렸고, 그에 맞서 오펠리가 할 수 있는 것은 아무것도 없었다.

"못 하겠다." 파루크가 되뇌었다.

"네. 정말 죄송합니다."

파루크는 천천히, 매우 천천히 고개를 돌렸다. 신호를 읽은 젊은 기억 도우미가 종종걸음으로 뛰어와 그에게 수첩을 내밀었다.

"여기 내가 '부-스토리텔러가 매일 저녁 내게 이야기를 들려준다'고 써놓았다." 그가 말했다.

오펠리는 입이 바짝 마르는 게 느껴졌다. 어떻게 이 정도로 타인의 의지를 부정할 수 있을까? 그녀는 관객석을 둘러보며 그가 자손들에게 물려준 것이 그 이상한 집안 능력이 아닌 자기중심주의가 아닐까 생각했다.

오펠리는 갑자기 그녀의 입이 그녀 자신보다 해야 할 일을 잘 알고 있다는 듯 소리 내는 것을 들었다.

"옛날옛날 아니마에 사는 꼬마 아이에게 인형이 하나 있었어요. 관절 인형은 혼자 머리를 움직이고, 혼자 팔을 들어 올리고, 혼자 자신의 다리로 걸을 수 있었죠. 인형은 꼬마를 많이 좋아했지만 더는 그녀의 장난감이 되고 싶지 않았죠. 인형은 자신만의 꿈을 갖고 싶었어요. 인형은 배우가 되고 싶었어요."

"그 이야기는 싫다." 파루크가 말을 잘랐다. "다른 이야기를 들려다오."

오펠리는 심호흡을 한 뒤 이어나갔다.

"어느 밤, 인형은 꼬마 아이의 방을 떠났어요. 이 아슈에서 저 아슈로 세계를 여행했어요. 인형은 꿈을 이룰 방법만 생각했어요. 마침내 꼭두각시 조종사들을 만났죠."

평소 오펠리는 신중하게 이야기 중간에 잠깐씩 멈추고 여러 이야기를 섞었다. 하지만 오늘 저녁 그녀는 빠른 속도로 정신없이 말을 했다. 분노와 피로, 두려움이 혀를 제멋대로 놀게 했고, 그녀는 자신과 파루크 중 누구에게 이야기를 들려주고 있는지 더 이상 알 수 없었다.

"꼭두각시 조종사들은 인형에게 배우로 만들어주겠다고 약속 했어요. 이렇게 해서 인형은 저녁마다 작은 극장 무대에 올라 공연을 했어요. 모두가 인형을 보기 위해 몰려들었죠. 그런데 매일 밤 공연이 끝난 뒤에도 인형은 행복하지 않았어요. 인형은 점점 더 꼬마를 생각했죠. 왜 이렇게 텅 빈 느낌이 드는지 인형은 이해하지 못했어요. 인형은 자신의 꿈을 이룬 게 아니었을까요? 마침내 배우가 된 게 아니었을까요?"

"그만."

파루크는 다시 한번 오펠리를 제지했다. 공연장 전체가 술렁였다.

오펠리는 거기서 멈춰야 한다는 것을 알고 있었다. 하지만 이야기는 생명을 가진 것처럼 그녀도 모르게 계속 이어졌다.

"그러나 어느 날 인형은 마침내 모든 진실을 알게 되었어요. 배우는 인형의 꿈이 아니었던 거죠. 그건 처음부터 꼬마의 꿈이었어요. 인형은 단 한 번도 꼬마의 장난감이 아닌 적이 없었던 거예요."

이야기의 마지막 단어를 내뱉자마자 너무도 강렬한 고통이 그녀의 몸을 통과해 오펠리는 앞으로 고꾸라지지 않기 위해 무대 가장자리에 매달려야만 했다. 피가 코로 솟구쳐 턱으로 흐르는 게 느껴졌다. 파루크의 힘이 충격파처럼 퍼져나갔다. 파루크는 기괴한 자세를 바로 잡으며 일어서기 위해 팔과 다리를 하나씩 펼쳤고, 대리석 같던 그의 얼굴에서 무표정이 사라졌다. 하얀 눈썹이 올라가고, 창백한 눈은 커지고, 모든 얼굴 근육이 동시에 부풀어 올랐다.

누군가 오펠리 팔을 낚아채 뒤로 끌어당겼다. 무대 뒤에서 튀어나와 그녀를 강제로 밀어낸 사람은 늙은 에릭이었다.

"폐하가 제자리로 돌아가실 수 있도록 애꾸눈 방랑자의 새로운 버전을 들려드리겠습니다!" 늙은 에릭이 너무나 큰 소리로 말하는 바람에 그의 억양이 천둥소리처럼 들렸다. "공연은 계속됩니다!"

무대 장치가들은 벌써 환영 영사기를 다시 설치하고 있었다. 무대 뒤로 끌려 나온 오펠리는 넋을 잃은 목도리를 밟으며 하얀 막이 내려오기 전, 마지막으로 파루크의 일그러진 얼굴을 보았다.

"당신 완전히 정신 나갔어." 늙은 에릭이 다른 사람들에게 들리지 않도록 턱수염 사이로 중얼거렸다. "머리 위로 벼락이 떨어지기라도 바라는 거야?"

오펠리는 그가 무대 주인공 자리를 꿰찰 기회를 붙잡았다고 생각했었다. 하지만 그녀만큼이나 겁에 질린 얼굴을 보고는 어쩌면 그가 자신의 목숨을 구해준 거라는 생각이 들었다.

"아이디어가 떨어졌어요." 오펠리는 피를 튀기며 중얼거렸다. "제 이야기가 폐하를 그런 상태로 만들 줄은 몰랐어요."

"지금 내가 폐하의 시선을 따돌린다면 당신이 준 모욕을 잊을 지도 몰라." 늙은 에릭이 아코디언을 어깨에 메며 툴툴거렸다. "이 사건을 수첩에 기록할 시간을 줘서는 안 돼. 그러면 연극 전체가 타격을 입게 될 거야."

에릭은 이렇게 말하며 오펠리를 거칠게 무대 뒤로 밀쳤다. 그녀가 어둠 속으로 사라지자마자, 그는 관객의 야유를 덮기 위해 최면에 빠지게 하는 목소리를 높였다. 오펠리는 후들대는 다리로 무대에서 멀어지며 자신이 방금 저지른 일의 심각성을 조금씩 깨닫기 시작했다. 어둠 속에서 르나르의 단단한 손이 느껴지자, 그녀는 그의 손이 구명조끼인 양 매달렸다.

"이번에 제대로 잘못을 저지른 것 같아요."

"여전히 제 의견과 조언을 원하시나요, 아가씨? 제 의견을 말씀드리죠. 아가씨는 조언이 시급합니다. 그리고 제 조언을 말씀드리죠. 항상 제 의견을 들으세요."

오펠리는 밤이 깊어서야 마침내 토른을 떠올렸다.

침대에 웅크린 채 열대기후의 열기에 짓눌린 오펠리의 불안은 절정에 달했다. 극도의 흥분 상태인 그녀의 아니마 힘이 방안 모든 가구를 물들였다. 침대 모기장은 배의 돛처럼 부풀어 오르고, 안경은 화난 게처럼 침대에서 날뛰고, 왼발 구두 굽은 카펫을 두드리고, 덧창 경첩이 덜커덩거리며 틈새로 들어오는 가짜 햇빛을 흔들었다.

이 소란을 끝내기 위해 한참 동안 잠을 청해보았지만 눈을 감은 순간 파루크의 일그러진 얼굴이 마치 눈꺼풀에 새겨진 것처럼 떠올랐다. 코피를 멈추기까지 손수건 네 개가 필요했고, 여전히 온몸에서 고통스러운 신경통이 느껴졌다. 오펠리는 어떻게 단순한 이야기 하나가 집안의 정령을 그토록 동요시킬 수 있는지 이해할 수 없었다. 파루크가 싫다고 했을 때, 그가 꼭두각시 조종사들에게서 귀족의 모습을 알아보았고 그 사실이 불편했기 때문이라고 믿었다. 그녀는 이제서야 자신이 완전히 틀렸음을 깨달았다. 이 이야기에는 다른 무언가가 있었다. 파루크의 능력은 통제 불가능한 상태가 되어 결국 극장에 있던 모든 관객이 대피해야 했다. 파루크는 그 뒤로 망루 꼭대기 층에 들어가 두문불출했고, 기억 도우미에 따르면 현재 접근 불가능한 상태였다.

오펠리도 마찬가지였다.

새로운 명령이 떨어질 때까지 그녀는 외교상기피 인물이었다.

르나르는 밤새 걸려온 전화를 받아 취소된 모든 약속들을 메모했다. 베르닐드는 오펠리를 보고 처음에는 뻔뻔하다고 했다가 나중에는 멍청하고 배은망덕한 사람 취급을 하며 끝없이 설교를 늘어놓았다.

"폐하의 보호를 잃으면 우리는 끝장이야." 베르닐드는 배 위에 올린 두 손에 힘을 주며 되뇌었다.

이 모든 이유들 때문에 오펠리는 신경질적으로 날뛰는 방 안 물건들을 진정시킬 수 없었다. 그녀는 격렬히 흔들리는 커다란 거울의 모습을 보자 불현듯 지키지 못한 토른과의 약속이 떠올랐다.

오펠리는 침대에서 박차고 일어나 거울 안으로 손을 집어넣었다. 그녀는 관리국 옷장에 외투들 감촉이 느껴지지 않아 놀랐다. 토른이 옷장 문을 열어 두고 밤늦도록 그녀가 오길 기다렸다는 의미였다. 잠시 주저하던 오펠리는 게걸음으로 침대 위를 기어가는 안경을 붙잡고 드레싱 가운을 걸치고 부츠를 신었다.

자기 방 거울을 통과해 관리국 옷장 거울로 나온 오펠리는 극심한 기온 차로 숨이 멎을 것 같았다. 여름을 떠나 가장 혹독한 한겨울로 들어간 듯 했다.

서류가 완벽히 정리되어 있고, 문서함은 열쇠로 잠겨 있으며, 선반마다 분류 기호가 붙어 있는 관리국은 질서정연함 그 자체였다. 오펠리는 어른대는 전등 빛 아래로 수백 장의 종이가 새장 안 새처럼 방 안에서 춤추는 모습을 보고 잘못된 거울로 들어왔다고 생각했다.

얼음처럼 차가운 바람이 거센 급류처럼 밀려고 몰아쳤다. 오펠리가 온종일 마시던 궁정의 미풍과 달리 진짜 바람은 종이를 전부 휩쓸어 손쓸 수 없는 하얀 소용돌이를 일으켰다. 오펠리는 토른이 어디 있는지, 창문은 왜 열어두었는지 의아해하며 서류들을 구기지 않으려 조심스레 발을 내디뎠다.

오펠리는 둥근 창에 다가서며 구두 아래로 유리 부서지는 소리를 듣고 창문이 열린 게 아니라 깨진 것임을 깨닫고 놀랐다. 하지만 그 놀라움은 마침내 서류 소용돌이 한가운데에 서 있는 토른을 발견했을 때 느낀 놀라움에 비하면 아무것도 아니었다.

토른은 그녀를 향해 총을 겨누고 있었다.

약속들

오펠리는 너무 놀란 나머지 무섭다는 생각도 들지 않았다. 토른의 모습은 알아볼 수 없을 지경이었다. 한 줄기 강이 수많은 지류로 갈라지듯 이마와 코와 입에서 피가 쏟아져 머리카락을 적시고, 눈꺼풀에 끈끈히 달라붙고, 날렵한 코를 지나 하얀 셔츠에 선홍색 실선을 그렸다.

"아, 당신이군." 총구를 내리며 그가 말했다. "온다고 알려줬어야지, 기다리다 말았거든."

찢어진 입술은 크게 개의치 않아하며 근엄하고 침착한 목소리로 말했다. 관리국에 어떤 소란도 일지 않았다는 생각이 들 정도였다. 그는 총구를 자신에게 향하게 한 뒤 오펠리에게 권총 손잡이를 내밀었다.

"받아. 방아쇠는 꼭 필요할 때만 당겨. 다시 오지 않겠지만 경계를 늦춰서는 안 되니까."

오펠리는 무기에는 눈길도 주지 않았다. 오직 피만 눈에 들어왔다. 겁먹은 얼굴을 하지 않으려 무던히 애썼다.

"누가 이런 거야?"

"누구인지는 그다지 문제되지 않아." 토른이 침착하게 말했다. "제대로 갚아줬거든. 다만 사무실을 조금 더 조심스레 뒤졌다면 좋았을걸. 전부 정리하려면 몇 시간이 걸릴 거야."

토른은 오펠리가 권총에 손대지 않으리라는 것을 깨닫고 그것을 도로 벨트에 넣은 뒤, 그 앞에 이는 회오리바람에 날아다니는 종이 한 장을 잡았다.

"주택 외관 개선을 위한 보조금 요청." 토른이 중얼거리듯 읽었다. "이건 전화기 옆에 있던 서류 더미에 있었는데."

오펠리는 난장판이 된 관리국을 성큼성큼 지나 원래 전화기였던 것 아래에 서류를 끼워 넣는 토른의 모습을 믿을 수 없다는 듯 바라보았다. 바구니 아래에, 재떨이 아래에, 의자 다리 밑에 바람을 피하기 위해 집을 짓듯 엇비슷하게 쌓아놓은 종이 더미들이 눈에 들어왔다. 종이마다 토른의 피가 묻어 있었다. 오펠리는 토른처럼 체계적인 사람이 정리에 신경 쓰기에 앞서 우선 치료를 받고, 안전 요원을 부르고, 창문을 수리할 생각을 하지 않았다는 게 놀라웠다. 그는 이제 마룻바닥에 앉아 손에 잡히는 모든 것을 분류하고 있었다.

오펠리는 바람 때문에 사방에 흩날리는 머리카락을 고정시키기 위해 목도리를 매고 둥근 창을 슬쩍 보았다. 우선 눈에 들어온 것은 저 아래 안개 속으로 까마득히 사라지는 가파른 벽의 수직선이었다. 밖에서 창을 깨뜨린 거라면 대단한 곡예사들이었을 것이다. 순간적으로 기사가 또다시 일을 벌인 것은 아닐까 생각했으나 그가 한 짓 같지는 않았다.

방금 통과한 옷장 쪽으로 몸을 돌린 오펠리는 문이 열려 있는 이유를 깨달았다. 안에 있던 토른의 소지품들을 뒤져 전부 난장판이었다. 오펠리는 바닥에 떨어진 코트를 들어 둥근 창틀 사이에 끼워 넣었다. 바람이 멈추자 종이들이 낙엽처럼 힘없이 바닥에 떨어졌다.

오펠리는 이를 덜덜 떨며 주철 난로를 최대로 켜고, 가스 전등 조절 레버를 돌려 불꽃의 밝기와 열기를 최대로 높였다. 6월 초인데 어떻게 이토록 날씨가 추울까?

토른은 아무런 말도 하지 않고 눈길도 주지 않은 채 오펠리가 하는 대로 내버려두었다. 팔다리를 기다란 거미 다리처럼 접고 여전히 마룻바닥에 앉은 채 종이 비슷한 것을 모두 모으고, 살피고, 분류하고 있었다. 상처 난 얼굴 가운데에 검은 피딱지로 반쯤 가려진 금속 같은 두 눈이 집중하고 있어서 빛이 났다. 뒤로 넘긴 토른의 머리카락은 붉은 가시처럼 빳빳하게 굳어 있었다.

"토른." 오펠리가 조심스레 속삭였다. "당신을 불안하게 하고 싶지는 않지만… 그런데… 얼굴 상태가 좋지 않아."

"이마를 뻤고, 코는 골절됐고, 어금니 두 개가 깨졌고, 근육이 몇 군데 파열됐지." 토른은 분류 중인 서류에서 눈을 떼지 않고 하나씩 나열했다. "피 때문에 놀랄 것 없어, 내거 아니야."

"구급상자 있어?"

"하나 있어. 책상 서랍 맨 밑에."

책상 아래로 몸을 숙여 윤이 나는 나무상자를 발견한 오펠리는 실수로 내용물을 바닥에 쏟았다. 놀랍게도 온통 주사위뿐이었다. 수십 개 아니 수백 개나 되었다. 이제껏 본 중에 가장 이상하고 쓸모없는 수집품이었다.

오펠리는 코를 찌르는 듯한 냄새를 좇아 책상 의자 뒤쪽에서 약이 든 서랍을 찾았다. 서랍 안에는 병들이 깨져 있었다. 조심스럽게 파편 사이를 뒤졌지만 온전한 게 하나도 없었다. 붕대도, 밴드도, 습포도, 반창고도 없었다.

"의사에게 진료를 받아야 돼." 오펠리가 결론지었다.

"아니, 이 서류들을 정리해야 해. 관리국은 일 분도 지체하지 않고 정각 여덟 시에 문을 열 거야."

목도리가 어깨 위에서 추위로 덜덜 떠는 동안 오펠리는 토른의 거미 같은 실루엣 맞은편 바닥에 무릎을 꿇었다. 오펠리는 그동안 주운 종이 뭉치를 건넸다.

"원하는 대로 해. 이제 말해봐. 정확히 무슨 일이 있었던 거야?"

토른은 전등 조명에 서류 사본을 살펴보며 답했다.

"가면 쓴 두 사람이 외벽을 타고 올라와 관리국에 무단 침입했어. 질문을 몇 개 던졌고, 나는 물론 대답하지 않았지. 그러자 내게서 얻지 못한 답을 찾으려 여길 뒤졌어. 내 할퀴기 공격력은 퇴화해 친가 쪽만 못하지만 권총을 함께 쓰면 억제력이 있지. 침입자들은 아무 소득 없이 창문으로 나갔어. (토른이 조서 쓰듯 말한 것을 증명하듯 셔츠 주머니를 뒤져 검은 벨벳 봉투를 꺼냈다.) 코와 새끼손가락." 토른이 봉투를 흔들며 말했다. "날 공격한 자들을 찾아낼 흔적을 남겼으니 수사도 수월할 거야."

"그 사람들이 당신에게 원한 게 뭐였어?" 오펠리는 애써 봉투를 외면하며 물었다. "뭘 찾았던 거야?"

"기밀 정보들. 주요 인사들이 연루된 민감한 사건을 맡았거든."

오펠리는 자신이 받은 협박 편지가 생각나 숨을 죽였다.

"파루크의 책 때문이야?"

"뭐? 전혀 관계없어. 요즘 전락한 자들의 복권에 집중하고 있거든." 토른이 투덜대듯 말했다.

오펠리는 눈 깜짝할 새에 전락한 자들과 그들을 대하는 토른의 모호한 입장을 경고하는 신문 기사들을 전부 다 떠올렸다.

"전락한 자들의 복권? 베르닐드는 전락한 클랜들의 죄질이 심각해 절대 용서받지 못할 거라던데."

"정확하지 않아."

바닥에 앉아 있는 토른의 홀쭉하고 커다란 몸은 거의 움직이지 않았지만, 그의 길쭉한 팔과 손은 쉴 새 없이 혼돈과 정돈 사이를 오갔다. 수많은 회계 서류를 펼치고, 접고, 가지런히 정리했다. 어찌나 꼼꼼히 종이를 쌓아 올렸는지 튀어나온 종이가 한 장도 없었다. 가까이서 지켜보던 오펠리는 더미 하나하나가 바닥에 깔린 나무판 경계에 딱 맞게 놓여져 시각적으로 완벽한 균형을 이루고 있음을 알아차렸다. 책상 밑에서 발견한 주사위와 병들을 모아놓은 기괴한 수집품에 생각이 미치자 토른이 살짝 정신이 나간 게 아닌가 하는 생각마저 진지하게 들었다.

"전락한 자들은 뛰어난 사냥꾼들이고, 그들만이 이 아슈에서 짐승들로부터 사람들을 보호할 수 있어. 당신이 폴의 도시들을 방문했다면 전락한 자들이 오직 무능력자들 눈에는 영웅이라는 것을 알게 될 거야. 그것 때문에, 오직 그 이유 하나로 그들은 윗동네에서 두려움의 대상이야."

"그럼 어떻게 궁정을 설득해야 그들에게 새로운 기회를 줄 수 있어?"

"법대로 할 거야." 토른은 다른 서류 더미 정리를 시작하며 답했다. "헌법에서는 공익에 부합할 경우 확정추방을 일시추방으로 감형할 가능성을 열어두고 있어. 8월 1일 열릴 차기 가족의회에서 그 조항을 적용할 거야. 해당 문건은 중요한 논거들을 담고 있어서 금고에 잘 보관해두었지. 협박범들은 달가워하지 않겠지만 그때까지 관리국은 전락한 자들을 대표하고 그들을 공식 보호 하에 둘 거야." 토른은 전문가다운 능변으로 결론지었다.

오펠리는 갑자기 아르쉬발드를 위해 읽었던 사기 파이프가 떠올랐다. 헌병 대장은 밀렵 때문에 전락한 자들을 죽였고, 오늘 실종됐다. 직업상 기밀을 준수하는 정신이 투철하지 않았다면 토른과 이 정보를 공유하고 싶은 유혹에 빠졌을 것이다.

"가족의회가 뭐야?" 그 대신 오펠리가 물었다. "한 번도 못 들어봤어."

"15년마다 개최되지. 가족의회에서 파루크는 국무회의를 주재하고, 귀족, 전락한 자들 그리고 무능력자들 세 신분의 청원을 들어."

"그런데 왜 당신이 전락한 자들을 대표하는 거야? 당신은 그들 가운데 한 명을 죽이기까지 했잖아."

오펠리는 저녁 식사 중 수프를 먹으면서 세상에서 가장 하찮은 일이라는 듯 그 소식을 전하던 토른의 모습을 어제 일처럼 생생하게 떠올리고 눈살을 찌푸렸다.

"그건 정당방어였어." 토른이 무심하게 반박했다. "전락한 자가 섬기는 귀족을 대신해 손을 더럽히면 그 결과까지 감당해야지. 어쨌든 전락한 자들은 가족의회 기간을 포함해 궁궐에 들어갈 권리가 없으니 대표를 선정할 수밖에 없어. 그들은 매우 합리적으로 나를 택했지."

오펠리는 팔로 다리를 꽁꽁 감싸고 목도리 안으로 턱을 깊숙이 넣었다. 그녀를 갑자기 덮친 냉기는 관리국에 맹위를 떨치는 추위보다 더 지독했다. 오펠리는 한 번도 자신을 정면으로 보지 않고, 서류에 코를 박은 채 말하는 토른이 얼음처럼 차갑게 느껴졌다. 더러워진 셔츠와 무미건조한 말투 그리고 기계적인 동작은 영원히 움직일 수밖에 없는 녹슨 로봇을 떠올리게 했다.

잠시 침묵하던 토른이 피로 얼룩진 회중시계를 확인했다.

"질문 다 한 거지? 그럼 이제 내 차례야."

토른은 시계를 정리해 넣고 무릎을 손으로 감싸고 마침내 거추장스러운 커다란 팔을 어깨에 늘어뜨려 쉬게 했다. 절반은 굽어 있고 절반은 뒤틀린 그의 온몸이 작동을 멈춘 기계처럼 꼼짝도 하지 않았다. 핏자국과 멍으로 얼룩진 음산한 얼굴은 표정이 없었지만 어딘가 침울해 보였다.

겉으로만 평온함이 느껴졌다. 하지만 토른이 상처 입은 긴 코를 오펠리를 향해 들어 올리자 그녀는 발끝부터 머리까지 굳어

비꼈다. 그의 시선이 면도날처럼 오펠리의 눈에 꽂혔다.

"오늘 아르쉬발드 집에서 뭘 했지?"

무미건조하던 토른의 목소리가 무겁게 가라앉아 있었다. 그가 갑자기 사적인 대화로 전환하자 오펠리는 당황했다. 하루 종일 관리국에 고립되어 있는 그가 어떻게 알고 있는지 의아했다.

"아, 그거? 설명하려면 길어."

"우리 약속했잖아." 토른이 무섭도록 천천히 강조했다. "왜 내가 아니라 아르쉬발드지? 무엇이 나보다 먼저 그를 찾도록 만든 거지?"

"그런 거 아니야." 오펠리가 중얼거렸다. "예기치 못한 일이 생겼어, 그게 다야."

"당신이 내린 이 벌을 끝내려면 내가 어떻게 해야 해?"

이제 토른의 눈은 달아오른 쇠처럼 이글거렸다. 오펠리는 움츠러들었지만 토른을 외면하지 않기 위해 안간힘을 쓰며 목도리 안에 목을 집어넣었다. 들키고 싶지 않았지만 그녀는 토른 때문에 갑자기 겁이 났다.

"정말로 계획했던 게 아니야. 실은, 당신을 깜박했어."

대답을 들은 토른이 너무나 강렬하게 쏘아봐서 오펠리는 자신의 몸이 잠옷 안에서 쪼그라들고, 토른은 계속 커지는 것처럼 느껴졌다. 그는 얼굴에서 굳어진 피의 가면에 금이 갈 정도로 눈살을 찌푸렸다.

"당신은 정말로 날 좋아하지 않는군."

오펠리는 강렬한 전율을 피부로 느꼈다. 잘 알고 있었다. 그것은 드래곤이 할퀴기 공격을 준비할 때 느껴지는 기운이었다. 본능적으로 손을 올려 얼굴을 가리는 오펠리를 본 토른의 얼굴이 즉시 일그러졌다. 살벌했던 표정이 사라지고 망연자실한 모습이었다.

"우리 사이가 이 지경이 된 건가? 이 정도로 날 경계하는 거야?"

"오늘 내 신경들이 수난을 겪었거든." 오펠리는 이유를 설명했다. "그리고 당신, 그런 표정 지을 때 거울을 한번 봐야 해. 당신이 봐도 무섭게 느껴질…."

"난 절대로 당신을 해치지 않을 거야."

토른이 말을 끊으며 갑자기 솔직하게 나오자 오펠리는 동요했다. 긴 시간 끝에 오펠리는 처음으로 그의 진심을 믿었다.

"누군가를 해치는 방법은 여러 가지야. 내가 신뢰하는 사람들은 매우 드물고, 지금으로서는 당신도 아르쉬발드도 거기 포함되지 않아."

토른은 피로 물든 커다란 두 손을 응시하더니 비로소 자신의 모습을 깨달은 듯 어설프게 셔츠에 손을 문질렀지만 부질없었다.

"내게는 적이 많아." 토른이 얼굴을 찌푸리며 말했다. "당신마저 적으로 만들고 싶지 않아. 그러니 내가 어떻게 하면 되는지 말해줘. 그러려고 여기 온 거잖아, 그렇지? 내게 거래를 제안해 봐."

오펠리는 이런 대화를 불편한 마룻바닥이 아닌 다른 곳에서,

상처도 혹도 없는 상대와 나누었으면 좋았겠다고 생각했지만, 그렇다고 물러설 마음도 없었다.

"난 일을 원해."

"일." 토른이 거센 억양으로 되뇌었다. "이미 일을 하고 있잖아."

"정말이지 부-스토리텔러 일은 맞지 않아. 오늘 저녁 최악의 공연을 선보였고, 아주 안 좋게 끝났어. 파루크 폐하가 다시는 내 얘기를 듣고 싶어하지 않을 거야."

토른은 심란했지만 내색하지 않았다,

"그는 당신에 대한 보호를 철회하지 않을 거야. 당신은 너무 중요하니까. 결국 잊게 될 거야. 항상 잊거든."

오펠리는 진심으로 그의 말이 맞기를 바랐다. 있었던 일을 회상하는 것만으로도 끔찍한 신경통이 되살아났다.

"일을 하는 문제에 대해서 고민해봤어. 읽기 사무소를 열고 싶어. 집안 물건들의 진품 여부를 감정해줄 수 있을 거야…."

"그렇게 해." 토른은 더 듣지 않고 말했다.

오펠리는 자신이 원하는 바를 이토록 빨리 얻었다는 데 어안이 벙벙해져서 눈썹을 치켜올렸다.

"파루크 앞에서 당신의 능력을 보여주는 것만 피하도록 해." 토른이 말을 이었다. "당신에게 자기 책을 읽히고 싶어할 수 있거든. 책은 내 일이야. 다른 건?"

"조수를 고용했는데 임금을 지급할 돈이 없어. 돈 문제에 익숙하지 않아서. 내가 보수를 줄 수 있을 때까지 당신이 그의 수

당을 지불해줄 수 있을까?"

"그렇게 해. 다른 건?"

"음… 그리고." 이토록 빨리 제안이 받아들여질 거라 예상치 못했던 오펠리는 말을 더듬었다. "환영과 현실을 구별하지 못하게 될까 봐 두려워. 바깥세상을 다시 보고 싶어."

"그렇게 해." 토른이 단번에 답했다. "북쪽 지방의 밤이 끝나고 기온이 오르고 있으니 조만간 바람 쐴 수 있을 거야. 다른 건?"

"여기 온 뒤로 계속해서 이모 치맛바람에 치여 살고 있어. 나만의 거처를 원해. 크기나 위치는 상관없어."

"그렇게 해. 다른 건?"

오펠리는 그가 뭐든 양보할 준비가 되어 있다는 것은 알았지만 이렇게 아무 반대 없이 모두 들어주리라고는 전혀 상상하지 못했다. 토른은 화해에 정말로 진지했다. 오펠리도 그러리라 결심했다. 더 이상 숨지 않기 위해 목도리를 풀고, 안경을 밝게 하고, 덥수룩한 갈색 곱슬머리를 뒤로 넘겼다.

"마지막으로 부탁할 게 있어. 제일 중요한 거야. 앞으로 내게 솔직하겠다고 약속해줘. 내가 당신에게는 두 손에 불과하지만, 그건 더 이상 문제가 되지 않아." 오펠리는 장갑을 풀었다 조이며 말했다. "우리 관계가 명확해지고 둘 모두에게 득이 된다면 내 역할을 받아들일게. 기증 의식이 끝나고 당신이 내 아니마 능력을 물려받을 때 내가 읽는 법을 가르쳐줄 의향도 있어. 그리고 당신은 내게 할퀴기 능력을 사용하는 법을 알려주고. 그게 우리 결혼의 유일한 의무야." 오펠리는 한 단어 한 단어를 강조히며 또박또박 말했다. "그러니 내가 당신을 다시 신뢰할 수 있도록 이제 나와 직접적인 관계가 있는 일은 단 하나도 숨기지 마."

이번에는 토른이 인상을 쓰며 긴 침묵을 지켰다. 둥근 창을 막고 있는 코트 틈새를 파고드는 바람의 소용돌이와 돌풍 소리만이 들릴 뿐이었다.

"그렇게 하자." 토른이 마침내 중얼거렸다.

또다시 어색한 공기가 떠다니고 둘은 제자리에서 한참동안 서로를 뚫어져라 응시했다. 오펠리는 손을 뻗거나 다정한 미소를 지으며 뭔가 상징적인 제스처를 취하고 싶었지만 토른은 대리석 조각처럼 뻣뻣하게 굳어 있었다.

서로에게 솔직해지기로 했으니 지금이 기회였다.

"파루크의 책을 더 깊이 읽기 위해 당신은 기억력을 사용하겠지. 그 기억력이 그렇게 대단한 거야?"

토른은 오펠리가 책을 언급하자 인상을 썼다.

"그 이상이라고 말할 수 있지."

"그런데 그 기억력을, 기증 의식에서 할퀴기 공격과 함께 내가 물려받는 거지?" 오펠리가 끈질기게 물었다.

"당신의 수용력에 달렸지. 정확한 건 아무것도 없어."

"당신 수용력은 어떻고? 기억력이 당신을 훌륭한 읽기 능력자로 만들지 않을 수도 있어." 오펠리가 계약 내용을 상기하며 덧붙였다. "우리 집안의 능력을 익히는 데 당신에겐 삼 개월밖에 주어지지 않잖아. 나 같은 경우에는 몇 년이 걸렸었다고."

"실패할 수도 있겠지." 토른이 인정했다.

오펠리는 그를 뚫어져라 보았다. 토른은 파루크의 바람을 이루기 위해 온갖 수단을 동원했지만, 그 시도가 어떻게 끝나든 별로 신경 쓰지 않는 것 같았다.

"만일 파루크에게 그렇게 약속해놓고 실망시키면 어떻게 되는 거야? 그래도 그가 당신에게 귀족 작위를 줄 거라고 생각하는 거야?"

"물론 아니야." 토른이 변함없는 말투로 말했다. "그렇게 되면 당신은 거추장스러운 남편을 치우게 되는 거지."

오펠리는 이런 빈정거림이 전혀 재미있지 않았다.

"당신은 파루크 책 읽기를 가볍게 생각해서는 안 돼. 파루크를 비롯해 다른 사람들은 당신 때문에 그 일을 매우 진지하게 받아들이고 있거든. 이상한 편지를 한 통 받았는데… 뭐 상관없지만… 파루크의 책과 그 책이 감추고 있는 비밀들을 불편해하는 사람들이 있는 것 같아. 어쩌면 당신이 대표하는 전락한 자들보다 더." 오펠리는 바닥에 있는 유리 잔해들을 가리키며 결론 지었다.

토른이 한숨을 내쉬자 부러진 갈비뼈 사이로 차 끓일 때 나는 휘파람 소리가 났다.

"책에 대해서 함부로 말하지 말아줘. 그리고 너무 무리한 부탁이 아니라면 사람들 이목 끌지 말고. 괜찮다면 이제 다시 정리를 시작하고 싶어." 토른이 종이 뭉치를 쥐며 말했다.

"오늘 기사를 만났어. 그가 내게 모든 것을 털어놓았어."

오펠리는 토른이 가족들이 죽은 것을 어떻게 견디어냈는지 말해볼 기회가 없었다. 그의 이복형과 이복동생은 어린 시절 토른을 괴롭혔고, 성인이 된 뒤 서로 교류가 없었다는 것만 알고 있었다. 오펠리는 토른의 온 몸이 갑자기 움츠러드는 것을 보고 당황했다.

"증인이 있었어?"

"아니. 근데 기사가 조금 미친 건 아닐까 싶었어."

오펠리는 이렇게 말하는 순간 불현듯 생각났다. 그처럼 미치지 않고서야 누가 '**신은 당신이 여기 있길 원하지 않소**'로 끝나는 협박 편지를 보낼 수 있을까?

"그런데 멜키오르 남작과도 매우 흥미로운 대화를 나누었어." 오펠리가 말을 이었다. "그가 말하길, 미라주들이 우리만큼이나 기사를 두려워한다는 거야. 나보고 당신에게 말을 전해달라고 했어."

"무슨 말?"

"자기 사촌인 아르놀드… 아니… 아롤드 집을 수색해보래. 당신이 하는 반려동물 개체수 집계에 도움이 될 거라고, 아니 어쩌면 그 이상일 거라고. 그가 한 말이 무슨 뜻인지 이해해?"

"알았어." 토른은 남은 목록을 넘겨보며 중얼거릴 뿐이었다.

오펠리는 눈썹을 찌푸렸다. 뭐야? 그게 다야? 토른은 더 이상 숨기지 않기로 약속한 사람치고는 별다른 노력을 기울이지 않았다. 추위로 몸이 굳은 오펠리는 자리에서 일어나 가운의 먼지를 털었다. 오펠리는 몹시 피곤했다.

“난 이만 자러 갈게. 약속 잊지 마.”

“난 잊지 않아. 절대 아무것도 잊지 않아.”

토른은 사적인 대화가 이제 끝났다는 듯 말투를 사무적으로 바꾸고 질서정연하게 정리를 다시 시작했다. 두 달 뒤면 이런 괴짜와 평생 엮이게 될 거라고 오펠리는 생각했다.

‘우리가 그때까지 살아남는다면.’ 오펠리는 아비규환이 된 관리국을 둘러보며 생각했다.

“방문객을 받기 전에 피를 닦고 창문을 수리해야 할 거야.” 오펠리는 저도 모르게 토른에게 훈계를 늘어놓았다. “사람들에게 당신을 의심할 또 다른 이유를 제공하지 말라고.”

토른은 목록에 코를 박은 채 회중시계를 꺼내더니, 시간을 확인하는 대신 손을 오므려 시계를 세게 쥐었다.

“내가 당신에게 솔직해지길 바란다고 했지. 당신이 나에게 그저 두 손에 불과하지 않다는 것을 알게 될 거야. 그리고 당신이 날 의심스럽게 보지 않는다면, 다른 사람들이 나를 의심하든 말든 전혀 상관 안 해. 내가 모든 약속을 지키면 그때 이 시계를 돌려줘.” 토른은 얼빠진 오펠리의 표정을 보지 못한 채 툴툴대며 시계를 건넸다. “앞으로 내가 의심스러우면 이걸 읽어. 조만간 당신 사무소와 관련해 전화할게.” 작별 인사 대신 토른이 무심히 덧붙였다.

오펠리는 거울을 통과해 자기 침대로 돌아왔다. 규방의 공기가 타는 듯했다. 그녀는 기계로 된 심장처럼 뛰는 토른의 시계를 보면서 오늘 밤 잠을 이루기가 어렵겠다는 생각이 들었다.

종

"오펠리, 엄마다…. 치지직… 편지 잘 받았다… 치지직… 알맹이는 쏙 빼고 허울 좋은 말만 잔뜩 썼더구나… 대단해…. 치지직… 넌 거짓말도 제대로 못 하지… 치지직… 난 어떤 자식이 시치미를 떼는지 다 안다… 치지직… 그래 그렇게까지 네 삶에서 가족을 떼놓고 싶더냐?… 치지직… 넌 아직도 우리를 잘 모르는구나… 치지직… 7월 4일 오후 2시에 북극호 비행선을 타고 도착한다… 치지직… 취소해봐야 소용없어. 이번에는 결혼식 때까지 머물 거니까… 치지직… 네 약혼자를 믿을 수 없어서 이 아니마폰을 쓴다… 치지직… 스물 한명이 묵을 곳을 마련해 놓아라, 네 언니와 동생들과 함께 간다… 치지직… 오펠리, 엄마다… 치지직… 편지 잘 받았다…."

오펠리는 계속 돌아가는 소형 축음기 실린더를 손가락으로 멈추고 아니마폰을 주머니에 넣었다. 아니마폰은 핸들도, 키도, 코드도, 어떤 조작 장치도 없는 기계로, 아니마인만이 작동시킬 수 있다. 오펠리는 조작이 느린 편이라 작은 소포를 받고 엄마의 메시지를 듣기까지 인내심이 필요했다.

"이런 내용이에요." 오펠리는 로즐린 이모와 베르닐드에게 말했다. "기분이 어떠세요?"

오펠리 조차도 가슴이 뛰는 이유가 기쁨과 당혹감 중 어떤 감정 때문인지 알 수 없었다.

"7월 4일이면 다음 주네." 로즐린 이모는 난처한 듯 말했다. "벌써 북극호를 탔겠구나. 가족 방문을 더 늦추지는 못할 거다. 그리고 오펠리, 네 엄마는 이제 타르트틀이 아니야."

"내 느낌으로는 최악의 타이밍에 오시는 것 같네." 베르닐드가 부드러운 미소를 띠며 말했다.

베르닐드는 쇼윈도에 붓으로 '전문 감정'이라고 쓰고 있는 캘리그래피스트에게 의미심장한 눈길을 보냈다. 진열장 바깥에 사악하게 인상을 쓰고 붙어 있는 허깨비들이 없었다면 멋진 효과를 냈을 것이다. 간밤에 불어넣은 이 환영들은 어느 것 하나도 사라지지 않았다.

"실례합니다."

로즐린 이모와 발키리는 책상을 옮기는 일꾼 두 명이 지나갈 수 있도록 길을 내주었다. '아니, 그냥 책상이 아니야, 내 책상이야.' 오펠리는 생각했다. 토른 덕분에 조그만 읽기 사무소를 열 수 있게 되었다. 공사도 안 끝났는데 벌써부터 음해 공작이 펼쳐졌다. 베르닐드의 말처럼, 확실히 가족을 맞기에 최적의 시기는 아니었다.

파루크가 살아 있다는 기별도 주지 않고 망루 꼭대기 층에서 두문불출한 지 벌써 삼 주가 되었다. 신문들은 수십 년 만에 처음 있는 사건이라고 보도했다. 평소 파루크의 스케줄에 따라 시종장이 작성하던 방파제 산책로 초대자 명단 발표도 무기한 보류됐다. 궁궐 내 각종 살롱과 정원은 한번도 명단에 오르지 못했던 이들을 비롯해 시타시엘의 귀족이 모두 몰려 인산인해를 이루었다. 각자 스스로를 왕이라 여기는 긴장된 분위기 속에서 의전 시비가 다반사였다. 미라주와 투알은 언제나 가족에 강력한 의미를 부여해왔다. 이제 그들은 상석을 차지하기 위해 끝없이 충돌했다.

토른은 무질서한 분위기를 틈타 방파제 산책로의 옛 물품 보관실에 오펠리 사무소를 마련했다. 최소한의 관심만 끌면서, 파루크의 감시망을 피할 수 있을 정도로 눈에 띄지 않는 곳에 위치해 있었다.

베르닐드는 방금 칠한 페인트 냄새를 거북해하며 수놓은 손수건으로 얼굴을 가렸다.

"그렇게 터무니없는 인형 이야기로 우리 폐하의 심기를 건드리다니… 도대체 무슨 생각이었던 거야? 네 실수로 인해 모든 보호를 잃은 거나 다름없어."

오펠리가 시각 연극에서 소동을 일으킨 뒤로 투알은 베르닐드를 개인적으로 감시하지 않았다. 아르쉬발드가 나서보았지만 그의 가족은 완고했다. 그때부터 베르닐드와 앞으로 태어날 아기를 보살필 한 명의 발키리만 붙여주기로 결정했다.

오펠리로서는 특별한 차이를 못 느꼈지만 굳이 지적하지는 않았다. 발키리들은 모욕이나 협박도 막지 못했고, 아무 말 없이 그림자처럼 쫓아다녀서 등골을 서늘하게 만들 뿐이다. 눈앞에서 죽임을 당하고 나서야 도움을 받을 수 있는 거라면 혼자 알아서 하는 편이 낫다고 오펠리는 생각했다.

"걱정마세요, 부인." 대신 오펠리가 말했다. "파루크 폐하는 부인을 엄청나게 아끼시니 절대 보호를 멈추지 않을 거예요."

"무슨 생각을 하는 거야? 벌써 몇 주째 내 몸에 손도 안대고 있다고. 요 며칠은 눈길도 거의 주지 않아. 엄마가 되는 순간, 난 그에게 완전히 없는 사람이 될 거야. 은총의 시간은 끝나기 마련이지." 베르닐드가 씁쓸하게 중얼거렸다. "처음부터 알고 있었어. 그저 이런 식의 결말은 생각하지 못했을 뿐이야."

오펠리는 배 속 아기가 언제라도 빠져나갈 것처럼 계속해서 두 손으로 감싸고 있는 베르닐드의 부풀어 오른 배를 죄인처럼 바라보았다.

"엎질러진 물이야." 베르닐드는 턱을 들어 올리며 다시 기운을 냈다. "네 가족 문제는 토른이 해결할 거야. 아, 때마침 왔네!"

정말로 출입문 종이 막 울리고, 토른이 끝없이 긴 몸을 문틀 안으로 구겨 넣으며 들어왔다. 여기저기 상처 입은 흔적이 거무죽죽하게 피부에 남아 있었지만, 어깨 안장이 달린 검은 제복을 입고 머리를 뒤로 빗어 넘긴 덕분에 지난번 오펠리가 봤을 때보다 훨씬 봐줄 만했다. 그는 진열장을 뒤덮은 악몽 같은 환영들을 흘긋 보았다.

"손님이 몰려올 거라고 기대하지는 마." 토른이 인사 대신 말했다.

로즐린 이모가 막 입을 열려고 하는 찰나 베르닐드가 이모의 팔을 잡아 끌었다.

“이리 오세요. 조카들끼리 편하게 얘기하도록 내버려두자고요.”

오펠리는 작업장 일꾼들을 이리저리 피해 걸어가는 둘을 바라보았다. 의도는 좋았지만 오펠리는 전혀 편하지 않았다.

보통 사람보다 훨씬 높이 솟은 커다란 코 때문에 옆모습이 근엄한 인상을 풍겼지만, 정면에서 본 토른의 얼굴에는 아무 감정이 없었다. 그런데 등 뒤로는 검지손가락이 반대편 손목을 쉬지 않고 두드리고 있었다. 조금 불편해진 오펠리는 토른도 자신만큼이나 둘이 함께 있을 때 예민해지는지 궁금했다. 둘 사이에 거래가 체결된 지금, 모든 게 분명해야 했지만, 관리국에서 토른과 나눈 대화는 묘한 뒷맛을 남겼다. 그래서 그녀는 결혼식 날짜가 다가올수록 점점 더 주체할 수 없이 긴장되었다.

“엄마가 메시지를 보냈어.” 오펠리는 단도직입적으로 말했다. “다음 주에 여기 오신대. 스무 명의 가족과 함께.”

토른이 너무 조용해서 오펠리는 순간 그가 듣지 못했다고 생각했다.

“스물한 명.” 마침내 그가 중얼거렸다. “스물한 명의 아니마 사람들을 한 달 넘게 재워주고, 먹여주고, 보호해야 한다고. 아니마에서 할 일이 없나 보지?”

“유산 보존이 우리 가족의 일이야. 여름에는 문을 닫지. 당신은 휴가를 가는 일이 없나 봐?”

눈썹과 흉터를 찌푸리는 토른을 보자 오펠리는 마치 상스러운 말을 입에 담은 느낌이었다.

"당신 부모는 당신을 아니마로 데려가려 할 거야." 토른이 단정적으로 말했다. "두 분 다 나를 달가워하지 않고, 당신 어머니는 충동적이시지. 아무리 유혹이 크다고 할지라도 결혼 전까지 당신을 데려갈 수 있는 어떤 구실도 만들지 말아줘. 가족들 앞에서 특정 주제들을 언급하지 않을 수 있다면 그게 최상일 거야."

오펠리는 눈살을 찌푸렸다.

"그러면 아니마의 두아옌들 앞에서는?" 오펠리가 직설적으로 물었다. "두아옌들이 주선해서 당신이랑 고모가 결혼을 정했잖아. 그들은 진짜 이유를 이미 알고 있겠지."

"아니." 토른의 답에 오펠리는 놀랐다. "두아옌들은 묻지 않았어. 사실 마침내 당신을 처리하게 되어 안심한 것처럼 보였어."

오펠리는 드레스 주머니 속 작은 아니마폰을 꽉 쥐었다. '우리는 네게 마지막 기회를 주는 거야.' 오펠리가 떠나기 직전에 두아옌이 말했었다. 현재 상황은 어떤 관점에서 보더라도 기회와는 거리가 멀었다.

"난 연기 못 해. 남아 있어야 할 적당한 이유를 나도 모르겠어. 그런데 부모님을 설득하라니…."

"당신은 파루크와 계약을 맺은 상태야. 계약을 어기면, 당신과 우리 집안 모두 외교적으로 큰 타격을 입게 될 거야."

"나도 다 알고 있어." 오펠리는 짜증이 났다.

'향수병' 이야기를 하는데, 토른은 '집안 문제'로 답했다. 오펠리의 기분이 상한 걸 눈치 챘는지 결국 그는 커다란 코를 그녀 쪽으로 숙였다.

“내가 당신이 머물 이유가 되고 싶다는 말이라도 듣길 바라는 거야? 그건 아닐 텐데.”

“… 편지… 치지직… 알맹이는 쏙 빼고 허울 좋은 말만 잔뜩 썼더구나… 대단해…. 치지직… 넌 거짓말도 제대로 못 하지….”

오펠리는 아니마폰을 끄기 위해 주머니에서 손을 뺐다. 곤두선 신경이 기계를 다시 작동시킨 것이다.

“아니.” 오펠리는 긴장된 목소리로 말했다. “부모님이 계시는 동안 나를 도와서 부모님을 안심시키는 게 좋을 거야. 모범적인 사위 연기를 하라는 건 아니지만, 미소 정도는 지을 수 있겠지?”

오펠리는 토른이 질문을 들었는지 알 수 없었다. 방금 울린 출입문 종소리에 목소리가 묻혔기 때문이다. 그녀는 문을 열고 들어온 손님이 아슈-여행으로 세계적 명성이 자자한 라자뤼스인 것을 보고 안경을 믿을 수 없었다.

“똑똑, 열린 건가요?” 그가 거대한 실크해트를 들어 올리며 유쾌하게 물었다. “안녕하세요, 친애하는 숙녀분들!”

라자뤼스는 매번 발음을 뭉개며 모음을 왜곡하는 독특한 억양으로 말했다. 긴 은발에 수염 없는 얼굴은 탈모로 인해 길어 보였고, 커다란 흰 프록코트를 입고, 분홍색 안경 뒤로 장난기 어린 두 눈을 반짝였다. 나이 든 마법사 같은 모습의 이면에는 지치지 않은 여행가이자 뛰어난 사업가가 숨어 있었다. 바벨 출신으로, 바벨을 '바볼'이라고 발음했다. 바벨은 오펠리가 어렸을 때부터 들어온 범세계적이고 전위적인 아슈였다. 이번에 처음으로 폴을 방문한 라자뤼스는 궁정이 두 팔 벌려 환대하는, 손꼽히는 여행객 중 한 명이었다.

"사업차 여기 왔습니다." 그가 인상을 쓰고 있는 진열장 환영들을 호기심에 찬 눈으로 바라보며 외쳤다.

오펠리는 최대한 전문가다운 표정을 지었다. 새롭게 커리어를 쌓는 데 이보다 좋은 시작은 상상할 수 없었다. 라자뤼스는 폴에 기껏해야 몇 주 머무를 테고, 귀족들은 앞다퉈 그를 자신들의 살롱에 초대하고 싶어했다. 그런 인물이 모두가 기피하는 오펠리를 찾아 제 발로 사무소 문턱을 넘은 것이다.

게다가 라자뤼스는 혼자가 아니었다. 바벨 공장에서 막 나온 로봇 하인장 발테르가 뻣뻣하고 뚝뚝 끊어지는 움직임으로 그를 따라다녔다.

"손님은 기대하지 말라던 게 당신이었지?" 오펠리는 토른에게 속삭였다.

토른은 답하지 않았다. 마치 공개적으로 약혼녀에게 말을 거는 것이 저속한 일이라도 되는 듯 출입문 종이 울린 순간부터 적정 거리를 유지하고 경찰관 같은 태도를 취하고 있었다.

"안녕하세요, 라자뤼스 씨." 오펠리가 그를 맞이하며 인사를 건넸다.

오펠리는 무례해 보일까 봐 발테르를 뚫어져라 보지 않으려 애썼다. 시타시엘에서 모두가 말하던 로봇 하인장을 실제로 처을 본 것이다. 금속 머리에 얼굴이 없고, 팔다리 이음새마다 톱니바퀴가 달려 미술 수업용 관절 마네킹과 비슷했다. 사람들이 말한 바에 따르면—특히 르나르가 그 사람들이 한 이야기라고 한 것에 따르면—, 발테르는 짐을 들고, 차를 따르고, 체스를 둘 수 있었다. 한 판도 이기지 못했지만 그 자체만으로 눈부신 성과였다.

"오펠리 양인가요, 아니마의 읽는 여자?" 라자뤼스가 분홍 안경 너머로 그녀를 살펴보며 물었다.

"네, 맞습니다.

"멋지네요!" 그가 실크해트와 지팡이를 발테르에게 건네며 쾌활하게 말했다. "아니마에 두 번 갔었는데 어찌나 경치가 좋던지요. 그곳의 작은 벽돌집들은 성격이 있지요… 말 그대로 진짜 성격, 항상 훌륭하지만은 않은 성격 말이에요. 한번은 현관 흙털개에 구두 닦는 걸 깜빡했다는 이유로 문이 내 손가락을 끼워서 꼼짝 못 하게 했지 뭡니까. 세상 저 끝에서 이곳에 정착하러 오신 건가요? 전 다른 가족 문화에 개방적인 사람들을 대단히 존경합니다!"

나이 든 라자뤼스가 자신의 손을 잡고 격렬하게 흔드는 동안 오펠리는 자신이 개방적이어서 폴에 온 게 아니라고 말하려다가 참았다. 그가 아니마에 대해 계속 이런 식으로 얘기한다면 오펠리의 향수병만 더 심해질 것 같았다.

"당신은 제가 여기 온 뒤로 수없이 들어온 놀라운 건축가 같아요." 라자뤼스는 '놀라운' 발음을 과장하며 열정적으로 말을 이었다. "시타시엘은 진정한 걸작입니다. 매 층마다 감탄이 절로 나와요! 일드가르드 부인 맞죠? 진정한 아르캉테르인요, 아시지요? 그분도 뵙고 싶은데 당최 만날 수가 없네요! 정말로 여행을 많이 다녔지만 한 번도 아르캉테르*에 가본 적이 없어요. 공간 깊이 숨어 있어서 찾아낼 수 없는 아슈라고들 하죠. 하지만 아르캉테르인들은 세계 곳곳에 지름길을 놓았어요! 가족 간 바람 장미라고 아시죠?" 그는 인간이 창조한 가장 놀라운 불가사의에 대해 말하듯 흥분해 있었다. "아슈마다 하나씩 설치해 두었는데 모두 아르캉테르로 통하죠. 정말이에요, 아가씨. 아가씨가 살던 아니마에도요! 아르캉테르인들이 일반인에게 개방하기로 결정한다면 바람 장미는 교통수단의 혁신을 가져올 거예요. 그때는 비행선도 끝나요! 안타깝게도 어찌나 비밀스러운 가문인지 방해받기를 싫어하죠. 아르캉테르인들은 선뜻 교역에 나서지만 조심해야 해요. 조금이라도 소란스러워지면 곧바로 사업을 접고 바람 장미를 폐쇄해버리니까요. 아르캉테르에서 온 오렌지를 맛본 적 있으세요? 진미 중의 진미랍니다!"

"무엇을 도와드릴까요?" 오펠리는 최대한 예의 바르게 말을 끊었다.

라자뤼스는 쉴 새 없이 손을 흔들며 단숨에 이야기를 이어갔고, 오펠리는 손가락이 아프기 시작했다.

"당신에게요?" 그가 놀라서 물었다. "신경 쓰지 마세요, 더 이

* Arc-en-Terre는 '지상의 무지개'라는 뜻이다.

상 귀찮게 안 할게요. 사실 저는 감독관님을 찾고 있어요. 여기 계신다고 들었거든요."

크게 실망한 오펠리는 자신의 손을 놓고 토른의 손을 붙잡으러 가는 라자뤼스를 바라보았다.

"감독관님, 드디어 뵙네요! 일드가르드 부인만큼이나 만나기 힘든 분이시죠. 이곳에 도착한 뒤로 내내 뵙고 싶었습니다. 저는…."

"관리국은 로봇을 구입하지 않을 겁니다."

토른은 자신을 향해 돌진하는 라자뤼스의 팔에 손도 대지 않고 냉정히 말을 끊었다. 나이 든 탐험가는 불쾌해하기는커녕 토른의 거절을 재미있어하는 기색이었다.

"사람들이 말한 모습 그대로네요. 감독관님의 귀한 시간을 일 분만이라도 제게 할애해주세요. 상업적으로만 보지 마시고, 발테르가 정말로 상징하는 바를 봐주세요." 라자러스가 과장된 몸짓으로 제복 입은 마네킹을 가리켰다. "발테르는 성인용 장난감이 아니죠. 바로 인간에 의한 인간의 지배의 종말을 의미합니다! 발테르는 천한 일들을 맡아서 세상에서 가장 세련된 방식으로 처리할 겁니다. 발테르! 인사!" 라자뤼스는 입을 크게 벌려 또박또박 말했다.

로봇 하인장은 뻣뻣한 동작으로 몸을 직각으로 숙이다가 라자뤼스의 모자와 지팡이를 놓쳤다. 한 번에 한 가지 이상의 일을 수행할 수 없는 것 같았다.

"이런!" 라자러스는 프록코트에서 커다란 열쇠를 꺼내며 투덜거렸다. "태엽 감는 걸 잊었네."

"관리국은 로봇을 구매하지 않을 겁니다." 토른이 같은 말을 되풀이했다.

오펠리는 또다시 울리는 출입문 종소리에 소스라치게 놀랐다. 열린 문틈으로 르나르가 자랑스럽게 가죽 수첩을 흔들어 보였다.

"네 명요, 아가씨!"

르나르는 더 이상 하인은 아니었지만, 튀지 않기 위해 궁정의 하인들이 입는 누르스름한 꿀색 제복을 입고 있었다. 금빛 견장과 붉은색 머리카락 때문에 그는 타오르는 것 같았고, 토른은 더욱더 어두워 보였다. 오펠리는 르나르를 보기만 해도 생기가 솟는 것 같았다. 르나르는 오펠리가 고립되어 보낸 기나긴 삼 주 동안 그녀의 숨통을 틔워주었다.

"손님이 될 만한 사람을 네 명 확보했어요, 아가씨. 그들 직원들이 내 친구라서 횡재한 거나 다름없어요." 르나르가 손가락으로 수첩을 넘기며 속삭였다. "미술상, 전당포 주인, 은행원들이죠. 도처에 깔린 환영 때문에 진품과 위조품을 구별하지 못하고 있어요. 아가씨의 작은 손이 그들이 궁금해하는 것을 모두 알려주고, 아가씨는 미망에서 깨어나게 해주는 여왕이 될 거예요!"

"다른 말로 하자면 최고의 공공의 적이 되겠지." 토른이 음침한 목소리로 덧붙였다.

르나르는 장롱처럼 건장했지만 토른과 눈을 마주치기 위해서는 상체를 뒤로 젖혀야 했다. 겨울바람이 그의 당당한 자신감을 휩쓸고 간 듯 르나르는 원래 상태로 돌아갔다.

"감독관님… 용서해주세요." 르나르가 눈을 내리깔며 말을 더듬었다. "감독관님의 약혼녀를 곤란하게 만들 의도는 단연코 없었습니다. 저는 그저…."

"저 사람 말 듣지 말아요, 르놀드." 오펠리가 급히 끼어들었다. "내가 보기엔 멋진 생각이에요. 게다가 난 대단한 사람도 아닌걸요." 오펠리는 환영으로 얼룩진 진열장을 의미심장한 몸짓으로 가리키며 덧붙였다.

"하인님, 실례합니다." 라자뤼스가 다정한 미소를 지으며 슬쩍 끼어들었다. "사람이 사람을 지배하는 것에 대해 개인적으로 어떻게 생각하세요?"

라자뤼스가 소개해 준 로봇 하인을 쳐다보며 주저하던 르나르는 여러 번 울리는 출입문 종소리 덕에 곤경에서 벗어날 수 있었다. 멜키오르 남작이 육중한 몸으로 문을 통과하려고 최대한 우아한 몸짓으로 버둥거리고 있었다. 무지개색으로 온몸을 치장한 그는 다리 달린 열기구를 연상시켰다. 토른을 알아보고 미소를 짓자 포마드 바른 긴 콧수염이 들썩였다.

"감독관님, 어디 계셨나 했어요!"

"여기요." 토른이 당연하다는 듯 답했다.

"부인 여러분, 안녕하세요." 멜키오르 남작은 멋진 흰 구두를 더럽히지 않기 위해 조심조심 사무소 공사판을 지나가며 베르닐드, 로즐린 이모, 오펠리 한 명 한 명에게 모자를 들어 인사했다. “어, 라자뤼스 씨도 여기 계셨어요? 만나서 반갑습니다. 어쩌죠, 감독관님, 니베룽겐이 없어요!”

“여기 있는 것을 보세요.” 토른이 턱으로 공사 중 바닥을 보호하기 위해 깔아둔 신문을 가리키며 말했다.

“오늘 자 말입니다. 발행되지 않았어요. 제 사촌 체크오브가 니베룽겐을 담당한 지 삼 년이 넘었는데 이런 일은 처음입니다.”

“제게 뭘 바라시죠?”

“아무것도요.” 멜키오르 남작이 성실히 답했다. “문제는 또 다른 제 사촌이 특별히 감독관님 보시라고 오늘 자 신문에 작은 광고를 냈는데 니베룽겐이 나오지 않는 바람에 직접 육성으로 알리려고 여기 저와 함께 왔어요.”

오펠리는 거구의 멜리오르 남작 뒤에 다른 미라주가 있는지도 몰랐다. 그 미라주는 머리부터 발끝까지 반짝이는 보석으로 치장해 눈에 띄지 않을 수 없었다. 눈꺼풀에는 신분을 나타내는 문신이 새겨져 있고, 열 손가락에는 반지가, 가닥가닥 땋아 내린 금빛 턱수염에는 진주들이 끼워져 있었다. 은으로 된 멋진 지팡이에도 보석이 박혀 있었다. 아마도 환영으로 만든 보석일 것이다. 양쪽에 금 귀걸이를 매달고, 권위가 손상된 듯한 얼굴을 하고 있었다. 시계 주머니에는 대부분의 미라주처럼 아름다운 푸른 모래시계를 보란 듯 내걸고 있었다.

오펠리는 그의 얼굴을 알아보았다. 시타시엘을 구경하려고 베르닐드 저택을 빠져나간 날 저녁에 처음으로 마주친 미라주였다. 그때만 해도 그가 왕이라고 생각했었다.

"시징하다!"

"침착하세요, 아롤드 사촌." 멜키오르 남작이 그를 진정시켰다. "교양 있는 사람들끼리 원만히 해결하시죠."

오펠리는 안경을 코 위로 올려 썼다. 그러니까 저 사람이 기사의 후견인인 아롤드 백작이란 말인가? 그는 사촌의 조언을 새겨들을 마음이 없는 것처럼 지팡이로 바닥을 두드리고, 땅을 울릴 정도로 거친 발음으로 한층 목청을 높였다.

"감히 사생아 주제에 나처럼 고귀한 신분의 사람을 고소하다니…."

"고소는 제가 아니라 관리국이 한 겁니다." 토른은 그 어느 때보다 침착하게 백작의 말을 정정했다. "수많은 반려동물을 등록하지 않고 키우고, 허가 없이 동물실험을 했기 때문입니다." 그가 읊었다. "개들에게 반복적으로 최면을 걸었어요. 그건 법으로 엄격히 금지된 행위입니다."

"개들을 돌려줘! 내 조카도!"

"제가 사적으로 구속 조치를 취한 게 아닙니다." 토른이 차분히 답했다. "경찰청에서 면회하실 수 있습니다."

오펠리는 눈을 치켜떴다. 기사가 구속됐다고? 로즐린 이모 입에서 '옷핀 같은 녀석'이란 말이 튀어나오고, 베르닐드는 탄성을 내뱉으며 회반죽으로 범벅이 된 의자에 주저앉았다.

"피후견인에게 능력 사용하는 법을 잘못 알려주셨어요." 아롤드 백작의 우렁찬 목소리가 읽기 사무소에 다시 울리기 전에 토른이 이어 말했다. "그는 치명상을 입힌 책임이 있습니다. 이에 관리국은 절단 절차를 밟기로 결정했습니다." 토른이 사무적이고 객관적인 태도로 말을 맺었다. "절차가 끝나는 대로 조카를 데려가실 수 있습니다."

"내 개들과 조카를 돌려줘, 사생아 녀석!" 아롤드 백작이 막무가내로 요구했다. "그렇지 않으면 저 거지 같은 이방인 꼬마를 데려갈 테다." 지팡이로 오펠리를 가리키며 말했다.

"아롤드 백작님!" 멜키오르 남작이 버럭 화를 내면서도 미소를 잃지 않고 말했다. "우아부 장관으로서 고위 공무원과 귀빈에게 그런 언어를 사용하는 것을 좌시하지 않을 겁니다. 우리 가문을 곤란하게 만들지 않기를 사촌으로서 부탁드립니다. 백작님 조카 일만으로도 충분하니까요."

아롤드 백작은 여기서 당장 핀을 빼고 싶은 충동과 싸우는 듯 잠시 반지 낀 손으로 푸른 모래시계를 꽉 쥐었다. 백작의 관자놀이에 핏대가 서는 걸 본 오펠리는 정말로 혈관이 터지지 않을까 생각했다. 그가 모래시계 핀을 뽑고 잠시 사라졌다가 달콤한 행복감에 도취하여 다시 등장해도 나쁘지 않을 것 같았다.

"무슨 꿍꿍이인 거야, 사생아? 미라주에게 도발하다니?" 백작이 물고 늘어졌다.

"매우 흥미로운 자백을 받았어요." 토른은 여전히 침착하게 말했다. "차기 가족의회에서 제가 전락한 자들을 대변하는 걸 만류하려고 당신이 고용한 용병 두 명에게서요. 서명한 자백을 받지 않을 것을 행운으로 아세요."

"넌 아무것도 아니야." 아롤드 백작은 반지 낀 손으로 턱수염에 매달린 진주들을 쓰다듬으며 경멸적인 태도로 말했다. "네 아빠는 야만인이고 네 엄마는 음모자야. 그들이 지금 어디 있지? 미라주가 곧 국가야!"

라자뤼스는 언젠가부터 발테르의 태엽을 감는 걸 멈추고 호기심 많은 과학자처럼 메모하면서 언쟁을 관찰했다. 오펠리 눈에는 그가 독특한 동물 종의 행동을 연구하는 동물학자처럼 보였다.

쩔쩔매던 멜키오르 남작이 나서기로 결심했다. 그는 아롤드 백작의 주머니를 뒤져서 꺼낸, 은으로 된 환상적인 보청기를 백작의 귀에 끼웠다.

"무슨 말씀이신지 알겠어요." 멜키오르는 백작의 귀에 대고 또박또박 말했다. "이제 자세한 사항은 제가 감독관과 처리하도록 맡겨주세요."

화가 난 아롤드 백작은 입술을 삐죽댔지만, 결국 흥분을 가라앉히고 모두의 고막을 쉬게 했다. 일꾼 한 명이 잠잠해진 틈을 타 풀 한 통과 벽지 두루말이를 챙겨 백작 뒤로 슬며시 지나갔다. 이런 상황에서 작업을 계속하다니 대단한 직업 정신이었다.

"제 사촌의 발언을 용서해주세요, 감독관님." 멜키오르 남작이 커다란 무지개색 양복 깃을 두 손으로 잡으며 말을 이었다. "조카와 개들이 붙잡힌 데 몹시 충격을 받았죠. 미라주는 감독관님을 방해하지 않을 겁니다." 남작은 보청기 낀 아롤드 백작이 듣지 못하도록 작은 목소리로 약속했다. "야수들은 일반 동물들보다 더 예측이 어렵고 영리해서 환영도 통하지 않아요. 우리는 공식적으로 이러한 불법 실험을 규탄하는 바입니다."

토른의 커다란 실루엣과 멜키오르의 거대한 배 사이에 낀 오펠리는 잠자코 있었다. 그녀는 남작이 소동에 휘말리지 않으려 애쓰고 있다는 걸 눈치 챘다. 얼굴은 웃고 있지만 엄지와 검지로 끝없이 턱수염을 쓰다듬는 모습에서 지난번 만났을 때보다도 훨씬 더 긴장하는 게 느껴졌다. 그는 자신의 그림자가 칼을 꽂을까 두려운 듯 쉴 새 없이 두 눈을 이리저리 굴렸다. 오펠리는 그의 걱정이 지나치다고 생각했지만 기사를 붙잡을 수 있게 해준 사람이 바로 멜키오르 남작이라는 것을 잊지 않았다. 절대로 잊지 않을 것이다. 오펠리는 이렇게 마음이 놓이는 게 얼마 만인가 싶었다.

오펠리는 의자에 앉아서 방금 도배한 벽지 무늬를 뚫어져라 보고 있는 베르닐드의 눈에서 자신과 같은 안도감이 보이지 않아 놀랐다. 베르닐드는 생각에 잠긴 듯 배를 쓰다듬고 있었다.

"자, 고소장은 어쩔 생각인가, 사생아?" 아롤드 백작은 보청기를 거꾸로 낀 채 다시 툴툴대며 물었다.

"제 로봇들은요?" 라자뤼스가 발테르의 열쇠를 흔들며 물었다.

"우리 가족은요?" 로즐린 이모가 격노해 물었다.

오펠리는 어안이 벙벙했다. 온 세상이 그녀의 사무소에서 읽기를 제외한 모든 일을 의논하러 모인 것 같았다. 어수선한 분위기에 더해 전화벨이 요란하게 울려대기 시작했다. 처음으로 걸려온 전화였다. 그녀는 가구에 페인트가 묻지 않도록 덮어 둔 신문지 아래로 전화기를 찾아 헤매다가 발판 맨 아래 계단에 놓인 새 전화기를 발견했다.

“여보세요?” 오펠리는 수화기에 대고 물었다.

주변 소음 탓에 전화 교환수가 불러주는 이름이 들리지 않았다. 한쪽 귀를 막자 아르쉬발드의 목소리가 구리 수화기를 울리며 들려왔다.

“아가씨가 너무 당황한 것 같아서 나서지 않을 수 없었죠! 이렇게 새 전화도 개시하고요.”

오펠리는 베르닐드를 수행하는 발키리의 거대한 검정 드레스 뒤로 아르쉬발드가 숨어 있는 양 발키리에게 나무라는 눈빛을 보냈다. 아르쉬발드가 발키리의 시선 너머로 항상 주시하고 있다는 사실이 불편하게 느껴졌다. 아르쉬발드뿐만 아니라 토른도 그를 향한 시끄럽고 반복적인 부름에도 불구하고 오펠리를 주목하고 있었다. 오펠리는 토른이 음산한 얼굴로 있는 대로 인상을 쓰자 그에게 등을 돌리고 벽에 가스등을 달고 있는 일꾼에게 관심을 쏟았다.

“타이밍이 좋지 않아요. 나중에 걸어주세요.”

“내가 들을 수 있게 훨씬 더 크게 말씀하셔야 할 것 같아요.” 수화기에서 아르쉬발드의 비웃는 소리가 들렸다. “그게 아니라면 잠자코 내 말을 들어요. 일전에 내게 해주었던 작은 보답 기억하죠?”

“네. 그런데 왜요? 헌병 대장에 관한 소식이 있어요?”

“아니요. 또 시작되었어요.” 아르쉬발드가 쾌활하게 답했다.

"뭐가 또 시작되었죠?" 오펠리는 구리로 된 수화기에 입을 붙이며 속삭였다. "뭘 하셨어요?"

"문제는 제가 한 게 아니라, 제가 막지 못한 거죠. 토른을 바꿔달라고 막 부탁하려던 참이었는데 그럴 필요가 없네요. 당신 쪽으로 돌진하고 있으니." 아르쉬발드가 대수롭지 않다는 듯 말했다.

오펠리가 뒤돌아보기도 전에 토른이 그녀의 손에서 수화기를 낚아챘다.

"누구시죠?" 토른이 권위적인 목소리로 물었다.

토른의 다리가 너무 길어 오펠리는 높이를 맞추기 위해 받침대 계단에 올라서야 했다. 토른의 턱 주변 근육이 경련을 일으키는 것을 보며 오펠리는 그가 전화 상대방에게 온전히 집중하고 있음을 알았다. 라자뤼스, 아롤드 백작, 로즐린 이모가 망가진 레코드판처럼 반복해서 로봇과 개와 가족에 관해 하는 말도 이제 토른의 귀에 들리지 않는 것 같았다.

오펠리는 아르쉬발드가 토른에게 하는 말을 듣기 위해 전화기의 두 번째 수화기를 들었다.

"… 당신과 나의 차이지. 당신은 천체 시계만큼이나 예측이 쉬워! 모든 걸 통제하고 싶어하지, 난 당신이 이 전화를 받고 싶은 유혹에 저항하지 못하리라는 걸 알았어."

"그만하지." 토른이 씩씩댔다. "내가 전화를 끊지 않도록 설득하는데 십 초 주지."

"체크오브에 관한 얘기야. 지긋지긋한 니베룽겐의 편집장.

그의 사촌들이 그를 찾지 못하고 있어. 납치된 것 같아. 전하를 끊지 않도록 내가 설득한 건가?" 아르쉬발드가 빈정거리며 말했다.

받침대 위에 올라선 오펠리는 평소 가늘게 뜨고 있는 토른의 눈이 서서히 커지는 것을 똑똑히 보았다.

"언제, 어디서, 누가, 왜?" 토른이 순서대로 하나씩 정확히 물었다.

"지난밤, 클레르들륀에서, 몰라, 몰라." 아르쉬발드는 수수께끼에 답하듯 가볍게 말했다.

오펠리는 천천히 이 소식이 의미하는 바를 깨달았다. 시타시엘에서 가장 경비가 삼엄한 곳에서 헌병 대장에 이어 두 번째 미라주가 사라졌다. 대사관이 손님들에게 외교적 피난처가 되지 못한다면 궁정 내 음모가 판을 칠 것이다.

'왜?' 오펠리는 눈을 감고 속으로 생각했다. 왜 드래곤이 죽고, 기사가 붙잡힌 지금 이런 일이 벌어진 거지? 왜 증오가 끝나면 새로운 증오가 시작되어야 하지?

"체크오브는 클래르들륀에서 뭘 하고 있었어?" 토른이 구체적인 질문을 던졌다. "어떻게 납치라고 확신할 수 있지?"

토른의 말에 읽기 사무소에 별안간 침묵이 내려앉고 일꾼들은 공사를 멈추었다. 아롤드 백작만이 멜키오르 공작이 입 다물라는 신호를 보냈음에도 계속해서 토른에게 사과를 요구하며 고래고래 소리를 질렀다.

"체크오브는 악의적인 편지를 받았어." 아르쉬발드가 태평하게 말했다. "그 쓰레기 같은 편지를 읽으면 이유를 알 수 있지. 그는 생명의 위협을 느끼고 피난처 제공을 요청했어. 난 그가 대사관을 뒤질 핑계를 댄 거라고 의심했었어. 윤전기와 인쇄지들 그리고 일행을 데려와 여기에 신문사 작업실을 차렸었거든."

"요점만 말해." 토른이 명령했다.

"지난밤에 가장무도회를 열었는데… 아, 생각해보니 당신을 초대했는데 오지 않았군."

"요점만." 토른이 중얼거렸다.

"무도회가 한창인데, 화장실에 간 체크오브가 다시 돌아오지 않았지. 헌병들이 대사관을 샅샅이 뒤졌는데 찾을 수가 없었어. 인상착의를 설명하자면, 마지막으로 봤을 때 흰 가발과 파란 밑단 장식을 한 여자 드레스를 입고 있었어."

오펠리는 토른의 넓은 이마가 구겨지는 것을 보며, 그가 머리에 김이 나도록 고민을 하고 있고 이미 희망과 거리가 먼 예측을 하고 있음을 눈치챘다. 그녀는 냉정을 잃는 일 없이 번번이 위기를 관리하는 토른의 능력에 감탄했다.

"사라지기 전에 주목할 만한 사건이 있었어? 다툼이나? 협박?"

"우리는 체크오브에 대해 말하고 있어." 아르쉬발드가 비웃으며 말했다. "다툼과 협박을 밥 먹듯 하는 사람이지! 사실 그가 일드가르드 부인에 대한 모욕을 일삼아서 추방하려고 했어. 누구도 우리 집에서 나의 건축가를 모욕하는 일은 용납되지 않아."

"편지에 대해서 말했었지." 토른이 환기시켰다.

"응, 그의 개인 소지품에서 발견했어. 파시앙스*."

"기다릴게." 토른이 눈에 띄게 초조해하며 말했다.

"아니, 당신이 아니라, 여동생에게 한 말이야. 파시앙스, 이 편지 중 하나만 줘봐. 아무거나. 고마워. (오펠리는 수화기 너머로 종이 소리를 들었다.) '체크오브 씨, 당신은 내 이전 경고를 무시했어. 당신이 형편없는 신문을 고집스레 발행한다면 내가 직접 나서는 수밖에'" 아르쉬발드가 편지를 읽었다. "타자로 쳤어, 서명은 없고, 대문자로 이상한 문장이 바로 밑에 쓰여 있어. '**신이 너의 침묵을 요구한다.**'"

토른은 넋을 잃고 이번만큼은 당장 대답할 말을 찾지 못했다.

그는 오펠리가 받침대에서 떨어질 뻔한 것도 몰랐다. 편지. 체크오브와 그녀는 같은 이가 보낸 편지를 받았다. 그리고 체크오브는 사라졌다.

"관리국이 수사를 열고 모든 증언을 들을 거야." 토른이 선언했다. "한 시간 내로 현장에 가겠어. 그때까지 아무도 대사관을 떠날 수 없어."

토른이 전화를 끊자마자 출입문 종이 요란하게 울렸다. 오펠리는 더는 종소리가 들리지 않도록 종을 떼버리겠다고 다짐했다.

"방문은 끝났어요." 토른이 단호하게 말했다. "다른 곳에 가

* 아르쉬발드의 여동생 이름 파시앙스(Patience)는 '인내'라는 뜻으로 '기다려'로 해석될 수 있다.

봐야 합니다."

"감독관님이 아니라 읽는 여자를 뵈러 왔습니다. 손님 한 분이 그녀를 뵙기를 희망하십니다." 작고 예의 바른 목소리가 답했다.

오펠리는 이번에는 정말로 받침대에서 굴러 떨어졌다. 사무실 문턱에 파루크의 어린 기억 도우미가 서 있었다.

"폐하께서 밖에서 기다리십니다." 그가 문을 잡은 채로 천사 같은 미소를 지으며 말했다. "아가씨와 이야기하기를 바라십니다."

손님

진열장이 겹겹의 환영으로 뒤덮여 있지 않았다면 오펠리는 바깥 분위기가 얼마나 달라졌는지 눈치 챘을 것이다. 사무소로 개조한 물건 보관소는 방파제 산책로 궁궐의 회랑 맨 끝에 자리해 있다. 거의 일 킬로미터에 달하는 카펫과 창 그리고 티 테이블과 주랑 들을 건너야 도착할 수 있었다. 오펠리는 궁정 사람이 모두 문 앞에 모여든 것을 보고 충격에 빠졌다. 너무 좁은 회랑에 빽빽이 들어선 귀족들은 볼거리를 하나도 놓치지 않으려고 오페라글라스를 쓰고 중이층을 점령하고 있었다. 그렇지만 그들의 숫자가 아닌 그들의 침묵 때문에 오펠리는 충격에 빠졌다.

“참으로 인상적인 가족 회동이네요.” 라자뤼스는 현지 풍습이라도 참관하듯 하얀 실크해트를 쓰면서 논평했다. “발테르, 이 장면을 내 사진첩에 추가해줘.”

로봇 하인장은 사진기를 꺼내더니 플래시를 터뜨리고 연기를 뿜으며 자기 신발 사진을 찍었다.

오펠리는 발판에서 떨어지며 머리를 부딪힌 것은 아닐까 생각했다. 그녀의 안경이 어두워졌다 밝아졌다를 반복했기 때문이다. 안경을 벗은 오펠리는 안경이 아니라 궁궐 전체가 광란에 빠졌다는 것을 깨달았다. 오펠리가 한 번도 지거나 가려지는 것을 본 적 없던 6층의 태양은 잘못 끼워진 전구처럼 유리 천장 뒤에서 깜박였다. 오락가락하는 조명의 변화는 이곳의 진짜 모습을 짐작할 수 있게 해주었다. 불이 깜빡이는 찰나 오펠리는 유리 돔 대신 회색 천장을, 창유리 너머로 반짝이는 바다 대신 벽돌로 된 벽을 보았다. 환영이 걷힌 방파제 산책로는 창고의 형태를 띠고 있었다.

태양이 두 번 깜빡이는 사이 파루크를 알아본 순간 오펠리는 그가 환영을 어지럽히고 있다는 것을 알았다. 언제나 무기력하고 어떤 일에도 따분해하던 파루크가 기념비 동상처럼 위엄 있는 자태로 회랑 한가운데에 서 있었다. 이 순간 황제의 위용과 비인간적 아름다움을 뽐내며 눈부시게 새하얀 피부에 얼음처럼 차가운 얼굴을 하고 있는 파루크는 폴 그 자체였다.

파루크가 천둥처럼 으르렁대자 오펠리는 온몸에 소름이 돋았다.

"마침내 찾았군."

토른은 아무 거리낌 없이 오펠리를 자기 뒤로 숨기며 파루크 앞에 모습을 드러냈다.

"조금 전 클레르들륀에서 발생한 우려스러운 사건에 대해 전해 들었습니다." 그는 최대한 사무적인 목소리로 말했다. "보고드리겠습니다."

오펠리는 얼이 나간 채로 제복 입은 검은 등을 바라보았다. 파루크의 관심을 자신에게 돌리기 위한 토른의 저런 침착함은 대체 어디서 나오는 것일까? 너무나 압도적인 파루크의 정신적 발현으로 오펠리는 숨쉬기도 힘들었다.

“자네는 누구지?” 파루크가 천천히 물었다.

“폐하의 감독관입니다.”

“내가 온 이유는 그게 아니다.”

“체크오브 씨가 지난밤 사라졌습니다.” 토른이 타자기처럼 흔들림 없이 말을 이었다. “허위 신고일 수도 있지만 조사를 열어야 할 것 같습니다.”

“내가 온 이유는 그게 아니다.”

“실종이 사실로 밝혀진다면 시타시엘 모든 층에 보안을 강화할 것을 권고….”

얼굴을 정면으로 가격당한 듯 토른의 커다란 몸이 균형을 잃고 옆으로 휘청거렸다. 맹렬히 퍼져 나가는 파루크의 정신적 파장에 오펠리도 귀가 종처럼 울리는 것 같았다. 발코니에 있는 귀족들의 박수 소리도 베르닐드의 공포에 질린 외침도 거의 들리지 않았다. 하지만 토른의 코에서 뿜어져 나오는 피는 똑똑히 보았다.

“내가 온 이유는 그게 아니다.” 파루크가 되뇌었다. “난 그녀에게 말하고 싶다.”

온몸의 근육이 굳지 않았다면 오펠리는 제일 먼저 눈에 들어오는 거울로 도망칠 생각을 진지하게 했을 것이다. 그녀는 제복에서 떨어진 금색 어깨 견장을 줍고 손수건을 꺼내 단순히 감기에 걸린 양 침착하게 코를 닦는 토른을 믿기지 않는 듯 바라보았다.

"제 약혼녀가 무대에서 형편없었다는 얘기를 들었습니다. 다른 일거리를 찾아주려고 노력하고 있습니다. 제게 조금만 더 시간을 주실 것을 부탁드립니다."

토른이 표현하는 방식에 섬세함이 조금 부족했을지라도 파루크가 그의 의견을 따랐다면 오펠리는 조금이나마 침착함을 되찾았을 것이다. 하지만 파루크는 토른을 천천히 지나쳐 오펠리에게 돌진했다. 주변이 쥐 죽은 듯 고요해 대리석 같은 파루크의 화려한 얼굴을 올려다보던 오펠리는 자기 척추에서 나는 우두둑 소리를 들었다. 파루크는 그녀의 가장 깊은 곳에 폭풍설이 몰아치게 했다.

"감히 어떻게 그럴 수 있지?" 그가 분명히 말했다. "무슨 권리로 너의 두 손을 내가 아닌 다른 사람을 위해 쓸 수 있지?"

파루크의 정신 현상이 오펠리의 의지를 무력화하지 않았다면 그녀는 자신의 입장을 설명해보려 했을 것이다. 그러나 오펠리는 말을 할 수도, 움직일 수도, 생각을 할 수도 없었다. 몸과 영혼이 얼음덩어리처럼 꽁꽁 굳어버렸다.

"네가 나보다 우월하다고 생각하나? 나를 네 장난감으로 여기는 건가?"

오펠리는 살면서 몇 번의 공포를 맛보았다. 복숭아씨가 걸려 숨이 막혔었고, 전등을 꽂다 감전되었고, 내리닫이 창에 손가락이 꽤 으스러졌으며, 아니마를 떠나 폴에 온 뒤로 상황은 끝없이 악화되었다. 하지만 이제까지 겪은 것 가운데 그 무엇도 지금 이 자리에서 자신을 사로잡은 공포와 비교도 되지 않았다. 파루크의 눈빛에서 노여움도, 멸시도, 감정 비슷한 그 무엇도 읽지 못했다.

아니, 파루크의 시선 깊숙한 곳에는 황량함이 있었다.

오펠리는 이 무한의 공간에 빨려 들어가는 것 같았다. 심장이 한번 뛰는 찰나 파루크의 시간성과 자신의 시간성을 가르는 심연을 실감했다. 영원불멸의 존재와 필멸의 인간. '넌 작은 하루살이에 불과해. 그리고 파루크는 너를 더 하찮게 만들 수 있지.' 오펠리의 내면에서 목소리가 들려왔다. 파루크가 눈썹만 찌푸려도 오펠리의 정신은 새하얀 가루로 산산이 부서질 터였다.

파루크는 커다란 망토 안에 손을 찔러 넣은 뒤 책을 꺼냈다.

"너만의 사무소를 열 생각을 했다니? 잘되었구나, 그러면 내가 첫 손님이다."

"계약에 없는 내용입니다."

오펠리의 귀에 토른의 긴장된 목소리가 희미하게 들려왔다. 파루크의 얼음에 꼼짝없이 갇힌 오펠리 눈에는 모든 것이 요원하고 비현실적으로 보였다.

"이 책을 받아라."

"그녀는 준비가 되지 않았습니다." 토른이 무거운 목소리로 강조했다. "저도 준비가 되지 않았습니다. 수첩을 확인해보시기를 바랍니다."

"폐하, 제 생각에는 이성적이지 않은 것 같습니다." 베르날드가 최대한 떨리는 목소리를 진정시키며 끼어들었다. "이 여자아이는 폐하의 책을 읽을 능력이 안 됩니다. 제 조카가 곧 능력을 갖출 것입니다."

"게다가 제 조카 사무소는 아직 개업하지도 않았어요." 로즐린 이모가 평소처럼 실용적인 태도를 보이며 쐐기를 박았다.

파루크는 두 여인의 말을 모두 무시했다. 오펠리는 그들을 향해 미소를 지으며 안심시키고, 다 괜찮을 거라고, 그저 감정을 하는 것뿐이니 실패해도 어쩔 수 없다고, 전문가답게 사과하면 된다고 말하고 싶었다.

하지만 그럴 수가 없었다.

오펠리는 공포에 질렸다. 겁도 없이 파루크에게 공개적으로 맞섰고, 이제는 그가 공개적으로 오펠리에게 대가를 치르게 할 것이다.

"내 책을 맡을 것인가 말 것인가?" 파루크가 시선을 온전히 오펠리에게 고정하며 물었다.

"아니요."

오펠리는 자신의 떨리는 목소리가 부끄럽게 느껴졌다. 그 즉시 얼음 같은 오라가 썰물처럼 물러나고, 파루크는 책을 망토에 집어넣었다. 그가 거대한 손을 뻗어오자 오펠리는 온 힘을 다해 달아날 뻔했다. 파루크의 손가락이 그녀의 머리를 독수리 발톱처럼 움켜쥐었다.

"내가 널 겁먹게 했구나. 용서해다오."

놀라는 탄성이 가루를 뿌리듯 순식간에 온 거리로 퍼져 나갔지만, 이 순간 누구보다 놀란 사람은 오펠리였다.

오펠리는 심하게 비틀대는 몸으로 파루크의 손아귀에 눌려 주저앉지 않으려 두 다리에 힘을 주었다.

"널 보니 누군가 떠오르는 것 같아." 파루크가 흘리듯 말했다. "어차피 넌 내가 생각했던 이가 아니야."

오펠리는 그의 목소리에서 묻어나는 감정이 실망감인지 안도감인지 분간할 수 없었다.

"부-스토리텔러 직을 박탈한다. 너는 나를 너무 많이 긴장시켜."

오펠리는 눈물이 고이지 않았다면 폭소를 터뜨렸을 것이다.

"제가 폐하를 긴장시킨다고요?" 오펠리가 목이 메어 물었다. "폐하 앞에서 제가 지금 어떤 느낌일지 조금이라도 짐작하실 수 있나요?"

"날 보아라."

커다란 손은 오펠리 머리를 떠나 턱 아래로 미끄러져 내려가 그녀의 고개를 제멋대로 들어 올렸다. 파루크의 얼굴은 여전히 표정 없는 아름다운 가면 같았지만 눈빛에 희미한 인간미가 감돌았다. 그의 정신력이 약해진 덕분에 오펠리는 주변 상황을 파악했다. 태양은 전등처럼 깜박이길 멈추었고 천장은 다시금 하늘을 가득 비추는 유리 벽으로 바뀌었다. 내리쬐는 빛에 귀족들의 오페라글라스가 반짝였고, 야자수가 부인용 화장실에 줄무늬 그림자를 드리웠으며, 베르닐드의 창백함과 로즐린 이모의 홍조가 더욱 두드러져 보였다. 오펠리가 눈을 돌리는 곳마다 긴장과 불안이 느껴졌다. 누구보다 토른이 가장 긴장하고 있을 거라 예상했던 오펠리는 제복의 대칭이 세상에서 가장 중요하다는 듯 몸을 틀어 어깨 견장 단추를 채우는 그의 모습을 보자 두 안경을 믿을 수 없었다.

"지금도 여전히." 파루크는 오펠리의 턱을 손가락으로 꽉 쥐며 중얼거렸다. "지금도 여전히 널 보니 누군가 떠오르는 것 같구나."

"누구요?" 오펠리가 놀라 물었다.

"모르겠어." 그가 조금 혼란스러운 듯 고백했다. "아르테미스인 것 같아. 이제 네 이야기들을 끝내는 편이 나을 것 같다."

"이야기들은 폐하의 보호를 받는 것에 대한 대가였습니다." 오펠리가 개미만 한 목소리로 환기했다. "계약은…."

"계약 얘기로 더 이상 성가시게 하지 말아라. 결코 너를 내칠 생각은 없다. 그저 너를 고용할 더 나은 방법을 찾으려는 것이다. 간간이 고민해보겠다."

파루크는 이 말을 무심히 던지고 오펠리의 턱에서 손을 떼고 천천히 자리를 떴다. 넋이 나간 오펠리는 귀족들을 데리고 회랑을 떠나는 파루크를 오래도록 바라보았다. 라자뤼스도 발테르를 부르며 그들 뒤를 쫓기 시작했다. 로봇 하인장은 주인과 똑같은 모자를 쓴 어떤 남자를 따라가고 있었다.

방금 겪은 일로 여전히 충격에 빠져 있던 오펠리는 토른의 강압적인 말에 소스라치게 놀랐다.

"오늘 딩징 시다시엘을 떠나."

조각 : 두 번째 시도

신은 우리와 실컷 즐겼고, 곧 지겨워하더니, 우리를 잊었다.

자갈들. 자갈들이 비처럼 떨어진다. 그는 하늘을 날아오르던 자갈들이 몸에 부딪혀 튕겨나가는 것을 본다. 이 기억에 비추어 보면 그가 있는 곳에 자갈은 흔했다. 벽돌, 타일, 깨진 유리가 바닥에 뒤섞여 있다. 여기저기 건물 외관의 잔해가 힘겹게 서 있고 창문 자리에 커다란 구멍이 뚫려 있다. 그는 저 멀리 보이던 공사장 크레인 윤곽을 떠올린다. 전쟁이 지나간 곳. 사람들은 다른 사람들이 파괴한 것을 재건한다.

그림들이 걸린 벽은 어디 있지? 방은 어디 있지? 신은 어디 있지?

그는 원점으로 돌아가기 위해 자갈들이 몸에 부딪힌 시점부터 하늘을 가르는 포물선을 거꾸로 따라가며 기억을 더듬어본다. 어린아이들. 잔해 사이로 네 명의 아이들이 있다. 정정한다. 다섯 명이다. 한 여자아이가 바닥에서 울고 있다. 아이들 모두 산발에 옷차림도 엉망이다.

그는 그들과 닮았나?

아니다. 생각해보니, 그의 흠 잡을 데 없는 복장과 단정하게 땋은 긴 머리카락, 그리고 눈부시게 새하얀 두 손이 떠오른다. 그는 깨끗하고 그들은 더럽다. 아이들은 그에게 알아들을 수 없는 말들을 외친다. 이 기억에 집중할수록, 아이들을 처음 봤을 때 그들이 얼마나 이상하게 보였었는지 생각난다. 그들은 너무나 작고, 너무나 경직되어 있고, 너무나 연약하다… 극도로 연약하다.

바닥에서 울고 있는 여자아이. 이제 그녀가 떠오른다. 그의 잘못 때문이다. 그는 아이를 해치려 하지 않았고 건드리지도 않았다. 단순한 호기심에 이끌려 아이를 보러 다가갔을 뿐인데 아이가 울음을 터뜨렸다. 자갈들은 아마 그 결과일 것이다. 아이들은 그를 소녀에게서 떨어뜨려놓고 싶어한다.

그가 이 기억이 그다지 흥미롭지 않다고 생각하고 있는데 갑자기 아르테미스가 등장한다. 이번에는 구멍 속에 보이는 하나의 눈동자가 아니다. 다갈색 머리카락이 너무나 풍성해 에나멜 구두, 드레스의 레이스와 금테안경 외에 다른 건 눈에 들어오지 않는다. 아르테미스는 아이들을 향해 잔해 위를 침착하게 걷는다. 아르테미스의 등장에 사로잡힌 아이들은 자갈 던지기를 멈추면서도 경계를 늦추지 않는다.

아르테미스는 여자아이 옆에 몸을 웅크린다. 둘 다 어리지만 아르테미스는 더 크고, 빛나고, 우아하고, 여자아이는 더 작고, 지저분하고 가엾다. 아르테미스는 다정함이라곤 찾아볼 수 없는 단호한 손길로 눈물을 닦아준다. 아르테미스는 여자아이의 주의를 완전히 끌었다는 확신이 들자, 자기 머리에서 리본을 풀어 생명을 부여한다. 아이들은 매혹된 눈으로 바라보며 감탄의 환호성을 지른다. 아르테미스는 리본을 선물로 주고, 아이들은 그들만의 이상한 언어로 알아들을 수 없는 말을 하며 토끼처럼 달아난다.

그는 멀리서 그 장면을 바라볼 뿐이다. 그는 죄책감을 느끼고, 그의 죄책감은 아르테미스가 다가오자 더 커진다. 그녀가 발을 내딛자 그 아래로 벽돌길이 만들어진다.

"조금 노력을 해봐. 우리는 그들과 같지 않아, 오댕."

오댕? 과거 그의 이름인가? 이 기억이 결국에는 완전히 쓸모없는 것을 아닐 것이다.

"아니." 그는 자신이 대답하는 소리를 듣는다. "그들이 우리와 같지 않은 거야. 집에 가고 싶어."

"넌 그럴 수 없어."

"무엇 때문에 우리에게 벌을 내린 거지? 먼저 우리를 갈라놓더니, 이제는 우리를 버렸잖아."

아르테미스가 그의 안경을 벗기고, 그는 언젠가 자기 얼굴이 될 모습을 본다. 남성적인 아름다움.

"넌 항상 극단적으로 생각해." 그녀가 흔들림 없이 침착하게 말했다. "우리는 인간과 섞이고, 그들의 상황을 이해해야 해. 천체보다 흥미는 떨어지겠지만 그래도 배울 점이 있어. 새로운 도전이라고 여겨봐. 널 도와주는 것도 이번이 마지막이야, 오댕. 인간과 어울리는 법을 홀로 터득해야 해."

"그들이 하는 말을 하나도 못 알아듣겠어."

"그들에게 우리의 언어를 알려줘."

"내가 다가가기만 해도 울어."

"네 힘을 제어해."

"왜 내가 노력해야 하는 거야?"

아르테미스는 보일 듯 말 듯 다갈색 눈썹을 찌푸리며 그의 안경을 다시 벗긴다.

"안경이 이제 안 맞네. 우리 몸이 얼마나 빨리 변하는지 알겠지? 내 성장이 끝나기를 손꼽아 기다리고 있어. 작은 레이스 드레스들은 확실히 나를 위한 게 아니야."

"왜?" 그가 고집스레 묻는 소리가 들린다. "왜 항상 명령에 따라야 해?"

아르테미스가 갑자기 그를 심각하게 보면서 자기 곱슬머리에 손을 찔러 넣고 피부로 만든 책 한 권을 꺼낸다.

"그렇게 쓰여 있으니까."

기억은 이렇게 끝난다.

비고 : '네 눈부심을 닫아라.' 이 말은 누가 했고, 무슨 의미인가?

기차

오펠리는 구름 아래로 옛 세계를 살폈다. 아래로 내려가 도시들의 미로에 빠져 옛 인류와 섞여 과거의 비밀들을 파헤치고 싶었지만, 이 모든 것이 접근 불가능했다. 온 힘을 다해 아래 세상에 집중하고 있는 동안 발밑으로 카펫이 펼쳐지고, 오펠리는 아니마의 어린 시절 방에 있다. 벽에 걸린 거울 앞에 서서 거울에 비친 자신의 모습을 응시하고 있었다. 잠옷을 입고 있는 그녀는 많이 어렸다. 머리카락은 아직 갈색으로 물들지 않은 곱슬이었고 눈은 잘 보여 안경도 필요 없었다. 이 시간에 일어나 무엇을 하고 있었을까?

아, 맞다. 그게 그녀를 침대 밖으로 불렀다. 그것이 거울 안에, 거울에 비친 그녀의 모습 바로 뒤에 있었다. 그것이 그녀에게 무언가를 묻고 싶어했다.

"몇 시인지 말해줄래?"

오펠리는 소스라치며 잠에서 깨어 기차 장의자에서 뒤척이는 로즐린 이모 쪽으로 고개를 돌렸다.

"오, 미인, 자고 있었니?"

"살짝 졸았어요." 오펠리가 웅얼거렸다.

졸면서도 또 같은 꿈을 꾸었다. 지난 번 거울 사건 뒤로 매번 같은 장면으로 끝나는 꿈이다. 방, 거울, 거울에 비친 모습. 이게 정말 무엇을 의미하는지 궁금했다.

오펠리는 코트 주머니에 넣어둔 시계 체인을 힘겹게 꺼낸 뒤 뚜껑을 열었다. 커다란 눈금 안에 네 개의 작은 눈금이 들어 있었다. 스톱워치와 달력, 그리고 여전히 기능을 모르겠는 두 개. 토른의 시계. '앞으로 내가 의심스러우면 이걸 읽어.' 이 남자는 자기만의 방식으로 누군가의 신뢰를 얻어보려 애썼다.

"곧 자정이에요." 오펠리는 코 위로 안경을 올리며 말했다.

"아, 이 기차들!" 로즐린 이모가 분통을 터트렸다. "냄비 받침만큼이나 따분하네. 다른 잡지 좀 줘봐. 깨어 있을 수 있게, 정말 상태가 엉망인 걸로 찾아다오."

오펠리는 『부인과 패션지』의 지난호 가운데 가장 구겨지고 많이 찢긴 것을 찾았다. 잡지를 훑어보며 시간을 보내는 여행객들이 있는가 하면, 종이 복구에 뛰어난 아니마 능력을 지닌 로즐린 이모는 신문을 수선하며 시간을 보냈다.

북극급행열차는 줄줄이 이어진 터널들을 통과했고, 터널이 끝나자마자 넘을 수 없는 높이의 성벽이 철로 양쪽에 모습을 드러냈다. 지난주 서둘러 시타시엘을 떠난 뒤로 오펠리는 내내 벽만 봤다. 오늘 아침 일찍 비행선이 공장들로 에워싸인 작은 광산 도시에 착륙했고, 오펠리 일행은 아슈 최남단에 위치한 해수욕장 사블도팔* 가는 기차를 탔다. 폴의 철로는 야수들로부터 여행객들을 보호하기 위해 만들어진 진정한 요새였다.

시계를 확인한 오펠리의 심장이 초침보다 빨리 뛰기 시작했다. 토른이 마지막으로 묵었던 호텔로 보낸 전보에 따르면 스물한 명의 가족이 같은 날 비행선에서 내려 사블도팔 행으로 갈아탔다. 그들을 실은 기차가 연착되지 않았다면 모두 도착해 있을 터였다.

"네 엄마에게 아무것도 말하지 않기로 한 결심은 여전하니?" 로즐린 이모가 오펠리의 생각을 가로채듯 물었다.

"엄마에게 거짓말할 의도는 없지만, 세세한 내용까지 말해봐야 무슨 소용이 있나 싶어요."

로즐린 이모는 얇고 긴 손가락으로 구겨진 종이 위를 미끄러지듯 움직였다. 어떤 다리미도 침착하고 꼼꼼한 그녀의 아니마 능력보다 뛰어나지 않을 것이다.

"우편을 믿을 수 없어서 가족들에게 세세한 내용은 한마디도 쓰지 않았어." 이모가 상기시켰다. "네가 원하는 바가 그렇다면 난 추 없는 종보다 더 조용히 있을게. 그렇지만 오펠리, 기회가 있을 때 솔직히 말해야 할 거다. 토른이 결혼할 때까지 널 궁정에서 떼어놓는다고는 하지만, 그렇다고 중요한 문제가 해결된 건 아니야. (로즐린 이모는 신경질적으로 장갑 실밥을 물어뜯는 오펠리에게서 잠시 시선을 돌렸다.) 파루크는 네게 푹 빠졌어."

* Sables-d'Opale은 '오팔빛 모래밭'을 뜻한다.

오펠리는 온 몸에 소름이 돋았다.

"내가 다른 누군가를 떠올리게 하는 거예요, 그건 달라요. 그가 책을 통해 찾으려는 것을 나를 통해 찾으려는 것과 비슷하죠."

오펠리는 파루크와의 대면을 떠올릴 때마다 모순된 감정을 느꼈다. 한편으로는 생존 본능에 따라 가능하면 책과 최대한 거리를 두고 싶었다. 파루크가 페이지들 사이에서 막연하게 찾는 진실이 무엇이든, 오펠리는 그 진실에 가까워지는 것이 자신의 목숨을 위태롭게 만든다고 느꼈다. 하지만 무모하게 직업을 따지는 또 다른 자아는 자신의 모든 경력을 통틀어 가장 흥미진진한 읽기가 될 기회를 날려 보낸 것에 좌절감을 느꼈다.

"책 이야기만 있다면 모를까." 로즐린 이모가 중얼거렸다. "이제는 귀족들이 헌병들 코앞에서 납치되는 판국이야! 클레르들륀은 폴에서 가장 보호받고 있지만, 아마도 가장 권하고 싶지 않은 장소일 거야. 정말이지 이 아슈에서 좋은 일이라고는 하나도 일어나지 않는다니까."

오펠리는 불현듯 창 너머로 보이는 매연 불씨에 관심을 보였다. 니베룽겐 편집장의 실종과 그의 소지품에서 발견된 수수께끼 같은 편지들 사이에 명백한 관련은 없었지만, 오펠리는 자신도 매우 유사한 경고를 받았다는 말을 누구에게도 선뜻 하지 못했다. 편지를 받은 지 삼 개월이 지났고, 그녀가 사라지지는 않았지만 그래도 자주 편지를 떠올렸다.

"엄마와 아빠 그리고 가족들 모두 한 달 뒤면 떠나요. 이곳에 머무는 동안 불안하게 만들고 싶지 않아요. 아무 문제없다면, 가족들은 궁정도, 파루크 폐하도 보지 않아도 될 거예요. 이 모든 사건에 연루된 사람이 적을수록 좋아요." 오펠리가 말했다.

"그럼 난? 네 삶에서 내가 더 이상 상관없는 사람이 되면, 나한테도 똑같이 감출 거니?"

깜작 놀란 오펠리는 『부인과 패션지』의 찢긴 부분에 몰두하는 노랗고 메마른 이모의 옆모습을 바라보았다.

"이모… 내가 하려는 말은 그게 아니라…."

"아냐, 내가 미안해. 한 달 뒤면 넌 결혼하고, 내 샤프롱 임무도 끝나지. 여기서 너와 이 모든 일을 겪고 나니… 그러니까, 내 복원 아틀리에가 지루해 보일 것 같구나."

오펠리의 눈에 로즐린 이모는 집안의 대들보처럼 언제나 흔들림 없는 여성으로 보였다. 기차 의자에 앉아 있는 이모의 약한 모습을 보자 오펠리는 목이 메었다. 당장이라도 이모 마음에 난 구멍을 메워 굳게 다잡을 수 있도록 적절한 말을 찾고 싶었다. 하지만 오펠리는 무슨 말을 해야 할지 몰랐다. 항상 그랬다. 마음이 무거울수록, 머리는 텅 비었다.

로즐린 이모는 말 같은 치열을 드러내며 짧게 미소 지었다.

"아이러니하지 않니? 넌 아니마로 돌아가 살 날만을 꿈꾸는데, 난 여기 머물지 못해 안타까워하고 있으니."

오펠리는 순간 충동적으로 자신도 이모가 떠나는 것을 보고 싶지 않다고 털어놓을 뻔 했지만, 곧바로 정신을 차렸다. 그 누구에게도, 특히 이모에게 더더욱 바라지 않는 것이 하나 있다

번, 그것은 자신과 같은 공간에 사는 것이었다

로즐린 이모는 마침내 잡지에서 고개를 들고, 여인용 객실 안쪽을 염려스럽게 바라보았다.

"누가 그녀를 살필까?"

오펠리도 몸을 돌려 수많은 쿠션 사이에 기운 없이 앉아 있는 베르닐드를 보았다. 옆에는 발키리가 음산한 가정부처럼 앉아 있었다. 베르닐드는 깊은 생각에 잠긴 얼굴로 부풀어 오른 배를 쓰다듬고 있었다. 토른이 오펠리를 폴 반대편으로 보내기로 결정하자마자 베르닐드는 모든 것을 주도했다. 직접 목적지를 정하고, 여행 준비를 지휘하고, 조카의 결혼식까지 오펠리 가족이 머물 호텔을 통째로 예약했다. 하지만 궁정을 떠난 뒤로 베르닐드는 알 수 없는 우수에 젖어 있었다. 남쪽에 가까워질수록 더 수심에 잠기는 듯 했다. 파루크와 멀어지는 게 그녀를 불행하게 만든 것일까?

"눈코 뜰 새 없이 바쁜 조카, 죽은 남편, 견딜 수없는 애인." 로즐린 이모가 논평하듯 말했다. "내가 없을 때 베르닐드의 담배와 와인 잔을 뺏겠다고 약속해줄래?"

오펠리는 고개를 끄덕였다. 로즐린 이모와 베르닐드가 가깝다고 느낀 게 처음은 아니었지만 이제는 확신이 들었다. 이 모든 차이에도 두 과부 사이에 진정한 우정이 싹텄다는 것을.

"다리가 저려서 풀어줘야 될 것 같아요." 오펠리가 일어서며 말했다.

"너무 멀리 가지 말으렴, 조금 있으면 도착할 거야."

개인 전용 객차들은 보안이 아주 철저했다. 오펠리는 기차 뒤 칸으로 가기 위해 네 명의 까다로운 검사관에게 표를 보여주어야 했다. 전등에 조금이라도 문제가 있으면 즉시 교체되는 일등석과 달리 이곳은 조명 자체가 없었다. 그 대신 말소리와 땀, 담배가 다른 감각들을 습격했다. 이등칸과 삼등칸 차량은 일을 마치고 귀가하는 노동자와 일꾼으로 가득했다.

무능력자들은 어떤 정령의 후손도 아닌 민중으로, 어떤 집안의 능력도 물려받지 않았다. 귀족들과 너무 다른 모습에 그들이 같은 아슈에 산다는 게 믿기지 않았다. 시타시엘에서는 지나친 근친 관계 때문에 귀족들은 머리끝부터 발끝까지 창백하고 생김새가 엇비슷했다. 이곳 기차 칸의 장의자에 앉아 있는 승객들의 피부는 백금색에서 커피색까지, 장미색에서 구리색까지 가지각색이었고, 눈도 크고 밝은 눈에서 작고 검은 눈까지 다양했다. 얼굴에 묻어 있는 석탄과 회반죽, 기름때 자국은 그들이 광산, 공사장, 공장에서 나왔음을 알려주었다. 모든 색이 살아 움직이고, 대화를 나누고, 노래를 부르고 있었다. 무능력자들이 너무나 심한 억양에 독특한 사투리를 써서 오펠리는 그들이 하는 말을 거의 알아듣지 못했다.

오펠리는 인파를 헤치고 차량을 통과해 르나르의 건장한 실루엣을 찾아 기차의 뒤쪽 트랩으로 갔다. 바람이 드레스를 휘날리고, 핀으로 고정시킨 머리를 엉망으로 만들었다.

"아가씨 감기 걸리겠어요!" 르나르가 난간에 매달린 오펠리를 보고 바람을 뚫고 외쳤다.

"당신 조언이 필요해요."

"아? 뭐에 관한 거죠?"

오펠리는 바로 답하지 않았다. 그녀는 성벽의 거대한 내벽 사이를 달리는 열차 바퀴아래로 끝없이 풀리는 실타래처럼 이어지는 철로를 응시했다. 시간이 늦었지만 여전히 밝았다. 하지만 이곳의 밝음은 방파제 산책로와 규방의 열대지방 환영과는 전혀 상관없었다. 완전히 밤도 완전히 낮도 아닌 끝나지 않는 황혼녘이었다.

"커피포트 물 끓듯 초조해요."

"뭐라고요?"르나르가 외쳤다.

"너무나 초조하다고요." 오펠리가 한층 더 소리 높여 반복했다. "난 새로운 삶에 마음을 열지 못했죠. 그래서 엄마, 아빠, 남동생, 언니들을 다시 만나… 잘 지내는 모습을 보여주지 못할까봐 두려워요."

"앙두이!"

오펠리는 눈썹을 치켜떴다가 르나르가 자신에게 하는 말이 아니었음을 깨달았다. 르나르는 자신의 여행 모자 밖으로 나가려는 작은 줄무늬 털 뭉치를 엄지와 검지로 잡았다. 앙두이는 말썽꾸러기 새끼 고양이였다. 르나르는 베르닐드의 계속된 만류에도 규방을 제 집처럼 드나들던 앙두이를 두고 올 수 없었다.

르나르는 앙두이를 자신의 덥수룩한 빨강 머리 한가운데에 올려놓고, 그 위로 모자를 고쳐 썼다.

"이 녀석 어찌나 어설픈지 기차에서 떨어질 것 같아. 얘, 내

속도 너 못지않게 끓고 있어." 르나르가 오펠리 쪽으로 몸을 숙이며 말했다. "모래시계 여행 말고는 이토록 오래 외출해본 적이 없지. 시타시엘에서 이렇게 멀리 떠난 것도 처음이야. 평소와 다르게 숨 쉬는 것 같아. (그는 뜨거운 레일과 녹은 눈이 희한하게 뒤섞인 공기를 폐로 한껏 들이 쉬고는 빨간 눈썹을 찡긋했다.) 제가… 제가 또 당신을 '얘'라고 불렀나요?"

"전 좋아요." 오펠리가 그를 안심시켰다.

"죄송해요, 아가씨, 밈 때문에, 너무 습관이 돼서…."

증기기관차의 경적소리가 르나르의 목소리를 집어삼키고, 터널의 시끄러운 바람소리가 그들을 감쌌다.

"제게 아직 가족이 있다면 화려함 따위는 신경 쓰지 않을 거예요!" 르나르는 기차의 소음을 뚫고 목소리가 들리도록 고래고래 소리 질렀다. "친절한 연극과 작은 비밀 이야기들은 궁정에서만 하세요! 가슴이 답답하면 당신의 말을 들어줄 사람에게 털어놓아요!"

오펠리는 르나르의 조언을 깊이 생각하다 균형을 잃었다. 무게 중심이 순간 트랩 난간으로 쏠렸고, 르나르가 그녀를 어둠 속에서 붙잡지 않았다면 기차 밖으로 떨어지고 말았을 것이다.

"무슨 일이죠?" 그녀가 걱정스레 물었다. "기차가 기울어진 건가요?"

"기차가 올라가고 있어요." 르나르가 말했다. "경사가 몹시 급하니 단단히 잡아요. 앙두이, 내 머리가죽을 벗기고 있잖아!"

오펠리는 두 손으로 난간을 붙잡았다. 암흑 속을 끝없이 올라기는 것 같던 철길이 마침내 완만해지고, 터널이 끝나자 빛이 쏟아졌다.

"이럴 수가!" 르나르가 탄성을 질렀다.

오펠리는 할 말을 잃었다. 주위의 성벽이 사라졌다. 기차는 이제 거대한 요새 꼭대기를 달리고 있었다. 벽도 없어졌다! 서쪽으로는 바다와 산이, 동쪽으로는 숲과 하늘이 세상의 전부였다. 모든 것이 광활했다. 오펠리는 안경에 부딪치며 휘날리는 갈색 곱슬 머리칼을 쓸어 올렸다. 눈을 크게 뜨고 놀라운 풍경의 작은 부분까지도 붙잡고 싶었다. 빙하의 눈부시게 새하얀 빛이 수면에 반사되고, 여울지는 구름 물결 아래로 흰 올빼미가 날아다녔다. 형형색색의 작은 집들 사이로 우뚝 선 종탑에서 종소리가 울려 퍼졌으며, 강한 송진 향기와 짭짤하고 감미로운 바다 내음이 코를 간질였다. 오펠리는 성벽 아래로 기나긴 다리를 수렁에 담근 채 뿔을 물에 적시고 있는 사슴도 보았다. 화물칸 차량만큼 엄청난 크기였다.

"난 세상에서 가장 아름다운 아슈에서 태어났어. 그것도 몰랐었네." 르나르가 뿌듯한 미소를 지으며 말했다.

오펠리는 두 눈 가득 풍경을 담기 위해 눈을 크게 떴다. 이 무한한 공간들이 물방울, 가시, 수액, 섬광, 나뭇가지와 같은 작은 것들이 모여 만들어진 모자이크라는 사실에 현기증이 일었다. 그러니까 이것이 벽들과 환영들 너머로 보이는 폴의 모습이란 말인가? 아주 작은 것과 아주 큰 것이 공존하는 공간?

"르놀드, 또 당신 의견이 필요해요."

"네, 아가씨?"

"신을 믿으세요?"

르나르는 덥수룩한 눈썹을 올렸다.

"어머나. 신은 아가씨가 말씀하신 것처럼 좀 오래된 민간전승이죠. 대부분의 사람들처럼 저도 집안의 정령들을 믿어요."

르나르는 모자와 고양이가 바람에 날아가지 않도록 모자챙을 붙잡았다.

당연하다. 아슈를 지배하는 불멸의 존재는 신으로 여겨진다. 옛 세계의 신화들은 진부한 것이 되었다. 익명의 편지들에서 말하는 '신'이 파루크가 아니라면 도대체 누구란 말인가? 다른 집안의 정령일까?

골똘히 생각에 잠긴 오펠리는 기차가 역에 들어서기 위해 속도를 줄인 것도 몰랐다. 플랫폼의 희뿌연 연기 사이로 아름다운 외출용 드레스를 입은 엄마가 사탕 항아리 같은 모습으로 허리에 손을 얹고 모습을 드러내자 오펠리는 아연실색했다.

"그럴 줄 알았어! 내가 보내준 코트를 안 입고 있구나!"

가족

오펠리 엄마는 본래 통통한 볼살에, 목은 개구리울음 주머니처럼 부풀어 있고, 위로 틀어 올린 적갈색 금발 머리는 버섯처럼 솟아 있었다. 그녀는 항상 기상천외한 모자들을 쓰고, 파라솔처럼 폭이 넓은 붉은 드레스를 입어 최대한 자리를 많이 차지하려는 듯 보였다. 엄마의 품에 안긴 오펠리는 온몸이 뒤엉킨 천과 살에 빨려 들어가는 것 같았다.

"얼굴이 형편없구나! 볼에 난 이 상처는 뭐니? 살이 빠졌네, 밥도 안 주니? 이런 배은망덕한 딸! 세상 반대편에서 널 보러 왔는데 역으로 마중도 안 나오다니? 꽁꽁 언 플랫폼에서 두 시간째 기다리니까 그제서야 코빼기를 비치는구나! 이렇게 진이 빠져서야 어떻게 널 제대로 다그칠 수 있겠니?"

"안녕하세요, 엄마." 오펠리는 남은 숨을 몰아쉬며 말했다.

엄마 품을 벗어나자마자 다른 가족들이 오펠리를 돌아가며 껴안았다. 아빠는 그녀가 정말 조금 말랐다고 소심하게 속삭였다. 남동생 엑토르는 폴에 왜 눈이 없는지, 그들이 도착한 뒤로 왜 해가 아직도 지지 않는지 구체적인 질문을 했다. 앙트와네트 할머니는 오펠리의 더러운 장갑을 보며 못마땅한 듯 눈살을 찌푸렸고, 시도니 할머니는 활짝 미소 지으며 새 장갑 한 켤레를 건넸다. 여동생들은 너도 나도 한마디씩 거들며 오펠리의 목도리에 매달렸다. 삼촌들과 이모들은 조카가 동화 속 공주로 변하지 않아 조금 실망한 듯, 궁정 생활이 오펠리를 전혀 변화시키지 않았다고 돌아가며 같은 말을 되풀이했다. 코트로 온몸을 꽁꽁 싸맨 사촌들은 겸연쩍은 듯 억지로 미소 지으며 오펠리에게 멀리서 인사를 건넸다. 열대 아슈에서 휴가를 보내고 싶었던 눈치였다.

"안녕, 오펠리!" 중년의 부인이 유쾌하게 소리쳤다. "만나서 기쁘구나. 네가 어떤 모험을 했는지 어서 빨리 듣고 싶구나! 우리들의 귀한 어머니 두아옌들이 안타깝게도 이 긴 여행을 직접 할 수 없어서 내가 대표로 왔단다. 난 가족부 리포터야. 내 얘길 들어본 적 있니?"

오펠리는 물론 그녀를 알고 있었다. 리포터는 아니마에서 오히려 호감이 가지 않는 인사였다. 거리마다, 가게마다, 문틈마다 자신의 눈과 귀를 심어두고 목격한 모든 것을 두아옌들에게 전했다.

오펠리는 여자들과 악수하고, 남자들과 포옹하고, 이 사람이 묻는 질문에 저 사람에게 답하고, 이름을 다 섞어가며 되는대로 인사에 답했다. 이 모든 일을 겪고 난 뒤 가족과 상봉하자 이상한 괴리감이 느껴졌다.

"사랑하는 내 동생, 얼마나 보고 싶었다고!" 아가트가 오펠리에게 너무 찰싹 달라붙어 그녀의 저간새 금발이 오펠리의 귀를 간질였다. "너와 폴에서 함께 있지 못해 하루하루가 아쉬웠어!"

"그래?"

"화려한 드레스, 끝없는 무도회, 살롱 생활, 난 이런 삶을 위해 태어났다고! 날씨만 이렇게 춥지 않다면…."

오펠리는 아가트가 한겨울에 폴에 왔으면 뭐라고 했을지 궁금했다.

"자, 자, 여보." 샤를이 품 안에서 꿈틀대는 아가를 달래며 부드럽게 대꾸했다. "우리 아가 톰과 내가 있는데 불행한 건 아니지, 그렇지?"

"아무것도 아닌 일에 만족하는 당신은 이해할 수 없어. 레이스 공장 직원의 야망이 얼마나 대단한지!"

"부사장이요, 여보. 톰 좀 안아줘요, 엄마를 찾잖아요."

"이미 아이를 안고 있는 걸." 아가트는 배를 가리키며 투덜댔다.

"대부는 어디 계세요?" 오펠리는 궁금했다. "같이 오지 않으셨어요?"

"네게 물어볼 게 얼마나 많은지 몰라!" 아가트는 오펠리의 말을 듣지도 않고 소리쳤다. "이 드레스가 춤추기에 적당한 것 같니? 물론 다른 드레스들도 가져왔는데, 요 몇 주 동안 살이 엄청 쪘거든. 곧 귀족들을 만나는 거니? 여기가 궁정이니?"

"아니요, 아가씨. 이곳은 해수욕장입니다."

계단을 내려오던 베르닐드가 우아하게 혀를 굴리며 말했다. 묵직한 수화물 카트와 달리 그녀는 만삭의 몸에도 가벼워 보였다.

"만나게 되어 영광입니다." 베르닐드는 오펠리 부모에게 가장 빛나는 미소를 내비치며 만족스럽게 말했다. "저는 토른의 고모입니다."

"난 아직 당신 조카도, 당신네 재산도 못 봤어요." 엄마가 투덜댔다.

엄마는 점점 창백해지는 베르닐드 앞에서 평소보다 더 얼굴을 붉히고, 더 세속적이 되려고 작정한 듯 보였다.

"토른은 집안의 정령을 위해 도시에서 일하고 있어요, 소피 부인. 조만간 사위가 예의를 갖춰 인사드리러 올 거예요. 그때까지 괜찮다면 제가 조카를 대신하겠습니다."

"참으로 아름답고 우아하세요!" 아가트가 외쳤다.

아가트는 베르닐드를 본 순간 동생의 존재는 잊었다.

"제게는 당신이 매력적으로 보이는 걸요." 베르닐드는 아가트의 볼에 손가락을 스치며 답했다. "피부가 차네요, 추워요?"

"셔벗 만드는 기계 안에 있는 것 같아요, 부인."

"벌써 시간이 이렇게 됐네요." 베르닐드가 역에 걸린 시계를 보며 말했다. "다들 가방 갖고 계시죠? 좋아요, 제 짐과 함께 옮기도록 할게요. 모두 이쪽으로 오세요. 호텔로 출발하겠습니다! 말씀 나누시기에는 그곳이 나을 거예요."

"오펠리가 폴에서 당신보다 더 좋은 보호자를 만날 수는 없었을 거예요." 리포터가 나긋나긋한 목소리로 베르닐드를 칭송했다. "오펠리가 두 집안이 한 약속을 지키고 있나요?"

"물론이죠." 로즐린 이모가 베르닐드 대신 답했다.

오펠리는 떳떳하게 그렇다고 말할 수 없었다. 궁정에 온 뒤로 수많은 실수를 저질렀다. 베르닐드의 눈에 여전히 서린 알 수 없는 우수에 오펠리의 책임도 약간은 있지 않을까?

즐겁게 재잘대며 서둘러 플랫폼을 떠나는 가족들의 모습을 오펠리는 여전히 괴리감을 느끼며 바라보았다. 그녀의 자리는 어디였던가?

“모두 떠들어봐야 소용없어. 내 눈에는 네가 달라진 게 보이거든.”

오펠리는 두근대는 가슴으로 목소리의 주인을 찾아 두리번댔다. 뒤를 돌자 그가 플랫폼에서 조금 떨어진 곳에 모자를 단단히 눌러쓰고 있었다. 콧수염이 바람에 흰 깃발처럼 나부꼈다. 오펠리는 고개를 숙이고 작은할아버지의 불룩 나온 배에 그대로 얼굴을 파묻었다.

“아이쿠! 바닥에 넘어질 뻔했잖니, 얘야.”

“안 오신 줄 알았어요. 할아버지를 다시 보니 기뻐요.”

기쁘다는 말로는 표현이 되지 않았다. 작은할아버지의 기록 보관원 니트에 밴 오래된 종이 냄새를 맡는 것만으로도, 무뚝뚝하지만 애정이 묻어나는 목소리와 오래된 사투리를 듣는 것만으로도 오펠리는 눈이 시큰거렸다. 아이처럼 울지 않기 위해 할아버지의 푹신한 배에서 여러 번 숨을 가다듬어야 했다. 할아버지 말이 맞았다. 그녀는 완전히 달라졌다. 오펠리는 헝클어진 머리를 쓰다듬는 장갑 낀 두꺼운 손을 느꼈다.

“그래, 폴은 내가 생각한 것만큼이나 끔찍하니?” 작은할아버지가 웅얼거렸다.

오펠리는 주저하다가 르나르의 조언을 떠올렸다.

"네, 끔찍해요." 오펠리가 딱한 미소를 지으며 목이 잠긴 채 말했다.

그녀는 마지못해 털어놓고, 비틀어진 안경을 고쳐 쓰고 난 뒤, 작은할아버지의 난처한 눈빛을 보고 눈살을 찌푸렸다.

"무슨 일 있어요?"

"안 좋은 소식이 있단다, 오펠리."

사블도팔역은 성벽의 철로 꼭대기에 위치해 도시로 내려가려면 케이블카를 타야 했다. 여러 대의 곤돌라가 운행 중이었지만 수용인원은 많지 않았고, 그게 그렇게 나쁘지는 않았다. 오펠리와 작은할아버지는 상공에 매달린 작은 공간에서 단둘이 얼굴을 마주보며 갈 수 있도록 요령을 부렸다.

곤돌라가 테라스에서 날아오르는 순간, 가장 눈부신 풍경이 펼쳐졌다. 이 고도에서 여행객은 사블도팔역이 두 성벽이 만나는 곳에 위치한다는 것을 깨닫게 된다. 도심을 보호하는 한쪽 성벽 바깥으로는 숲이, 반대편 성벽 너머로는 깊은 심연이 펼쳐졌다. 허공에 떨어지지 않고 아슈의 남쪽으로 가는 것은 불가능했다. 바다 끝과 하늘 끝이 맞닿은 곳에 해수욕장이 있었다.

오펠리는 곤돌라 창가에 팔을 괴고 있었다. 머리칼이 휘날리며 볼을 때렸다. 오랫동안 느껴보지 못했던 진짜 감각들만으로 온몸을 흠뻑 채우고 싶었다. 거대한 공간에서 느끼는 현기증.

게이블기 선에 부딪치는 바람의 아우성. 소나무와 물부리 그리고 산에서 불어오는 달콤 짭조름한 공기. 하늘에서 내려다본 요동치는 바다색. 어느 하나 인위적인 것이 없었다. 환영도 눈속임도 아니었다.

그렇다! 오펠리는 다른 걱정거리들만 아니었어도 이 진실들을 더 잘 음미하려 했을 것이다.

"박물관이 폐쇄됐다는 게 믿기지 않아요."

바다에서 시선을 뗀 오펠리는 맞은편 장의자에 앉아 심각하게 자신을 바라보는 작은할아버지를 돌아보았다.

"도대체 이유가 뭐죠?" 오펠리가 항의하듯 물었다.

"재고 문제라고 했잖니. 네가 아니마를 떠난 뒤 문에 붙은 안내문에 그렇게 쓰여 있었지."

"아니요, 난 진짜 이유가 알고 싶어요. 박물관 소장품은 수십 년간 바뀌지 않았어요. 옛 세계의 유물을 찾기가 너무 어려웠을 정도로… 그런데 누가 재고조사를 맡았죠?" 오펠리가 눈살을 찌푸리며 덧붙였다. "후임자도 없었는데요."

작은할아버지는 이해한다는 듯 금빛 시선을 오펠리에게 고정한 채, 불룩 나온 배 위로 팔짱만 낄 뿐이었다.

"아, 두아엔들, 당연하죠." (박물관의 비행기들이 방치되어 녹슬고 있는 모습을 상상하기만 해도 오펠리는 속이 뒤집히는 것 같았다.) "세상 반대편에서 살아보라고 절 보낸 것만으로는 부족했나 보죠?" 오펠리는 두 손으로 이마를 감싸며 중얼거렸다. "박물관은 가족 모두의 것이에요. 두아엔들이 독차지할 권리는 없죠. 왜 제게 이토록 악착같이 구는 걸까요?"

"네가 동조자이기 때문이지."

오펠리는 어리둥절한 눈으로 작은할아버지를 뚫어져라 보았지만, 이번에는 그가 창밖으로 시선을 던졌다. 바람이 신나게 몰아쳐 그의 머리카락과 눈썹 그리고 수염이 곤추섰다.

"얘야, 네게 말하려는 건 개인적인 직감일 뿐이야. 내 말을 들었으면 싶지만 앞으로는 너만의 의견을 가져야 해. 사실, 네가 내 의견에 동의하지 않는다면 그나마 마음이 놓일 것 같구나."

"무슨 이야기에 대한 동의요?"

오펠리는 작은할아버지가 그처럼 심각하게 말하는 모습을 한 번도 본 적이 없지만, 그렇다고 그가 박장대소를 터뜨리는 사람도 아니었다.

"우리는 요지경 같은 세상을 살고 있지. 하루는 잘 굴러가다 다음 날이면 쨍그랑 접시처럼 깨져! 그래, 우리는 그 생각에 익숙해질 시간이 있었어. 허공에 매달린 아슈들, 죽지 않는 집안 정령들, 원하는 만큼의 능력들, 이게 지금 우리에게는 당연한 것처럼 보이지. 하지만 결국 우리 모두 요지경 같은 세상을 살고 있단다."

자정의 태양이 곤돌라의 모든 열린 틈새로 들어왔다. 할아버지는 석양빛에 눈을 찡그리면서도 창에서 고개를 돌리지 않았다. 오펠리는 그가 풍경이 아닌 자신의 내면을 바라보고 있음을 알아차렸다.

"그 일이 내게 벌어졌을 때, 난 아주 어린 기록 보관원이었다.

니도, 내 엄마도 태어나기 전이었지. 능력을 습득한 지 얼마 되지 않았지만, 난 이미 소장품을 손바닥 보듯 훤히 알고 있었지. 그때는 지금과 분류법이 달랐어. 가족 문서들은 1층에, 아르테미스의 개인 컬렉션은 지하 1층에 정리되어 있었지."

"지하 2층은 아직 없었나요?"

작은할아버지의 눈이 번득였다.

"있었어. 심지어 내가 제일 좋아하는 공간이었지. 옛 세계의 모든 기록이 그곳에 보관되어 있었어. 오, 대부분이 전쟁 관련 기록들이었지!" 할아버지는 오펠리의 놀란 표정을 보지 못하고 슬픈 미소로 덧붙였다. "참모들의 서신, 군사 신문, 군번 등록부, 장교들의 개인 문서. 고어로 적혀 있었고, 고어를 가르치는 곳이 점점 드물어져 누구 하나 열람하러 오지 않았어. 그게 정말 안타까웠지…."

"한 번도 제게 그 기록물들에 대해 말씀하신 적이 없으셨어요." 오펠리가 웅얼거렸다. "다 어떻게 되었나요?"

"난 어렸고, 어리석었지." 할아버지는 여전히 자신의 내면을 응시하며 말을 이었다. "그 모든 것이 날 꿈꾸게 만들었어! 난 전쟁이 아닌 인간의 모험을 보았지. 문서들을 하나하나 번역하기 시작했어. 절반은 내가 아는 고어를 동원해, 나머지 절반은 손으로 읽어가면서. 그 일에 몇 년을 보냈지! 번역한 게 너무 자랑스러웠고, 솔직히 말해서 인정도 조금 받고 싶어 안달이 나 두아옌 위원회에 내가 한 작업을 제출했어. 뭘 기대했는지 아직도 모르겠어. 훈장이라도 바랐던 걸까?"

오펠리는 목이 멘 할아버지의 목소리에서 그가 결코 아물지 않은 상처를 헤집고 있음을 느꼈다.

"동조자." 작은할아버지는 하늘을 무섭게 쏘아보며 분명히 발음했다. "두아옌들은 날 그렇게 규정했지. 그런데 그 말은 전혀 듣기 좋은 말이 아니야. '전쟁에 대한 병적인 강박관념', '과거에 대한 비판적인 추도', '젊은이들에게 유감스러운 선례', '가족에 반하는 성격에 따른 행동' 등등! 그들은 내게 가족과 관련된 자잘한 서류들에 전념하라고 권고했지. 그 뒤로 한 번도 내 번역을 다시 보지 못했단다."

"유감이네요." 오펠리가 속삭였다.

할아버지는 놀란 기색으로 오펠리를 보며, 그녀의 존재를 다시금 인식한 듯 눈을 깜박였다.

"아, 그건 아무것도 아니란다. 가장 분통 터지는 일은 그 뒤에 벌어졌지. 사건이 있고 몇 달 뒤, 놀랍게도 새로운 가족령이 공표되었어. 당시 무엇이 두아옌들의 신경을 건드렸는지 모르겠지만 그녀들은 쉴 새 없이 이것저것 개혁했지. 뭐 두아옌들은 대체로 좋은 아이디어를 내긴 하지만, 내가 보기에는 뭔가 거꾸로 가고 있는 것 같았어. '아르테미스의 후손과 직접적인 관련이 없는 모든 문서는 더 이상 가족 기록실 관할이 아니며, 별도로 설치된 특별 부서에 보관될 것이다.'" 작은할아버지는 단숨에 내용을 읊었다. "파열 전의 모든 문서를 다 빼낸 거야!"

"지하 2층 기록물들이 다른 곳으로 이전되었군요. 어디로요?" 오펠리가 물었다.

"그렇 라그의 어느 도시로. 그런데 결코 도착하지 못했지. 기록물들을 싣고 가던 배에 기술적 문제가 발생했어. 익사자는 한 명도 없었지만, 문서가 전부 물에 잠겼지. 영영 후대에 전해질 수 없게 된 거야. 나중에서야 내가 작업한 번역물도 상자에 들어 있었다는 걸 알았단다."

오펠리는 눈을 감았다. 박물관 소장품들이 화재로 소실된다면, 하는 상상만으로도 할아버지가 당시 어떤 심정이었을지 조금이라도 이해할 수 있을 것 같았다. 오펠리는 그 사건으로 인해 할아버지가 이토록 퉁명스러워진 게 아닐까 생각했다.

"기술적 문제라. 믿지 않으셨죠?" 오펠리가 생각에 잠겨 되뇌며 물었다.

"실은 그렇게 믿었다." 작은할아버지는 몸을 앞으로 기울이며 무릎 위에 팔꿈치를 올리고, 손깍지를 끼며 중얼거렸다. "두아옌들이 완고하긴 해도, 여전히 신성한 분들이지. 내가 보기에는 운이 없었던 거야. 여러 해가 흐르고, 그 아름다운 손실을 잊기 위해 애썼지. 네 박물관에 붙은 '재고 문제로 폐쇄'라는 안내문을 보기 전까지만 해도 말이다. 그걸 읽는데 '동조로 인해 폐쇄'라고 쓰여 있는 것 같았어. 두아옌들은 네가 옛 세계에 특별한 관심을 보였기 때문에 너를 쫓아낸 거야, 오펠리. 네가 두아옌들이 인정하지 않은 과거를 너무 잘 읽은 거지. 어쨌든 이건 나만의 직감이란다." 작은할아버지가 서둘러 덧붙였다. "물론 이런 얘기를 네 엄마에게는 한마디도 하지 않았어. 이미 쓸데없이 걱정을 달고 사니까. 하지만 내 직감이 맞다는데 내 읽는 손을 걸수도 있다. 네 생각은 어떻니?"

"모르겠어요… 이제 더는 모르겠어요."

오펠리는 사블도팔로 시선을 돌렸다. 해안에는 바위와 풀들이 혼란스럽게 뒤엉켜 있고, 야생의 땅을 걸으려면 튼튼한 신발이 필요할 것 같았다. 거친 풍경을 따라 빼곡하게 들어선 작은 집들이 차갑고 습한 바람의 공격에 함께 맞서고 있었다. 튼튼한 형형색색 집들이 한데 모인 모습은 기차에서 본 승객들과 닮아 있었다. 케이블카가 이제 바다와 제법 가까워졌다. 생명체처럼 냄새를 풍기고 요란한 소리를 내는 진짜 바다였다.

"나쁜 버릇들은 여전하구나." 작은할아버지는 장갑 실밥을 물어뜯는 오펠리를 보고 한숨지었다. "장갑이 상하지 않게 하렴, 네 작업 도구잖아."

오펠리는 길을 잃은 느낌이었다. 두아옌들이 토른과 강제로 약혼을 주선한 게 너무나 원망스러워서 판단력이 흐려졌다. 맹렬히 고민하는 사이 안경이 심경에 따라 온갖 색으로 물들었다.

"물론 이 모든 게 혼란스러워요." 오펠리는 결국 인정했다. "하지만… 이건 의미가 없어요. 옛 세계에 '동조'한다는 핑계로 누군가를 벌하지 않아요. 파열은 수세기 전에 벌어졌어요. 그 할머니들이 머나먼 과거를 이토록 두려워하는 이유가 뭐죠?"

"도서관에 가본 적 있니, 오펠리?"

"음… 한두 번요."

오펠리는 그리 떳떳하지 않았다. 부모님과 삼촌들 그리고 이모들이 모두 아니마 가족 대도서관 복원실과 목록실에서 근무했지만, 그녀는 언제나 물건들이 간직한 이야기에 더 끌렸다. 오펠리는 읽는 여자치고는 형편없는 독자였다.

"내가 말이야" 할아버지가 중얼거렸다. "최근에 도서관을 많이 뒤져보았지. 교육 서적, 윤리 소설 같은 보수적인 문학 분야를 말이야! 범죄 장면이나 상스러운 단어, 외설스러운 그림은 하나도 없더구나. 아니마에서 가장 지루하고 고리타분한 페르알베르 출판사의 책들만 말하는 게 아니란다. 아니, 나는 옛 세계의 시, 에세이, 회고록, 희곡 같은 번역물들에 대해서도 말하고 있는 거야. 그것들을 읽고 있으면 파열 전 우리 조상들은 목가적 서정성이나 로맨스만 신경 썼다는 생각이 들 정도야."

오펠리가 조금 전에 쓰다듬기를 멈추자 목도리가 참을성 없이 그녀의 손을 툭툭 건드렸다.

"할아버지 생각에는 우리 부모님이… 도서관 사서들이…."

오펠리는 말끝을 흐렸다. 지난 몇 달간 부모님이 가르쳐주신 솔직함, 정직함, 일을 완수하려는 열의와 같은 가치들을 사력을 다해 지키려 했다. 가족 가운데 검열관이 있다면 그녀는 배신자나 다름없었다.

"오, 너도 알다시피 네 평범한 부모는 다른 사람들과 같아." 작은할아버지가 탄식했다. "그들은 수선하라는 것을 수선하고, 분류하라는 것을 분류할 뿐이지. 얘야, 틀렸어, 더 위에서 찾아야 한다. 도서관에 있는 모든 책은 우선 승인위원회를 거쳐야 해. 그런데 누가 위원회를 이끌지? 두아옌들이지. 너도 이제 내가 왜 그토록 고민하는지 알겠니?"

"모든 책."오펠리는 천천히 되뇌었다. "두아옌들이 혹시 작은할아버지에게 책과 관련해 주의를 주거나 조언한 것 있어요? 집안의 정령의 책이요."

"아르테미스의 개인 컬렉션 책 말이냐?" 작은할아버지는 깜짝 놀랐다. "특별한 얘기는 없었다. 그 책은 어쨌든 해독할 수 없고, 읽을 수 없는 책이지."

"아르테미스는요?" 오펠리가 끈질기게 물었다. "아르테미스가 그 책에 대해 조사해보라고 작은할아버지나 다른 누구에게 부탁한 적 있나요?"

"내가 아는 바로는 한 번도 없었어. 아르테미스는 종이로 된 내 작은 세상보다는 천체를 항상 더 중시했거든."

오펠리는 입을 벌렸다가 다시 다물었다. 머릿속이 너무 혼란스러워 이유를 설명할 수는 없었지만, 찰나의 순간 박물관 폐쇄와 파루크의 책, 기록물들의 사고, 도서관의 음모와 최근 발생한 귀족들 실종사건 사이에 단 하나의 공통분모가 존재한다는 것을 직감했다.

'정말이지 말도 안 돼.' 오펠리는 안경 아래 눈을 비비며 이내 생각을 바꿨다. '두아옌들은 폴의 복도에서 발생한 살인사건에 책임이 없고, 파루크는 아니마 박물관에 털끝만큼도 신경 쓰지 않아.'

"폴에서도 기이한 일들이 벌어지고 있어서 머릿속이 뒤죽박죽이에요." 오펠리는 결국 작은할아버지에게 대답했다.

케이블카가 목적지에 가까워지면서 그들이 묵을 호텔이 점럼 크게 보였다. 돌출된 바위산에 우뚝 솟은 호텔은 긴 산책로로 온천 건물에 이어져 있었다. 벽돌로 쌓은 커다란 담장과 연기 기둥이 치솟는 높다란 굴뚝이 휴양지보다는 공장에 가까워 보였다. 오펠리는 사블도팔 해수욕장이 궁정의 6층을 그대로 본떠 만든 것일까 봐 걱정했었다. 이제는 그 둘 사이에 어떤 비슷한 점도 없다는 것을 알게 되었다. 이곳에서는 끝없이 '주의해야' 할 대상도, 다른 누군가처럼 '행세할' 필요도 없다는 사실에 오펠리는 진심으로 안도했다.

"이번에 바닷가에서 휴가를 보내면서 머릿속을 정리해야 겠어요." 오펠리가 큰 목소리로 말을 맺었다.

읽는 여자

날짜

"수영복 입은 토른이다!" 셋이서 한목소리로 외쳤다.

오펠리는 뜨거운 물을 삼켰다가 코로 내뿜고는 시야를 왜곡하는 물방울 너머로 부유하는 수증기와 온천의 모자이크를 바라보았다.

물론 거기에는 수영복 입은 토른도 그냥 토른도 없었다.

오펠리는 안경을 닦은 뒤 헤어 캡을 쓰고 물속에서 자지러지게 웃고 있는 여동생들을 돌아보았다.

"제대로 속았네." 오펠리는 미소를 지었다. "수증기 때문에 졸다가, 깜빡 속았잖아."

레오노르는 텀벙거리며 다가와 오펠리의 허리를 꼭 껴안고 말했다.

"그런데 정말로 언제 토른을 만나는 거야? 한 번도 우리를 보러 오지 않았잖아!"

안쓰러운 마음이 들면서도 조금 난감했던 오펠리는 모자 밖으로 나온 동생의 곱슬머리를 귀 뒤로 넘겨주었다. 레오노르에게 장난감에 생기를 넣는 법을 아주 어설프게 가르쳐주던 일이

엊그제처럼 느껴졌다. 나이 차가 제법 나는데도 이제 오펠리 키를 넘어설 정도로 컸다. 다른 동생들도 마찬가지였다. 오펠리는 종종 자신이 왜 형제 중 가장 왜소하고, 시력이 두더지만큼 형편없고, 머리카락은 손쓸 수 없게 엉망인지, 혹시 자연의 여신이 정말 자신에게 악의를 품은 건 아닌지 생각했다.

"아! 그건 말이야." 오펠리가 답했다. "토른이 엄청 바쁘거든."

"맞아, 예의도 엄청 없고." 도미틸이 진지한 말투로 끼어들었다. "토른 때문에 엄마가 머리끝까지 화가 났어. 우리를 만나고 싶어하지 않는다는 게 사실이야?"

베아트리스는 도미틸의 말을 강조하듯 물속에서 세차게 거품을 날려 보냈다.

오펠리의 여동생들은 세쌍둥이처럼 닮았지만 저마다 독특한 개성을 지녔다. 막내 레오노르는 소재들을 손으로 만져보고, 물건들의 기계장치에 귀 기울이는 것을 좋아하는 감각적인 아이였다. 베아트리스는 웃고, 울고, 소리 지르고, 욕하고, 모든 감정을 날 것 그대로 표출하면서도 제대로 된 문장으로 표현하는 법이 없었다. 셋 중 나이가 가장 많은 도미틸은 보호본능이 강한 아이였다.

"진짜로 그런 거 아니야." 오펠리가 말했다. "그저… 할 일이 엄청나게 많아서 그래."

토른은 지난 이 주 동안 베르닐드의 전보에도 답하지 않았다. 아니마 사람들은 토른의 침묵을 심각한 결례로 느끼기 시작했다. 토른은 가족에게 좋은 인상을 심어달라는 오펠리의 부탁을 진지하게 들었을까? 결혼이 닷새밖에 남지 않았는데….

"언니 아직 모르나 본데." 도미틸이 눈썹을 올리며 말했다. "우리 여기 온 지 거의 한 달이 다 되어가. 같이 목욕하고, 바위산으로 산책을 가고, 과일도 따고 그런 거 다 너무 좋아. 그런데 언니는 우리에게 절대 아무것도 말해주지 않잖아!"

"특별히 해줄 말이 없어서 그랬어." 오펠리가 얼버무렸다.

그녀는 시타시엘에서 겪은 온갖 협박, 위협, 할퀴기 공격, 거짓말, 음모, 환영, 실종과 살인을 작은할아버지에게 털어놓은 걸 벌써 후회했다. 가족에게는 아무 말도 하지 말라고 신신당부해야 했다. 할아버지는 한동안 입을 닫고 속으로 분을 삭였다. 그럼에도 그의 분노가 주변에 있는 물건 전체로 번져나가, 호텔 계단 난간이 다리를 걸어 사촌 한 명을 넘어뜨린 일도 있었다.

"토른이 적어도 언니에게는 정중하게 굴지?" 도미틸이 끈질기게 물었다. "잘 챙겨주고 그래?"

"벌써 서로 애교도 부리고 그러는 거야?" 이번에는 레오노르가 잽싸게 끼어들었다. "우리에게 조카 많이 안겨줄 거지?"

베아트리스는 요란한 소리를 내며 목을 가다듬고는 점잖은 체하고 오펠리가 대답하기를 기다렸다. 오펠리는 온천에 몸을 담그고 있는 로즐린 이모의 도움을 기대했으나 이모는 고개를 내저었다.

"네 동생들 말이 완전히 틀린 건 아니야. 난 샤프롱 노릇에 지나치게 충실하다 나쁜 대모가 되었어. 토른은 아가트 남편과 정반대야. 내 생각에는… 음 그러니까… 무슨 일이 닥칠지 모르니 네가 좀 대비를 해야 될 것 같구나."

오펠리는 온천 안으로 사라져버리고 싶었다. 결혼 날짜가 가까워질수록, 이모와 고모 들이 부부 관계에 대한 조언을 쏟아냈다. 오펠리는 괜한 소동을 일으킬까 두려워 토른과는 절대 형식적인 커플 그 이상은 될 수 없다는 말을 할 수 없었다.

때마침 온천 직원이 탕으로 다가와 오펠리를 곤경에서 구해주었다.

"프런트에 아가씨 앞으로 메시지가 도착했습니다."

마침내 토른이 소식을 보낸 것이다.

오펠리는 계단으로 미끄러지듯 내려가 헤어 캡을 벗고 읽는 사람용 장갑을 끼고, 타일이 깔린 긴 회랑을 내달렸다. 온수관에서 샌 물이 바닥에 고여 발가락을 데었다. 건강에 탁월한 효과를 지닌 온천수는 강한 냄새를 풍기며 혹독한 겨울 날씨에도 어는 법이 없었다.

"고마워요." 오펠리는 메시지를 건네주는 프런트 담당자에게 인사를 건넸다.

편지 봉투를 막 열려는 데 뒤에서 인기척이 느껴졌다. 손님 한 명이 부담스러울 정도로 가까운 거리에서 오펠리를 뚫어져라 보고 있었다. 온천에 어울리지 않게 빨간 외투로 몸을 꽁꽁 싸매고 모피 귀마개를 하고 검은색 긴 부츠를 신고 있었다. 자신도 읽을 권리가 있다는 듯 다이아몬드 원석처럼 단단한 눈으로 편지를 바라보았다. 착각일지 모르나, 오펠리는 사블도팔에 온 뒤로 이 호기심 많은 여성이 등 뒤에서 줄곧 나타났다 사라지기를 반복한 것 같았다.

오펠리는 혼자만의 공간을 찾아 온천 밖으로 나와 야외 계단에 앉아 편지를 꺼냈다. 하지만 아르쉬발드의 일곱 여동생을 발견하고 이내 편지를 봉투에 넣었다. 그녀들은 진열장에 전시된 인형들처럼, 산책로 의자에 나란히 앉아 있었다. 막내부터 큰언니까지 서로 너무 닮아서 한 여인의 삶의 순간들을 차례로 보는 듯했다. 오펠리를 보자 두스, 클레르몽드, 멜로디, 게테, 프리앙드, 그라스, 파시앙스의 눈이 휘둥그레졌다. 아르쉬발드의 눈동자가 여름의 빛나는 하늘 같다면, 동생들의 눈동자는 겨울의 차디찬 얼음을 연상시켰다.

"안녕하세요." 오펠리가 조심스럽게 인사를 건넸다.

아르쉬발드의 여동생들은 아무 대답도 하지 않았다. 결코 답하는 법이 없었다. 대부분 호텔 방 안에서 생활해 밖에서 마주치는 일도 드물었다. 클레르들륀의 온화함에 익숙한 그녀들은 오빠가 위험을 피해 보낸 이곳의 바람 부는 해변이 못마땅했다. 베르닐드를 이곳의 유일한 문명인으로 여기고 기꺼이 어울리려 했지만, 오펠리에게는 단 한 번도 말을 붙이지 않았다. 자신들의 저택에 닥친 불행의 책임이 오펠리에게 있다고 믿었기 때문이다. 아르쉬발드의 여동생들은 가끔 복도 모퉁이에서 오펠리를 돌아보며 그녀에 관한 재미난 일이라도 떠올린 듯 동시에 폭소를 터뜨렸다.

오펠리는 편지를, 더더군다나 토른이 보낸 편지를 그런 사람들 앞에서 읽고 싶은 마음은 추호도 없었다.

그녀는 계단을 빠져나와 온천과 호텔을 잇는 아치형 산책루를 걸으며 사람들의 시선이 닿지 않는 구석진 곳을 찾았다. 왼쪽으로는 파도가 도시 암벽에 부서지며 요란한 소리를 내고, 오른쪽으로는 침엽수림 가장자리에 있는 염전의 고요한 수면 위로 구름이 비쳤다. 정제소 앞에 쌓아놓은 소금 결정들이 반짝였다. 이 도시의 이름은 진주 빛 모래톱을 닮아 붙여진 것일 것이다. 물과 소금, 식물과 벽돌 위로 변덕스러운 하늘이 해와 비 사이를 끝없이 오갔다. 오펠리는 심호흡을 했다. 기온이 15도를 넘지 않았지만, 물기가 남아 있던 그녀의 피부는 벌써 붉어졌다. 하지만 바다와 전나무의 달콤하고 짭조름한 내음은 오펠리에게 기분 좋은 떨림을 선사했다…. 시타시엘에서 온갖 환영을 보고 난 후라, 오펠리는 이곳이 정말로 진짜라는 느낌을 받았다.

오펠리는 산책로 근처에서 페탕크를 즐기고 있는 집안 남자들을 바라보았다. 아니마 사람들답게 목청껏 웃고, 요란한 몸짓을 하고, 거친 입담을 자랑했다. 특히 표적이 혼자서 위치를 바꿀 때면 심한 욕설을 퍼부었다. 호주머니에 손을 찔러 넣고 구경하는 사람은 오펠리의 아빠와 작은할아버지뿐이었는데, 아빠는 우유부단해서 할아버지는 무뚝뚝해서가 그 이유였다.

"어이, 오펠리! 혼자 있지 말고 이리 와서 같이 하자!"

삼촌들과 사촌들이 산책로 한가운데 멈춰 선 오펠리를 발견하고 소리쳤다. 그녀는 봉투를 등 뒤로 숨긴 채, 정중히 거절하고는 걱정스러운 눈으로 바라보는 아빠에게 미소를 지어 보였다.

어떤 의미에서 오펠리는 떨어져 있었음에도 온전한 가족으로 남아 있다는 사실에 안도했다. 하지만 그들 사이에 여전히 남아 있는 약간의 거리감은 끝내 사라질 것 같지 않았다. 누구도 오펠리가 예전과 다르다는 걸 알아차리지 못한 것 같았다. 아니 어쩌면 지금보다 그녀 모습에 가까운 적이 없었다는 것을 모르는 것 같았다.

오펠리는 산책로 난간 기둥에 등을 기대고 앉아 세 번째로 편지를 꺼냈다. 정작 편지 읽기 편한 상태가 되었지만 편지를 펼칠 수가 없었다. 초조해서 미칠 것 같았다. 곧 도착한다는 소식을 전하려는 걸까? 토른이라면 결혼식 아침까지 기다렸다가 양팔에 서류 뭉치를 끼고 식장에 모습을 드러낼 수도 있을 것이다.

8월 3일, 두 사람은 결혼한다. 닷새, 단지 닷새밖에 남지 않았다.

오펠리는 운명의 날 외에 다른 생각은 할 수 없었다. 토른 같은 사람과 함께하는 삶은 어떤 모습일까? 오펠리는 그와의 결혼 생활을 상상할 수 없었다. 신경이 곤두선 사냥꾼의 할퀴기 공격에 어쩌면 기억력까지 얻게 될 자신의 모습은 더더욱 상상할 수 없었다.

오펠리는 호텔 창밖으로 부산스레 결혼식 준비에 여념이 없는 이모들과 고모, 할머니들의 모습을 조금 당황스러운 눈길로 바라봤었다. 그녀들의 아니마 정신이 극도로 흥분되어 리본이 천장에서 흔들리고, 흰 식탁보가 유령처럼 나부끼는 게 여기에서도 보일 정도였다. 일꾼들이 크리스털 샹들리에를 매달고, 악기들을 운반하고, 수백 개의 금 촛대를 일렬로 세웠다. 베르닐드는 궁정 예식에 맞먹는 결혼식을 조카에게 열어주기 위해 아낌없이 돈을 썼다.

오펠리는 숨을 들이마시며 마침내 편지를 열어보기로 마음먹었다. 이내 예상과 달리 토른이 보낸 편지가 아님을 깨달았다.

전 부-스토리텔러님께,

내 첫 번째 경고를 심각하게 여기지 않은 게 분명해졌소. 최후통첩을 보낼 수밖에 없게 만들었소. 약혼을 파기하고, 다시는 궁정에 발을 들여놓지 마시오. 8월 1일까지 필요한 조치를 취하도록 하시오. 아니면 감독관은 결혼하기도 전에 홀아비가 될 것이오.

신은 이 결합을 반대하오.

오펠리는 놀란 가슴을 진정시키기 위해 숨을 내쉬었다. 이제 정말로 겁이 나기 시작했다.

풍향계

오펠리는 온천 계단을 황급히 뛰어 올라갔다. 누가 그녀에게 이런 메시지를 보낸 걸까? 프런트 담당자는 그저 평범한 심부름꾼이었다고 말했다. 어디서 왔는지 단서도 남기지 않았나요? 전혀요, 아가씨. 오펠리는 탈의실에 들를 새도 없이 편지를 장갑 안에 밀어 넣고 곧장 호텔로 뛰어갔다. 베르닐드에게, 오로지, 그 누구도 아닌 베르닐드에게만 말해야 한다. 그녀만이 이 상황을 이해할 것이다.

서두르다가 오펠리는 호텔 회전문에 코와 무릎 그리고 등을 찧었다. 그녀는 상품 진열대와 중앙로비 매표소 앞을 지나갔다. 1층은 온천에 온 고객을 맞는 접수대인 동시에 시립 행정실, 전기 발전소, 우체국, 전화 교환실, 신문 보관소, 경우에 따라서는 철물점 역할도 했다. 항상 사람들로 북적였다. 오펠리를 본 일꾼 여럿이 눈썹을 올렸다. 편지를 받고 너무 당황한 나머지 오펠리는 자신이 계속 목욕가운 차림으로 활보하고 있다는 것을 잊고 있었다.

"저런, 저런!" 허스키한 목소리로 누가 속삭였다. "겉보기와 달리 조신하지 않으시네요, 아가씨."

놀란 오펠리는 얼굴을 보기도 전에 강한 향수 냄새를 맡고 쿼네공드임을 알아챘다. 그 미라주가 접수대에서 숙박부를 작성하고 있었다. 평소처럼 금 펜던트가 주렁주렁 달린 베일을 쓰고 있었다. 화장을 했는데도 낯빛이 별로 좋지 않았다.

"사블도팔에서 뭐 하세요?" 오펠리가 방어적으로 물었다.

안부 인사를 여쭐 여유도 없었다.

"직업병 때문에요." 쿼네공드가 한탄하듯 말했다. "계속해서 환영을 만지는 일이 그다지 신경에 좋지 않거든요. 류머티즘 때문에 왔다고 핑계를 대는 이들이 있는데, 그게 사실은." 그녀가 숙박증을 접수원에게 건네며 말했다. "사람들 눈을 피해 정신을 해독하러 온 거죠."

오펠리는 베르닐드와 아르쉬발드의 여동생들을 제외하고 이곳에서 아주 드물게 마주치는 귀족들이 하나같이 아편 중독자 같은 얼굴로 다닌다는 사실을 받아들일 수밖에 없었다.

"당신이 파루크 폐하와 잊지 못할 장면을 연출한 뒤 궁정에서는 온통 당신 얘기뿐이에요." 쿼네공드가 조심스럽게 말을 이어갔다. "그는 아가씨에게 빠졌어요. 궁정에 돌아가게 되면 지옥을 맞이할 준비를 하세요."

이 말을 듣자 오펠리는 당장이라도 편지를 꺼내 보여주고 싶은 충동에 사로잡혔다. 혹시 쿼네공드가 발신자가 아닌지 물으려다 요란한 소리에 멈칫했다. 지나치게 욕심을 부려 짐을 나르던 호텔 직원이 쿼네공드의 커다란 타피스리 가방이 열린 줄도 모르고 들어 올린 바람에 엄청난 양의 파란 모래시계들이 카펫 위로 쏟아졌다.

"칠칠찮기는!" 퀴네공드는 주변을 흘깃대며 씩씩거렸다. 베일에 매달린 펜던트들이 차임벨처럼 울려댔다. "당장 주워 담아요! 연결 핀 하나라도 빠지지 않도록 각별히 주의해서요."

짐꾼은 계속해서 사과하며 모래시계들을 주워서 가방에 넣었다. 오펠리는 퀴네공드가 침착함을 잃은 것과 그녀가 이렇게 많은 모래시계를 지니고 있는 것 가운데 무엇이 더 놀라운지 알 수 없었다. 환영 중독을 치료하러 온 사람에게서 전혀 예상할 수 없는 모습이었다.

"나도 알아요, 아가씨, 내 컬렉션이 어딘가 엉뚱해 보일 수 있다는 걸요. 그러나 철저히 직업적인 용도로만 사용하는 것이죠. 경애하는 일드가르드가 만든 파란 모래시계들이 내 에로틱한 환희와 어찌나 치열한 경쟁을 벌이고 있는지! 음… 그러니까… 내가 '자료조사'를 하지 않는 게 오히려 이상하다고 말해두죠. 모래시계 정리는 거의 다 끝나가나요?" 퀴네공드가 짐꾼을 재촉했다. "아, 우리 이마지누아 상황이 아주 안 좋아요, 아가씨." 퀴네공드가 오펠리에게 푸념을 늘어놓았다. "어떤 예술비평가는 내가 싸구려 환영이나 만들고 있다고 혹평하지 뭐예요, 글쎄! 혼돈의 방울이라고 들어보셨어요?"

"음… 아니요."

오펠리는 퀴네공드가 왜 자신에게 이런 이야기들을 털어놓는지 이해가 되지 않았다. 오펠리가 거위정원에서 그녀의 제안을 거절한 뒤로 줄곧 적대적으로 대해왔으면서 말이나.

"술에 취한 것과 완전 똑같은 효과를 내는 환영들이죠. 그 가증스러운 비평가가 나의 최신 창조물을 뭐와 비교했는지 아세요? 내 감각의 천국, 내 쾌락의 궁전을 싸구려 테이블 와인처럼 취급했죠!"

"다 담았습니다, 부인." 짐꾼이 이번에는 가방을 제대로 잠그며 말했다. "따라오시죠, 방까지 모시겠습니다."

"부탁이 하나 있는데, 이 모든 건 비밀로 해주세요." 퀴네공드가 속눈썹을 부르르 떨며 오펠리에게 속삭였다. "사람들이 내가 라이벌이 만든 환영에 숨을 정도로 절망에 빠졌다고 오해하지 않았으면 해서요."

오펠리는 고개를 끄덕였다. 사실 편지 때문에 너무 걱정이 돼서 그런 이야기에 신경 쓸 여유가 없었다. 하지만 베일에 달린 금 펜던트를 찰랑이며 호텔 계단 쪽으로 무거운 걸음을 옮기는 퀴네공드에게 어쩔 수 없이 연민이 느껴졌다.

"실례합니다." 오펠리가 접수대에 까치발로 서서 말했다. "베르닐드 부인을 찾고 있어요."

"마침 잘 됐네요." 접수원이 답했다. "베르닐드 부인도 당신을 찾고 있습니다."

"아 그래요? 부인이 어디에 계신지 아시나요?"

"당신 언니와 산책을 나가셨는데 곧 들어오실 겁니다. 여기서 당신을 기다리게 해달라는 부탁을 받았어요."

오펠리는 베르닐드도 갑자기 무슨 할 말이 있었을까 궁금해하며 호텔 로비의 딱딱한 의자에 앉아 누군가 놓고 간 신문을 열어보았다. 니베룽겐 같은 유력지가 아닌 지역지였지만, 초조함을 잊게 하기에 충분했다.

오펠리는 궁정의 가십 기사 사이에서 토른의 사진을 발견하고는 눈이 휘둥그레졌다.

파루크 폐하의 책은 이 남자 앞에서 더 이상 어떤 비밀도 없게 될 것이다. 굵은 활자로 제목이 적혀 있었다. 현재 지방 순회 조사 중인 감독관은 속마음을 털어놓는 법이 없다. 그러나 어제 궁정 소식에 관해 묻자 특별히 입을 열었다. 감독관은 8월 1일 개최될 가족의회 안건이나 미라주 클랜에 타격을 입혔을 우려스러운 납치사건과 같은 민감한 주제에 대해서는 언급을 피하면서도, 조만간 파루크 폐하를 위해 핵심적인 역할을 하게 될 것이라는 사실은 숨기지 않았다. 폐하가 자신의 컬렉션 가운데 지금까지 유일하게 읽지 못한 책을 얼마나 아끼는지는 이미 공공연한 사실이다. 우리 신문의 아주 오랜 독자들이라면 과거 이 비밀스러운 문서를 해독하려는 시도가 하나같이 실패로 끝났다는 것을 기억할 것이다. 토른 감독관은 '모두가 실패한 데서 성공할 것'이라며 강한 자신감을 내비쳤다. 8월 3일 있을 아니마인과의 결혼이 그의 야심을 실현하는 데 결정적인 역할을 하게 될 것이다. 하지만 감독관은 '부수적인 일'이라며 결혼에 대해 말을 아꼈다. 사태의 추이를 지켜보자!

오펠리는 안경을 믿을 수가 없었다. 책 이야기는 입도 뻥긋하지 말라고 해놓고, 어떻게 본인은 언론에 떠벌리고 다닐 수 있지? 다행히 가족 중 누구도 기사를 본 것 같지 않았다. 그랬다면 오펠리는 진작에 난처한 질문 공세에 시달렸을 것이다.

이런 생각에 잠겨있던 오펠리는 거대한 보라색 드레스 차림으로 아니마 리포터와 한창 이야기를 나누고 있는 엄마를 발견했다. 그녀는 곧장 토른의 사진이 보이지 않도록 조심하면서 신문 뒤로 얼굴을 숨겼다.

"사위가 되겠다는 사람이 꽁무니도 안 보인다는 점을 특히 강조해주세요!" 오펠리 엄마는 언성을 높였다. "닷새 뒤 내 딸과 결혼하기로 되어 있으면서 결혼식 준비는 일체 우리에게 떠넘기고 말이죠! 세상에 이런 법이 어디 있나요!"

"저기요, 소피, 그건 그의 의지와는 상관없는 일이라고 베르닐드 부인이 설명했잖아요. 토른이 중요한 일을 하고 있는데 내가 그걸 문제 삼을 이유는 전혀 없어요."

리포터를 노부인이라고 볼 수는 없었으나, 그녀는 말할 때 상대를 어리숙한 아이처럼 대했다. 아니마의 두아엔 지위를 갖고 있지도 않으면서 두아옌처럼 검은 복장에, 금색 안경을 쓰는데 각별한 주의를 기울였다. 반면 그녀가 쓰고 있는 모자는 비할 바 없이 독특했다. 곱슬머리에 전등갓처럼 얹어 쓴 모자 위로 황새 모양의 풍향계가 쉴 새 없이 돌아가고 있었다. 풍향계는 바람이 아닌 주인의 아니마 정신에 따라 움직인다. 즉 주인의 호기심을 끌 만한 대상을 발견하면 지체 없이 부리를 겨누었다.

"그 베르닐드에 대해 한번 말해봅시다!" 오펠리 엄마가 외쳤다. "우리가 이곳에 온 뒤로 줄곧 우리 눈을 속이고 있는데, 난 그녀를 조금도 신뢰하지 않아요."

"우리는 모두 완벽한 대접을 받았어요." 리포터가 작은 종이를 내보이며 대꾸했다. "내가 가족부에 알리려는 건 이게 다예요."

"그럼 나 혼자만 뭔가 이상하다고 느낀다는 말씀이신가요?" 오펠리 엄마는 극도로 흥분해 드레스보다 더 얼굴을 붉혔다. "내 딸이 형편없는 대우를 받는 게 확실해요. 그 아이가 얼마나 여리고 과묵한데요!"

신문 뒤에 숨은 오펠리는 갑자기 부끄러워졌다. 기차역에서 상봉한 뒤로 줄곧 엄마의 소유욕을 고역처럼 견뎌야 했다. 부모님 집을 떠나 있던 지난 몇 달의 시간이, 쉴 새 없이 말을 자르고, 입을 드레스를 대신 골라주고, 어디에서 누구와 있는지 꼬치꼬치 캐묻던 엄마의 권위를 낯설게 만들었다. 예전 같으면 어깨 한번 으쓱하고 말 일에도 핏대를 세우는 자신의 모습에 오펠리는 여러 번 놀랐다.

오펠리와 엄마는 사실 대화를 나누는 게 불가능하면서도 서로가 서로를 끝없이 보호하려고 했다.

"난 이 결혼에 회의적이에요!" 리포터가 전신 기사에게 다가가는 사이 오펠리의 엄마가 힘주어 말했다. "이 버릇없는 토른을 만난 뒤부터 내가 결혼에 반대하지 않으려고 얼마나 애를 쓰고 있는지 몰라요. 두아옌들이 이 문제를 재고하거나, 조사를 실시할 수도 있을 거예요, 아니면…."

"소피" 리포터가 부드러운 목소리로 그녀의 말을 잘랐다. "우리의 존경하는 어머니들이 어떤 행동을 취해야 할지 알려주겠다는 건가요?"

오펠리는 신문 너머로 엄마 얼굴이 울그락불그락 부풀어 오르는 것을 보았다. 리포터 모자 위의 황새가 갑자기 오펠리를 향해 손가락질하듯 부리를 겨누었다.

"물론 아니죠." 오펠리의 엄마는 잘못을 들킨 어린아이처럼 말끝을 흐렸다. "무례하게 굴려는 게 아니라 저는 그저…."

"그 누구도, 우리의 거룩한 어머니들조차도 이 결혼을 문제 삼을 수 없어요. 아르테미스와 파루크가 직접 오펠리의 결혼을 승인했다는 점을 환기해야 하나요? 이 결혼을 막을 권한은 그 두 분에게만 있어요. 우리의 사랑스런 예비부부가 계약을 파기할 이유를 하나만 대도 엄청난 외교 참사로 이어질 거예요. 안녕하세요, 전신 기사님." 리포터가 종이를 창구에 넣으며 말했다. "메시지를 전달해주실 수 있나요? 수신인은 아니마 가족부입니다." 리포터는 자신의 억양을 잘 못 알아듣는 전신 기사가 이해할 수 있도록 또박또박 발음했다. "아니마 가족부요."

기분이 상할 대로 상한 오펠리 엄마는 호텔 홀을 빠져나갔다. 오펠리는 엄마 눈에 띄지 않는 데에는 성공했지만 풍향계를 피할 수는 없었다. 지독히 영리한 기계장치로 작동되는 풍향계가 별안간 신문을 펼치고 있는 오펠리쪽으로 방향을 틀더니, 주인의 주의를 끌기 위해 부리로 리포터의 모자를 쪼아댔다.

"오호라, 여기 있었구나, 꼬마 아가씨? 잠깐 읽는 걸 멈출 수 있을까? 너와 얘길 나누고 싶거든."

오펠리는 다른 선택의 여지가 없다는 것을 깨닫고 신문을 제자리에 놓은 뒤 전신 기사가 있는 창구로 향했다.

"네 나이에 맞지 않는 차림이구나." 리포터는 오펠리의 목욕 가운을 비난하듯 바라보며 한숨지었다. "네 엄마와 하는 얘기 들었지?"

"본의 아니게요."

창구 뒤로 전신 기사가 능숙한 동작으로 기계 장치를 톡톡 건드렸다.

"오, 맞아. 나도 본의 아니게 많은 걸 듣고 본단다." 리포터는 이해한다는 듯 히죽댔다. "불에 기름을 부어 네 엄마의 화를 돋우려던 건 아니었고, 네 약혼자 모습이 안 보이는 게 조금 염려돼서 그랬어. 왜 이렇게 뜸을 들이고 안 나타나는지 알고 있니?"

정원 울타리처럼 다듬어진 곱슬머리를 한 리포터는 자신도 알아야 한다는 듯한 표정을 지었다. 튀어나온 커다란 눈은 상대의 가장 내밀한 비밀을 캐고 싶어 안달 난 것처럼 기묘하게 빛났다. 오펠리가 절대로 마음을 털어놓고 싶지 않은 사람이 있다면 바로 이 여인일 것이다.

"아니요, 리포터님. 모르겠어요." 오펠리는 불편했다. 리포터의 우스꽝스러운 모자 위에 달린 금속 황새가 평소와 달리 회전을 멈추고 오펠리에게 부리를 고정하고 있었다.

"우리 아가씨." 리포터는 안타깝다는 듯 한숨 지었다. "네가 아무 얘기도 안 하면, 이렇게 두아옌들에게 사세히 보고할 수 있겠니? 차분히 약혼자를 알아갈 시간을 가졌잖아. 우리 아니마 가족부에서는 너를 재촉하고 싶지 않았거든. 그렇게 할 수도 있었지만 말이야."

오펠리는 맨팔을 문지르며, 창구의 시계를 바라보았다. 베르닐드가 산책에서 어서 돌아오기를 바랐다. 그러다 문득 발신자 불명의 편지를 장갑에서 꺼내 황새 부리 앞에 흔들어볼까 진지하게 고민했다. 두아옌들이 재촉하고 싶어하지 않았다고? 대신 다른 사람들이 나서겠지!

"이 먼 여행을 떠나기 전 네 서류를 꼼꼼히 살펴봤단다." 리포터가 비웃으며 말했다. "사촌의 결혼 제안을 두 번이나 거절했더구나. 네가 열의를 보였다면 벌써 결혼해서 안정적인 삶을 살고 있었을 텐데 말이야."

"다 지난 일이에요." 오펠리가 말했다.

리포터의 미소가 더 짙어졌다.

"정말 그럴까? 어쩌면 토른이 지금 우리 곁에 없다고 그를 탓할 수 있을까? 그의 마음을 얻기 위해 최선을 다했다고 자신 있게 말할 수 있니?" 리포터가 안경 너머로 오펠리의 눈을 들여다보며 물었다. "네게 해줄 말이 있어. 이건 두아옌들이 내 입을 통해 보내는 경고야. 이 결혼마저도 망친다면 그 핑계가 무엇이든 간에 너 혼자 파루크와 담판 지어야 할 거야. 가족의 명예를 더럽히고 우리에게 손 내밀거나 아니마로 돌아올 생각은 꿈에도 하지 말라고, 알겠니?"

리포터는 이런 말까지 하게 된 게 정말 유감이라는 듯 한없이 부드럽고 안타까운 목소리로 말했다.

오펠리는 자신의 속을 뒤집는 감정이 반발심인지 비참함인지 알 수 없었다. 8월 1일까지 필요한 조치를 취하도록 하시오. 편지를 보낸 이는 이렇게 적었다. 최후통첩까지는 겨우 사흘밖에 남지 않았다. 그런데 오펠리는 누구에게 도움을 청해야 할지 몰랐다.

"전보를 보냈습니다, 부인." 창구 직원이 알렸다. "5쿠론입니다."

"이 사람 뭘 원하는 거야?" 리포터가 오펠리에게 인상을 찌푸리며 물었다. "외국인들 모두 어찌나 억양이 끔찍한지, 그들이 하는 말은 한마디도 이해가 안 돼!"

"전보 비용을 내셔야죠." 오펠리가 반복해 말했다.

"5" 전신 기사가 다섯 손가락을 펼쳐 보이며 말했다. "원래는 4쿠론인데 에코가 일었어요. 종이를 날렸죠(창구 직원은 전신기가 토해낸 구멍 뚫린 종이를 내보였다)."

에코는 사진을 이중으로 겹쳐 보이게 만들거나, 전파를 갑작스럽게 반사하는 현상이다. 누구도 에코의 원인을 몰랐지만, 하나같이 성가시다고 여겼다.

"관리국 앞으로 비용을 달아두세요." 오펠리는 5쿠론으로 토른이 파산하지 않기를 바라며 창구 직원에게 말했다.

오펠리는 폴에서 가장 잘나가는 회계원과 결혼할 예정이지만, 그녀에게 동전과 지폐는 난해한 비밀처럼 보였다.

오펠리는 다시 긴 의자에 앉았다. 대화가 끝난 줄 알았는데, 옆으로 다가와 앉는 리포터를 보자 화가 치밀었다. 잔소리꾼은 풍향계가 가리킨 상대를 끈질기게 붙들고 늘어졌다.

"얘, 이곳 사람들이 매우 이상하다는 거 나도 잘 알아." 그녀는 전신 기사를 의미심장한 눈으로 보며 말했다. "하지만 약혼자가 아니마 사람이 아니라는 핑계로 내쳐서는 안 돼. 한없이 지혜로운 두아옌들 조차도 외지인의 영향을 주저 없이 받아들이거든. 아니마 전체가 득을 보는 일이니까!"

"외지인의 어떤 영향 말이죠?" 오펠리가 물었다.

"자세히 말해줄 수는 없어." 리포터는 대단한 전문가라도 되는 양 심오한 표정을 지으며 속삭였다. "두아옌 위원회에서 벌어진 일은 엄격한 기밀이니까. 리포터인 나조차도 참석할 수 없어. 어쨌든 아직까지는 그렇지." 그녀는 서둘러 덧붙였다. "4년 뒤 가족 직무 시험을 다시 치를 거야. 이번에는 느낌이 좋아! 다시 본론으로 돌아가서, 내가 말해줄 수 있는 건, 우리의 귀한 어머니들이 가끔 외지인의 방문을 받는다는 거지. 정말로…." 리포터는 가장 적절한 형용사를 찾고 있는 것 같았다. 그사이 모자 위 풍향계는 갈피를 못 잡고 빙빙 돌았다. "정말로 기이한 외지인 말이야. 그는 어디에서도 본 적 없는 가족 능력을 지녔지. 나이도 짐작이 안 가더라고. 아, 내가 문틈 사이로 엿들은 건 아니고." 어찌나 강조를 하는지, 오펠리의 의심은 더 커졌다. "나는 차만 가져다줬어. 그렇지만 우리의 귀한 어머니들이 그 외지인의 조언을 최고로 중시했다는 건 알고 있지. 자주 방문하지는 않았지만, 올 때마다 두아옌들이 새로운 가족법을 투표하고 기존 법을 폐지했으니까. 이런 아름다운 열린 마음을 본받으라고!"

오펠리는 눈썹을 찡그렸다. 방문객이 차 두 잔 마시며 한 조언에 따라 법을 공표한다고? 그건 마음을 여는 것 이상의 일이다. 오펠리는 살해 위협과 곧 있을 결혼으로 이미 충분히 머리가 복잡했다. 하지만 리포터의 말을 비꼬고 싶어서 입이 근질근질한 걸 참을 수 없었다.

"그렇군요. 그러면 두아옌들이 고문서를 옮기고, 도서관을 검열하고, 제가 일하던 박물관을 폐쇄한 결정도 외지인의 조언에 따른 건가요?"

리포터가 툭 튀어나온 눈을 크게 뜨자 순간 곱슬머리 가발을 쓴 개구리처럼 보였다.

"얘, 너는 참 예의도 없고 은혜도 모르는 것 같구나. 박물관은 기록 보관원과 도서관이 한 것처럼 새단장이 필요했어."

"무슨 새단장요?" 오펠리는 걱정스럽게 물었다. "저는 언제나 제 모든 정성을 쏟아 컬렉션을 다루었어요."

"하지만 분별력이 없었지!" 리포터는 다 알고 있다는 듯 자기 안경을 톡톡 건드리며 한숨을 내쉬었다. "그것도 네 서류에서 읽었단다. 파열 이전의 사람들은 진정한 걸작들을 만들기도 했지만 동시에 끔찍한 일들도 저질렀어. 그 끔찍한 일들이 무기나 책의 형태로 계속 이어져왔지. 이렇게 수 세기 전에 만들어진 것들을 젊은이들의 눈앞에 두면, 그들은 쉽게 영향을 받아 마음에 전쟁이 씨앗을 품을 수 있거든. 그래서 우리의 존경하는 어머니들은 본받을 만한 유산들만 기리자는 훌륭한 결정을 내리셨지! 어쨌든 이제 너와는 상관없는 일이야." 리포터가 말을 마치자, 풍향계가 단호하게 오펠리에게서 등을 돌렸다.

오펠리가 손을 너무 세게 맞잡아 장갑에서 끽끽 소리가 났다. 읽기 기술을 갈고 닦은 이유는, 그 어느 때보다 물건의 진실을 탐험하면서 자신의 진실에 가까워졌다고 느꼈기 때문이었다. 과거가 언제나 아름답지만은 않지만, 앞서 이 땅을 거쳐 간 이들의 실수는 자신의 것이 되기도 했다. 오펠리가 삶에서 얻은 교훈이 하나 있다면, 그건 실수가 우리를 일으켜 세우는 데 반드시 필요하다는 것이다.

불현듯 케이블카에서 오펠리를 사로잡은 직감이 떠올랐다. 그것은 아니마에서 두아옌들의 행태와 파루크의 책을 둘러싸고 이곳 폴에 감도는 위협 사이에서 오펠리가 막연히 느낀 공통분모였다. 그 둘 사이에서 어떤 인과관계도 찾지 못했지만, 관련이 있을 거라는 느낌이 마치 송진처럼 그녀의 피부에 달라붙어 있었다.

오펠리가 조금 더 깊이 생각해보려던 찰나 호텔 로비에 날카로운 목소리가 경보음처럼 울려 퍼졌다.

"드디어 만났네! 여기저기 널 찾아다녔다고!"

아가트는 요란한 진주 소리를 내며 종종걸음으로 수하물 카트 사이를 지나 오펠리에게 다가왔다. 그녀는 베르닐드와 똑같은 목걸이, 똑같이 하늘거리는 드레스, 똑같은 클로슈해트, 똑같은 거즈 스카프를 두르고 있었다. 뒤이어 베르닐드가 회전문을 통과했다.

"내 동생, 얼마나 애-타-게 기다렸다고! 안녕하세요 리포터님, 오펠리를 데려가도 될까요?"

리포터도 바라던 바였다. 그녀는 어수선한 틈을 타 풍향계가 새로운 타깃을 찾는 사이 슬며시 자리를 비켰다.

"우리 동생, 여기서 목욕가운 입고 사람들 보는데서 뭐 하고 있어?" 아가트가 두 주먹을 허리에 걸치고 소리쳤다. "정-숙-하-지 못해."

가엾은 아가트의 남편은 지친 기색으로 어린 톰을 안고 부자연스럽게 말하는 버릇이 생긴 부인 뒤를 좇아다녔다. 아가트는 갑자기 연극배우처럼 음절을 끊어 발음하고 새로운 드레스를 입기 시작했다. 베르닐드에 광적으로 빠져서 그녀와 비슷해지기 위해 똑같은 옷을 입고, 똑같은 말투를 사용하고, 똑같이 움직이려고 애썼다.

"마침내 오펠리를 만났어요." 한껏 흥분한 목소리로 아가트가 말을 이었다. "부인, 어디로 가고 싶으세요? 드디어 궁전에 가는 건가요? 이 바위산 말고 다른 걸 보게 되기를 목 빠-지-게 기다리고 있답니다!"

무거운 배 때문에 활처럼 휜 베르닐드가 아가트에게 한없이 관대한 미소를 보이며 말했다.

"친애하는 아가트, 미안한데 아직 아니에요. 실은 동생과 단둘이 얘길 나눴으면 해서요."

"어째서 제가 함께 가지 못한다는 거죠?" 이기드가 분통을 터뜨렸다.

"이번에는 아니에요. 그러니 남편과 톰과 함께 시간을 보내도록 해요." 베르닐드가 부드럽게 타일렀다. (반면 오펠리를 돌아보는 베르닐드의 눈빛은 부드러움과는 거리가 멀었다.) "코트를 입어."

어머니들

베르닐드는 오펠리가 눈처럼 하얀 백마가 끄는 삼두마차에 오르도록 했다. 발키리는 장례 행렬 뒤를 따라갈 채비를 한 때만큼 환한 얼굴을 하고 벌써 자리 잡고 있었다. 오펠리는 마차 뒤에 실린 커다란 여행 가방을 보고 살짝 주저했다. 설마 여행을 떠나려는 건 아니겠지?

호텔을 떠나 시내 산업 대로를 통과하는 삼두마차를 보며 남자들은 귀까지 내려오는 털모자를 벗고, 여자들은 겹겹이 입은 드레스를 들어 올리며 존경의 인사를 올렸다. 베르닐드는 진짜 수호성인처럼 한 명 한 명에게 온화한 미소로 답했다. 사블도팔 골목길을 오르니 베르닐드 이름으로 도배된 지역이 나왔다. 오펠리는 그런 곳이 있는지도 몰랐었다. 벽이며 창문에 '베르닐드 무료 급식소', '베르닐드 호스피스,' '베르닐드 교습소' 등 베르닐드의 이름이 들어간 오래된 간판들이 걸려 있었다. 오펠리가 볼 때마다 호화로운 침대에 누워 잠만 자고 손가락 하나 까딱하지 않던 귀족 베르닐드가 이곳에서는 온 힘을 다해 휴양지의 심장이 뛰게 하는 자선가로 탈바꿈해 있었다.

하지만 그녀의 눈에는 왠지 모를 우수가 떠나지 않았다.

“상의드릴 게 있어요.” 오펠리가 그녀에게 말했다. “제 앞으로 온….”

“여기서 말고” 베르닐드가 오펠리의 말을 잘랐다. “도착할 때까지 기다려.”

오펠리는 힘들어도 참아야 했다. 삼두마차는 임신 중인 베르닐드를 배려해 속도를 조절해서 달렸다. 마차는 도시에서 멀어지는 외곽도로로 들어섰다. 염전을 따라 길게 난 길이 피오르 능선을 타고 올라갔다. 높은 고도에 있는 눈은 결코 녹지 않았다. 얼마 가지 않아 옥색과 은색으로 반반 물들어 있는 전나무 숲이 자태를 드러냈다. 오펠리는 두 발을 둥글게 포갰다. 목도리를 챙길 생각만 하느라 구두는 깜박했다.

도로 한편에는 해안의 천연암반지대 위를 따라 난 성벽 철로가 이어지고, 맞은편 바다의 수면 위로 해안 절벽이 거울에 비치듯 반사되어 보였다. 염도가 너무 높아 플랑크톤과 해초를 제외한 어떤 생명체도 찾아볼 수 없었다. 하지만 바다는 이 지역의 군주였다. 태양 빛이 구름 사이를 뚫고, 수면에 금빛 칼날을 갖다 대자, 풍경이 순식간에 파스텔 톤에서 수채화풍으로 바뀌었다. 매일 보는 광경이지만 오펠리는 언제나 처음과 같은 감동을 느꼈다.

삼두마차가 전나무 숲길을 건너자 매혹적인 풍광도 끝이났다. 마차는 둥근 창이 난 저택의 현관 앞에 멈춰 섰다.

결핵 요양소

방문객 입구

오펠리는 건물 전면 박공에 새겨진 네 단어를 보자 줄행랑을 치고 싶었다.

"우리… 당신 어머니를 만나러 온 건가요?"

오펠리는 그 존재를 까맣게 잊고 있었다. 정말로 말을 건네고 싶지 않은 사람이 있었다면, 바로 그 늙은 배우였다. 오펠리는 베르닐드에게 그녀의 엄마가 토른과 오펠리를 끔찍히 싫어해 목숨까지 빼앗으려 했다는 사실을 아직 털어놓지 못했다. 이 순간 오펠리에게 살해 협박은 하나로 충분했다.

베르닐드는 발키리의 경호를 받으며 여왕처럼 기품있게 요양소로 들어갔다. 만삭의 여인이 어쩜 저리 우아하게 움직일 수 있는지 오펠리는 신기했다. 그녀는 임시로 걸친 외투 아래로 튀어나온 조그만 맨다리가 너무 어색하게 느껴졌다. 티끌 하나 없이 새하얀 실내에 들어서자 눈이 부셔 눈을 뜰 수가 없었다. 온통 커다란 유리와 깨끗한 타일로 된 요양원은 한낮의 햇살로 가득했다. 공기 중에 섞인 소독약 냄새를 맡자 오펠리는 바깥의 송진 향이 그리워졌다.

오펠리는 베르닐드와 발키리 뒤를 쫓아 끝없이 줄지어진 긴 의자들을 지나갔다. 의자 위 노인들은 조각상처럼 꼼짝 않고 햇볕을 쬐고 있었다. 토른의 할머니를 다시 만나면 무슨 말을 해야 할까? '잘 지내셨나요, 부인? 오늘도 저를 죽이실 작정인가요?'

베르닐드는 사람이 한 명도 없는 건물의 별관으로 들어갔다. 커다란 흰 모자를 눌러 쓴 간호사 한 명이 타일 바닥 위로 구두를 또각거리며 다가왔다.

"안녕하세요, 베르닐드 부인. 어머니께서 부인을 보시면 행복해하실 거예요."

"옷가지 몇 개를 챙겨왔어요. 태아에게 어떤 위험도 없는 게 확실하죠?"

"그렇습니다, 부인. 이곳에서는 전염성 없는 호흡기질환을 치료하고 있어요. 그러니 염려 놓으시고 편안하게 머무르시길 바라요."

"함께 호텔로 돌아가지 않는 건가요?" 간호사가 복도를 따라 길을 안내하는 동안 오펠리가 놀라서 물었다.

"너는 돌아갈거야." 베르닐드가 답했다. "이따 설명할게. 우선 엄마와 얘기를 나누고 싶어."

간호사는 조심스럽게 두 번 노크한 뒤 답변을 기다리지 않고 문을 열었다. 베르닐드는 두 손으로 배를 받친 채 안으로 들어가며, 오펠리와 발키리가 따라 들어오기 전에 조심스럽게 문을 닫았다.

"기다려." 열린 문틈 사이로 베르닐드가 속삭였다. "오래 걸리지 않을 거야."

오펠리는 말없이 고개를 끄덕였다. 그녀는 베르닐드 뒤로 순간적으로 뇌리를 떠나지 않을 광경을 보았다. 앙상한 노파가 침대 시트보다 더 창백한 얼굴을 하고 툭 튀어나온 눈으로 천장을 응시하고 있었다. 숨을 쉴 때마다 쇳소리가 들렸다. 토른의 할머니라고 알려주지 않았다면 못 알아봤을 것이다.

충격에 휩싸인 오펠리는 복도를 따라 몇 걸음을 걷다, 커다란 둥근 창가에 걸터앉았다. 불과 몇 분 전까지 이런 여인에게 위협을 느꼈다니….

"할머니 건강이 이렇게까지 안 좋으신지 몰랐어요." 오펠리는 드레스를 바스락대며 따라오는 발키리에게 고백하듯 말했다. "폐가 안 좋으시다는 건 알았지만… 그래도… 그래도 이건…."

그녀는 재채기가 계속 나와 말을 맺지 못하고 몸을 들썩였다.

"받아요."

오펠리는 발키리가 내민 손수건을 눈을 동그랗게 뜨고 바라보았다. 몇 달 전부터 함께 지내왔지만, 발키리의 목소리를 듣는 건 이번이 처음이었다. 오펠리는 그토록 예쁜 작품을 더럽히는 게 미안해, 살짝 코끝만 대고 풀었다. 손수건은 파딩게일 같은 검은 소재에 섬세하게 수를 놓은 것이었다.

"고맙습니다, 부인."

오펠리는 양쪽 볼에 주름이 생기도록 장난스럽게 미소를 짓는 발키리의 모습에 한층 더 놀랐다.

"우리끼리 '부인'이란 호칭은 하지 말죠. 저예요, 아르쉬발드."

"뭐라고?"

오펠리는 교양 있는 숙녀는 절대 '뭐라고?'라는 말은 내뱉지 않는다고 수없이 들었지만, 무례함이 전부 다 용서되는 상황도 있다고 생각했다. 발키리는 오펠리 옆에 자리를 잡았다. 평소엔 몹시 부자연스럽고 품위를 차리던 노부인이 방정맞은 몸짓으로 잔뜩 부푼 드레스를 입고 바둥대는 모습은 현실감이 떨어졌다.

"잠시 이 몸을 빌렸죠. 당신과 단둘이 이야기를 나누기 위해서였는데 그다지 편하진 않네요."

오펠리는 장난기 가득한 눈으로 자신의 맨다리를 훑어보는 발키리의 시선을 보자 한 치의 의심도 남지 않았다. 아르쉬발드가 분명했다.

"어떻게 이런 일을 하실 수 있어요?" 오펠리는 최대한 외투를 끌어 내리며 말을 더듬었다. "다른 사람 몸에 들어간 건가요?"

"맞아요." 아르쉬발드가 발키리의 갈라진 목소리로 답했다. "몸의 소유자가 투알 구성원이고, 그 사람의 동의를 얻을 때만 가능하죠. 시간이 별로 없으니, 제 말 잘 들어요. 클레르들륀의 실종 사건에 대해 개인적으로 알아보는 중이에요. 지금까지 파악한 바로는 상황이 그다지 좋지 않아요."

"그곳에서 무슨 일이 벌어지고 있는 거죠?" 오펠리가 걱정스레 물었다. "의심되는 사람이라도 있나요?"

"뭔가 짚이는 게 있긴 하지만 현재로서는 혼자 알아보려고 해요. 확신이 서지 않는 한 제 가족을 포함해 그 누구에게도 말하지 않을 겁니다."

오펠리는 그의 행동과 몸짓을 언제든 지켜볼 수 있는 사람들 몰래 수사를 진행하기가 쉽지 않겠다고 생각했다. 발키리의 늙은 얼굴에 갑자기 경련이 일었는데, 그러면서도 계속 미소를 띠고 있었다. 오펠리가 이제까지 본 인간의 표정 가운데 가장 기괴했다.

"최대한 몸조심하고 궁정과는 최대한 오래 거리를 두고 지내요."

오펠리가 얼굴을 찡그렸다. 편지를 받은 뒤로 무엇보다 바라던 바였다. 파루크는 자신에게 약속했던 새로운 임무와 관련해 아직까지 어떤 소식도 주지 않았지만, 그 사실은 문제를 해결하는 데 어떤 도움도 되지 않았다. 아르쉬발드를 신뢰해도 될까? 협박받고 있다는 사실을 털어놓아야 할까?

"베르닐드가 앞으로 태어날 아기를 잘 돌보기를 바라요." 아르쉬발드는 오펠리가 고민하는 사이 말을 꺼냈다. "건강한 아이의 대부가 되고 싶거든요! 그리고 제 여동생들이 당신과 떨어지지 않도록 해줘요."

"대사님이 동생들을 억지로 여기 보내신 거잖아요. 제가 동생들을 절대 어떻게 할 수가 없어요. 저와는 말도 섞지 않는걸요."

"당신을 질투하는군요." 아르쉬발드가 갑자기 웃음을 터뜨렸다.

발키리가 말하는 모습을 보는 게 놀라운 정도였다면, 웃는 모습은 가히 충격적이었다.

"질투요?"

"동생들은 제가 왜 당신에게 관심을 보이는지 이해하지 못하죠. 당신이 흥미도 없고, 아름답지도 않다고 생각하거든요."

"아!" 오펠리는 외마디로 답했다. "토른에 관해 들은 소식 있나요?"

발키리는 얼굴을 찡그리며 억지 미소를 지었다. 그녀의 눈꺼풀이 경련을 일으키며 신경질적으로 떨렸다. 아르쉬발드가 들어간 발키리의 몸이 수난을 겪고 있었다.

"토른의 약혼자는 제가 아닌데요. 감독관이 뭘 하고 있는지, 어디에 있는지 전혀 몰라요. 외람된 말씀이지만 감독관님은 결혼보다 실종자들에게 더 신경을 쓰고 있는 것 같아요."

오펠리는 조심스럽게 박동하는 토른의 시계가 들어 있는 외투 주머니에 손을 찔러 넣었다. 덤벙거려서 수없이 시계가 깨지고, 부서지고, 망가질 뻔했지만, 섬세한 기계장치는 아직까지 멀쩡했다. 오펠리는 토른의 침묵을 클레르들륀의 조사 때문이라고 생각해왔다. 하지만 아르쉬발드조차도 그의 행방을 모른다면…. 오펠리는 자기도 모르게 사방으로 종이가 흩날리는 가운데 피범벅이 된 얼굴로 그녀를 향해 총을 겨누던 토른의 모습을 떠올렸다. 그 역시 편지를 받은 거라면?

"여기서 시타시엘로 전화가 연결되어 있지 않아요. 대사님, 관리국에 연락해보실 수 있나요? 그저… 심각한 일이 생기지는 않았는지… 대사님이 확인을…."

발키리가 어찌나 눈썹을 올리는지 이마에 아코디언처럼 주름이 잡혔다.

"아니 정말로? 토른 걱정을 하는 거예요?"

"네, 대사님도요." 오펠리는 어쩔 수 없이 한숨 지으며 말했다. "두 분 모두 제가 걱정할 필요가 있는지 모르겠지만, 어디 가시든지 조심하세요."

오펠리는 발키리가 그녀 쪽으로 몸을 숙여 이마에 입을 맞추고 윙크를 날리자 소스라치게 놀랐다.

"궁정에는 코빼기도 비치지 말아요, 귀여운 오펠리. 그리고 무엇보다 환영을 경계하세요."

"환영요? 환영이 왜요?"

발키리의 얼굴이 창문처럼 다시 굳었고 눈에서 반짝이던 빛은 사라지고, 주름진 손이 파딩게일을 바르게 매만졌다.

"당신의 대화상대는 이제 없습니다."

"이해가 안 돼요." 오펠리가 힘주어 말했다. "아르쉬발드가 무슨 말을 하려던 걸까요?"

"천만다행으로 전 그의 생각을 공유하지 않죠." 발키리가 손수건을 도로 가져가며 말했다. "저는 베르닐드 수행을 위해 고용되었지 당신 말동무나 하라고 고용된 게 아니거든요."

이 말을 남기고 노파는 창문에서 멀어져 다시 위엄있게 침묵을 지켰다. 오펠리는 장갑을 만지작거렸다. 아르쉬발드에게 편지 얘기를 꺼냈어야 했는지도 모른다. 그녀가 부탁한 대로 감독관에게 연락을 할까? 시타시엘은 사블도팔에서 멀리 떨어진 곳에서 떠 있었기에 거울을 통해 갈 수도 없었다. 오펠리는 뒤를 돌아 창밖으로 보이는 침엽수림을 바라보았다. 구름 사이로 햇빛이 들어올 때마다 오펠리의 모습이 창에 비쳤다. 산발머리의 왜소한 여자아이가 안절부절못하는 목도리를 감고, 불안한 얼굴을 하고 있었다.

오펠리는 문을 여닫는 소리가 복도에 울리자 용수철처럼 자리를 박차고 일어났다. 베르닐드였다. 튜브를 붙잡듯 배에 손을 대고 있는 그녀의 얼굴은 너무 창백해 핏기 하나 없었다.

"부인?" 오펠리가 걱정스레 물었다.

"바깥바람을 좀 쐬고 싶어…." 베르닐드는 지친 목소리로 오펠리가 내민 팔을 붙잡으며 말했다. "나와 함께 가줘, 부탁이야. 부인은 거리를 두고 따라오시겠어요?" 베르닐드가 발키리를 향해 덧붙였다. "둘만의 시간을 좀 갖고 싶어요."

오펠리는 걱정스러운 얼굴로 베르닐드를 따라 요양원 밖으로 나갔다. 둘은 아무 말 없이 정원을 걸었다. 베르닐드가 무겁게 팔에 기대고 있어 오펠리는 발에 젖은 풀이 달라붙었다고 푸념할 겨를도 없었다.

"어디 앉지 않으시겠어요, 부인?"

"괜찮다면 조금 더 걷고 싶어."

주위를 살피는 베르닐드의 눈은 평소처럼 크지도 푸르지도 않았다. 베르닐드는 요양원 테라스에 일광욕을 위해 설치해놓은 긴 의자들에 누워있는 실루엣들을 바라보았다. 누군가를 찾고 있는 게 분명했다.

오펠리는 근처에서 갑자기 터져 나오는 웃음소리에 베르닐드가 긴장하는 것을 느꼈다. 한 여인이 간호사가 지켜보는 가운데 잔디밭에서 무릎을 꿇고 하얀 드레스가 젖는 것도 모르고 오디를 따고 있었다. 햇살에 과일을 비춰보며 아이처럼 감탄하고 입 안에 넣고 씹으면서 태어나서 처음으로 세상 최고의 진미를 맛본 사람처럼 함박웃음을 지었다. 긴 금발 머리칼 사이로 드러난 흰머리로 보아 쉰 살 정도 되어 보였다. 그녀는 오펠리가 한 번도 본 적 없는 충격적인 문신을 하고 있었다. 이마에서 턱까지 이어진 커다란 십자가가 얼굴에 그어져 있었다.

베르닐드가 정원에서 찾던 사람이 아이 같은 이 여자인 게 확실했다. 하지만 다가가지 않고 멀리서 지켜볼 뿐이었다.

"난 한 번도 좋은 엄마가 아니었어." 오펠리가 생각지도 못한 말이었다. 베르닐드와 눈을 마주치기 위해 고개를 들었지만, 순수하고 도도한 옆모습만 보일 뿐이었다. 오펠리가 붙들고 있는 팔이 동상처럼 느껴졌다.

"너희 엄마를 흥미롭게 지켜보았어." 베르닐드는 차분히 말을 이어 나갔다. "어렸을 때부터 한 번도 딸에게서 눈을 떼지 않았을 거라고 장담해. 폴 궁정의 관습은 사뭇 달라. 우리는 아이들을 지방에 있는 유모나 교사들에게 맡겨. 아이들이 충분히 큰 뒤에야 사회를 보여주지. 우리 엄마도 날 그렇게 키웠고, 나도 내 아이들에게 그렇게 했어. (베르닐드는 계속 오디를 따고 있는 여인에게 시선을 고정한 채 더욱 힘주어 미소 지었다. 하지만 눈에서는 어떤 기쁨도 느껴지지 않았다.) 토마는 내가 떠나보낸 첫 번째 아이였어. 사건이 벌어졌을 때 난 거기 없었지. 독살당해 유모의 품에서 숨을 거두었어. 그 사건 이후로 내가 조금이라도 바꺼었을 거라고 생각해?" 베르닐드는 차분하고 기품있게 물었다. "물론 아니야. 나만의 슬픔에 빠져, 아직 어린 피에르와 마리용을 멀리했지. 궁정보다는 지방이 안전할 거라고 스스로에게 되뇌면서. 기운 차리고 조만간 데리러 가겠다고 아이들에게 약속했었지."

오펠리는 이미 이 이야기의 결말을 알고 있었다. 하지만 무슨 일이 있어도 베르닐드의 말을 가로막을 수 없었다. 몇 주간 아무 말도 않던 베르닐드가 마침내 오펠리에게 마음을 연 것이다.

"아침에 눈을 뜨면 하루도 빠짐없이 같은 질문을 던져. 약속을 지키는 데 그렇게 시간을 끌지 않았다면 지금 내 아이들은 살아 있을까?"

태양이 구름 뒤에 숨었다. 바람이 잔디를 휩쓸고 지나가며 오펠리의 다리를 얼얼하게 만들었다. 베르닐드의 클로슈해트가 커다란 은방울꽃처럼 날아올랐다. 아이 같은 여인이 모자가 날아가는 모습을 황홀하게 바라보다 과일 따기를 멈추고는 간호사의 만류에도 아랑곳 않고 모자를 잡으려고 몸을 던졌다. 눈썹 하나 까딱하지 않고 앉아 있는 베르닐드의 아름다운 금발이 어깨에서 멋대로 일렁였다.

"복수했어. 범인의 정체가 밝혀지자마자 기꺼이 결투를 신청해 갈가리 찢어놓았지. 한 명씩 차례대로 두 명을." 두 명이라고? 오펠리는 마치 따귀를 맞은 듯 멜키오르 남작의 말이 떠올랐다. '스타니슬라브는 뭐랄까… 좀 특수한 상황에서 부모를 잃었어요.'

"기사의 엄마와 아빠." 오펠리는 중얼거렸다. "그 두 사람이 아이들을 공격한 건가요? 그게 당신이 그들의 영지를 상속받은 이유고요?"

"그 어린 미라주가 그렇게 된 데에는 나도 책임이 있어." 베르닐드는 여전히 온화함을 유지하며 말했다. "그는 항상 내가 자기 삶을 허무하게 만들었으니 그 허무를 채워주기를 기대했지. 곧 절단형이 내려질 거라는 전보를 받았어. 그렇게 되면 궁정에서 먼 곳으로 유배될 거야. 내 삶에서 기사와의 인연도 그렇게 끝나는 거지." (베르닐드는 한껏 우아한 몸짓으로 바람에 실려오는 녹음의 향을 맡으며, 헝클어진 머리를 매만졌다.) "아이들과 함께한 가장 아름다운 추억이 여기 이 도시에, 깊은 숲속에 그리고 이곳 해변에 있어. 지금 내가 유일하게 지키고 싶은 것이야."

아슈 남쪽 지방으로 온 뒤로 베르닐드를 감싸던 우울함의 정체가 무엇인지, 왜 그토록 절실하게 여기에 오려 했는지 이해하는 데 더 이상 아무 말도 필요 없었다. 베르닐드에게는 일종의 성지 순례였다.

오펠리는 베르닐드가 손을 움켜쥐며 배를 감싸는 것을 보고 소스라치게 놀랐다.

"몸이 안 좋아요?"

"그 무엇도 자연의 섭리를 거스를 수 없지. 출산이 임박했어. 자, 날 봐." 베르닐드가 보조개 어린 미소를 지으며 속삭였다. "마침내 다시 엄마가 되는데 난 내가 과거에 저지른 실수에서 어떤 교훈도 얻지 못했어. 방탕하고 문란한 생활을 하면서 습관은 하나도 바꾸지 않았지. 네 이모가 그렇게 가까이서 날 지켜보지 않았다면… (베르닐드는 평온하게 미소 지으며 속삭였다.) 우리 엄마는 곧 돌아가실 거야. 폐 상태가 너무 안 좋아서 며칠 어쩌면 몇 시간밖에 남지 않았어. 엄마 곁에 있어야 해."

"유감이에요." 오펠리는 뭐가 유감인 건지도 모르면서 자기도 모르게 말했다. 이 비극은 최악의 시기에 벌어졌다. 너무나 심란해하는 베르닐드를 보자 걱정을 털어놓을 생각도 사라졌다.

"마음 쓸 필요 없어." 베르닐드가 한층 단호한 목소리로 말했다. "조금 전 사실대로 털어놓으셨어. 일드가르드 부인에게 독이 든 오렌지를 건네 독살 혐의로 사형당할 뻔했던 일 기억하지? 엄마가 벌인 일이었어. 사과는 하지 않으셨어." 베르닐드는 상세히 전해주는 게 낫다고 생각했다. "엄마는 심지어 널 몰락시키지 못한 걸 후회하고 계셔. 그래도 너무 늦기 전에 내게 꼭 고백하려고 하셨어."

"아?" 오펠리는 허를 찔린 듯 말을 더듬었다. "어… 저는…."

평소 할퀴는 기술을 완벽히 구사할 수 있는 베르닐드가 오펠리에게 두통을 유발했다. 베르닐드는 조금도 동요된 기색을 내비치지 않고, 마침내 모자를 잡고 자신이 뭘 하던 참이었는지 생각하고 있는 천진난만한 여인을 멀리서 흥미롭게 지켜보고 있었다.

"젊은 시절 엄마는 두려움의 대상이었지." 베르닐드가 말을 이었다. "엄마에게는 드래곤 가문만이, 드래곤의 미래와 명예만이 중요했어. 나이 드시면서 차분해지신 줄 알았는데 엄마의 위선에 놀랐어. 널 해치려 한 거 절대 용서하지 않을 거야…. 나 스스로 그랬다는 것을 용서하기도 벅차거든."

베르닐드가 마침내 시선을 아래로 향하며 바라보자 오펠리의 심장이 터질 듯 뛰었다. 오펠리는 어둡게 돌변한 베르닐드의 눈빛이 한 번도 자신을 향한 적이 없음을 깨달았다.

"용서해줘, 오펠리. 널 억압하고, 몰아붙이고, 나무랐던 모든 순간을. 그날 저녁 연극 무대에서 네가 파루크에 맞섰을 때, 언제나 우리 둘 중에서 더 강한 사람은 너였다는 걸 깨달았어. 네게 겸손함을 배웠다는 게 조금 씁쓸하지만 결국 인정하기로 했지. 내가 너를 보호하고 있다고 자부했는데 실은 네 도움이 필요할 것 같아."

"제 도움이요?"

베르닐드는 오펠리보다 매력도, 힘도, 영향력도 한 수 위였다. 오펠리가 어떤 식으로든 도움이 된다는 것을 상상하기 어려웠다. 오펠리는 베르닐드가 다정하게 자신의 손을 가져가 그녀의 배 위에 올려놓도록 내버려두었다.

"이름을 지어줘."

"제가요? 그건 대부가 하는 게…."

"아니. 아르쉬발드가 아니라 바로 오펠리 네가 선택한 이름을 원해. 내 아이의 대모가 돼줘."

오펠리의 안경이 감정에 북받쳐 붉어졌다. 얼마나 당황했는지 들키지 않으려고 안간힘을 썼다. 아무도 그녀에게 이토록 막중한 책임을 맡긴 적이 없었다. 아가트조차도 자기 여동생이 아기를 안기에는 너무 어설프다고 생각해 이모에게 맡기는 편이었다.

"여자아이 이름." 베르닐드는 배를 어루만지며 말했다. "아기가 태어나기 전부터 항상 그런 것들을 느낄 수 있어. 이게 무슨 의미인지 알겠어?"

오펠리는 대답하지 않았다. 머릿속이 너무나 복잡해 어떤 것에도 온전히 집중할 수 없었다.

"폴에서는 남자아이들이 전 재산을 상속받지." 베르닐드가 설명했다. "배 속 아기가 여자이기 때문에 앞으로는 토른이 비공식적으로 드래곤의 재산을 소유하게 되는 거야. 토른이 파루크 폐하와 맺은 계약을 이행해 사생아 신분이 소멸되면 그가 정식 소유주가 되는 거지."

"그럼 부인은요? 부인의 딸은요?"

"아, 그 점에 대해서는 걱정하지 않아. 토른이 우리에게 필요한 걸 마련해줄 거야. 게다가 시타시엘 저택은 내 소유로 남지. 그럼 오펠리, 내 아이의 대모가 되어주겠어?"

"그게 말이죠, 부인… 그건 막중한 책임이에요."

"넌 내가 아는 사람 중 가장 책임감 있는 사람이야. 부탁이야, 오펠리. 내가 더 좋은 엄마가 되고, 파루크 폐하가 더 좋은 아빠가 될 수 있도록 도와줘. 그리고 무엇보다도 토른을 도와줘." 베르닐드의 목소리가 갑자기 갈라졌다. 그녀는 애원했다. "토른이 많이 걱정돼. 가끔은 그 아이를 전혀 모르겠다는 느낌도 들어. 머릿속으로 어떤 생각을 하고 있는지는 모르지만, 나머지는 날 믿어. 내가 토른 자신보다 그를 더 잘 아니까. 그에게 정말로 필요한 건 네 손이 아니라 네 마음이야."

오펠리는 횡설수설하며 말을 더듬었다. 그동안 베르닐드에게 인정받지 못할까 봐 걱정해오던 오펠리는 이제 기대감에 짓눌리는 것 같았다.

"안타깝게도 지금은 널 도울 수 없어." 베르닐드가 오펠리 뺨에 손을 갖다 대며 한숨지었다. "땅에 묻어야 할 엄마와 세상에 낳아야 할 아기가 있거든. 호텔에서 날 얌전히 기다려줘. 내가 없는 동안 발키리가 널 지키기 위해 같이 가면 좋겠는데, 투알에서 그녀를 보낸 이유가 아기를 보호하는 것이라서. 하지만 결혼식 날 함께 있겠다고 약속해. 머지않아 넌 아니마 정신에 더해 토른의 할퀴기 공격까지 갖추게 될 거야. 적에게서 자신을 지키기 위해 어떻게 사용해야 하는지 내가 가르쳐줄게."

오펠리는 미소를 지어보려 애썼지만 별다른 효과가 없었다. 베르닐드는 마치 어린아이를 달래는 어른처럼 자신의 두 손을 오펠리의 어깨에 얹었다.

"법이 허락한다면, 내가 가진 집안 능력을 주고 싶어. 처음부터 내가 강력한 힘을 지녔을 거라고 생각할 수 있겠지만, 어렸을 때 내 공격력은 남편의 할퀴기 공격과 결합하기 전까지는 별볼일 없었지. 기증 의식은 언제나 같은 능력을 두 배로 강력하게 해준다는 장점이 있어. 네 아니마 정신과 토른의 능력이 합쳐졌을 때 생겨날 시너지를 얕보지 마. 아마 그 결과에 놀랄 거야."

오펠리는 코앞에 십자가를 새긴 얼굴이 다가오자 기겁했다.

이이 같은 여인이 간호사의 차분한 지시에 따라 오펠리에게 베르닐드의 모자를 건넸다.

“고맙습니다, 부인.” 오펠리가 모자를 받으며 소심하게 인사를 건넸다.

여인의 문신은 가까이서 보니 더욱 놀라웠다. 수직으로 그은 선이 너무 두꺼워 코 전체를 덮었고, 가로선은 늑대처럼 두 눈을 뒤덮었다. 이렇게 선이 그어져 있지 않았다면 훨씬 멋진 얼굴이었을 것이다. 흰머리가 섞인 금발에 새하얀 드레스 차림을 한, 피부가 창백한 이 여인에게서 까만 십자가밖에 보이지 않았다. 어린아이 같은 그 여인은 어떤 거리낌도 없었다. 오펠리에게서 시선을 거두자마자 곧바로 오펠리의 존재를 잊고 새로운 욕망에 사로잡힌 듯 잔디밭 위를 뛰어가며 멀어졌다.

“맞아.” 베르닐드가 한결 밝아진 목소리로 말했다. “오펠리, 저분이 바로 토른의 엄마야.”

카라반

일 년 중 절반이 아침처럼 환한 밤을 유지하는 아슈에서 잠을 청하기란 쉽지 않다. 하지만 오펠리가 호텔 방 작은 침대에서 눈을 붙이지 못하는 데는 다른 이유가 있었다. 온 자연이 이 방에서 만나기로 약속한 듯, 바닷소리, 바람 소리, 흰 올빼미 울음소리, 벽 안쪽에서 찍찍대는 나그네쥐 소리가 들려왔다. 엎친 데 덮친 격으로 코까지 막혀 숨도 편히 쉴 수 없었다. 온종일 맨발로 돌아다니다 된통 몸살이 난 것이다.

깨어 있는 내내 오펠리는 눈을 감고 어둠 속에서 십자가 그어진 얼굴을 떠올렸다. '당신도 나도, 결코 그 여자를 알 수 없을 거야.' 언젠가 오펠리가 어머니에 대해 묻자 토른은 이렇게 대답했었다. 오펠리는 이제야 그 말을 이해하게 되었다. 절단형이 내려진 토른 어머니 얼굴에는 화장이나 환영으로도 가릴 수 없는 치욕의 흔적이 문신으로 새겨져 있었다.

'다른 크로니쾨르와 마찬가지로 토른 어머니는 기억에 관한 능력을 지녔었지.' 베르닐드가 요양원 정원에서 설명했다. '클랜을 잃으면서, 집안 능력도 잃었어. 그렇다고 너무 가여워하지

는 마. 그녀가 죄책감을 느껴야 하는 죽음이 하나는 아니니까.'

과거도 미래도 없이 영원히 현재에 갇힌 무해한 생명체가 두려움의 대상이었다는 것을 상상하기 어려웠다. 베르닐드는 오펠리에게 15년 전 토른의 어머니가 어떻게 자신의 몰락에 크로니쾨르 전체를 끌어들였는지 들려주었다. 크로니쾨르의 첫 번째 임무는 오펠리의 가족과 마찬가지로 집단의 기억을 보존하고 전달하는 일이었다. 오랜 재판을 통해 크로니쾨르들이 자신들의 지위를 남용해 어떻게 과거를 왜곡했고, 다른 이들의 업적을 도용했는지가 밝혀졌다.

토른의 어머니가 대역죄를 저지르지 않았다면 크로니쾨르들은 법원의 경고를 받고 끝났을 수도 있었다. 그녀는 애첩의 지위를 이용해 집안 정령의 메모를 위조했고, 그로 인해 모든 궁정 사람이 파루크의 총애도 잃고, 신뢰도 잃게 되었다. 토른 어머니의 행위가 발각되어 재판이 열리고 전락되지 않았다면 상황이 훨씬 더 악화됐을 수도 있었다.

'내가 절대 용서할 수 없는 것은.' 베르닐드는 증오감을 숨기지 못하고 말했다. '그 여자가 토른에게 한 짓이야. 내 오빠를 유혹해 아이를 갖고, 자기 혈통을 강화하고, 크로니쾨르들이 우리 사냥꾼의 능력까지 겸비하기를 원했지. 토른이 약하게 태어난 것을 알고는 내버리기 좋은 물건처럼 친자식을 대했어.'

오펠리는 토른 가족 중에서 부모님을 충격에 빠뜨리지 않고 소개할 만한 이가 있을까 궁금했다. 그녀는 두아옌들이 아니마에서 벌인 일들이 크로니쾨르들의 기억 조작과 어떻게 다른지 생각했다.

정적이 흐르는 가운데 회중시계의 째깍대는 소리만이 들렸다. 오펠리의 머릿속은 이내 십자가 낙인이 찍힌 얼굴 대신 한 알 한 알 끝없이 떨어지는 모래시계 이미지로 가득 찼다.

인생의 모래시계. 기한은 8월 1일까지다.

오펠리는 어떠한 단서도 발견하지 못한 협박 편지를 석탄 난로에 버리기로 결심했다. 발신인은 읽는 여자의 한계를 분명히 알고 종이에 어떤 지문도 남기지 않았다. 오펠리는 최후통첩에 어떻게 답해야 할지 몰랐다. 만약 파혼한다면 오직 혼자서 그 결과를 감당해야 했다. 이번에는 파루크에게 관대함을 바랄 수 없을 것이다. 파혼하지 않는다면 헌병 대장과 니베룽겐 편집장과 같은 운명을 맞게 될 것이다. 선택의 여지가 있다고 보기 힘든 상황이었다. 결정을 내리는 데 48시간밖에 남지 않았다. 인생의 모래시계에 담긴 48개의 모래알.

모래시계 이미지를 떨쳐내기 위해 눈을 비비자 붉은 외투에 검은 샤프카를 쓴 여인의 이미지가 떠올랐다. 오펠리는 덧문을 닫다가 창문 바로 밑을 지나가고 있던 붉은 외투의 여인을 발견했다. 창가에서 자신을 쫓는 시선을 느낀 즉시 연기처럼 사라졌다. 오펠리는 이제 감시받고 있다는 사실을 분명히 알게 됐다.

신은 이 결합을 반대하오.

오펠리는 협탁 위에 놓인 회중시계를 바라보았다. 덮개가 반짜였다. 토른은 오펠리가 단지 두 손만은 의미하지 않는다고 안심시켰었다. 홀로 불안에 몸서리치고 있는 지금 토른은 어디 있는 걸까? 오펠리는 완벽하게 낯선 타인과의 결혼이 임박했다는 아찔한 느낌을 떨쳐내지 못했다. 그나마도 결혼 전에 사라지지 않았을 때 가능한 얘기지만.

'앞으로 내가 의심스러우면 이걸 읽어.'

오펠리는 망설이면서 수면 장갑을 벗고 시계를 향해 팔을 뻗었다. 주인이 허락했으니 시계를 만지는 게 절대로 잘못된 일은 아니지 않나? 오펠리는 토른이 이번에도 자신에게 거짓말한 게 아니라는 확신하기 위해 그저 몇 초만 읽어볼 생각이었다.

그러다 허공에서 주먹을 쥐었다. 아냐, 이렇게는 아니야. 이건 신뢰를 쌓는 최악의 방식이었다.

오펠리는 흔들리지 않기 위해 시계를 등지고 누워 베개에 얼굴을 묻었다. 왜 토른은 어떤 기별도 주지 않는 걸까? 왜 사람들은 이토록 두 사람의 결혼을 두려워하는 걸까? 왜 귀족들은 아무 흔적도 남기지 않고 사라졌을까? 왜 아르쉬발드는 갑자기 환영을 경계하게 된 걸까?

"나랑은 왜 아무것도 같이 안 해?"

침대에서 몸을 일으킨 오펠리는 안경을 쓰고, 어두컴컴한 방에서 주의 깊게 쳐다보고 있는 엑토르의 얼굴을 가만히 보았다. 엑토르는 자신과 성장을 같이 한, 가장 좋아하는 흰 깃의 파란색 파자마를 입고 있었다. 오펠리와 달리 엑토르의 옷차림은 한 번도 흐트러진 적이 없었다. 신발 끈은 알아서 묶이고, 해진 옷이 알아서 수선됐다. 주머니 가득 온갖 물건을 숨겨도 결코 볼록해지는 일이 없었다. 엑토르는 옷가지들뿐 아니라 호텔의 열쇠 문까지도 복종하도록 만들었다.

"누나들과는 온천도 같이 가고, 베르닐드 부인과는 산책도 하면서, 왜 내 차례는 안 오는 거야?"

"할 말 있으면 해." 오펠리가 토른의 시계를 확인하며 말했다. "왜요님께서 새벽 5시 12분에 내게 무슨 용건이 있어서 온 거야?"

"어제 저녁 호텔 게시판에서 이걸 봤어."

엑토르는 구겨지고 찢긴 커다란 벽보를 내밀었다.

마침내 폴에 상륙
카니발 카라반!
다양한 집안들이 선보이는
세상에서 가장 아름다운 공연을 보러 오세요!

오펠리는 갑자기 아련한 추억에 잠겼다. 카니발 카라반은 전 세계 방방곡곡에서 온 남녀로 구성된 이동식 서커스로, 아슈를 돌며 순회공연을 했다. 마지막으로 아니마에서 공연했을 때를 어린 학생이었던 오펠리는 황홀한 기억으로 간직하고 있었다.

"가족들이 구경 갔을 때, 난 태어나지도 않았잖아." 엑토르는 오랫동안 억울하고 안타까운 일을 당한 사람처럼 말했다. "왜 날 데려가지 않는 거야?"

잠시 망설이던 오펠리는 남동생과 서커스를 가고 싶고 또 갈 필요가 있다는 것을 깨달았다.

"같이 가자, 너랑 나 둘만." 오펠리가 약속했다.

카니발 카라반은 근처 피오르 하구의 아스가르시(市) 인근에 설치되었다. 사블도팔에서는 배를 타고 30분이면 도착하는 거리였다. 처음에는 엑토르와 외출하기를 잘했다고 생각했지만, 동생을 찾아 이 부스 저 부스 뛰어다니다 보니, 어른들과 함께 오지 않은 게 후회되었다. 오펠리의 남동생은 비누보다 더 잘 빠져나갔다! 세레니심 예언가의 곤돌라에 살짝 들어갔다가, 이내 플롱보 연금술사의 사진 아틀리에 앞에서 사라졌다가, 파라옹 재즈 듀오의 피아노 밑으로 숨었다가, 시클로프 염력가 의자 위에서 공중 부양을 하고 있었다. 카라반은 다채로운 가족 능력들을 보여주었고, 호기심이 왕성한 엑토르는 만나는 사람마다 붙잡고 '왜요?'라고 물었다.

"어라?" 르나르가 심령술사 부스 앞을 지나는 오펠리를 보며 놀라워했다. "축제를 제대로 즐기고 계신가요?"

르나르는 키메라 우리 앞에서 조련사와 얘기를 나누던 중이었다.

"별로요." 오펠리가 답했다. "동생을 찾는 중이에요."

"또요? 저, 아무래도 동생에게 목줄을 달아야 할 것 같아요. 당신 이모나 엄마에게 잔소리 듣고 싶지 않거든요. 오늘은 제가 여러분 두 사람을 책임져야 해요! 이 멍청이까지 셋이요." 르나르가 앙두이의 목덜미를 흔들며 투덜거렸다. "키메라 우리에 들어가려는 찰나에 요녀석을 잡았죠. 토테미스트 부인이 거기 계시지 않았더라면….”

조련사가 입이 귀에 걸리도록 미소지었다. 밤처럼 검은 피부에 태양처럼 빛나는 금발이 환상적인 여인이었다.

“동생 하나도 제대로 간수 못 하는데.” 오펠리가 한숨을 쉬며 말했다. “베르닐드가 생각하는 것처럼 정말 좋은 대모가 될 수 있을까요?”

“자, 그런 걱정은 하지 마요.” 르나르가 곧바로 환한 미소로 답했다. “저기 동생이 보여요. 티탄의 거인 집에 있네요.”

르나르는 키 작은 왜소한 남자가 있는 연단을 가리켰다. 그는 커다란 거울 달린 옷장을 아무 무게도 느껴지지 않은 듯, 한 손으로 들어 올리고 있었다. 점잖게 손뼉 치는 관객들 사이에 엑토르가 있었다.

관객과 구경꾼 몇 명을 제외하면 부스나 트레일러 사이를 오가는 사람들은 많지 않았다. 대부분이 번쩍이는 옷을 입고 스팽글 가면을 쓴 공연자들이었다.

오펠리는 저 멀리 피오르 외곽을 따라 길게 이어진 키 큰 전나무들보다 더 높이 솟아 있는 거대한 성벽 철로를 바라보았다. 다행히 카라반은 야수들이 접근하지 못하게 보호를 받고 있었다.

“인기 좋네요.” 오펠리는 르나르에게 말했다.

오펠리는 조금 전 아름다운 조련사가 르나르에게 유혹하는 윙크를 날리는 것을 보았다.

“당연하지, 얘. 날 뭘로 본 거야?” 르나르가 앙두이를 머리 위에 올려놓으며 히죽댔다. "그걸 모르는 못된 여자가 딱 한 명 있긴 해. 내가 몇 년 동안 눈독을 들였는데! 결국에는 그녀도 내 앞에 무릎을 꿇겠지."

오펠리는 생각에 잠겨 구름 사이로 투명 무늬처럼 잔잔하게 빛나는 태양을 바라보았다. 르나르는 클레르들륀을 떠난 뒤로 가엘에게 수많은 편지를 보냈으나, 한 번도 답장을 받지 못했다.

"저도 가엘이 그리워요." 오펠리가 르나르에게 말했다.

오펠리는 아르쉬발드가 자체적으로 조사를 벌이고 있다는 얘기를 들은 뒤로 가엘이 무척 걱정된다는 말을 하려다 참았다. 클레르들륀 실종사건을 조사하다 직원들을 자세히 살펴볼 수도 있을 것이다. 메르 일드가르드의 기술자가 귀족들을 싫어할 충분한 이유가 있으면서 동시에 그들의 능력을 무력화할 수 있다는 걸 알게 되면 어떻게 될까? 가엘은 유력한 용의자로 떠오를 것이다. 오펠리는 이런 말을 르나르에게 스스럼없이 할 수 있기를 진심으로 바랐지만, 가엘에게 그녀의 비밀을 누구에게도 말하지 않겠다고 약속했었다.

"전락한 귀족이 당신을 미행하고 있네요."

르나르는 고양이를 머리 위에 얹혀 놓고, 여전히 미소 짓는 얼굴로 신발에서 모래를 터는 척하며 말했다. 오펠리는 놀란 표정을 감추려 애썼다. 그러다 길게 설치된 수족관을 누비는 발광 물고기들에게 갑자기 관심을 보였다.

"붉은 외투를 걸친 여인." 르나르는 아무렇지 않은 척하며 말했다. "제피르의 병풍 주변. 외람될지 모르겠지만 계속 당신 꽁무니를 좇아다니는 게 보여요."

"저 혼자만의 착각이 아니었군요." 오펠리는 수족관에서 눈을 떼지 못한 채 말했다. "왜 전락한 귀족이라고 생각하는 거죠?"

"사람들 눈에 띄지 않으려고 아무것도 안 하고 있다가, 조금 가까이서 지켜보려 하면 사라져버려. 얘야, 그게 투명 인간이 아니라면 뭐겠어."

"보이지 않게 하는 능력?"

르나르는 빛을 뿜는 물고기에 정신이 팔려 프록코트 소매를 야슬야슬하게 내려가는 앙두이를 다시 자신의 빨강 머리 위에 올려놓았다.

"보이지 않는 환영을 불러 넣지. 이런 일은 항상 머릿속에서 벌어지거든."

오펠리가 고개를 끄덕였다. 오래전부터 파루크의 집안 능력은 전파송수신기가 작동하듯 정신과 정신 사이에서만 일어난다는 것을 알고 있었다. 아니마 정신과는 달리 물질에 대해서는 어떤 실제적인 효과도 없었다.

"이 투명 인간이 계속 거리를 유지하면 좋겠어요."

"다가온다." 르나르가 씩씩댔다. "내가 가족 능력이 없지, 근육이 없는 건 아니거든."

오펠리 코에서 콧물이 줄줄 흐르기 시작했다. 그녀는 손수건을 꺼내 코를 푸는 틈을 이용해, 재빨리 병풍 쪽을 쳐다보았다. 반짝이 옷을 입고 작은 회오리바람에 설탕을 뿌리는 소녀 외에는 아무도 보이지 않았다. 투명 인간이 정말로 그곳에 있는 거라면, 제대로 능력을 발휘하고 있었다.

“전락한 자들은 원래 시민권이 없어요.” 오펠리가 말을 이었다. “그런데 요양원에서 토른의 어머니를 만났고, 붉은 외투의 여인은 원하는 곳이면 어디든 다니고 있어요.”

르나르는 익숙한 몸짓으로, 한 걸음 한 걸음 다리 밑으로 내려가는 앙두이의 목덜미를 가볍게 잡아 다시 머리 위 부드러운 둥지에 올려놓았다.

“내가 그 문제에 대한 전문가는 아니지만, 우리가 이 지방에 온 뒤로 몇 가지 이상한 점들이 눈에 띄어요. 예를 들어 사블도팔 구두 가게에서 안창만 대충 손보려 했는데, 내가 뭘 하고 있는지 알아차리기도 전에 새 신발을 두 켤레나 샀더라고요. 그러고 나서, 저…. 음… 쉬운 여자도 있었어요, 무슨 말인지 알죠? 끝내주게 예쁜 여자가 글쎄 길에서 내게 접근해오지 뭐예요! 정중히 거절했죠. 왜냐, 난 이미 예약된 몸이거든요. 믿거나 말거나 그녀가 내게 관심을 뚝 끊은 순간, 갑자기 그녀의 모든 매력이 사라져버리는 거예요. 그리고 카드 게임을 하는데 내가 이겨서 판돈을 달라고 하자, 날 완전히 꿈나라로 보낸 녀석도 있었고요. 그가 날 이상한 눈길로 보면서 미안한 듯 미소를 짓더니 갑자기 짠! 하고 잠에 빠진 거죠. 아무튼 이렇게 이상한 이야기들을 끝도 없이 들려줄 수 있어요.”

“그들이 모두 전락한 자들이라고요?” 오펠리가 깜짝 놀라 물었다.

“꼭 순수 귀족 혈통은 아니더라도 여기저기 능력의 흔적이 남아 있죠. 페르쉬아지프와 나르코틱만 봐도 궁정 놀음하던 시절에는 꽤 두려운 클랜들이었거든요. 그런데 지금은 다 옛말이 됐죠. 투명 인간들도 마찬가지고요. 이제는 그들이 왜 전락했는지 정확히 기억하는 사람도 없죠."

오펠리는 르나르와 대화를 계속하고 싶었지만, 남동생이 또다시 없어진 걸 깨달았다.

"엑토르 찾는 것 좀 도와줄래요?" 오펠리가 물었다.

르나르가 번개 공으로 저글링을 하는 파이로키네시스트들에게 말을 걸고 있는 사이, 오펠리는 연막 화초 온실을 뒤졌다. 향연기를 사방에 자욱하게 뿜는 거대한 꽃들 사이에서 어린 동생 찾기란 쉽지 않았다. 오펠리는 머리에 꽃잎을 가득 매달고 눈물을 흘리며 온실 밖으로 나왔다.

오펠리가 다음 천막으로 시선을 돌렸을 때, 한 명이 아닌 두 명의 엑토르가 눈에 들어왔다. 두 명의 엑토르는 재미있다는 듯 호기심 가득한 눈으로 서로를 바라보고 있었다.

둘은 똑같은 동작으로 오펠리 쪽으로 몸을 돌렸다. 오른쪽에 있던 엑토르의 머리카락이 쑥쑥 길어지고 키가 몇 센티미터 더 커지더니 이내 오펠리와 쌍둥이 같은 모습으로 변했다. 오펠리는 비범한 변신술사인 천의 얼굴을 마주하고 있음을 바로 알아차렸다.

"이게 단연코 내 최애야." 엑토르는 평소대로 침착하게 말했다. "천의 얼굴은 누구든 따라 할 수 있어. 근데 누나 몰골이 왜 그래?"

"널 찾아서 계속 뛰어다녔거든." 오펠리가 나무라듯 말했다. "조금 있으면 배 타고 돌아갈 거니까 멀리 가지마."

천의 얼굴이 하는 묘기를 처음 본 것은 아니었지만, 자신의 분신이 뚫어져라 쳐다보자 너무 혼란스러웠다.

"너는 나의 인연." 갑자기 천의 얼굴이 말했다.

"그게 무슨 말이죠?" 오펠리가 놀라 물었다.

그는 오펠리의 외모뿐만 아니라, 조곤조곤 말하는 모양새까지 똑같았다. 하지만 그의 말은 이해할 수 없었다.

"너는 낯이 익어." 천의 얼굴이 고쳐 말했다. "네 얼굴이 낯익어. 우리 어디선가 봤어."

질문이 아니라 사실을 확인하는 말투였다.

"아니마에서 공연했을 때요." 오펠리는 진심으로 놀라며 답했다. "전 아주 어렸었지만, 그때도 당신 능력이 정말 대단하다고 생각했었어요, 부인… 음… 아저씨."

플래시에 눈이 부셨다. 엑토르가 목에 걸고 있던 커다란 사진기에서 나온 빛이었다.

"이거 어디서 났어?" 오펠리가 반쯤 눈이 먼 상태로 엑토르를 데리고 천의 얼굴 천막을 나서며 물었다.

"플롱보 연금술사가 영원히 돌아가는 내 팽이와 바꿔줬어. 즉석카메라야, 이것 봐. (엑토르는 카메라가 요란한 소리를 내며 막 뱉어낸 인화지를 흔들더니 인상을 찌푸렸다.) 쳇, 내 사진들은 왜 항상 이 모양이야?"

사진 속에는 두 명이 아닌 네 명의 오펠리가 둘은 제대로, 나머지 둘은 반대로 있었다.

"에코 때문일 거야." 오펠리가 설명했다. "호텔 전신 기사가 말해줬는데, 요즘 계속 에코가 생겨서 기계들이 말썽인가 봐. 아마 자기폭풍 비슷한 걸 거야."

오펠리는 하늘에 갑자기 구름이 낀 것 같아 고개를 들었다. 구름 대신 토른의 침울한 얼굴이 눈에 들어오자, 그녀는 헛것을 봤다고 생각했다.

전락한 자들

“도대체 여기서 뭣들 하는 거야?”

토른이 다짜고짜 물었다. 앙상한 뼈가 드러나는 간소한 제복 차림에, 다크 서클이 내려앉은 얼굴을 잔뜩 찡그리고 있는 토른은 옆 부스의 주술사보다 더 음산한 분위기를 풍겼다. 바람에 나부끼는 엄청난 양의 서류 뭉치를 손에서 놓치지 않으려고 안간힘을 쓰고 있었다.

볼거리와 아이들로 가득한 이곳에서 토른을 만날 거라고는 짐작조차 못 한 오펠리는 기계적으로 대답했다.

“동생에게 서커스 보여주려고.”

“고모도 같이 왔어?”

“아니, 사블도팔에 계셔.” 오펠리가 머뭇거리며 말했다. “그러니까 요양원에 있어. 당신 할머니 건강이 너무 안 좋아져서.”

오펠리는 순간 그의 어머니 얘기를 꺼낼까 망설였으나, 토른은 그럴 틈도 주지 않았다.

“호텔로 돌아가.” 토른이 엑토르에게 눈길도 주지 않고 명령했다. “서커스 단원들은 합법적으로 여기 있는 게 아니야. 아직도 88명의 신분증과 직업 체류증 3부가 부족해. 동물들은 말할 것도 없고."

토른은 이렇게 말하고 서류를 가죽 가방에 정리하려고 했으나, 바람에 종이가 사방으로 흩날려 애를 먹었다.

오펠리는 그들이 기적 같은 우연으로 만난 것이 아님을 깨달았다. 토른은 이슬비에 반짝이는 '감독관 사무실' 깃발이 내걸린 맞은편 카라반에서 막 나오던 참이었다. 오펠리는 안도와 실망과 분노가 뒤섞인 복잡한 심정으로 토른이 정말 이곳에 서 있을 뿐 아니라, 그녀 앞에 완벽히 건강한 상태로, 그것도 흥을 깨러 왔다는 사실을 깨달았다.

"당신 일 때문에 이 사람들을 귀찮게 할 필요가 있을까?" 오펠리는 나무라듯 말했다.

토른은 해변 위를 떠다니는 색색의 기구들을 보며 눈살을 찌푸렸다.

"신분증 검사는 반드시 필요해. 요즘 같은 때는 더더욱…."

토른이 말을 마치기도 전에 섬광이 터졌다. 그는 격렬하게 눈꺼풀을 부르르 떨며 자신의 눈을 멀게 만든 빛이 어디서 나왔는지 찾다가 엑토르를 보았다.

"이 흉터들은 어쩌다 생긴 거예요?"

"가만있어." 오펠리가 동생의 어깨에 손을 올리며 속삭였다. "외모에 대해서 왜냐고 물어보지 말라고 했던 거 기억해?"

엑토르는 고장 난 사진기를 주머니에 넣고서 토른의 큰 키에 전혀 주눅 들지 않은 채, 평온하게 토른을 올려다보았다.

"실없이. 그런데 당신은 왜 이렇게 얄미운 거죠?"

동생의 입에서 그런 말을 처음 들은 오펠리는 당황해 어쩔 줄 몰랐지만, 토른은 무덤덤할 뿐이었다. 그는 서류 가방을 손에 들고 지루하다는 듯 다른 곳을 바라보았다.

"동생에게 끝났는지 물어봐주겠어?"

"직접 물어봐." 오펠리가 말했다. "얘도 당신이 하는 말 이해하니까."

오펠리는 왜 소식이 없던 토른을 그토록 걱정했었는지 점점 기억나지 않았다.

"아이들과는 말을 섞지 않아." 토른이 엑토르의 집요한 시선을 피하며 응수했다. "하지만 당신과는 잠시 그러고 싶군. 동생은 저쪽 가서 놀라고 하고, 당신은 가까이 와." 토른이 느닷없이 큰 목소리로 명령했다.

토른은 더없이 행복한 표정으로 웃음성(城) 밖으로 나오고 있는 르나르를 발견했다. 이곳에서 토른을 만난 사실에 놀라기는 커녕 그에게 환하게 미소 짓는 걸로 보아, 르나르는 아직도 황홀감에 젖어 있는 것 같았다.

"이 아이를 데리고 한 바퀴 돌아요."

"몇 걸음 뒤에 있겠습니다." 르나르가 토른에게 의미심장하게 윙크하며 말했다. "걱정하지 마세요, 너무 쳐다보지는 않겠습니다. 하여간 사랑이라는 감미로운 정열에 사로잡혀 날뛰는 심장을 진정시키기가 쉽지 않죠!" 르나르는 손끝으로 열정적인 키스를 날리며 과장된 말투로 말했다.

오펠리는 불편함을 숨기기 위해 손수건에 얼굴을 묻고 코를 풀었다. 마침내 둘만 남게 되자 토른은 오펠리를 차가운 시선으로 보았다. 바람에 헝클어진 머리칼이 습기에 젖어 반짝이자, 그 어느 때보다 신경이 곤두선 것처럼 보였다.

"당신이 안전하게 지낼 수 있도록 애쓰는 중이니 일을 복잡하게 만들지 말고, 호텔에 꼼짝 않고 있어주면 고맙겠어."

"일을 복잡하게 만들지 말라고?" 오펠리는 어이가 없었다. "우리 부모님께 좋은 인상을 남겼어야 했던 사람은, 그래서 일을 복잡하게 만들지 말았어야 했던 사람은 바로 당신이야. 아직 부모님께 인사도 안 드렸잖아. 다시 말하지만 우리는 나흘 뒤 결혼해."

"동시에 여러 곳에 있을 수 없어. 연례 지방감사가 시작됐어." 토른이 서류 가방을 가리키며 말했다. "여기 있지 말자." 토른이 속삭였다.

오펠리는 자신보다 두 배나 넓은 보폭으로 걷는 토른을 따라가기가 버거웠다. 자동으로 연주하는 거대한 피아노 앞에 도착하고 나서야 토른이 물었다.

"메시지는 무슨 내용이었어?"

"무슨 메시지?"

"어제 받은 편지."

"어떻게 알았어?"

"소식통이 있어. 그래서 무슨 내용이야?"

"당신과 결혼을 해서도, 궁정으로 돌아가서도 안 된대."

"누가 보낸 거지?" 토른은 오펠리의 답을 무시하고 질문을 이어갔다.

오펠리는 격렬히 울려대는 음악과 덜컹대는 피아노 기계장치 때문에, 토른의 말을 듣고 자신의 말을 전달하기 위해 안간힘을 써야 했다.

"모르겠어. 글은 타자로 쳤고, 편지는 핀셋으로 집었지. 내 손으로 읽을 수 없어. 이번이 두 번째 편지야. 굵은 글씨로 '**신은 이 결합을 반대하오**'라고 적혀 있었어." 오펠리는 목이 아파왔다.

토른은 잠시 침묵한 뒤 다시 걸음을 옮겼다.

"의심스러운 다른 건 못 봤어?"

경찰관이 심문하듯 말하는 게 토른의 전형적인 화법이었다. 서류 가방을 든 토른은 서커스가 아닌 관리국을 지나가고 있다는 착각이 들 정도로 앞만 보고 직진했다.

"한 여자가… 붉은 외투를 입고." 오펠리가 숨을 헐떡이며 말했다. "르놀드가 보기에는… 전락한 귀족 같다는데, 여기서도 봤대. 동생과… 멀리 떨어지고 싶지 않아. 당신 걸음이 너무 빨라."

토른은 주위를 두리번대며 속도를 늦췄다. 누가 엿보기라도 하듯 유별나게 긴장한 모습이었다.

"나도 신문 읽어, 알고 있어?" 오펠리가 물었다. "파루크 책과 관련해 왜 떠벌리고 다닌 거야? 내게는 조용히 있으라고 해놓고…."

"당신이 또 다른 살해 협박에 시달리지 않도록 한 거야." 토른이 오펠리 대신 말을 끝마쳤다. "모든 관심을 내게 돌려 당신이 해를 입지 않도록 말이야."

정곡을 찔린 듯 오펠리는 어떤 말도 할 수 없었다. 어차피 토른은 오펠리가 답할 기회도 주지 않았다.

"아롤드 백작이 사라졌어." 토른이 느닷없이 소식을 전했다.

"기사 후견인?" 오펠리가 놀라 물었다. "자기 개들 때문에 난리 쳤던 사람?"

"어제 저녁 욕조에서 연기처럼 사라졌어. 하인들은 그가 쓰러졌다고 생각해서 문을 부수고 들어갔지."

"안쪽에서 문을 잠근 방에서 납치되었다는 거야?"

"그보다 더 이상한 게 있어. 욕조에서는 물을 사용한 것으로 보이는데 욕실 바닥은 젖지 않았어. 다시 말해 욕조에 들어간 백작이 다시 나왔다는 어떤 흔적도 없는 거지. 그가 입었던 옷들도 제자리에 있었어. 안 그래도 일이 많은데, 클레르드륀에서 조사가 재개됐어."

오펠린은 토른의 말에 깜짝 놀랐다.

"클레르드륀에서?"

"아롤드 백작이 클레르드륀에 망명을 요청했었지. 개들 없이는 위험하고, 쉽게 공격받을 거라 느꼈거든. 대사관이 더 이상 안전하지 않다는 걸 몰랐던 귀족은 시타시엘을 통틀어 그가 유일할 거야."

오펠리는 혼란스러웠다. 그 전날에도 아르쉬발드가 그녀에게 조심하라고 말했었는데! 그렇다면 아르쉬발드는 대사관에서 또 나쁜 일이 벌어질 거라고 의심하고 있었던 건까?

"그도 받았지, 그렇지?" 오펠리가 물었다. "아롤드 백작도 협박 편지를 받은 거지?"

"백작의 소지품에서 편지를 찾았어." 토른은 마지못해 답하고는 감정이 격해져 파랗게 질린 오펠리의 안경을 조심스레 바라봤다.

"내가 받은 것과 같은 편지들?" 오펠리가 끈질기게 물었다. "'**신**'이라고 적힌 편지들?"

"당신에게는 그런 일이 닥치지 않을 거야."

토른이 그 어느 때보다도 단호하게 말했다. 오펠리도 그 말이 맞기를 바랐다. 갑자기 온몸이 안에서 꽁꽁 묶인 것처럼 느껴졌다.

"당신은? 당신도 편지를 받았어?" 오펠리가 물었다.

"아니, 그런 종류는 안 받았어."

"왜? 우리 결혼이 정말 문제가 된다면 왜 나는 그런 협박을 받고, 당신은 안 받는 거야?"

"나도 모르겠어."

오펠리는 고개를 들어 토른을 주의 깊게 바라보았다.

"당신은 가족의회에서 전락한 자들을 대리할 거 잖아."

"내일 저녁." 그는 눈살을 찌푸리면 말했다.

"헌병 대장과 니베룽겐 편집장 그리고 백작까지 모두가 그 계획을 반대했지, 각자 자신만의 방식으로. 내 말은…." 오펠리는 토른의 날카로운 시선을 느끼며 말꼬리를 흐렸다. "헌병 대장은 전락한 자들을 살해했고, 체크오브는 그들을 고발하는 기사를 여러 번 실었고, 아롤드 백작은… 음… 그는 당신을 쫓아내려고 외국인 용병 두 명을 보냈어."

토른이 아무 말 없이 고개를 끄덕였다.

"두렵지 않… (오펠리는 말하던 중 갑자기 재채기를 했다. 코를 풀 때 나는 콧물 가득한 소리에 부끄러워졌다.) 유력한 용의자로 지목될까 봐 두렵지 않아?"

토른의 얇은 입술이 보이지 않을 정도로 가볍게 떨렸다. 미소를 잘못 지은 건지, 인상을 쓴 건지 구분이 안 되는 표정이었다.

"훼방꾼들을 제거하려고 내가 이 납치극들을 벌였다고 생각하는 거야? 내가 편지를 보내고 내 결혼을 망치길 원한다고?"

"물론 아니야." 오펠리가 짜증을 냈다. "하지만 나 말고 다른 사람들은 그렇게 생각할 수 있어."

"아니. 난 완전히 중립적인 입장으로 전락한 자들을 대표하는 거야."

토른 쪽으로 고개를 올리고 있기 피곤해진 오펠리는 서커스 부스 사이로 보이는 광활한 갯벌 너머로 빛나는 수평선을 바라보았다. 토른 어머니 얼굴에 찍힌 불명예 자국이 떠오른 순간 분노가 솟았다. 어떻게 한 사람이 이토록 다양한 모순된 감정들을 동시에 불러일으킬 수 있는지 이해되지 않았다.

"또 시작이군."

"또 시작이라니, 뭘?" 토른이 불평하듯 물었다.

"사실대로 말하지 않는 거. 당신 절반은 크로니쾨르잖아, 아니야? 전락한 자들을 복권시키는 게 당신이 보호하는 가족의 이익에 부합하는 거잖아. 적어도 사실을 인정할 용기 정도는 가져봐."

토른이 너무 세게 눈썹을 찡그려, 이마 한가운데에 깊은 골이 생겼다.

"확실히 나에 대한 평가가 박하네. 크로니쾨르들은 내 서류에 포함되어 있지 않아."

"그것 참 유감이군, 사촌!"

오펠리는 소스라치게 놀라며 뒤를 돌아보았다. 간드러지는 목소리의 주인공은 늘씬하고 키가 큰 여인이었다. 금발의 빽빽한 앞머리 밑으로 보이는 눈이 악의로 빛났다. 조잡한 장신구가 달린 분홍 드레스를 입고, 햇빛이 아닌 이슬비를 피하기 위해 양산을 쓰고 있었다. 양산은 옷과 색을 맞추었다.

너무 닮아 가족이 아니라고는 생각할 수 없는 네 명의 사내들이 그 여인을 에스코트했다. 하나같이 호리호리한 몸에 기괴한 차림을 하고, 금발 앞머리를 내리고 있었다.

"나를 알아보겠니, 사랑하는 사촌?" 여인이 흥얼거리듯 물었다.

토른은 대답하지 않았다.

"난 널 알아보겠는데." 그녀가 키득거리며 말했다. "키가 제법 많이 자랐구나. 지난번 봤을 때는 별 볼일 없는 네 살배기 꼬마였는데. 우리에게 이 어린 숙녀분 소개 안 해줄 거니?" 그녀는 오펠리에게 매혹적인 눈길을 보내며 물었다. "이 아이가 네

불운한 약혼녀구나?"

"당신들은 이곳에 볼일이 없잖아요."

토른의 목소리는 침착했지만, 서류 가방 손잡이를 잡은 손가락을 꽉 쥐었다. 오펠리는 눈썹을 올렸다. 이 사람들이 크로니쾨르인가?

"왜 그래, 사촌." 여인은 양산으로 맞은편 모래밭 끝에 있는 아스가르 성벽을 가리키며, 선웃음을 지으며 말했다. "우리는 '전락한 자들의 생활에 관한 법' 제11조에 따라, 도시에서 일 킬로미터 이상 떨어진 곳에서 지내고 있어. 지난 14년 5개월 16일 동안 얼마나 얌전히 있었나 몰라!"

"원하는 게 뭐죠?" 토른이 무표정한 얼굴로 물었다.

크로니쾨르는 난감한 표정으로 옷과 양산과 똑같은 분홍색 입술을 내밀었다. 토른보다 몇 살 위인 것처럼 보였지만, 행동은 영락없는 소녀였다.

"그게 무슨 말이야? 우리 편지 한 번도 안 읽은 거야?"

"내가 감독관이 된 뒤로 보낸 편지들이요? 한 번도 안 읽었어요."

"솔직히 그럴 거라고 짐작은 했어." 크로니쾨르는 함께 온 네 명의 남성들과 서운해하는 눈길을 주고받았다. "해변에 비행선들이 착륙하는 걸 보고 머지않아 네가 점검하러 올 거라고 예상했지. 우리 사촌님은 너무 뻔하거든! 단둘이 얘기 좀 해야겠어."

오펠리는 정말이지 불편해지기 시작했다. 입을 여는 게 좋을지, 계속 닫고 있는 게 좋을지 몰랐다. 크로니쾨르는 젖은 모래

위로 조잡한 장신구가 치렁대는 드레스를 끌며 천천히 토른 쪽으로 다가갔다. 돌풍이 불어 금발 앞머리가 넘어가는 순간, 이마 한가운데 소용돌이 모양의 문신이 보였다.

"왜 가족의회에서 네 가족 변호하는 걸 거부하는 거야?"

"법이니까요." 토른은 동요하지 않고 공직자다운 무덤덤한 표정으로 반박했다. "제24조 3항. 전락일로부터 60년이 지난 클랜만을 변호할 수 있다. 46년 6개월 그리고 13일 뒤에 복권을 재신청하세요."

"역시 명성 그대로야!" 크로니쾨르가 빈정대며 말했다. "대결을 피하려고 숫자 뒤에 숨다니 참 비겁하지. 사랑하는 사촌님은 겁쟁이에 거짓말쟁이야. 넌 일부러 우리를 궁정에서 멀리 떨어뜨려놓았어. 네 엄마가 작은 비밀들을 우리에게 숨기곤 했던 것처럼 말이야. 한두 개 정도 네게 털어놓지 않았니?" 여인이 속눈썹을 깜박이며 속삭였다. "어쩌면 더 많이? 크로니쾨르가 기억을 영원히 잃기 전 외동아들 말고 누구에게 자기 기억을 전하겠어? 정말 대단한 기억력이지! 이렇게 커다란 이마 뒤에 뭐가 숨어 있는지 궁금해, 정말이지 너무 궁금해…."

오펠리는 숨죽이고 있었다. 여인은 분홍 구두 발끝을 세우며, 역시 분홍색인 손톱으로 눈썹까지 이어진 토른의 얼굴 흉터를 신중하게 누르며 따라 그렸다. 에스코트하는 남자들은 토른이 도망가지 못하도록 그 주위를 슬며시 에워쌌다. 기나긴 침묵이 이어졌다. 오펠리는 자신이 아주 하찮게 느껴졌다. 전화로 구조 요청을 해야 할까? 토른과 그 여인은 마치 눈싸움을 하듯 서로를 노려보았다. 장터의 축제 분위기와는 너무 다른 이 광경을 아무도 알아차리지 못하는 것 같았다. 모두의 시선은 그들 옆을 지나가는 거대한 가장 행렬에 쏠려 있었다.

"이건 게임이 아니야, 사촌." 크로니쾨르가 아랫입술을 부루퉁하게 내밀며 탄식했다. "넌 절대 뚫을 수 없는 문 같아! 하지만 아무리 단단한 문이라도 빈틈이 있기 마련이지." 그녀는 장난기 어린 미소를 지으며 흥얼거렸다. "너의 빈틈을 알 것 같아."

오펠리가 대응할 새도 없이 크로니쾨르가 분홍색 드레스로 소용돌이를 일으키며 오펠리 쪽으로 몸을 돌렸다.

"작고 순진한 얼굴의 아가씨, 날 좀 봐봐." 그녀는 오펠리의 볼을 친근하게 꼬집으며 속삭였다. "내게 다 털어놔, 귀염둥이 아가씨… 이 남자가 어떤 어둡고 끔찍한 비밀들을 털어놓았지?"

오펠리는 아무 말도 할 수 없었다. 입술도, 손가락도, 속눈썹도 움직일 수 없었다. 줄곧 초조하게 바람에 펄럭이던 목도리마저도 작동을 멈춘 시계추처럼 갑자기 굳어버렸다. 오펠리는 안경에 바짝 갖다 댄, 분홍색으로 화장한 크로니쾨르의 커다란 눈만을 볼 수 있었다. 막 잠에 빠지려는 순간, 멀리서 날카로운 목소리가 들리고 기억들이 방울처럼 떠올랐다. 토른은 그녀의 손에서 수화기를 잡아챘다. 종이들이 소용돌이치는 가운데 토른이 그녀에게 총을 겨누었다. 토른은 신뢰의 표시로 자신의 시계를 오펠리에게 건넸다. 토른이 크로니쾨르의 팔을 낚아챘다.

오펠리의 눈꺼풀이 바르르 떨었다. 아니야, 이건 기억이 아니야. 토른은 진짜로 그 여자의 팔을 잡고 있었다. 토른은 매우 침착하고 전혀 거칠지 않게 그녀를 오펠리에게서 일 센티미터씩 떨어뜨려놓았다.

"기억을 뒤지는 건" 토른이 침착하게 말했다. "가족 능력 사용 제한법 제53조 2항에 따라 엄격히 금지되어 있어요. 상황을 악화시키지 마세요, 부인."

분노에 찬 크로니쾨르는 팔을 당기다가 양산을 떨어뜨렸다.

"그런 거만한 말투로 내게 말하지 마, 사생아 녀석! 사람들이 불결하다는 듯 나를 내버렸을 때, 난 겨우 열네 살이었어. 어리고, 예쁘고, 부자였는데… 네 엄마 때문에 모든 걸 잃었어! 그해 겨울 우리 식구들이 얼마나 많이 목숨을 잃었는지 알아? 어린 동생들과 제대로 살아보려고 내가 어떤 일을 겪었는지 알기나 하냐고?" 그녀는 드레스 장식들을 전부 흔들며 물었다. "궁정의 엘리트였던 우리 부모님은 자식들에게 기억을 전해줄 새도 없이 쥐처럼 죽었어. 그런데 너는" 크로니쾨르는 멸시하며 빈정거렸다. "네가 파루크 앞에서 으스대는 동안, 네 엄마는 고급 시설에 묵고 있지. 엄마가 뭘 알려줬어?" 그녀는 갑자기 토른의 커다란 검은 코트를 붙잡고 사정했다. "넌 그 기억을 우리에게 돌려줘야 해! 그게 우리의 유일한 유산이야!"

기억을 수색당한 여파로 여전히 정신이 몽롱한 오펠리에게 크로니쾨르의 긴 독백이 비현실적으로 들렸다.

"당신에게 드릴 건 아무것도 없어요." 토른은 흔들림 없는 말투로 말했다. 크로니쾨르는 토른이 역겹고 불결하다는 듯 그의 옷을 놓았다.

"어쩔 수 없지 뭐. 필요하다면 네 기억들을 억지로 빼내는 수밖에." (그녀는 아름다운 분홍 드레스를 매만지고 해변에 떨어진 양산을 주운 뒤 애교를 부리며 앞머리를 가지런히 정리했다. 그리고 다른 크로니퀴르들에게 공모의 눈짓을 보냈다.) "자, 형제들이여, 신나게 놀아보자. 약혼녀의 귀여운 낯짝도 봐주지 말라고."

네 남자는 징이 박힌 장갑을 맞부딪히는 소리를 내며 전진했다.

오펠리는 심장이 너무 세게 뛰어 몸 안의 피가 소용돌이치는 것 같았다. 도망가. 이 생각이 불꽃처럼 머리를 스쳤다.

토른은 여전히 더 빨랐다. 팔로 오펠리를 밀어 넘어뜨리고는 놀랍도록 이성적인 목소리로 말했다.

"기억들을 가져가보시죠."

초대

오펠리는 모래밭 위로 등을 대고 넘어지며 가벼운 충격을 느꼈다. 가쁜 숨을 몰아쉬며, 구름 사이로 희미하게 보이는 작은 삼각 깃발들이 두 줄로 늘어선 것을 멍하니 바라보았다. 보슬비가 눈을 간질이자, 그제야 안경이 없다는 것을 깨달았다. 가장무도회의 팡파르 소리 너머로 들리는 비명 소리에 정신을 차렸다.

몸을 옆으로 굴려 보았지만, 주위에는 누구인지 알 수 없는 실루엣들 외에 아무것도 눈에 들어오지 않았다. 그중 하나가 가공할만한 타격을 날리며 수차례 나타났다 사라지는 것처럼 보였다.

오펠리는 모래밭을 더듬으며 안경을 찾았다. 덩달아 얼이 나가 있던 목도리가 안경을 찾아 그녀의 코 위에 얹어주었다. 다시 눈앞이 환해진 오펠리는 가장 먼저 토른을 바라보았다. 그는 서류 가방을 여전히 손에 든 채로 몸을 최대한 곧게 세우고 청동 조각처럼 위엄 있는 자태로 서 있었다. 토른이 소리를 지른 것 같지는 않았다. 그는 부상을 입지도, 숨이 찬 것 같지도 않아

보였다.

“누워 있어.” 토른이 단호한 목소리로 말했다.

오펠리는 그제야 크로니쾨르의 남동생 세 명이 신음하며 모래밭에 쓰러져 있고, 다른 한 명은 소매로 코피를 막으며 무릎을 꿇고 있는 것을 보았다. 아름답던 그들의 금발이 있는 대로 헝클어져 있었다.

크로니쾨르는 오펠리 만큼이나 놀란 것 같았다. 한 여인이 꼼짝하지 못하도록 그녀 목에 칼을 대고 위협하고 있었기 때문이다. 검은색 차프카 아래로 보이는 눈이 차가운 광석처럼 빛났다. 붉은 외투를 걸친 전락한 여인을 보자 오펠리는 혼란스러웠다. 투명 인간이 크로니쾨르의 남동생들을 이렇게 만든 걸까? 그렇다면 그녀는 누구 편일까?

토른은 답을 아는 것처럼 보였다.

“여기서 마치도록 하죠.” 운영회의를 끝내는 듯 간결한 말투였다.

크로니쾨르는 분노로 파랗게 질려 입술을 꽉 깨물었지만, 투명 인간이 목에 댄 칼로 떨리는 살결을 쓰다듬자 꼼짝도 하지 못했다. 분홍 드레스를 입은 여성스러운 여인이 붉은 옷을 입은 전사 같은 다른 여인과 뒤엉켜 있는 광경은 작은 디테일까지 짜맞춘 서커스 공연을 연상시켰다.

“멋지군요.” 크로니쾨르가 당황한 기색으로 애써 미소로 감추며 중얼거렸다. “여기까지 하죠, 사촌님.”

조용히 코피를 닦던 넷째가 용수철처럼 몸을 일으켜 세우더니, 징 박힌 장갑을 낀 주먹을 토른에게 날렸다. 모래에 묻혀 있던 오펠리는 아무 소리도 못 내고 입만 뻥긋했다. 크로니쾨르는 마치 정면으로 안면을 강타당한 듯 머리를 세차게 뒤로 젖히더니 온몸을 휘청거리며 오펠리 쪽으로 쓰러졌다. 하지만 토른은 손가락 하나 까딱하지 않았었고 서류 가방을 그대로 쥐고 있었다. 자신을 공격한 자를 그저 예리한 눈으로 응시할 뿐이었다. 토른의 할퀴기 공격을 처음 본 오펠리는 그가 공격을 사용하기를 무척 꺼리는 모습에 깜짝 놀랐다.

"내 기억을 가로채기 위해 당신 누이를 희생할 준비가 되어 있군요." 토른이 자신의 발밑에서 고통에 몸부림치는 몸뚱이를 경멸하듯 내려다보며 말했다. "왜 당신 클랜이 사라질 수밖에 없는지 모르겠어요? 한심하군요."

토른이 신호를 보내자, 붉은 외투를 입은 여인이 크로니쾨르를 풀어주고 남동생들을 한 명씩 일으켜 세웠다. 다이아몬드 원석 같은 눈빛만큼이나 단단하고 차가운 몸짓이었다.

크로니쾨르는 마지막으로 토른을 악의에 찬 눈으로 바라본 뒤 드레스를 들어 올리고 양산을 어깨에 걸치고 서둘러 자리를 떴다. 동생들도 다리를 쩔뚝거리며 처량하게 뒤를 따라가다 머지않아 형형색색의 가장행렬 무리 안으로 빨려 들어갔다.

"제자리로 돌아가세요." 토른이 명령했다. "한동안 그들을 다시 볼 일은 없을 겁니다."

"네, 감독관님."

붉은 외투를 입은 여인은 군화 맞부딪치는 소리를 내며 대답한 뒤, 조심스럽게 물러났다. 첫걸음을 내디딜 때까지는 모습이 보였지만, 다음 걸음에 자취를 감추었다. 너무 순식간에 벌어진 일 앞에 오펠리는 넋을 놓고 있었다.

"저 여자가 당신을 위해 일하고 있다고 말해줬어야지. 난 적인 줄 알았다고. 당신이 말한 '소식통'이 그녀였어?"

"당신을 지켜보려고 투명 인간을 고용했어. 내가 변호를 맡은 클랜 중 하나야. 그녀가 합법적으로 오갈 수 있도록 특별허가를 내주었어."

오펠리는 전락한 자들이 귀족 신분을 회복하면 궁정에 재미있는 일이 많아지겠다고 생각했다. 그때까지 그들은 훌륭한 사냥꾼 역할을 할 것이다.

"몇 주 전부터 날 보호해줬어." 오펠리는 투명 인간을 헛되이 찾으며 말했다. "서로 인사도 못 했네. 이름이 뭐야?"

"블라디스라바." 토른은 오펠리가 엄청나게 무례한 질문이라도 한 듯한 표정으로 답했다.

"유능하기는 한데 완벽히 안 보이는 건 아니네. 투명 인간치고는 말이야."

"그럴 필요가 없거든. 투명 인간이 곁에 있다는 것만으로도 억제력을 발휘하니까."

"방금 무슨 일이 벌어진 건지 잘 모르겠어." 오펠리가 긴장된 목소리로 속삭였다. "사촌들이… 당신 기억을 노린 거야?"

토른이 난처한 듯 입술을 오므렸다.

"크로니쾨르들은 기억을 심거나 흡수할 수 있어. 어떤 이들은 기억을 조작할 수도 있어."

"당신도?"

"실제로 사용해본 적은 없지만 공격을 받으면 스스로를 지킬 수 있지. 타인의 기억을 갖고 노는 것은 비난받아 마땅해. 더군다나 정신 균형에도 위험하고."

오펠리는 토른이 말할 단어들을 고르기 위해 잠시 고민하는 모습을 보았다. 브라스 밴드 음악에 맞춰 가장행렬이 지나갔다. 토른은 이 인기 있는 공연이 심각한 문제라도 되는 듯 바라보았다.

"그럼 다른 식으로 물어볼게." 오펠리는 안경을 만지작거리며 말했다. "내가 정말 알고 싶은 건 당신이 진짜 어머니의 기억을 물려받았는지, 그리고 그 기억이 서로를 죽일 만큼 가치가 있는지야."

토른은 뒷목에 앉은 모기를 급하게 손으로 때려잡았다.

"나는 당신에게 모든 진실을, 오로지 진실만을 말하기로 약속했어." 토른이 못마땅하다는 듯 말했다. "단 당신과 직접 관련 있는 경우에만. 당신은 이미 필요 이상으로 너무 많은 것들을 알고 있어."

오펠리는 토른에게서 야망을 지닌 모습이나 계산적인 모습을 찾아보려 했으나, 명백한 사실 하나만은 인정할 수밖에 없었다. 토른은 모든 관료를 통틀어 가장 부패되지 않은 공무원일 것이다. 그가 전락한 자들의 이익을 변호하려는 그만의 이유, 비밀스럽고 비뚤어진 이유가 있을 수 있다. 하지만 오펠리가 보기에 그들과 관련된 사건은 독이 든 선물처럼 보였다. 토른은 그의 가족도 아니고, 고위층에 어떤 영향력도 행사하지 못하고, 이미 상당수의 적을 거느리고 있는 이들을 대변하기 위해 자신의 삶을 위태롭게 만들었다. 변론 덕분에 전락한 자들이 명예를 회복하고 궁정에 자리를 잡으면, 잊지 않고 은혜를 갚을 거라고 생각하는 걸까? 오펠리는 이제 그런 걸 믿을 만큼 순진하지 않다. 토른은 더더욱 아니었다.

아니, 정말로, 오펠리가 이 문제에 대해 이렇게 저렇게 고민해봐야 소용없었다. 토른의 커다란 몸에 항상 전기를 공급해 주는 이 힘은 세상에 대한 의무감과 헷갈릴 정도로 닮았다.

오펠리는 바람과 이슬비를 맞은 데다, 안에서 느껴지는 서늘한 기운으로 추워진 두 팔을 서로 맞대고 문질렀다. 화가 가시면서 왠지 모르게 우울한 기분이 들었다.

"날 당신의 약점이라고 생각하다니, 사촌 누님이 당신을 잘 모르나 봐. 사실, 당신은 누구에게도 기대지 않잖아."

토른은 이내 가장행렬에서 관심을 거두고 오펠리를 독수리 같은 눈으로 내려다보았다.

"당신은 모든 문제를 혼자 해결하고 싶어해." 오펠리가 낮은 목소리로 말을 이었다. "사람들을 체스 말처럼 이용하게 될지라도, 세상 사람 모두가 당신을 싫어하게 된다 할지라도."

"아직도 날 싫어해?"

"아닌 것 같아. 이젠 아니야."

"그나마 다행이네." 토른이 중얼거렸다. "누군가 날 싫어하지 않도록 이렇게 애써본 적이 없었으니."

오펠리는 토른의 말을 거의 듣지 못했다. 하지만 일부러 듣지 않은 것은 아니었다. 색색의 종이 꽃가루 장식이 쏟아지는 가장 행렬 맞은편에서 엑토르가 거대한 철제 건축물을 올라타기 시작했다. 르나르는 온몸으로 만류하고 있었다.

"이제 들어가야 할 시간이야." 오펠리는 걱정이 되어 말했다. "12시에 출발하는 배를 이미 놓쳤어. 엄마가 불호령을 내릴 거야."

오펠리는 엑토르가 마지막으로 뛰어내려서 모래에 착지하자 안도의 한숨을 내쉬었다. 토른이 극도로 집중해서 엑토르를 보는 게 느껴졌다. 막연한 가족관계의 개념이 아니라 마침내 살아 숨 쉬는 어린 처남을 보게 된 것 같았다. 오락가락하는 하늘빛 아래 그의 회색 눈이 독기와 호기심이 한데 섞여 희한하게 반짝였다.

"가족의 이런 작은 골칫거리들." 토른이 아득히 먼 목소리로 말했다. "그런 것에 대해 정말 아는 게 하나도 없어."

바로 이 순간 오펠리는 토른이 사블도팔에 오기까지 왜 그토록 시간을 지체했는지 깨달았다. 위선과 사기, 협박과 배신으로 가득한 일상을 보내는 토른은 오펠리의 가족과 함께 있을 때 어찌해야 할지 몰랐던 것이다.

오펠리는 거부할 수 없는 충동에 휩싸여 토른의 커다란 검은 소매를 잡아당겼다.

"우리와 같이 가자."

오펠리도 자신의 친근한 행동에 놀랐지만, 당황해서 어쩔 줄 몰라하는 토른에 비하면 아무것도 아니었다. 그는 갑자기 어색해져 서류 가방이 걸린 팔을 어찌할 줄 몰라했고, 몸에 밴 기계적인 동작으로 나머지 손을 코트에 넣고 있지도 않은 회중시계를 찾았다. 시계는 오펠리 주머니에 있었다.

"지금? 하지만 난… 가봐야 해… 약속이 있어서."

오펠리는 자신의 볼살을 깨물었다. 이곳 카니발 카라반에서처럼 말을 더듬는 토른의 모습을 본 적이 없었다. 바람이 불어 그의 머리카락과 색종이 조각이 함께 휘날렸다.

"점심시간만이라도 함께해." 오펠리가 제안했다. "정말로 직업상 양심의 가책이 느껴진다면 내 제안을 외교적 요청이라 여겨."

오펠리는 토른 입술에 또다시 이는 경련을 어떻게 해석해야 할지 몰랐다. 토른이 마침내 외투에서 손을 빼자, 그가 들고 있는 것이 시계가 아니었음이 분명해졌다. 그것은 열쇠 꾸러미였다.

"외교적 요청이기 때문에." 토른이 어색하게 말했다. "관리국의 만능열쇠를 사용해도 될 것 같네. 아스가르 입구 국경관리소에 바람 장미가 하나 있어. 동생을 데려와."

오펠리는 만족해하며 고개를 끄덕였다.

"약속해. 당신이 생각한 것처럼 그렇게 끔찍하지는 않을 거야."

현기증

오펠리는 유리컵에 담긴 물로 조심스럽게 목을 축이며 섣불리 약속하면 안 되겠다고 생각했다.

평소 가족 식사는 아주 생기가 넘쳤다. 소금통들이 말 그대로 이 접시에서 저 접시로 깡충 뛰어다니고, 물병 뚜껑은 조바심에 덜컹거리고, 스푼들은 디저트가 끝나기도 전에 어김없이 결투를 벌였다. 호텔 직원들은 물건에 장난을 거는 아니마 사람들의 방식에 처음에는 꽤나 충격을 받았지만, 이제는 놀라지도 않았다. 그들은 단단히 잠긴 자물쇠나 고장 난 시계를 순식간에 고치는 능력을 지닌 이 고객들에게 심지어 호감을 갖게 되었다.

하지만 오늘은 손님도 그릇도 너무나 조용해서, 오펠리는 저 멀리서 아득하게 파도 부서지는 소리와 모기가 창가에 부딪치면서 지지직 감전되는 소리만 들리는 것 같았다.

오펠리는 크리스털 물병 너머로 조심스럽게 엄마의 붉은 실루엣을 살폈다. 엄마의 침묵은 좋은 징후가 아니다. 불 위에 올려놓고 깜박한 냄비와 비슷했다. 여동생들은 누군가 토끼 눈으로 토른을 너무 빤히 오랫동안 쳐다보면 팔꿈치로 툭툭 치며 눈치를 주었다. 반면 작은할아버지는 줄곧 토른을 뚫어져라 보면서 사지를 절단하듯 빵을 잘게 뜯고 있었다. 사촌과 삼촌들 그리고 이모들은 서로 암묵적인 눈길을 주고받으며 최대한 조심스럽게 나그네쥐 스튜를 먹었다. 전등갓처럼 생긴 모자를 쓴 리포터마저도 잠자코 있었다. 풍향계 황새만이 줄기차게 부리로 토른을 가리켰다.

오펠리도 식탁 끝에 앉아 있는 토른에게 눈길을 돌렸다. 앉아 있다기보다는 구겨져 있다는 게 더 적절한 표현인 것 같았다. 덩치에 비해 너무 작은 의자에 앉은 토른은 양옆에 앉은 사람들을 팔꿈치로 건드리지 않고 식기를 사용하느라 애를 먹었다. 먹는 행위 자체가 고역인 듯 음식을 씹을 때마다 거부감을 숨기지 못했다. 수시로 제복에서 손수건을 꺼내 입가를 두드리고, 포크와 나이프 손잡이를 닦고, 완벽한 대칭을 이루도록 식기를 놓고, 한 치의 오차도 없이 손수건을 똑바로 접어 제자리에 두었다. 한순간도 호텔 냅킨을 사용할 생각을 하지 않았다.

오펠리는 한숨이 나오는 것을 참았다. 토른은 좋은 인상을 남긴다는 것에 대해 매우 주관적인 개념을 갖고 있었다. 목이 빠져라 기다리게 해놓고 나타났으면, 미래의 새 가족들에게 사과하고, 최소한 말이라도 상냥하게 건네는 게 인지상정일 것이다. 하지만 토른을 안다면 이렇게 식탁에 앉아 있다는 것 자체가 그가 할 수 있는 한 최대로 예의를 갖춘 행동임을 알 것이다.

"서커스는 재미있었어요." 오펠리가 엑토르 쪽으로 몸을 돌리며 중얼거렸다. "네가 찍은 사진들 보여줬니?"

바가지 머리를 한 엑토르는 눈썹을 으쓱하고, 입에 음식이 가득한 채로 말했다.

"뭐 하러 보여줘? 에코 때문에 죄다 망했는데."

수플레가 푹 꺼지듯 대화도 끝나버렸다. 오펠리는 그녀 양쪽에 놓인 빈 의자를 아쉬운 눈으로 바라보았다. 베르닐드는 엄마의 병상을 지키고 있고, 로즐린 이모는 베르닐드에게 깨끗한 옷가지를 전해주러 요양원에 갔다. 두 사람만이 토른을 거들어 지금보다 호의적으로 그를 소개하거나, 적어도 꽉 막힌 분위기에 숨통이라도 트여주었을 것이다.

"9와 4."

식탁에 앉은 사람들이 전부 포크를 내려놓고 좌우 정확히 대칭되게 천천히 고개를 돌렸다. 모두 침묵을 뚫고 나온 토른의 음산한 목소리에 깜짝 놀랐다.

"다시 말씀해 주시겠어요, 토른 감독관님?"

"9." 그가 접시에 코를 박은 채 말했다. "우리 가족이 보유한 대저택 수입니다. 대부분이 성이고, 거의 예외 없이 뛰어난 가치를 지녔죠. 시타시엘에 지어진 세 채의 성 가운데 하나를 따님께 결혼 선물로 드리겠습니다. (두 개의 동전 투입구처럼 반쯤 눈을 감고 있던 토른이 마침내 고개를 들어 오펠리의 엄마에게 시선을 고정했다.) 우리 가문의 대저택을 방문해보실 것을 권해드리고 싶습니다. 혹시 그곳에서 아니마로 가져가고 싶은 기념품을 발견하시면." 토른은 무덤덤하게 덧붙였다. "원하시는 대로 하세요."

오펠리는 눈을 너무 크게 떠서 안경이 코에서 흘러내릴 뻔했다. 토른은 그 많은 이야깃거리 중에 왜 하필 이런 주제를 고른 걸까?

오펠리의 가족은 토른의 말에 즉각 반응했다. 거북한 기색으로 접시를 밀어내기도 하고, 목에 대고 있던 냅킨을 떼기도 했다. 할아버지는 남은 빵을 손으로 으깼고, 어린아이들은 전투가 시작된 것으로 이해하고 토른에게 호전적인 동작을 취했다. 아기를 품에 안고 있던 아가트만이 '성'이라는 단어를 듣자마자 흥분해서 전율했다. 그렇지만 누구도 선뜻 입을 열지 않았다. 일제히 고개를 돌려 유일하게 발언권을 지닌 오펠리 부모를 바라보았다. 오펠리 아빠는 창백해진 얼굴로 의자에서 몸을 움츠렸고, 엄마는 그와는 반대로 얼굴을 붉히며 몸을 부풀렸다.

"토른 씨." 그녀는 이 이름을 입에 담는 게 치통을 유발한다는 듯한 얼굴로 말했다. "내가 생각한 것이 맞다면, 돈으로 우리의 관용을 사겠다는 건가요?"

"네."

토른이 식사에 참석한 한 명 한 명에게 금속 같은 시선을 보내자, 누군가는 얼굴을 누군가는 눈썹을 찡그렸다. 그가 애써 시선을 피한 유일한 사람은 오펠리였다. 하지만 그녀는 토른과 눈을 마주치려고 애쓰며, 거기서 멈추라고 말없이 사정했다.

"저는 결코 이상적인 사위가 아닐 겁니다." 토른이 상황을 중립적으로 판단하는 말투로 말했다. "그렇지 않다는 걸 보여주기 위해 제 매력을 어필할 생각도 없습니다. 이런 성격이 여러분에게 내세울, 제 유일한 장점입니다."

"그게 다야?" 할아버지가 상기된 얼굴로 씩씩거렸다. "우리에게 할 말이 그게 다냐고? 시비 걸겠다는 거 아니고?"

"제 말 좀 들어보세요." 오펠리가 끼어들었다. "저는요…."

"아니요." 토른은 식탁 맞은편에 앉아 노려보는 할아버지의 시선에도 아랑곳하지 않고, 오펠리의 말을 잘랐다. "할 말이 그게 다는 아닙니다. 9는 여러분이 저를 좋게 봐주실 첫 번째 이유이고, 4는 그 두 번째 이유입니다."

"4는 뭔가요, 토른 씨?"

오펠리는 비로소 아빠가 존재감을 드러낸 것처럼 아빠를 쳐다보았다. 목소리는 평소처럼 자신감이 없었지만, 의자를 박차고 일어나 두 손으로 식탁을 짚고 토른을 뚫어져라 쳐다봤다. 아빠의 민머리와 밋밋한 얼굴을 거의 잊게 할 정도로 그 순간만큼은 대단히 진지한 모습이었다.

"4일입니다" 토른이 나이프를 이용해 새로운 타르트 조각을 먹으며 대답했다. "결혼까지 남은 시간이죠. 그 시간 동안 제가 따님을 대하는 태도에 충격을 받으시거나 못마땅해도 끼어들지 마실 것을 부탁드립니다."

"토른, 그렇게 하면 안 될 것 같은데…."

이번에도 오펠리는 끝내 말을 마치지 못했다. 오펠리 엄마는 드레스와 장신구를 사정없이 흔들어대며 펄펄 끓는 냄비처럼 폭발했다.

"아이들 삶에 끼어들고 말고는 내 마음이에요! 하지만 이 결혼에 반대할 수는 없죠." 엄마는 머리 위 풍향계가 빙글대기 시작하는 리포터를 보며 말했다. "당신은 아이스 팩보다 더 차가워요! 그래도 난 당신 면전에 대고 이렇게 말하는 게 하나도 겁나지 않아요."

"4일입니다." 토른은 차분한 목소리로 강조했다. "식을 올린 뒤에는 어머님께서 원하시는 만큼 자주, 그리고 오랫동안 따님이 아니마를 방문하도록 요구하실 수 있습니다."

이 말을 듣고 오펠리 어머니의 안색이 원래대로 돌아왔고, 아버지는 의자에 다시 앉고, 삼촌과 이모들은 서로 눈길을 주고받았다. 오펠리는 자신의 두 귀를 의심했다.

"제가 보기에" 오펠리는 침착하게 말했다. "최소한 제가 할 수 있는 일이…."

"약속하신 거죠?" 오펠리의 어머니가 말을 잘랐다. "내가 정한 대로 딸을 몇 번이고 집으로 불러들일 수 있는 거죠?"

오펠리는 한계에 이르렀다. 모두 자신이 이 자리에 없는 것처럼 자신의 이야기를 하는 방식을 견딜 수 없었다. 수십 번이나 관객 앞에서 시각 연극을 했는데, 정작 가족 앞에서는 목소리도 못 내다니! 오펠리는 주의를 집중시키기로 마음먹고 감기로 막힌 코로 한껏 숨을 들이마셨다. 하지만 토른이 돌이킬 수 없는 대답을 하는 바람에 하릴없이 숨을 내뱉어야 했다.

"약속드리죠."

"내 뜻을 절대로 거역하지 않을 거죠?"

오펠리의 어머니는 검지로 식탁보를 꼭꼭 누르며 각각의 단어에 힘주어 밀쳤나. 허둥거리던 후추통이 조심스럽게 통통거리며 멀어졌다.

"네, 거역하지 않을 겁니다" 토른이 답했다.

토른의 시선이 칼처럼 공기를 뚫고 오펠리의 안경 한가운데 꽂혔다. 부모님, 할머니들, 형제, 자매, 삼촌, 숙모, 사촌들이 순서대로 오펠리 쪽으로 의자를 삐걱대며 몸을 돌렸다.

"아직 제 의견이 궁금하다면" 오펠리는 울화가 치밀었다. "제 생각은…."

"너무 타협적이군요, 토른 씨"

이번에는 리포터가 오펠리의 말을 잘랐다. 그녀는 인자한 미소로 찻잔을 들었다. 모자 위의 금속 황새가 부리를 끄덕이며 동의했다.

"저희의 편의를 봐주신다니 영광입니다." 그녀가 말을 이었다. "하지만 그런 약속을 하실 필요는 없죠. 오펠리가 있을 자리는 당신 옆이니까요. 너무 많은 자유를 주시면, 남편에 대한 의무를 절대로 지키지 않을 테고, 그렇게 되면 우리의 외교 동맹은 조롱거리가 될 거예요."

토른은 가소롭다는 듯 콧방귀를 뀌었다. 자신을 향해 부리를 겨누는 리포터의 풍향계는 거들떠보지도 않은 채, 천천히 오펠리에게서 엄마 쪽으로 시선을 옮겼다.

"상황을 정리하자면." 토른이 긴 손가락으로 깍지를 끼고 또박또박 말했다. "저는 제가 가진 것 가운데 가장 이득이 되는 재산을 드리고, 가장 득이 되지 않는 저와의 동행을 면해드리겠습니다. 그 대가로 앞으로 나흘 동안 제 일에 끼어들지 말 것을 요구합니다."

리포터는 무시당해 감정이 상할 대로 상한 얼굴로 미소를 거두었다. 오펠리 엄마의 얼굴도 일그러져 있었다. 토른의 속셈을 파악하느라 눈과 눈썹을 잔뜩 찡그리고 입술은 굳게 다물고 있었다. 거대하게 틀어 올린 머리에 꽂은 장식핀은 그녀가 머리를 굴리는 속도에 맞춰 흔들렸다.

오펠리 엄마의 얼굴에 승리의 미소가 피어오르며, 마침내 근육이 이완되었다.

"저는 디저트를 조금 더 먹을 건데요. 타르트 한 조각 더 드시겠어요, 토른 씨?"

케이블카에 타서 오펠리는 어두워진 안경 너머로 조용히 토른을 응시했다. 토른은 맞은편 의자에 그럭저럭 몸을 구겨 앉아 서류 가방을 무릎에 올려놓고 아무 말도 하지 않았다. 케이블카가 올라가는 내내 아가트가 그들을 대신해 대화를 담당했다.

"성 아홉 채, 정말 엄-청-나-다! 아니마에는 성이 하나도 없잖아, 안 그래 동생? 성격장애에 걸린 자그마한 요새가 전부인데 그것마저도 완전히 따분하잖아. 어머, 우리 곤돌라 너무 끽끽댄다, 그렇지 않나요? 드디어 멋진 광경을 보게 된다니 너무 설-레-어-요, 토른 씨! 사블도팔에서 여기저기 다니며 본 바다는 칙칙하고 바위들은 음울하고 공장들은 침-울-하던데… 이런 완전 그네네, 이거 너무 흔들리는 거 아냐? 난 당신 고모가 왜 그렇게 오랫동안 우리들 이곳에 머물게 한 건지 모르겠어요, 토른 씨. 내가 얼마나 대사의 여동생들 같은 진짜 숙녀들을 만나고 싶어했다고요. 다들 어찌나 아름답고 우아하고 섬-세-한-지! 조금 이상한 것도 사실이죠. 오늘 아침 산책로에서 마주쳤는데, 연기를 너무 많이 마신 건 아닌지 완-전-히 넋이 나가 보였죠. 아, 휴우, 다 왔네요!"

케이블카가 플랫폼에 도착할 때까지 이어진 아가트의 수다는 사블도팔역에서 벽돌로 지어진 통로마다 울려 퍼졌다. 그녀의 재잘거림은 토른이 플랫폼 방향으로 내리지 않고, 강한 바람이 몰아치는 터널 안으로 들어가자 멈추었다.

"우리 어디로 가는 거야?" 아가트가 깃털로 장식된 모자를 움켜쥐며 우물거렸다. "토른 씨, 기차 타고 가는 거 아니야? 설마 걸어서 가는 건 아니지, 그렇지?"

"역을 나가면 토른 전용 공간이 있어." 오펠리가 답했다. "조금 전 그곳을 통해 서커스에서 돌아왔어."

"공간? 성벽 위에? 난… 뭐가 뭔지 모르겠어."

"토른에게 감독관 전용 특별 열쇠들이 있어. 겉보기에는 그냥 평범한 열쇠들인데 바람 장미에 들어갈 수 있게 해줘. 일종의 지름길이야. 지름길이긴 한데 미로 같은 문들을 혼동하면 안 돼."

눈이 휘둥그레진 아가트를 보며, 오펠리는 자신의 설명이 언니를 완전히 혼란에 빠뜨렸음을 깨달았다.

"그 공간은 멀지 않아." 오펠리가 간단히 말을 마쳤다.

아가트는 모자를 두 손으로 꼭 쥐면서 겁에 질려 작은 소리로 비명을 질렀다. 터널을 나오자 요철 구조의 이중 성벽이 이어졌다. 성벽을 장식한 동상들은 심하게 침식되어 사람의 형상과 거리가 멀어 보였다. 길은, 걷기에는 분명히 편안한 폭이었지만, 눈에 보이는 풍경은 편안함과는 확실히 동떨어져 있었다.

성벽 오른쪽으로 사블도팔 기슭이 내려다보였는데, 너무 높아 바다의 은빛 파도 거품이 이어지는 모습까지 시야에 들어왔다. 온천은 도시의 축소판처럼 보였고, 저 멀리 바위 곶 위로 솟아 있는 온천 호텔은 공장 미니어처 같았다. 이 광경만으로도 아찔한데, 성벽 너머 반대편으로 펼쳐진 풍경은 더욱 기가 막혔다. 성벽 왼쪽은 가스로만 이루어진 세계였다. 쉼 없이 나타났다 사라지는 흔들리는 구름 사이로 가끔씩 빛나는 하늘과 태양이 보였지만 땅은 단 한 번도 보이지 않았다. 이곳이 바로 아슈가 끝나고 빈 공간이 시작되는 지점이었다. 깊은 절망에 빠진 이들조차도 이쪽으로 몸을 던져 자살하지는 않을 것이다.

토른은 끝도 없이 이어진 두 공간 사이를 마치 대로변 인도를 걷듯 태연히 걸었다. 지체 없이 전진하는 그의 검은 외투가 이제는 바람에 나부끼는 깃발처럼 보일 정도로 거리가 벌어졌다. 토른은 아무도 따라오지 않고 있다는 것을 깨닫고 뒤를 돌아보았다.

"난 못 해." 잔뜩 질린 목소리로 아가트가 선언했다. "불가능해. 여기서 토른 씨에게 작별 인사를 하자."

"방금 엄마와 평화협정을 맺었잖아." 오펠리가 맞받아쳤다.

"외교상 결례가 될 수도 있어."

그녀는 목적지를 보여주려고 저 멀리 성벽 위로 튀어나와 있는 석조로 된 초소를 가리켰다.

"난 못 해." 아가트는 마치 온 세상이 흔들리는 것처럼 터널 벽에 기대며 같은 말만 되풀이했다. "케이블카가 여전히 지나가잖아. 이건 내 능력 밖이라고."

"여기 있어봐, 얼마 안 걸릴 거야. 토른을 배웅하고 다시 올게. 그동안 계속 날 보고 있어."

"아… 알았어. 엄마한테는 내가 너희끼리만 뒀다고 말하지 않기야, 알았지? 엄마가 원칙주의자라 얼마나 까다로운지 알잖아."

"약속할게."

오펠리는 바람에 날리는 드레스 때문에 휘청거리며 토른에게 다가갔다. 세상을 반으로 가르는 돌로 된 해일 위를 걷는 듯한 느낌이었다. 현기증을 느끼지 못하는 오펠리에게도 인상적인 경험이었다.

토른은 오펠리가 가까이 오자 다시 걷기 시작했다. 이번에는 속도를 좀 늦춰서 걸었다.

"샤프롱 후보 중에 왜 저 수다쟁이를 골랐는지 알겠네."

감탄하듯 말하는 토른 앞에서 오펠리는 어쩐지 떳떳하지 못했다. 조금 비겁한 방식이지만, 언니의 고소공포증에 기댔기 때문이다.

"부탁할 게 있어." 오펠리가 말했다. "개인적인 부탁이야."

"그게 뭐지?"

"사과."

휘몰아치는 바람에 어쩔 줄 몰랐던 오펠리는 목도리로 할 수 있는 만큼 머리카락을 고정시키면서, 자기 쪽으로 몸을 숙이며 곁눈질하는 토른을 최대한 무시했다. 오펠리는 더 단호한 목소리를 내고, 마음속에서 정당하고 합당한 분노에 불을 붙이려 했지만 그럴 수 없었다. 아스가르 해변에서 그녀를 사로잡은 이상한 우울함이 계속 남아 있었다.

"왜 내가 사과를 해야 하지? 당신이 거처를 요구해서 성을 줬잖아. 내가 한 약속은 모두 지켰어."

"우리 부모님 얘길 하는 거야. 당신은 부모님을 안심시켜야 했어. 한 시간 동안 좋은 인상을 주기만 하면 됐다고, 토른. 딱 한 시간. 그러기는커녕 당신은 우리 엄마와 계약을 맺었지."

"그래서 어머니께서 안심하셨잖아."

"안심? 그래 맞아. 기뻐서 어쩔 줄 몰라하셨지. 당신은 내 삶의 전권을 엄마에게 넘겼어."

"난 어머님 뜻을 거역하지 않겠다고 약속했어. 나하고만 한 약속이야."

오펠리는 성벽 위를 걸으며 잠시 생각을 정리했다. 그리고 토른이 식사 내내 신중하게 단어를 골라 말했다는 사실을 인정할 수밖에 없었다. 이상하게도 그 사실이 조금도 기분을 나아지게 하지 않았다. 그러니까 내가 머물고 떠나는 결정을 엄마가, 그것도 혼자서 한다고? 어쨌든 그렇게 단순한 문제일 수는 없었다.

"당신 말이 맞다고 쳐." 오펠리가 웅얼거렸다. "기증 의식이 끝나자마자 내가 폴을 떠나서 다시는 돌아오지 않는다고 해봐. 당신은 세상에서 가장 우스운 남편이 될 거야."

"먼저 당신이 결혼식까지 살아남을 수 있도록 애써야겠지." 토른이 시큰둥하게 말했다. "당신이 내게 아니마 정신을 전해주고, 내가 당신을 부부의 의무에서 해방시켜주면 서로 공평해지는 거야. 그 이후에 당신이 어떤 결정을 내리든 그건 오로지 당신에게 달렸지."

오펠리는 토른이 뭔가 덧붙일 것 같다고 느꼈다. 하지만 바람의 탄식을 뚫고 두 번 연달아 이어진 폭발음에 멈칫했다. 바닷가와 상업지구 너머 북쪽 숲을 따라 이어진 성벽이 있는 바로 그곳에서, 방어용 요철 위로 두 개의 연기 기둥이 솟아올랐다. 성벽에서 대포 소리가 들리면 절대 안심할 수 없었다. 보통은 야수가 도시에 너무 가까이 접근했다는 것을 의미했다. 며칠 전에는 성벽을 급습한 거대 식충이를 쫓아내기 위해 집중 포격이 이루어졌다. 으르렁대는 소리가 어찌나 크던지 온천에서도 들릴 정도였다. 자연의 굉음에 익숙한 온천 직원들이나 이용객들은 신경 쓰지 않았지만, 오펠리 가족에게는 꽤나 충격적인 경험이었다. 폴에서는 어디서 무얼 하든 일상에 위험이 도사리고 있었다.

하지만 오펠리는 그곳에서의 생활이 그렇게 싫지 않았다.

"외교연맹은 어떻게 되는 거지? 베르닐드와 당신은 내게 줄곧 얌전히 있으라고 하면서 코앞에서 '연맹'을 들먹였잖아. 내가 세상 반대편에서 시간을 보내는 걸 파루크가 동의할 거라고 생각해?"

"당신이 그의 눈앞에 계속해서 나타나지 않는 한 그는 당신을 잊을 거야." 토른이 단호하게 말했다. "자기 책만이 중요하지. 그 책은…."

"당신 일이지, 나도 알아. (감기가 또 말썽이었다. 오펠리는 요란하게 코를 풀고 나서, 다시 진지한 목소리로 말했다.) 당신은 단 석 달 만에 책을 읽는 것에 동의했고." 오펠리가 기억을 상기시켰다. "누구의 도움도 받지 않고 새로운 능력을 숙달할 수 있을 거라고 생각해? 혼자서 온 세상을 짊어지려 하지 마."

오펠리는 거대한 소용돌이 구름에 커다란 관심을 보이면서도 곁눈으로 토른이 심하게 당황했다는 것을 알 수 있었다.

"저기 성벽 내부에 무슨 일이 일어난 거야?" 오펠리가 물었다.

오펠리는 난간에 기댄 채, 성벽에서 멀리 떨어져 은빛 해무에 가려 맨눈으로 거의 보이지 않는 곳을 가리켰다. 아슈 끝의 돌출된 부분과 맞닿은 요새는 물의 바다와 구름의 바다 사이에 있었다. 하지만 빈 공간 끝에서 갑자기 끊어졌다가 다시 조금 더 먼 곳에서 이어진 것처럼 보였다. 배경 한가운데에 구름 가득한 거대한 구멍이 나 있는 듯한 인상을 주었다.

"붕괴됐지." 토른은 문제의 벽보다 오펠리를 더 주의 깊게 바라보며 말했다. "4년 전 이곳에서 땅덩어리가 떨어져 나갔어."

오펠리는 난간이 갑자기 자신의 무게를 견디지 못하고 부서져 내릴 것처럼 곧바로 몸을 뗐다.

"붕괴?" 믿기지 않는다는 듯 오펠리가 반복해서 말했다. "이렇게 큰 게?"

"이건 그렇게 크지 않은 거야." 토른이 환기시켰다. "2년 전 헬리오폴리스라는 작은 아슈에서는 수십 킬로미터에 달하는 덩어리가 떨어져 나갔어. 국제가족신문 안 읽어?"

오펠리는 고개를 저었다. 그녀는 항상 아슈를 단단하고 변치 않는 작은 행성이라 여겼다. 하루아침에 덩어리가 통째로 빈 공간으로 떨어질 수 있다는 사실에 충격을 받았다.

'우리는 요지경 같은 세상을 살고 있지.' 작은할아버지가 말했었다.

할아버지와의 대화가 갑자기 떠오른 뒤로 오펠리의 머릿속에 질문이 꼬리에 꼬리를 물고 이어졌다. 세상의 파열은 정말 끝난 걸까? 그렇다면 파열은 누가 유발한 걸까? 두아옌들이 듣기 질색하는 전쟁 가운데 하나일까? 집안의 정령들은 망각에 빠지기 전 이와 관련된 뭔가 중요한 사실을 알고 있었을까? 그들의 책이 그 사건과 관련된 정보를 담고 있을까? 만약 누군가 그 진실을 껄끄러워한다면?

오펠리는 갑자기 내린 비에 질문을 멈췄다. 이마와 코에 빗방울이 하나씩 떨어지더니, 이내 차가운 소나기가 온 성벽 위로 쏟아졌다.

"우리가 사는 세상은 정말 수수께끼 같아." 오펠리가 안경을 손으로 가리며 말했다. "난 수년 전부터 온갖 물건들을 읽었지만, 아무것도 모르고 있다는 느낌이 들어. 산산조각 난 세상. 건

망증이 심한 집안의 정령들. 해독 불가한 책들. 그리고 당신."

토른의 눈에 희미한 빛이 일더니, 턱 근육이 움직였다. 순간 오펠리는 토른이 마침내 마음을 털어놓을 거라고 확신했다.

토른이 막 입을 열려는 찰나 또다시 멀리서 폭발음이 들려왔다. 포병들이 유난히 끈질긴 야수를 상대하고 있는 것 같았다. 대화가 중단되며 현실로 돌아온 토른이 서류 가방을 커다란 검은 외투 안에 집어넣었다.

"서둘러." 토른이 볼멘 소리로 말했다. "더 지체할 시간도 없고, 그러다 또 감기에 걸리겠어."

토른이 구름 사이로 모습을 드러낸 오래된 돌로 지은 둥근 천장의 초소로 향하는 동안, 오펠리는 머리부터 발끝까지 그를 뒤덮은 쓸쓸한 분위기에 그 어느 때보다 흔들렸다. "토른을 도와줘." 베르닐드가 사정했었다. 하지만 이런 고집쟁이를 상대로 어떻게 그런 엄청난 일을 해낼 수 있을까?

오펠리는 기차역 터널에서 조급해하며 큰 몸짓들을 해 보이는 아가트에게 기다리라는 신호를 보냈다. 이곳에서 비 사이로 보이는 언니의 모습은 넘실대는 흰 드레스와 빨간 머리카락이 전부였다. 오펠리는 초소의 차양 아래에 서 있는 토른 쪽으로 뛰어갔다. 이름뿐인 대피소였다. 슬레이트 사이로 비가 새고, 빈 공간 주변에서 불어온 소용돌이 바람이 여기나 저기나 마찬가지로 세게 느껴졌다.

"언제 돌아올 거야?" 오펠리가 물었다.

"지방에서 할 조사가 아직 많이 남아 있어."

사방에서 빗방울이 안경에 튀어, 오펠리는 토른을 거대한 그림자 윤곽으로 구별할 뿐이었다. 그의 목소리가 평소보다 더 깊게 울리는 것처럼 느껴졌다. 초소가 소리를 반사시키기 때문만은 아닌 듯했다.

"내가 언제 돌아오길 바라?"

"나?" 자신에게 의견을 물어볼 거라고 예상치 못한 오펠리는 깜짝 놀라 답했다. "당신이 해야 하는 일에 달렸겠지. 부디 결혼이나 잊지 마."

물론 농담으로 한 말이었지만 토른은 한결같이 진지하게 답했다.

"난 결코 아무것도 잊지 않아."

"그 말을 들으니 생각났어." 오펠리가 안경을 닦고 난 후에 외쳤다. "당신 고모가 또 엉뚱한 생각을 했다고 말한다는 걸 깜박했네. 글쎄 나보고 대모가 되어달래!"

토른이 눈썹을 활처럼 휘게 찌푸리자 흉터도 흉하게 휘었다.

"전혀 엉뚱하지 않아. 이제 당신도 우리 가족이야."

오펠리는 속이 뒤집혔다. 그런 말을 어쩜 이렇게 근엄하게 할 수 있을까?

"내겐 그 제안이 놀랍지 않은 걸." 토른이 말을 이었다. "고모는 파루크의 직계 후손을 낳을 거야. 아이와 가까운 이들은 궁정에서 특별한 자리를 차지하게 되겠지. 아이가 태어나면 고모는 내 위치도 공고히 해주실 거야."

오펠리는 갑자기 아르쉬발드가 대부를 하겠다고 강제로 나서지 않았다면, 그 역할은 아마 토른에게 돌아갔을 것임을 깨달았다.

"그렇지만 난 당신이 그 제안을 거절해야 한다고 생각해." 토른이 고민 후 덧붙였다. "당신이 있을 곳은 궁정이 아니야. 단 한 번도 아니었어."

오펠리는 화가 치밀어 '내 자리는 내가 있기로 선택한 곳이야'라고 따질 뻔했지만, 전혀 다른 말이 튀어나왔다.

"어제 당신 어머니를 만났어."

순간적으로 오펠리는 자신에게 무슨 일이 일어난 것인지를 생각했다. 그런 얘기를 꺼내기 적절한 장소도, 그럴 만한 순간도 아니었다. 하지만 그녀는 이 금기가 토른의 행동을 지배한다는 것을 직감적으로 알았다. 토른을 어머니와 이어주는 관계의 참모습을 알게 된다면, 오펠리는 마침내 그를 이해할 수 있을 것이다. 그리고 어쩌면 그를 도울 수 있을지도 모른다.

"베르닐드가 무슨 일이 있었는지 얘기해줬어." 오펠리는 완전히 어두워진 토른의 얼굴을 보며 주저하며 물었다. "내가 궁금한 건… 어머니께서 절단형에 처해지기 전에 기억을 당신에게 물려주셨다면… 그러니까… 기억을 어머니께 되돌려드리는 게 가능할까? 당신이 따스한 손길을 건네야 한다고 말하는 게 아니야." 눈에 띄게 굳어지는 토른의 얼굴을 보며 오펠리는 서둘러 덧붙였다. "당신 어머니가 당신에게 아무것도 아니란 거 알고 있어. 무엇보다 어머니의 기억이 또 다른 짐이란 생각도 들어."

"당신은 아무것도 몰라."

토른은 아주 냉정하고 침착하게 말했다. 그를 둘러싼 전기가 흔들리는 것이 느껴졌다. 면도날 같은 눈빛만큼이나 예리한 토른의 할퀴기 공격이 신경을 곤두세우고 있었다. 토른의 적대적인 반응은 차양 사이로 들어와 계속 오펠리 머리 위로 떨어지는 빗방울과 같은 효과를 냈다.

"그래." 오펠리는 웅얼대며 인정했다. "난 아무것도 몰라."

하지만 오펠리가 이해하기 시작한 것이 하나 있었다. 토른의 어머니는 파루크와 가까웠고, 비밀을 간직하고 있었다. 바로 그 이유 때문에, 오로지 그 이유 때문에 토른이 책을 읽으려는 건 아닐까? 두 사건은 분명히 관련이 있어 보였다.

토른이 감독관의 열쇠들을 꺼내 살펴본 뒤, 그중 하나를 초소 자물쇠에 꽂았다. 건물 내부는 오펠리가 아는 다른 바람 장미들과 같았다. 원형의 공간 안에 문들만 있고, 각각의 문은 머나먼 목적지로 이어진다. 대개는 바람 장미가 또 다른 바람 장미로 이어져 이동할 수 있는 선택의 폭이 넓어진다.

"이제 다시는 호텔을 떠나지 마." 토른이 명령했다. "내가 돌아올 때까지 만나는 사람, 입에 넣는 음식, 마시는 공기까지 모두 조심해. 투명 인간이 당신의 안전을 살필 거야. 그의 일을 더 복잡하게 만들지 마. 내 말을 그대로 지킨다면 어떤 일도 일어나지 않을 거야."

오펠리는 이 순간 벽 위에도 블라디스라바가 그들과 함께 있지가 궁금해하며 뒤를 살짝 돌아보았다. 하지만 쏟아지는 굵은 빗줄기만 보일 뿐이었다. 젖은 옷 사이로 바람이 파고들자 온몸에 소름이 돋았다. 오펠리는 더 이상 언니도 심연도 구분할 수 없게 되자 현기증이 이는 것 같았다.

"잠깐만." 오펠리는 외투 주머니에서 회중시계를 꺼내며 중얼거렸다. "가기 전에 이걸 돌려주고 싶어. 나보다 당신이 더 필요하잖아. 어차피 읽지 않을 거야. 시계가 아니라 당신을 믿기로 했으니까."

분명 이 말을 끝내고 목소리가 잠기지 않았다면 훨씬 더 멋지게 들렸을 것이다. 오펠리는 시계 초침 바늘이 움직이지 않는 것을 이제야 발견했다.

"어째서… 이게 무슨 일이지." 오펠리가 말을 더듬는 동안 토른은 인상을 쓰며 시계를 손에 넣고 주먹을 쥐었다. "오늘 아침에도 태엽을 감았는데… 모래알 때문에 멈췄나 봐."

오펠리는 자신이 너무 바보처럼 느껴졌다. 토른의 기분을 풀어주고 싶었는데, 의도와 달리 그의 기분을 완전히 망친 것 같았다.

"작은할아버지는 어떤 물건이든 고칠 수 있어." 오펠리가 서툴게 둘러댔다. "다시 생각해보니 시계를 좀 더 맡기고 가야 될 것 같아."

토른은 한참동안 몸을 움직여 허리를 숙였지만, 오펠리에게 시계를 되돌려주지는 않았다. 대신 그의 입을 오펠리 입에 갖다 댔다.

숨이 멎을 정도로 놀란 오펠리 눈이 휘둥그레졌다. 절대 예상치도 못한 입맞춤에 넋이 나갔다. 머릿속은 완전히 정지했지만, 주변의 모든 감각이 다시 생생히 살아났다. 돌 위에 떨어지는 빗방울 소리, 드레스 사이로 파고드는 바람, 피부에 박힌 듯한 안경, 이마에 닿은 토른의 젖은 머리칼, 서툴게 포갠 그의 입술. 마침내 오펠리가 무슨 일이 벌어진 건지 깨달은 순간, 그녀는 갑자기 강렬한 현기증을 느꼈다.

갑작스럽게 당혹감이 몰려들며 자기도 모르게 손이 올라갔다. 오펠리는 난생처음 남자의 따귀를 때렸다. 폭력이라기보다는 본능에 가까운 동작이었다. 오펠리는 자신이 보인 반응에 깜짝 놀랐다. 반면 토른은 훨씬 더 침착해 보였다. 처음부터 이런 돌발 상황에 대비한 듯 생각에 잠긴 얼굴로 볼을 어루만지며, 시선을 피한 채 뻣뻣하게 몸을 세웠다.

"저기." 당황해서 아무 말도 못하던 오펠리가 중얼거렸다. "그러려고 그런 게… 당신이 그렇게 하면 안 됐…."

"혹시나 하는 의구심이 들었는데." 토른은 여전히 오펠리의 시선을 피한 채 그녀의 말을 가로막았다. "당신이 깨끗이 씻어줬어."

오펠리는 동요해서 날뛰는 목도리를 최대한 자제시켰다. 그녀가 정말로 오해를 살 행동을 한 걸까? 오펠리는 불편해서 어쩔 줄 몰라하며, 뒤도 돌아보지 않고 초소의 문을 통과하기 위해 거구의 몸을 구부리는 토른을 보았다.

"당신이 결혼식까지 살아남을 수 있도록 최선을 다하겠어." 토른이 또다시 오펠리에게 약속했다. "다 끝나면 가족과 함께 돌아가. 조롱거리가 됐다고 죽은 적은 한 번도 없으니까."

토른은 이 말을 남기고 문을 닫았다. 자물쇠가 철컹대며 두 번 잠기는 소리가 들렸다. 귀는 새빨개지고 얼굴은 홍당무가 된 오펠리는 안경 낀 눈으로 오래된 목판에 적힌 '직원 전용'이라는 빛바랜 글자를 뚫어져라 쳐다보았다. 마치 토른이 언제라도 되돌아와 다시 입을 맞추고, 처음에 제안한 대로 회중시계를 돌려줄 것처럼. 오펠리의 상상은 아가트의 신경질적인 비명 소리와 함께 멈췄다.

"악! 동생! 당장 돌-아-와!"

오펠리는 처음에 아가트가 멀리서 비가 오는데도, 이 모든 장면을 목격한 말도 안 되는 쾌거를 이뤘다고 생각했다. 그러나 성벽으로 되돌아가며, 다른 일이 벌어지고 있음을 깨달았다. 언니는 극도로 흥분한 몸짓으로 허공을 가리켰다. 고소공포증이 있는 언니에게서 볼 수 없는 매우 놀라운 몸짓이었다. 성벽의 대포들이 세 번째로 폭발음을 냈다. 오펠리는 난간 위로 몸을 기댔다. 소나기는 쏟아질 때와 마찬가지로 그칠 때도 갑작스러웠다. 구름을 뚫고 나온 햇빛이 사블도팔 염전에 쏟아졌다. 거리에서 평소에 없던 생동감이 느껴져 오펠리는 잠시 야생동물이 도시에 들어왔나 걱정했다.

고개를 들어 바다의 수평선 너머 두 개의 움직이는 구름 사이로 거대한 망루들, 부벽들, 굴뚝들이 서로 혼란스럽게 얽혀있는 것을 보고 오펠리는 창백해졌다. 포병들은 동물이 다가왔다는 것을 알리던 게 아니었다. 시타시엘이 왔음을 알린 것이었다.

"블리디스리바 부인, 나와 함께 있나요?" 오펠리가 물었다.

"네, 오펠리 양." 조금 멀리 떨어진 듯한 곳에서 마침내 전형적인 군인 말투의 목소리가 들려왔다.

이제 오펠리 시야에 붉은 그림자의 존재가 들어오는 듯했다. 하지만 오펠리가 고개를 돌렸을 때는 아무도 보이지 않았다. 조금 전 투명 인간이 토른과 그녀 사이에 있었던 일을 목격했을 수 있다는 생각 때문에 나중에 당혹스러울 수도 있겠지만, 어쨌든 당장은 그보다 더 급한 일이 생겼다.

"돌발 상황이 발생했다고 토른에게 전해주시겠어요?"

"분부대로 하겠습니다, 오펠리양."

조각 : 세 번째 시도

신은 아주 잔인하게 무관심을 드러냈는데, 그럴 때면 나는 공포에 떨었다. 또한 부드러운 면모를 보일 줄도 알았기에, 그 누구보다 신을 사랑했다.

"왜?"

그 기억은 이 질문과 함께 시작된다. 그 질문에 집중하는 사이, '왜'라는 목소리의 억양과 빛이 드는 배경에서 점차 모습을 선명하게 드러내는 실루엣이 기억에서 되살아나면서, 그는 그 질문을 한 사람이 아르테미스임을 깨닫는다. 지난번 기억에 비해 많이 변한 그녀의 모습으로 보아 여러 해가 지난 것 같다. 아르테미스는 이제 안경을 끼지 않고, 목소리는 깊어졌으며, 엉뚱하게 남자 옷을 입고 있었지만 한창 사춘기를 겪는 소녀의 몸이었다. 키도 몸집도 평균보다 훨씬 큰 소녀였다. 아르테미스는 그녀에게는 다소 비좁아 보이는 창가에 앉아 있다. 아니마 정신으로 무릎 위에 균형을 잡아 올려놓은 지구본을 돌리고 있다. 진지해 보이는 그녀의 옆얼굴과 길게 땋은 붉은색 머리카락이 햇살을 받아 빛났다.

"왜 왜냐고 묻는 거야?"

그의 목소리도 바뀌었다. 흉곽이 엄청나게 커지기라도 한 듯 아르테미스의 목소리보다 훨씬 낮은 음색이다.

“왜 네가 준 상자는 모두 비어 있지?” 아르테미스가 물었다. “매번 내가 도움을 주면, 넌 내게 작은 상자를 하나씩 주었는데, 비어 있어. 선물을 하려면 제대로 해야지.”

아르테미스는 탓하는 말투가 아닌 큰누나가 남동생에게 조언하는 듯한 말투로 말했다. 그녀는 지구본에 손을 대지 않고 계속 돌렸다. 둥근 세상, 아직은 원래 모습 그대로다. 그 시대의 세상인가?

“내 생각에는 상자가 이상적인 선물 같아.” 그가 침묵을 깨고 대답했다. “그 안에 뭐가 있다면, 누나가 바라던 것일 확률이 얼마나 될까? 반드시 실망하게 돼있지. 상자를 줄 테니 누나가 원하는 내용물을 직접 담아.”

그는 대답하면서 그게 유일한 이유가 아니란 것을 안다. 진짜 이유는 그에게 상상력이 전혀 없다는 것이다. 가끔은 누나에게 주는 작은 상자만큼이나 자신도 텅 비었다고 느낀다.

“어른이 되면 내가 어디서 살지 궁금해.” 아르테미스가 시큰둥하게 지구본을 살피며 말한다. “가능하면 별에서 살고 싶어. 아이러니하지 않아? 내 능력은 인공적인 물질에서만 친화력을 보이는데, 나는 별들에만 흥미를 느끼니. 잘은 몰라도 네가 준 상자들보다 별들이 더 실망스러울 수도 있겠지? 확실히 알 수 있는 유일한 방법은….” 그녀는 곰곰이 생각하며 덧붙였다. “별들을 잘 아는 법을 배우는 거야. 난 어른이 되면 제일 먼저 세계 최고의 천문대를 세울 수 있는 산을 고를 거야. 넌?”

그는? 그는 대답 없이 아르테미스의 지구본을 쳐다보고만 있다. 그는 모른다. 언젠가 집을 떠나야 한다는 사실이 인간들 사이에서 억지로 공부하던 시간만큼이나 전혀 내키지 않았다.

"게으름 피우지 말고 다른 이들처럼 너도 연습해야지." 아르테미스는 갑자기 지구본 돌리기를 멈추며 말했다. "네 능력을 습득하려면 아직 멀었어, 오댕."

다른 이들? 오댕의 시선은 처음, 그러니까 아르테미스가 '왜?'냐고 묻기 전으로 되돌아간다. 양쪽 소매에 얼굴을 반쯤 파묻고 있는 자신의 모습이 눈에 들어왔다. 그는 팔짱을 끼고 테이블에 무기력하게 앉아 있다. 커튼처럼 얼굴을 가린 백발이 반쯤 벌어진 틈으로 흐릿한 기억으로 뿌연 안개만이 보였다. 과거의 퍼즐을 맞추려고 애쓰고 있는 현재의 의식은 그 안에 깊이 자리 잡은 관찰자가 되어 그 장면을 재구성하기 위한 아주 사소한 것 하나, 기억을 환기할 수 있는 단서 하나라도 찾겠다는 희망을 품고 아르테미스에서 '다른 이들'로, 창문에서 방의 다른 공간들로 계속해서 눈을 굴린다.

장난감 병정들.

그래, 옆 테이블에 일렬로 늘어선 장난감 병정들을 본다. 장난감 병정은 그의 형 미다스의 것이다. 미다스는 납으로 만든 대령을 온 힘을 다해 노려보며 금으로 바꾸는 변환을 한창 시도하는 중이었다. 아직까지는 구리에 가까운 상태였다.

그래, 왼쪽에는 아르테미스가 지구본을, 오른쪽에는 미다스가 납으로 된 장난감 병정을. 그리고 또 누가?

색색의 파스텔들이 공기 중에 무질서하게 떠다닌다…. 마치

미니어처 위성처럼, 또 다른 형이자 집안의 예술가인 우라노스 주위로 궤도를 그리며 돈다. 그는 조금 더 멀리 떨어져 식탁에 앉아 있다.

그래, 왼쪽에는 아르테미스가 지구본을, 오른쪽에는 미다스가 납으로 된 장난감 병정을. 앞에는 우라노스와 파스텔이. 그리고 또 누가?

장면을 점점 자신의 것으로 만들자 시야의 폭이 넓어진다. 그는 기준음에서 시작해 음향 실험을 하고 있는 쌍둥이 엘렌과 폴룩스, 햇볕을 받으며 보석처럼 빛나는 풍뎅이에게 마법을 걸려고 하는 비너스의 실루엣을 본다. 이들 모두 어디에 있는 걸까? 그는 해가 내려쬐는 테이블과 창문 외에는 생각나는 게 없다.

학교 우등생들처럼 실습에 몰두해 있는 이 키 크고 어설픈 청소년들은 언젠가 아르테미스의 무릎에 놓인 지구본과는 완전히 다른 세상의 왕과 여왕이 될 것이란 걸 인식하고 있을까?

그는 궁금해하며 방 안 깊은 곳에 서 있는 그림자를 보려고 애썼다. 그의 기억을 감싸고 있는 안개가 여전히 걷히지 않은 지점이었다.

누가 신이지? 신은 무엇을 원하지? 신은 어떻게 생겼지?

기억은 전부 다 이 중심인물 주위를 맴 돌지만, 그가 어떤 얼굴을 하고 있는지 떠올리지 못한다. 하지만 지금처럼 그가 테이블에서, 팔짱을 낀 채로, 흘러내린 머리카락 틈새로 신을 관찰할 때 목까지 차오르는 감정은 너무도 분명하다.

두려움.

그는 이해하지 못한다. 결코 신이 그에게 기대하는 바를 이해한 적이 없다. 형과 누나들에게는 모든 게 그토록 간단해 보이는데! 그들은 자신의 능력을 받아들이고, 책에 쓰여 있는 것에 의구심을 품지 않고 그대로 행동한다. 오댕만은 아무것도 이해하지 못한다. 그는 자신이 신이 바라는 대로 될까 봐 두렵고, 신이 바라는 대로 결코 될 수 없을까 봐 두렵다. 그에게는 극도로 복잡한 감정들이다.

갑자기 기억이 동요한다. 온몸을 휘감은 전율로 인한 동요였다. 신이 몸을 움직이더니 그에게 다가왔다. 그는 지금껏 이렇게 공포를 느낀 적이 없다. 그런데 신은 왜 어떤 형태도 띠지 않고 그림자 상태인 걸까? 그는 반드시 신을 기억해내야 한다, 그것이 핵심이다.

기억이 왜곡된 게 아니라면, 신은 슬로모션처럼 천천히 테이블들 사이로 나아간다. 신은 엘렌과 폴룩스의 음향 실험과 비너스의 풍뎅이와 우라노의 파스텔, 미다스의 장난감 병정을 지나친다. 신은 그에게 다가온다, 오로지 그를 향해 다가온다. 신은 다른 이들처럼 자신의 능력을 연습하지 않는 그를 보고 실망한다. 신은 그의 책을 가져간다. 신은 그를 부정하고, 집에서 내쫓는다.

신이 손을 들어 올린다.

신의 손, 그가 신에 대해 기억해낸 첫 번째 신체적 표식이다. 그의 감정을 이토록 격앙시킨 이의 손이 이토록 작고 평범했나?

신이 자신을 때리려고 들어 올렸다고 생각한 손으로 신은 그의 머리칼을 곳곳에 헝클어뜨렸다.

여전히 형체가 없는 신은 아무 말도 하지 않고 멀어지고, 그는 가득 차오르는 뜨거운 열기를 느낀다. 두려움 대신 격정적인 사랑이 자리 잡았다. 하나의 진실이 그의 정신을 사로잡는다. 세상에서 유일하게 중요한 진실은, 그가 오늘도 신과 다른 이들과 함께 집에 머무를 수 있다는 것이다.

기억은 이렇게 끝난다.

비고 : "네 눈부심을 닫아라." 이 말을 누가 했고, 그 의미는 무엇인가?

부재자들

시타시엘은 구름 사이에 매달린 벌집 모양의 성채로 움직이지 않는 듯한 환영을 불러일으켰지만, 실제로는 쉼 없이 움직이고 있었다. 반은 바람의 힘으로, 나머지 반은 수천 개의 추진기의 힘으로. 대개의 경우 예측 불가능한 방식으로 이동했다. 지금 이 순간 궤도를 도는 대형 도시는 사블도팔의 산업지구에 그림자를 드리우고 있었다. 호텔로 천천히 내려가는 케이블카 창에 코를 바짝 대고 오펠리는 시타시엘을 뚫어져라 바라보면서 시타시엘이 이곳에 온 것은 우연이고, 역풍이 불어 다시 북쪽으로 밀려가기를 바랐다.

"제발" 아가트가 울먹였다. "궁정이 저 위에 있다고는 하지 마!"

"저기 꼭대기에 망루 보여?" 오펠리가 물었다. "저기야."

"말도 안 돼! 비행선을 타고 끝도 없는 여행을 하고 나서, 성벽 위 기차를 타고, 절벽 위를 걷고, 케이블카를 타고 오르락내리락하다가 이제는 저기라고? 아니마의 작은 계곡이 그리울 지경이야… 젠장!" 아가트가 곤돌라 유리창에 레이스 장갑을 대며 갑자기 소리쳤다. "사람들이 도시에서 떨어지고 있어!"

그녀는 사슴이 끄는 반짝이는 거대한 썰매가 공중을 미끄러지듯 가르며 내려오는 것을 가리켰다.

"떨어지는 게 아니야." 오펠리가 안심시키며 말했다. "시타시엘은 매우 실용적인 공중 복도들로 연결되어 있어."

"와, 썰매가 우리 호텔 바로 앞에 내렸어!" 아가트가 감탄하며 말했다. "사람들이 내린다. 제복이 끝-내-주-네! 샤를이 저렇게 온통 흰색과 금색으로 입을 수 있다면! 저 사람들 왕자들이니?"

"아니." 오펠리는 미지근한 반응을 보이며 중얼거렸다. "헌병들이야."

"우리 때문에 온 건 아니지?"

아가트는 케이블카에서 내리자마자 답을 알았다. 가족들에게 질문을 던지느라 분주하던 헌병들이 오펠리에게 호텔 앞에 세워둔 금과 모피로 장식된 커다란 경찰 썰매를 탈 것을 권했다.

"파루크 폐하께서 면담을 요청하셨습니다, 아가씨."

"저요? 왜죠?"

"왜냐하면 폐하가 면담을 요청하셨으니까요." 그는 변함없이 예의를 갖추고 오펠리에게 답했다. "베르닐드 부인은 같이 있지 않나요?"

"아니요, 여기 안 계세요." 오펠리는 얼버무렸다.

"애석하군요. 타세요, 아가씨."

오펠리는 가족에게 걱정하는 모습을 보이지 않으려 애썼다.

파루크의 인내심이 마침내 바닥난 걸까? 이번에는 정말로 그의 책을 읽으라고 요청할 것인가? 토른은 아마도 벌써 아슈의 저쪽 끝에 있을 것이고, 베르닐드는 아직도 요양원에서 돌아오지 않았다. 오펠리는 파루크를 대면할 생각만으로도 위경련이 일었다.

오펠리는 썰매의 모피로 감싼 의자에 앉아 있는 아르쉬발드 여동생들을 보자 놀라면서도 한편으로는 안심이 되었다. 그녀들은 머리 손질도, 화장도 하지 않고, 평소와 다르게 드레스의 끈도 대충 묶고 있었다.

"무슨 일이죠, 파시앙스 양?" 오펠리는 아르쉬발드의 첫째 여동생 맞은편에 앉으며 나지막이 물었다. "우리에게 뭘 원하는 거죠?"

파시앙스는 대답 대신 오펠리의 면전에 대고 하품을 했다. 그녀처럼 고상한 숙녀에게서 전혀 예상치 못한 반응이었다.

오펠리는 호텔 쪽으로 고개를 들다 호텔방 창가에서 이쪽을 주시하고 있는 쿠네공드의 거대한 실루엣을 보았다. 그녀는 들키기 싫은 듯 즉시 커튼을 쳤다. 신경쇠약증이든 아니든 이 미라주의 행동은 정말 의심스러웠다.

"아가씨 외 한 사람만 동승 가능합니다." 아니마인들이 전부 썰매로 몰려들자 헌병이 형식적인 말투로 알렸다.

"나요." 어머니가 결심했다. "집안의 정령이든 뭐든 간에 파루크님은 남자예요. 내 딸을 만나려면 우선 내 허락을 받아야 하죠."

오펠리는 선택을 한다면, 르나르와 함께 가는 편을 택했을 것이다. 르나르는 썰매 난간 쪽으로 몸을 숙이며 오펠리에게 서류들을 건네며 조언을 쏟아부었다.

"자, 이건 신분증입니다. 다른 외투 주머니에 넣어둔 걸 잊으셨죠, 필요할 거예요. 그리고 이건 약혼자와 파루크 폐하의 계약 사본, 이건 읽기 사무소 면허증이요. 하지만 파루크 폐하가 언급하기 전에는 이 문제에 대해 언급하지 마세요. 베르닐드 부인과 이모님께는 내가 책임지고 알릴게요. 그때까지 언행을 조심해요, 꼬마 아가씨."

오펠리 엄마는 한 손으로 깃털 모자를 붙들며 공작부인 못지않은 기품 있는 자세로 의자에 앉았다. 경찰 썰매가 바람의 속도로 공중 복도에 올라타자 모자는 멀리 날아가버렸다.

시타시엘 그랑플라스에 착륙한 뒤 헌병들의 호위를 받으며 수없이 많은 층을 올라갔다. 환승 엘리베이터가 상당히 많았는데, 그때마다 흰색과 금색의 제복을 입은 장교가 신분증을 확인하고 난 뒤에야 다음 엘리베이터를 타도 된다는 신호를 보냈다. 오펠리는 한 번도 겪어보지 못한 삼엄한 경호를 받았지만, 간단하게라도 상황을 설명해줄 생각을 하는 사람은 아무도 없었다.

오펠리의 엄마는 한 층씩 올라갈 때마다 점점 얼굴을 붉히더니, 격분한 상태로 같은 질문을 해댔다.

"내 딸에게 원하는 게 뭐예요?"

헌병은 오펠리 엄마의 질문에 동요되지 않고 한결같이 답했다.

"파루크 폐하가 따님과의 면담을 요청하셨습니다, 부인. 따님과 대사의 누이들과요. 베르닐드 부인을 보시겠다고도 요청하였지만, 부인이 안 계셔서…."

"아무리 그래도 숙녀들을 이렇게 대하시면 안 되죠!" 오펠리의 엄마는 화를 냈다. "네가 잘못한 게 있다면 내게 말해주었을 텐데, 그렇지 오펠리? 아이고 이럴 줄 알았으면 먼저 화장실에 다녀오는 건데. 앞으로 얼마나 더 엘리베이터를 타야 하는 거니?"

오펠리 자신도 조금 혼란스러워 엄마의 질문에 답하지 않았다. 오펠리는 클레르들륀을 거치지 않고 파루크 망루에 가는 게 불가능하다고 생각했지만, 실제로 길을 돌아서 그렇게 하고 있음을 알아차렸다. 대사관은 궁정의 공식 대기실로 반드시 거쳐야 하는 공간이었다.

"에구머니나!" 갑자기 오펠리의 엄마가 매니큐어 칠한 손을 입에 갖다 대며 소리쳤다.

마침내 6층에서 엘리베이터의 금색 창살이 열렸다. 오펠리는 궁정의 눈부신 빛과 번쩍이는 색들에 익숙했지만, 갑자기 바뀐 분위기에 얼어붙었다. 볼 때마다 정오를 가리키는 금빛 시계 바늘처럼 항상 중천에 떠 있던 태양은 바다에 깊이 잠겨 수면 위로 기다란 불길을 드리우고 있었다. 하늘은 분홍, 파랑, 보라, 주황으로 형형색색 물들어 있었다. 공기의 질감마저 부드럽고, 미지근하고, 달콤하게 바뀌어 가장 제대로 된 여름밤 같았다.

"내 딸, 그러니까 네가 이곳에서 생활한 거지?" 오펠리 엄마는 완전히 달라진 목소리로 물었다. 모녀는 연인들 뒤를 따라가며 바닷가를 걸었다.

“대부분은요.”

오펠리는 방파제 산책로의 떠 있는 성에 완전히 정신이 팔려 건성으로 대답했다. 창문마다 맞은편 바닷가의 일몰을 반사하고 있었다. 대체 이곳에서 무슨 일이 벌어지고 있는 걸까? 그리고 왜? 오펠리는 아르쉬발드의 여동생들을 보며 속으로 생각했다. 왜 우리를 함께 부른 걸까? 일곱 소녀는 오빠가 항상 근처에 못 가게 했던 이 기상천외한 궁정 홀에 눈길 한번 주지 않고, 눈은 반쯤 뜬 채 몽유병 환자처럼 걷고 있었다.

“미리 귀띔 좀 해주지 그랬니!” 오펠리의 엄마는 환호성을 질렀다. “네가 이렇게 입이 떡 벌어질 만한 장소에 드나드는 줄 알았다면 토른 씨에게 그렇게 깐깐하게 굴지 않았을 거 아니니! 완전히 그림엽서 같구나! 저 위에 있는 사람들은 뭘 만들고 있는 거니?”

오펠리는 연미복을 입고 바다 바로 맞은편에 난 산책로를 따라 비계발판에 서있는 남성들을 발견했다. 단원은 하나도 없었지만 다들 오케스트라 지휘자 같은 동작을 취하고 있었다. 이쪽에 구름 띠를 늘리고, 저쪽에 후광을 더하고, 계속해서 색의 음영을 조절해가며 일몰을 완성하기 위한 마무리 작업 중이었다. 손가락을 붓처럼 사용하는 인상파 화가들 같았다.

“미라주 예술가들이에요, 엄마. 배경을 손보는 거죠.”

오펠리는 환희에 찬 엄마의 눈을 보며, 엄마가 딸의 결혼을 다른 시선으로 보기 시작했음을 느꼈다. 오펠리는 진짜 바깥세상의 진짜 잿빛 하늘이 벌써부터 그리웠다.

길을 가다 뒤돌아보는 몇 안 되는 행인들은 지위가 낮은 궁정 사람들뿐. 이건 좋은 징조가 아니었다. 왜냐하면 그녀들이 도착한 곳에 이미 권력자들이 모두 모여 있었을 테니까. 다시는 궁정에 발을 들여놓지 마시오, 편지는 오펠리에게 경고했었다. 오펠리가 앞으로 마주칠 사람들 가운데 그 편지를 쓴 사람이 있다면, 출입 금지 명령을 어겼음을 조만간 알게 될 것이다. 오펠리는 블라디스라바가 이 순간에도 자신을 지켜주고 있는지 아니면 토른에게 직접 소식을 전하고 있는지 궁금해하며 주변을 살폈다. 투명 보디가드의 단점은 함께 있는지 아닌지를 절대 알 수 없다는 점이다.

헌병들이 오펠리와 엄마에게 방파제 산책로로 난 커다란 교각을 건너도록 했다. 성의 메인 돔 건물에는 여인들과 웅성거림으로 가득했다. 섬세하게 꾸민 궁정 여인들을 가까이서 볼 준비가 안 된 오펠리 엄마는 모자 없이는 발가벗은 느낌이었는지 거대하게 틀어 올린 머리를 신경질적으로 매만졌다.

"안녕하세요, 부인, 안녕하세요, 아가씨." 오펠리의 엄마는 좋은 인상을 주려고 마주치는 사람들 마다 인사를 건넸다. "보통 아침 인사를 하니 아니면 저녁 인사를 하니?" 엄마가 오펠리에게 가까이 와 속삭였다. "날이 환한데 노을이 지니 시간을 잘 모르겠네. 내가 여기 있는 속물 덩어리들을 다 짜증나게 하고 있는 것 같아."

오펠리는 궁정 여인들이 자신과 엄마를 향해 보내는 시선에 위험한 빛이 서려 있음을 알아차렸다. 퀴네공드는 '궁정에 돌아가게 되면 지옥을 맞이할 준비를 하세요'라고 경고했었다.

"그녀들은 절대 아침 인사도 저녁 인사도 하지 않아요." 오펠리는 엄마를 잃어버리지 않겠다고 다짐하듯 팔짱을 끼며 말했다. "여기서 만나는 사람 중 하인들만 예의가 바르죠."

헌병들은 크리놀린 드레스들 사이로 길을 내 오펠리와 엄마가 돔에서 방사형으로 뻗은 다섯 개의 주 회랑 가운데 하나를 가로질러 갈 수 있도록 도왔다. 오펠리는 방파제 산책로를 출입하며 여러 놀이방을 방문할 기회가 있었지만, 지금 엄마와 함께 들어가는 방보다 더 불편하게 만든 곳은 없었다.

룰렛의 방

경매장 분위기를 연상시키는 초대형 공간에 수많은 의자들이 파루크가 자리 잡은 연단을 향하고 있었다. 파루크는 맥없이 주저앉아 있었다. 바닥까지 흘러내리는 긴 백발을 한 거대한 형체를 보자 오펠리는 다리가 후들거렸다. 오펠리는 파루크와 지난번 맞붙은 뒤로 그를 피해 도망치고 싶은 마음을 억누를 수 없었다.

"그 유명한 파루크 씨가 저분이구나?" 오펠리의 엄마가 살짝 당황해 물었다. "생긴 건 반듯하게 생겼는데 몸을 잘 못 가누네."

칸칸이 숫자가 적힌 거대한 회전판 위를 하얀 공이 끊임없이 굴러가는 환영으로 장식되어 룰렛의 방이란 이름이 붙었다. 눈을 올려 거대한 룰렛을 보기만 해도 삶을 우연에 맡기는 느낌을 받았다. 터무니없는 생각은 아니었다. 파루크는 바로 이곳에서 한 달에 한 번씩 분쟁을 해결하고, 형을 내리고, 판결을 이행했다. 파루크의 결정은 너무 모순되고, 너무 불확실해서 언제나 내기의 대상이 되었고, 재판도 한낱 게임에 불과하다는 생각을 심어주었다.

시타시엘의 모든 난방 장치를 관리하는 중앙난방부 장관 사건이 진행 중이었다. 그는 파루크의 거대한 왕좌 맞은편의 발언 연단에서 토른이 보낸 서류에 대해 불평을 늘어놓고 있었다.

"맞습니다. 운 좋은 광산 주인이 접니다!" 그는 자존심에 상처를 입어 떨리는 목소리로 변론했다. "그래요, 저는 겸손하게 궁정의 공식연료공급처로 자원했어요! 관리국에서 문제 삼고 있는 이해충돌이 대체 어디서 일어난다는 거죠? 저희 회사가 우리 부처에 도움이 될 걸 알면서도 나서지 않는 게 오히려 의무 위반이죠!"

파루크는 자신의 의지에 반해 어쩔 수 없이 붙들려 있는 아이처럼 금과 벨벳으로 장식된 왕좌에 의기소침하게 엎드려 있었다. 그는 지루해 죽겠다는 듯 문제의 서류를 읽었다. 왕좌 뒤에 있는 파루크의 애첩들은 다이아몬드로 만든 동상처럼 꼼짝 않고 조용히 자리를 지키고, 서기는 주고받는 말을 빠짐없이 타자기로 기록했다.

오펠리는 엄마와 아르쉬발드 여동생들 사이에 낀 채로 의자에서 몸을 돌려가며 방 안을 주의 깊게 살폈다. 회의에 참석한 의원들 대부분은 오펠리가 아는 얼굴이었다. 주로 법관, 장관,

고위 공무원들이었다. 멜키오르 남자은 오늘은 심플한 흰색 정장을 입고, 지팡이를 다리 사이에 끼고 반지 낀 굵은 손가락으로 지팡이 손잡이를 톡톡 건드리고 있었다. 긴 콧수염을 들썩이는 미소도 짓지 않고, 금발 머리에 포마드도 바르지 않았다. 수수한 복장만큼 평상시와는 다른 모습이었다.

오펠리는 토른이 보이지 않자 실망하며 한숨지었다. 그러나 맨 앞줄에 투알의 구성원들이 자리 잡고 있는 것을 보고 놀랐다. 그들은 괴로운 표정으로 팔짱을 끼고 중앙난방부 장관의 변론을 듣고 있었다. 오펠리는 그들의 모습을 더 자세히 보며 눈살을 찌푸렸다. 그들은 하품을 참고, 계속 눈을 비비고, 더러는 자기도 모르게 잠이 든 것을 알고 깜짝 놀라곤 했다. 가족 전체를 사로잡은 듯한 이 기이한 졸음은 무엇일까? 그리고 왜 아르쉬발드는 동생들과 함께 소환되지 않았을까? 그는 여동생들이 여기 있다는 사실만이라도 알고 있나?

"대안을 몇 단어로 요약해드릴 수 있습니다." 장관은 결정을 내리지 못하는 파루크를 보며 부드러운 목소리로 말했다. "폐하께서 승인하시면 다음 겨울은 매우 추울 겁니다."

파루크는 무기력한 몸짓으로 관리국에서 작성한 문서를 찢었다. 그러자 룰렛의 방에서 내기에 이긴 자들과 진 자들 사이에 파란 모래시계가 오갔다. 오펠리는 토른을 위해서라도 가족 의회가 이런 식으로 진행되지 않기를 바랐다.

"다음 사건!" 궁정 의원장이 의사봉을 탕탕 두드리며 소리쳤다.

오펠리는 일어났다가 곧바로 다시 앉았다. 아직 그녀 차례가 아니었다. 두 명의 헌병이 연단으로 끌고 온 사람은 놀랍게도 기사였다. 서 있기에 너무 작아 헌병들이 그를 의자 위에 올려 줘야 했다. 자리를 잡은 기사는 에나멜 구두에 시선을 고정한 채 손톱을 물어뜯고 있었다. 개들 없이 홀로 있는 모습은 그 어떤 아이보다 나약해 보였다.

"저렇게 어린애가 여기서 뭐 하는 거니?" 오펠리 엄마는 가장 가까이 있는 귀족들의 못마땅한 눈길을 받으며 물었다. "엑토르 나이잖아! 불쌍해라, 엄청나게 놀랐겠네!"

대답하기 난처했던 오펠리는 멜키오르 남작 덕분에 곤란한 상황을 모면할 수 있었다. 남작은 어두운 내실에 있는 오펠리 모녀를 보자마자 의자에서 일어나 살찐 몸으로 까치발을 하고 최대한 조심스럽게 다가왔다.

"대사님 여동생들은 어떤가요?" 그는 아르쉬발드의 동생들을 주의 깊게 살피며 걱정스레 말했다.

"모르겠어요." 오펠리가 속삭였다. "누구의 말에도 대답하지 않고, 어떤 것에도 반응하지 않아요. 남작님, 무슨 일이 벌어지는 거죠? 왜 우리를 소환한 거죠? 아르쉬발드는 어디 있나요?"

"네?" 남작이 놀라 물었다. "얘기 못 들으셨어요?"

남작이 말을 이어서 하기도 전에 경찰서장이 조서를 읽기 시작했다.

"여기 있는 스타니슬라브 씨는 야수를 동원해 사람들의 안전을 위협하며 자신의 능력을 무절제하게 사용했다는 혐의를 받고 있습니다. 이번 사건으로 피해자들이 사망에 이르렀기에 관리국이 절단형을 요청하였습니다. 피해자는….”

오펠리 엄마가 절단형이란 말이 믿기지 않는 듯 딸꾹질을 하자 미라주 여럿이 오펠리 모녀가 있는 내실을 사납게 노려보았다.

“참고로” 의원장은 파루크를 조심스럽게 보며 바라보며 말을 이었다. “사건의 정황을 보면 베르닐드 부인의 책임도 있어 보입니다.”

“거짓입니다!” 기사가 처음으로 이의를 제기했다.

“뭐라고요?” 의원장이 중얼거렸다. “사실을 부인하는 건가요?”

“부인하는 게 아닙니다.” 기사는 어설픈 동작으로 두꺼운 안경을 매만지며 떠듬거렸다. “다만 베르닐드 부인은 제게 아무것도 요구하지 않았다는 점을 말씀드리는 겁니다. 전부 부인을 위해 한 일이지만 부인의 허락을 받지는 않았어요.”

기사가 의자 위에서 아슬아슬하게 몸을 기울이며 두리번대다 오펠리를 발견하고는 시선을 멈추었다. 오펠리는 거리가 떨어져 있어 두꺼운 안경 뒤로 기사의 눈을 잘 보지 못했으나, 안절부절못하고 입술을 깨물고 있는 모습이 보였다. ‘나와 함께 있는 베르닐드를 보고 싶었을 거야.’ 오펠리는 목도리를 손가락으로 꽉 쥐며 생각했다. 기사는 두려워하고 있었고, 그 두려움은 진짜였다.

“베르닐드 부인도 제 행동으로 상처 입었을 수 있어요.” 기사는 마지못한 듯한 목소리로 우물거렸다. 하지만 모두가 들을 수 있을 정도로 컸다.

오펠리는 흠칫 놀랐다. 그녀가 기사와 나누었던 대화가 생각했던 것보다 훨씬 더 그를 더 동요하게 만든 걸까?

"그게… 고통스러울까요?" 기사가 의자에서 내려오며 작은 목소리로 물었다.

"안경을 벗으시오." 파루크는 포식자처럼 천천히 왕좌에서 일어서며 짧게 말했다.

기사가 작은 근시 눈을 깜박이며 안경을 벗자마자 날카로운 비명을 질렀다. 파루크가 거대한 몸을 앞으로 숙여 기사의 아이 같은 얼굴 전체를 손바닥으로 집어삼키고 금발 곱슬머리 사이에 손가락을 파묻었다. 기사는 온몸에 경련을 일으키며, 숨이 막히는 듯 파루크의 소매를 붙잡았다. 거대한 파루크 앞에서 한없이 작아진 기사는 끝없이 몸을 비틀었다. 고통 때문인지, 숨을 쉴 수 없어서인지, 아니면 공포 때문인지 알 수 없었다.

오펠리는 기사에게 호의를 품고 있지는 않았지만, 정말로 그가 걱정되기 시작했다. 미라주나 기사의 가족 가운데 누구도 동요하지 않았다. 오펠리는 자기도 모르게 자리를 박차고 일어서다 멜키오르 남작의 복부를 팔꿈치로 쳤다.

"끼어들지 마세요" 남작이 속삭였다. "괜찮을 겁니다, 약속해요."

바로 그때 오펠리가 한 번도 보지 못한 광경이 펼쳐졌다. 기사의 몸에서 알맹이가 빠져나가듯 은빛 연기가 피어올랐다. 그의 집안 능력이 마치 시체를 버리는 영혼처럼 그를 떠난 것이다. 파루크가 마침내 무심하게 기사를 놓아주었다. 기사는 숨을 헐떡이며 연단 바닥에 쓰러졌다. 파루크의 손이 기사의 얼굴에 무늬를 새긴 것처럼 그의 얼굴에 커다란 검은 십자가가 그어져 있었다.

"지금부터는." 파루크가 제자리로 돌아가 앉으며, 우레 같은 목소리로 말했다. "절대로 베르닐드를 해치지 마라."

오펠리 엄마의 눈에 환희가 완전히 자취를 감추고, 그녀의 감정이 장신구까지 물들였다. 장신구에는 그녀가 가장 좋아하는 붉은 배경에 그려진 아르테미스의 옆모습 초상화가 새겨져 있었는데, 그림 속 아르테미스는 공포에 질려 입을 쩍 벌렸다.

"스타니슬라브 씨." 의원장은 기사가 일어설 시간도 주지 않고 단조로운 목소리로 말했다. "가족 배신죄가 선고되어 능력이 반환되었습니다. 법적 후견인은 어디 있나요?" 의원장은 참석자들을 무미건조하게 바라보며 물었다.

"욕조에서 사라졌어요."

기사가 바닥에 떨어뜨린 안경을 찾으며 힘없는 목소리로 답했다. 불명예 낙인 사이로 겨우 보이는 얼굴이 푸르죽죽해서 금방이라도 토할 것 같았다. 오펠리는 파란색 모래시계가 이 손에서 저 손으로 옮겨지는 광경을 보고 경악을 금치 못했다. 기사가 악용해오던 능력을 빼앗긴 데 모두 안도하는 게 느껴졌다.

의원장은 아롤드 백작의 불가사의한 실종 소식을 듣고 걱정하기보다는 당황한 기색이었다.

"그래요, 그렇죠. 여기 서류에 그의 상태가 명시되어 있군요."

의원장은 책상 위 서류들을 살피며 툴툴거렸다. "그렇다면 스타니슬라브 씨, 후견인이 예고도 없이 사라졌기 때문에 당신은 오늘부로 헬헤임으로 보내집니다."

"안 돼요!" 기사가 전에 없던 비장함으로 안경을 찾기 위해 연단 바닥을 손으로 쓸며 호소했다. "베르닐드 부인 곁에 있고 싶어요. 얌전히 있을게요, 부탁드려요!"

"헬헤임요?" 오펠리가 멜키오르 남작에게 속삭였다. 청중은 벌써 박수를 치고 있었다.

"매우 전문화된 시설입니다." 남작이 오펠리에게 설명해줬다. "폴의 작은 아슈에 있어요. 당분간 보기 싫은 문제아들을 그곳에 보내죠."

헌병들은 끝없이 베르닐드 이름을 부르는 기사의 외침이 잦아들 때까지 멀리 그를 끌고 나갔다. 오펠리는 더 이상 기사를 상대할 일이 없어져 안도감을 느꼈어야 했다. 하지만 베르닐드가 이 장면을 보지 못했다는 것만이 오펠리에게 유일한 위안이었다. 그녀가 봤다면 깊은 충격에 빠졌을 것이다.

"다음 사건!" 의원장이 회의장을 살피며 알렸다. "아, 저기 계시네요." 그가 오펠리를 보며 한결 부드럽게 말했다. "가까이 오세요, 아가씨 차례입니다. 대사님 여동생들도 함께 모시고 오세요." 그가 헌병들에게 명령했다.

여동생들과 연단의 계단을 함께 오르며 오펠리는 시각 연극무대에 설 때보다 더 불편했다. 퀴네공드가 한 말은 과장이 아니었다. 미라주들의 눈이 순수한 증오로 번득이고 있었다.

주먹에 턱을 괴고 왕좌에 앉은 파루크가 오펠리를 뚫어져라 바라보았다. 그의 정신이 발현되어 오펠리는 벌써부터 신경이 곤두섰다. 어린 기억 도우미가 까치발로 서서 파루크에게 귓속말을 하고, 수첩의 몇 군데를 읽도록 했다. 오펠리는 기억 도우미가 바뀐 것을 알아차리고 조금 놀랬다. 이번 기억 도우미는 눈썹 사이에 투알의 문신이 새겨져 있지 않았다.

"왜 저희를 부르셨나요?" 점점 더 걱정이 된 오펠리가 물었다.

의원장은 그녀에게 미안한 미소를 지었다. 오펠리는 가발 쓴 이 남자가 그런 섬세함을 보일 수 있다는 사실이 놀라웠다. 그렇다고 오펠리가 그에게 좋은 느낌을 받은 건 아니었다.

"참 별난 사건이죠, 아가씨! 이처럼 빨리 와주셔서 고맙습니…."

"베르닐드는 어디 있나?"

파루크는 귀찮은 파리를 쫓듯 커다란 손으로 기억 도우미를 밀면서 극도로 느리고 무거운 목소리로 의원장의 말을 끊었다. 기분이 전혀 좋아 보이지 않았지만 다행히 왕좌에서 꼼짝도 하지 않았다. 거리가 떨어져 있었지만 파루크의 시선은 오펠리 머리를 너무 아프게 해 안경에 금이 갈 것만 같았다.

"베르닐드는 여러 도리를 다하느라 바쁘십니다, 폐하." 오펠리는 신중하게 단어를 선택하며 답했다.

"그럼 너는 어떤 도리를 하였기에 감감무소식이었지?"

오펠리는 자신이야말로 파루크로부터 어떤 소식도 듣지 못했고 그런대로 잘 지냈다고 말하려다 자제했다.

"가족들이 찾아와서 함께 온천에 갔습니다."

"내게 부탁했다면 욕실을 내주었을 텐데." 파루크가 느릿느릿 말했다." "대신 네가 나를 네가 있는 곳까지 오도록 만들었지."

그러니까 파루크는 베르닐드와 그녀를 보려고 도시 전체를 남쪽으로 옮긴 것이었나? 오펠리는 왜 주변 공기가 그토록 악의적이었는지 이해되기 시작했다.

오펠리는 위엄 있게 드레스를 움직이며 갑자기 파루크 쪽으로 나가는 엄마를 붙잡으려 했으나, 엄마는 손가락을 맞부딪쳐 딱 소리를 내며 딸을 무시했다.

"아직 소개를 안 드렸네요, 폐하." 오펠리의 엄마가 엄숙하게 말했다." "전 오펠리의 엄마입니다. 폐하가 제 딸에게 보이는 지대한 관심에 제가 예민한 건 사실입니다. 하지만 제 견해를 말씀드리고 싶네요. 우선, 폐하의 작은 회의에서 여성을 대하는 방식이 좋아 보인다고는 말씀드릴 수 없겠네요." 오펠리 엄마는 자신을 평가하듯 바라보는 남성으로만 구성된 의회를 가리키며 말했다. "다음으로 폐하는 어린 후손들에게 지나치게 엄격하신 것 같아요. 마지막으로 폐하의 애첩들에게 말하고 싶은데요. 숙녀분들, 알맞은 복장을 착용하는 법을 배우셔야 할 것 같아요. 그 나이 때는 민감한 부위를 다이아몬드로 가리지 않는 법이죠. 당신들은 제 딸에게 매우 유감스러운 예를 보여주고 있어요! 제가 느낀 바는 여기까지입니다." 오펠리 엄마는 한층 신중한 말투로 파루크를 돌아보며 말했다. "이제 왜 헌병들이 바쁜 숙녀들을 여기에 끌고 온 건지 설명해주세요. 아, 누가 아스피린 좀 가져다줄래요?" 그녀가 이마를 문지르며 말했다. "들으셨는지 모르겠지만 폐하의 눈빛이 두통을 유발하네요."

귀족들 눈이 휘둥그레지면서 일렬로 늘어선 의자에서 외알안경들이 떨어졌다. 의원장은 의사봉을 떨어뜨리고, 애첩들은 입술을 오므리고, 아르쉬발드의 막내 동생 두스는 불편한 침묵을 깨고 길게 하품을 했다.

오펠리는 그 어느 때보다도 엄마의 딸이라는 걸 자랑스러워하며 작고 아담한 체구의 엄마를 바라보았다. 이제 이 재판에서 살아남기를 바라는 일만 남았다.

파루크는 의자 팔걸이를 손가락으로 톡톡 치며 오펠리 엄마의 질문에 대답도 하지 않고, 눈길도 주지 않았다.

"아르테미스의 아이여, 새로운 일거리가 하나 있다. 그것은… (파루크는 말을 멈추고 쉼없이 움직이던 눈썹을 찌푸리더니 세상에서 가장 지루한 소설을 보듯 수첩의 마지막 페이지를 다시 읽었다.) 아, 그렇지. 대사를 찾는 일이다. 대사가 사라졌다." 파루크는 마치 깜박한 것을 알려주듯 뒤늦게 덧붙였다.

오펠리의 심장이 멎는 듯했다. 아르쉬발드가 사라졌다고? 아니야, 아르쉬발드는 사라질 수 없어. 대사는 간단히 제거하는 게 불가능한 찰거머리 부류에 속했다.

오펠리는 서류에 코를 박고 사건을 설명하는 의원장의 말에 점점 더 의구심을 품으며 귀를 기울였다.

"쉬쉬할 필요가 없습니다. 다들 아시다시피, 설명할 수 없고 우려스러운 납치들이 최근 몇 주 사이에 벌어졌습니다. 4월 20

일에는 헌병 대장이 당구장에서 사라졌고, 6월 25일에는 니베룽겐 편집장이 가장 무도회 중 사라졌어요. 조금 전 언급된 아롤드 백작은 욕실 안에서 사라졌습니다. 그리고 대사도 자신의 방에서 사라졌어요. 총 네 건의 실종입니다." 의원장이 서류를 덮으며 사건을 요약했다. "하지만 몸값 요구도, 다툰 흔적도, 불법 침입의 흔적도 없어요. 피해자들이 모두 클레르들륀 안에서 사라졌죠. 안전하기로 명성이 높은 곳인데 말이죠. 대사를 제외하면 모두가 미라주들입니다. 여러분, 정숙하세요!" 의원장은 피곤하다는 듯 의사봉을 탕탕 치며 탄식했다.

의원장의 설명을 듣던 미라주들이 정의를 외치며 자리에서 일어났다. 하지만 파루크는 눈빛만으로 모두의 입을 다물게 만들었다. 의자에 앉아 있던 파루크는 점점 더 무기력하게 손가락으로 팔걸이를 툭툭 건드리면서 지루한 기색을 숨기지 않았다.

"자." 파루크는 무표정한 얼굴로 말했다. "아르테미스의 아이여, 최대한 빠른 시일 내로 실종자들을 전부 찾아 오너라."

"제가요?" 오펠리가 목이 메어 물었다.

"얘가요?" 오펠리 엄마가 거들었다.

파루크는 느릿느릿 메모장을 넘겼다.

"너만의 읽기 사무소를 열고 싶다고 쓰여 있구나."

"그건 아무 상관 없는 얘기예요." 오펠리가 당황해서 말했다. "물건들을 감정할 수는 있지만 범죄를 밝힐 수는 없어요. 그리고…." 오펠리는 갑자기 아르쉬발드의 여동생들 쪽으로 몸을 돌리며 깨달았다. "그런 요구는 이 아가씨들에게 해야 되는 거 아닌가요? 지금 오빠가 어디 있는지 누구보다 잘 알 같은데요."

오펠리는 아르쉬발드의 실종과 가족의 반수상태가 서로 관련이 있지 않을까 하고 의구심을 품기 시작했다. 그런데 의원장이 책상 너머로 가발 쓴 커다란 머리를 기울여 아르쉬발드 여동생들에게 직접 말을 걸자 확실해졌다.

"숙녀분들!" 의원장은 마치 잘 듣지 못하는 사람을 대하듯 큰 목소리로 말했다. "방금 한 얘기 들으셨나요? 여러분 가운데 지금 여기서 발언하고 싶으신 분이 계신가요?"

그레이스, 프리앙드, 게테, 멜로디, 크레르몽드, 그리고 두스까지 그 누구도 반응을 보이지 않았다. 유일하게 파시앙스만이 장녀의 본능이 살아나 정신을 차리려는 듯 눈을 깜박였으나, 이내 다시 무기력한 상태에 빠져들었다. 흐릿한 시선, 축 늘어진 팔, 양초보다 창백한 얼굴을 한 일곱 자매는 연단에 서 있었다. 단지 다리가 있었기 때문이었다. 그 어느 때보다도 지금 이 순간 그녀들은 깨지기 쉬운 도자기 인형 컬렉션을 연상시켰다.

"거칠게 다루지 마세요."

첫 줄에 있던 투알의 외교관이 비틀대며 일어서다 의자를 쓰러트렸다. 오펠리는 그를 방파제 산책로의 게임 방에서 두세 번 마주친 적이 있었다. 평소에 뛰어난 지성과 멋부린 태도로 무장해 있었지만 오늘은 마취제를 남용한 듯한 인상을 풍겼다. 잠시 어리둥절한 표정으로 눈썹을 치켜세우며 자신이 무슨 말을 하려고 했는지 잊은 듯한 모습이었다. 그러다 코안경 뒤로 조금 정신이 돌아온 눈빛을 보였다.

"거칠게 다루지 마세요." 그가 반복해 말했다. "그녀들은 우리보다 훨씬 높은 수준으로 대사와 공감하고 있어서 훨씬 큰 타격을 받았어요."

"무슨 타격을 받아요?" 오펠리가 초조해서 물었다.

엄마는 깜짝 놀라 오펠리를 쳐다보았다. 하지만 오펠리는 극도로 흥분해 더 이상 예절 따위를 신경 쓸 겨를이 없었다. 감정이 소용돌이치는 가운데 압도적인 분노가 느껴졌다. 전날까지만 해도, 그녀는 아르쉬발드에게 신중하라고 조언했었다. 왜 이 멍청이는 그녀의 말을 듣지 않았을까? 대체 어떤 일을 참견하고 다닌 걸까?

"우리가 유일하게 느끼는 것은 대사가 무의식에 가까운 수면 상태에 빠져 있다는 것입니다." 외교관이 대답했다. 그의 옆에 앉은 이들은 무기력하게 고개를 끄덕였다. "적어도 그가 아직 살아 있다는 증거죠. 따라서 다른 실종자들도 아마 살아 있을 겁니다. 하지만 그가 비정상적인 수면에 빠져 있어 어디에 있는지, 어떻게, 누구 때문에 그곳에 가게 되었는지 어떤 단서도 주고 있지 않아요."

"무엇보다도 우리 모두를 물들이고 있어요!" 연달아 하품을 해대며 옆에 앉은 사람이 투덜거렸다. "이 망나니 녀석의 문란한 성생활에 이어 난처한 일까지, 어느 하나 우리를 비켜가는 법이 없네요!"

"폐하의 기억 도우미마저도 고장 났어요." 의원장은 파루크 곁에 서 있는 소년을 마치 보잘 것 없는 대체품인 양 손가락질하며 강조했다. "원래는 두 알의 구성원만이 이 역할을 할 수 있는 허가를 받죠. 이제 상황이 얼마나 심각한지 짐작이 되세요, 아가씨?"

그렇다, 오펠리는 조금씩 사람들이 그녀에게 했던 말의 숨겨진 의미를 깨달았다. 위험에 처한 건 아르쉬빌드의 목숨만이 아니다. 클랜의 전체적인 안정, 나아가 궁정 전체가 위험에 처했다.

"제 능력 내에서 도와드리겠습니다." 오펠리가 손을 만지작거리며 약속했다. "그렇지만 제가 최고의 적임자는 아닙니다…."

"넌 그런 사람이다."

파루크가 우레 같은 목소리로 말하자 룰렛방 전체가 또다시 고요해졌다.

"너를 가족의 위대한 읽는 여자로 임명하겠다." 파루크가 수첩 한 페이지에 펜으로 끼적이며 선언했다. "유일한 첫 번째 임무는 실종자들을 찾는 것이다. 기한은…(파루크는 마지막에 기록한 메모를 다시 읽기 위해 한참 동안 머뭇거렸다.) 내일 자정이다." 파루크가 있는 힘껏 펜으로 적으며 말했다. "자정이 지나면 가족의회가 열리는데 난 동시에 모든 것을 신경 쓸 수가 없다."

회의장 내 경직된 박수 소리가 들리고 참석자들의 눈에 증오가 더해졌다. 특히 미라주들은 그들 가문의 운명이 외국인의 손에 달렸다는 것을 달가워하지 않았다.

오펠리는 무릎이 맞부딪히는 게 느껴졌다. 이 판결이 악몽 같았다. 오늘 아침 남동생을 데리고 서커스에 간 일이 벌써 아마득하게 느껴졌다.

"저기요, 폐하께서는 제 딸에게 그런 요구를 하실 수 없어요!" 오펠리의 엄마가 항의했다. "아직 어리고 서툰 아이랍니다! 옷장에서 스타킹도 찾지 못하는 아이에게 불쌍한 양반들을 어째서…."

"엄마 말씀이 적어도 하나는 맞아요." 오펠리가 엄마 말을 가로막으며 말했다. "제가 감당하기 너무 무거운 책임입니다."

"넌 가족의 위대한 읽는 여자다." 파루크가 펜을 기억 도우미의 모자 위에 올려놓으며 말했다. "어떤 책임도 네게 무겁지 않다. 네 부담을 덜어주기 위해 내 직권으로 보좌관을 임명하겠다."

파루크는 반쯤 눈을 감고 귀족들이 앉은 좌석을 둘러보았다. 귀족들은 갑자기 신발에, 손목시계에, 가발에 혹은 코담뱃갑에 관심을 보였다. 그들은 오펠리의 보좌관이 되는 것을 공개적으로 능력을 빼앗는 절단형을 받는 것보다 더 치욕스럽게 여기는 것 같았다. 파루크의 시선이 멜키오르 남작에서 멈췄다. 아마도 눈부시게 하얀 정장에 비행선 같은 몸집을 하고 있어 가장 눈에 잘 띄었기 때문이리라.

"자네는 누구지?"

"우아부 장관입니다, 폐하."

멜키오르 남작은 육중한 몸에도 불구하고 한없이 우아하게 인사를 올렸다.

"아르테미스의 아이를 돕는 임무를 자네에게 부여하겠다."

"최선을 다하겠습니다, 폐하."

멜키오르 남작이 반길 만한 제안은 아니었지만, 본보기를 보여야 하는 장관답게 속내를 비치지 않고 세련된 태도를 유지했다. 오펠리는 남작에게 반감은 없었지만 그가 어떻게 도움이 될 수 있을지 몰랐다.

"그런데도 실패한다면요?" 오펠리가 물었다. "내일 자정까지 실종자를 한 명도 찾지 못한다면요?"

"그럼 더 이상 찾지 않을 것이다."

파루크는 위협도 협박도 하지 않았다. 하지만 오펠리는 파루크가 할 수 있는 그 어떤 대답보다 지독하게 느껴졌다.

"시간을 더 주세요."

"안타깝게도 그럴 수 없어요, 아가씨."

맨 앞줄에 있던 외교관이 발언했다. 그는 코안경을 한 손으로 잡고, 다른 한 손으로는 잠을 깨기 위해 세게 눈을 비비고 있었다.

"우리는 이 상태로 오래 버틸 수 없습니다. 아르쉬발드에게 일어난 일이 투알 전체를 해치고 있어요. 가족의회에 참석하기 위해 우리는 최상의 컨디션을 유지해야 합니다. 정해진 시한 내에 대사를 찾지 못한다면, 그와 우리를 잇는 공감의 끈을 끊을 겁니다. 그에게는 치명적일 수 있는, 돌이킬 수 없는 절차입니다."

오펠리는 심장 박동이 더 빨라지는 것을 느꼈다. 파루크는 그와는 반대로 아주 천천히 자리에서 일어나 창백한 눈을 들어 천장에서 돌아가는 거대한 룰렛을 바라보았다.

"가족의 위대한 읽는 여자여, 내가 너라면 일 분도 지체하지 않을 것이다."

봉인

나무로 된 바닥은 바이올린처럼 빛났다. 오펠리와 법무부 장관은 경쾌한 발소리를 내며 함께 대기실로 향했다. 서재, 그림, 시계, 의자, 창을 장식한 모든 금빛들이 크리스털 샹들리에 조명에 반짝였다. 온통 금으로 된 세계를 통과하는 것 같았다. 하지만 법무부 장관이 오펠리를 데려간 문보다 더 빛나는 것은 없었다.

"도착했습니다. 가족의 위대한 읽는 여자님!" 법무부 장관은 마치 관 앞에서 묵념하듯 회한과 엄숙함이 서린 목소리로 말했다. "애석한 우리 대사님의 방입니다."

오펠리는 아무 말 없이 고개를 끄덕였다. 그녀는 베르닐드가 클레르드륀 3층에 머무르던 시절 이 문 앞을 수백 번이나 지나갔지만, 한 번도 문턱을 넘은 적은 없었다.

"조금 더 기다리셔야 합니다, 가족의 위대한 읽는 여자님." 법무부 장관이 속삭이듯 말했다. "봉인을 풀기 위해서는 가족의 허가를 받아야 합니다."

그는 문패 한가운데에 붙어 있는 접시만 한 크기의 적색 밀랍

도장을 가리켰다. 외부인 출입을 막기 위한 용도였지만, 손잡이에는 어떤 리본이나 끈도 연결되어 있지 않았다.

"밀랍 봉인을 제거할 때까지 문을 건드리지 마세요." 법무부 장관이 재차 강조했다. "그렇지 않으면 환영이 작동해 몹시 불쾌한 결과가 초래될 겁니다. 조사 내용을 숙지하고 계시겠습니까?" 그는 오펠리에게 두꺼운 서류를 내밀며 제안했다. "제가 마지막으로 남은 절차를 처리하는 동안 시간을 보낼 거리가 생기셨네요, 가족의 위대한 읽는 여자님."

법무부 장관은 오펠리의 직위를 못된 농담처럼 발음했다. 이 미라주는 자신의 작은 키를 보완하기 위해 리본으로 장식한 어마어마한 크기의 가발을 쓰고, 과장된 말투를 썼다. 그는 은으로 된 높은 굽을 또각거리며 대기실을 나갔다.

오펠리는 다른 가구들처럼 금색인 작은 테이블에 앉아 서류를 펼쳤다. 끝없이 긴 조서는 바로 포기했다. 법률전문용어로 가득해 한 줄도 이해할 수 없었다. 대신 보관철에 담긴 편지들을 가까이에서 살펴보았다. 모두 타자로 작성된 메시지들로 어떤 것은 니벨룽겐 편집장에게, 어떤 것은 아롤드 백작에게 보낸 편지들이었다. 오펠리는 헌병 대장이 받은 편지도 찾았다. 아마도 그의 소지품을 뒤지다 발견했을 것이다. 그 편지들은 매번 명령으로 끝났다. **신은 당신의 침묵을 요구하오, 신은 당신의 태도를 규탄하오, 신은 당신의 처벌을 요구하오.**

의심의 여지가 없었다. 오펠리를 협박한 사람과 동일 인물임이 확실했다. 각각의 편지에서 똑같은 집게 자국을 발견하자 그녀는 더욱 혼란스러워졌다. 공갈범은 어느 것 하나 허투루 넘기지 않았다. 오펠리가 이 편지들을 감정하게 될 때에 대비해 어떤 가능성도 남기지 않은 것이다.

"자, 여기 기록부가 있습니다, 가족의 위대한 읽는 여자님."

바로 앞에 있는 필리베르를 보자 오펠리는 그가 언제부터 가죽 수첩을 손에 들고 그런 자세로 있었는지 궁금했다. 관리인은 언제나 눈에 띄지 않고 조심스러워 그녀를 놀라게 하는 재주가 있었다.

"고마워요." 오펠리가 기록부를 살피며 말했다.

"가족의 위대한 읽는 여자님도 보시다시피." 필리베르가 말을 이었다. "클레르들륀은 한동안 불우한 아롤드 백작 외에는 정기적인 손님을 받지 않았습니다. 궁정의 신사와 숙녀분들이 엘리베이터 환승을 위해 잠시 거쳐 갔을 뿐이었죠."

"자신들이 다음 실종자가 될까 봐 두려웠겠지요." 오펠리가 필리베르에게 기록부를 돌려주며 말했다. "아르쉬발드… 그러니까 대사님이 이 문으로 들어온 뒤 다시 나가지 않았다는 거죠?"

"맞습니다. 가족의 위대한 읽는 여자님. 대사님께서 쉬고 싶다고 말씀하시고, 밤참 때 깨워달라고 부탁하셨죠. 하인들이 들어갔을 때 침대는 비어 있었습니다."

"음… 어… 대사님이 혼자 휴식을 취하셨나요?"

"네, 가족의 위대한 읽는 여자님."

"음… 어… 아무도 모르게 나갔을 가능성은 없나요?"

오펠리는 물건은 그렇게 편하게 읽으면서, 사람에게 질문하는 것을 이토록 불편해하는 자신의 모습이 어쩐지 딱하게 느껴졌다.

"없습니다, 가족의 위대한 읽는 여자님. 클레르들륀 보초들이 계속해서 경비를 서고 있습니다."

오펠리는 화들짝 놀랐다. 이 말을 듣고 대기실에 있던 헌병들이 한 사람인 듯 딱 맞춰서 군화 굽 부딪치는 소리를 냈기 때문이다.

"음… 어… 다른 문으로 나갔을 가능성은요?"

"없어요, 가족의 위대한 읽는 여자님. 이 문이 대사님 방으로 통하는 유일한 출입구입니다."

오펠리는 순간 필리베르가 어쩐지 자기를 놀리고 있는 건 아닐까 생각했다. 하지만 그 역시도 그녀가 생각하는 것 이상으로 아르쉬발드의 실종에 충격을 받은 것처럼 보였다.

"대사님이 이런 비슷한 편지를 받으셨나요?" 오펠리가 테이블에 펼쳐진 서류를 보여주며 말했다.

"제가 아는 바로는 없습니다, 가족의 위대한 읽는 여자님."

가늘게 떨리는 필리베르의 목소리 때문에 오펠리는 그가 알고 있는 진실을 다 말하고 있는지 궁금해졌다.

"격식을 차리지 말고 말씀하세요." 오펠리가 제안했다. "무슨 일이 벌어진 건지 짐작 가는 데가 있으세요?"

필리베르는 놀란 얼굴로 오펠리를 뚫어져라 쳐다보았다.

"제가 주인님을 납치했다는 뜻인가요?"

"아니요, 물론 아니죠." 오펠리는 당황해 말을 더듬었다.

"다행이군요." 필리베르가 몸을 숙여 인사하며 말했다. "가족의 위대한 읽는 여자님이 허락해주신다면 다른 곳에서 제 도움을 필요로 하지 않나 살피러 가보겠습니다."

관리인은 지나치게 빠른 걸음으로 대기실을 나가 복도 맞은편 방문을 두드렸다. 문을 제대로 닫지 않았는지 갑자기 건너편에서 말소리가 들려왔다.

"제발, 필리베르! 누가 보면 초상 치르는 줄 알겠어요! 내가 아는 한 오빠는 아직 안 죽었어요."

오펠리는 파시앙스의 냉정한 목소리를 알아듣고, 눈썹을 올렸다. 파시앙스는 아르쉬발드의 여동생들 가운데 첫째로 미식부에서 개발한 혁신제품 '기적의 커피' 덕에 정신을 차렸다. 따뜻한 물에 지나지 않았지만 천연 커피보다 각성 효과가 뛰어난 미각적 환영이 들어가 있었다.

"아가씨 기분은 어떠세요?" 필리베르가 오펠리가 있는 쪽에서 겨우 들릴 듯한 목소리로 염려하듯 물었다.

"내 동생들보다는 멀쩡해요. 집안사람들 모두 될 대로 되라는 식으로 지내고 있으니 누구 한 명은 본보기를 보여줘야죠."

"대사님 소식은 있어요?"

"필리베르, 내게 언제까지 질문을 할 건가요. 다시 한 번 말하지만, 현재 아르쉬발드는 내 능력 밖이라고요. 깨어 있는 것만으로도 너무 벅찬데, 오빠에게 집중하면 미친 듯 졸음이 쏟아져요."

"그렇지만 어떤 기억이나… 뭐 사소한 것이라도 떠오르는 게 있어요?"

"이 모든 게 워낙 순식간에 일어나 무슨 일이 닥친 건지 파악할 시간도 없었죠. 자, 절 도와주시려거든 '기적의 커피'나 좀 따라주세요."

고요한 침묵을 깨고 도자기 달그락대는 소리가 났다. 왁스 칠한 나무와 금장으로 뒤덮인 공간은 모든 소리를 증폭시켰다. 오펠리가 듣기 싫어도 어쩔 수 없었다.

"가족의 위대한 읽는 여자님은 어쩌고 있나요?"

"기다리고 있습니다, 파시앙스님"

"계속 기다리게 하세요. 처음으로 내가 뭔가를 결정하게 된 만큼 어떤 것도 서두르지 않을 거예요. 평소에는 이 모든 걸 오빠가 맡아서 처리했는데… 그러니까 법무부 장관님께서는 읽기를 허락하지 말라고 권하시는 거죠?"

오펠리는 살펴보던 서류를 손에서 놓칠 뻔했다. 장관은 오히려 파시앙스에게 허락을 받아와야 하는 사람 아니었나?

"그렇게 해주시길 바랍니다, 아가씨." 미라주가 끈적끈적한 목소리로 말했다. "어차피 우리 상대는 완전 아마추어이거든요. 감독관이 올 때까지 기다려보시죠. 그 역시 무능력하지만 그나마 덜하니까요."

"존경하는 사촌님을 비롯해 그 누구도 토른 감독관님을 능력 없는 이로 취급하는 것을 방관하지 않을 겁니다. 예의가 좀 없기는 하지만, 제가 아는 사람들 가운데 가장 뛰어난 능력을 지니셨죠."

이번에는 멜키오르 남작이 끼어들었다. 남자만이 섬세한 음색으로 알 수 있었다. 오펠리는 새로 맡은 책임이 너무 무겁게 느껴져서 보좌관이 열심히 나서서 자신을 대변해주기를 바랐다.

"나 역시도 감독관님이 여기 우리와 함께 계셨다면 더 편했을 겁니다." 멜키오르 남작이 염려스러운 듯 한마디 덧붙였다. "하지만 현재 그가 어디에 있는지, 언제 돌아오실지 아무도 몰라요. 게다가 파루크 폐하께서 우리 미라주들이 이번 조사를 방해하고 있다는 사실을 알게 되시면 역정을 내실 겁니다. 이제부터는 내가 이 일에 개인적으로 관여되어 있다는 점을 잊지 마세요. 존경하는 사촌님도요."

"조사? 무슨 조사 말인가요, 우아부 장관님? 저 외국 아이는 자기가 뭘 해야 하는지도 전혀 몰라요."

"그럴 수 있죠, 법무부 장관님." 멜키오르 남작이 인정하듯 말했다. "하지만 파루크 폐하께서는 바로 저 외국 아이를 만나려고 시타시엘 전체를 옮기셨어요. 외국인 얘기가 나와서 말인데, 건축가 부인이 어디 계신지 알고 있나요? 그녀는 대사님과 항상 가까웠고, 클레르들륀에 대해 누구보다 잘 알고 있으니 우리에게 굉장한 도움을 줄 수 있을 거예요."

"메르 일드가르드는 아주 제멋대로죠, 장관님. 벌써 몇 주째 시타시엘 내 모든 공사를 방치하고 계세요…. 몇 달 전에 클레르들륀에서 진행하려던 개조공사는 말할 것도 없고요! 복도 모퉁이에서 마주칠 것 같으면, 그다음에 보이는 첫 번째 바람 장미로 들어가 그대로 자취를 감춰버려요."

오펠리는 눈썹을 올렸다. 멀리서도 필리베르의 목소리에 서려 있는 적대감이 느껴졌다.

"이상한 행동이군요." 멜키오르 남작이 말했다. "우리 대사님 소식을 알고 계시기는 할까요?"

"모르겠어요, 장관님, 지금 어디 있는지도 모르겠고요. 대사님께서는 대사관저를 지은 건축가 부인과 간단한 면담도 할 수 없다고 한탄하셨었죠."

"남들 눈에 띄고 싶어하지 않는 아르카디앙만큼 이상한 것도 없죠." 법무부 장관이 빈정거렸다. "우리끼리 하는 얘기인데, 이 모든 게 어쩐지 의심스럽군요."

"그리고, 다른 것도 있어요. 가족 간 바람 장미 가운데 폴과 아르크앙테르를 잇는 바람 장미에 관한 거예요. 클레르들륀에서 엄격히 출입을 통제하고 있는 통로 열쇠를 제가 개인적으로 관리하거든요."

"그런데요, 필리베르?"

"무슨 이유에선지 그 통로가 폐쇄됐어요. 조금 전에야 비로소 그 사실을 알게 됐죠. 이제는 그 문을 열면 그냥 골방이 나와요."

"아주 난처하게 됐군요." 멜키오르 남작이 잠시 침묵한 뒤 말했다. "일드가르드 부인이 고향 아슈로 돌아간 게 아니길 바랍니다. 그 통로 없이는 부인을 당분간 보지 못할 테니까요.

"왜 오빠가 그렇게 나이 든 부인에게 연연해했는지 한 번도 이해할 수 없었어요." 파시앙스가 갑자기 침착한 목소리로 말했다. "그녀는 야심가에 모사꾼이죠. 가족이 위대한 읽는 여자도 마찬가지라는 생각이 들어요." 오펠리는 파시앙스의 말에 깜짝 놀랐다. "일드가르드 부인이 우리 저택에 스며든 것과 같은 방식으로 저 외국인도 시치미를 떼고 우리 삶에 들어왔어요. 그녀는…(파시앙스는 하품이 나서 중간에 말을 멈췄다) '기적의 커피' 좀 더 주세요. 오빠의 신임을 받아 중요한 자리를 차지하더니, 이번에는 궁정 요직을 꿰찼어요. 그녀의 손이 우리 대사관을 휘젓고 다니도록 내버려두는 게 잘하는 걸까요?"

오펠리는 할 말을 잃었다. 야심가라고? 그녀는 자신의 손에 네 사람의 운명을 걸게 해달라고 부탁 한 적이 없다. 온 궁정이 오펠리가 실종자 수색 임무를 담당하는 것을 싫어했다. 성공하지 못한다면 더 큰 미움을 살 것이다. 파루크는 오펠리가 계약상 임무를 완수해야만 그녀와 그녀의 가족을 보호할 것이다. 엎친 데 덮친 격으로 오펠리는 자신이 구해야 하는 사람들과 똑같은 협박을 받고 있다. 그녀에게 유일한 야망이 하나 있다면, 가능한 한 오래 목숨을 부지하는 것이었다.

"장관님조차도" 파시앙스는 난처한 듯 말을 이었다. "이 읽는 여자가 '스며들도록' 수수방관하셨다는 생각이 들어요. 보좌관직을 운운하는 게 아녜요."

"저요?" 멜키오르 남작이 이의를 제기했다. "그렇다면 이제…."

"파시앙스 아가씨의 말이 틀리지 않아요, 사촌님. 장관님께서는 사생아 감독관과 그의 외국인 약혼자와 타협하시려다 여러 번 들키셨잖아요. 사람을 가려 만나셔야 할 것 같아요. 장관님, 클랜의 이익을 무시하지 마시고요."

오펠리는 평소 우아하던 멜키오르 남작이 우레같이 호통을 치자 깜짝 놀랐다.

"클랜, 클랜, 클랜! 난 정부를 대표하는 장관이지, 한 클랜의 장관이 아니에요! 법무부 장관님, 난 내 삶을 오직 하나의 대의에 바치고 있어요. 바로 모든 사람을 교양인으로 만드는 것이죠. 그런데 당신은 내 일을 복잡하게 만드시네요! 필리베르, 문 닫아요." 멜키오르 남작이 순간 온화한 목소리로 덧붙였다. "가족의 위대한 읽는 여자가 우리 얘기를 듣겠어요."

목소리가 잦아들면서 또다시 대기실이 침묵에 빠졌다. 골똘히 생각에 잠긴 오펠리는 하릴없이 장갑 솔기를 물어뜯었다. 저들이 오펠리가 무능한 사람인지 야심가인지 따지는 사이 아르쉬발드는 어딘가에서 죽어가고 있다.

'환영을 경계하세요'

아르쉬발드가 오펠리에게 건넨 마지막 말이었다. 그건 정확히 무슨 의미였을까? 왜 아르쉬발드는 자신이 발견한 것을 알려주지 않고 에둘러서 말한 걸까?

오펠리는 장갑을 낀 엄지를 더 세게 깨물었다. 주어진 시간은 24시간이다. 가족의회가 열리기 전까지 24시간. 아르쉬발드와의 끈이 끊어질 때까지 24시간. 최후통첩까지 24시간. 오펠리는 테이블 위에 펼쳐진 서류들을 바라보았다. 내 이름도 조만간 여기 오르게 될까?

오펠리는 안경을 코 위로 고쳐 썼다. 읽기 사무소를 열어 진실을 위해 손을 사용하려고 하지 않았던가? 그렇다면 지금이 마지막 기회다. 신의 이름으로 사람들을 공포에 빠뜨리는 협박꾼의 정체를 밝힐 수 있는 일말의 가능성이 있다면, 그 기회를 붙잡아야 했다.

"세 번!"

오펠리가 뒤를 돌아보았다. 엄마가 요란하게 굽을 또각거리며 급히 대기실로 들어왔다.

"화장실에서 여기까지 헌병들이 세 번이나 날 체포할 뻔했다고! 물론 넌 아주 태평하구나! 시간이 정말 늦었어." 그녀의 엄마는 추시계를 보며 말했다. "읽을 건 빨리 읽고 호텔로 돌아가자, 오펠리."

"엄마, 먼저 가셔야 해요." 오펠리가 엄마에게 말했다. "저는 더 걸릴 것 같아요."

오펠리의 엄마는 드레스로 거대한 소용돌이를 일으키며 코가 닿을 정도로 가까이 다가왔다.

"너나 나나 네 역량으로 그 이상한 파루크의 기대에 부응할 수 없다는 거 잘 알잖니. 이 연극을 너무 진지하게 받아들이지 마. 결혼할 때까지 한두 개 읽는 연기를 하고 눈속임 좀 하고 나면, 널 집으로 데려가마."

연기를 하라고? 오펠리에게 항상 일을 잘 완수하는 게 중요하다고 알려준 엄마에게서 절대로 듣고 싶지 않은 조언이었다.

"엄마, 제발. 처음으로 부탁할게요. 절 좀 믿어줘요. 오늘 저녁은 정말이지 엄마의 신뢰가 필요해요."

"이게 웬 난장판이니?"

오펠리는 황급히 엄마가 몸을 숙여 살펴보기 전에 서류를 정리했다. 엄마가 협박 편지를 보지 않기를 바랐다.

"기밀이에요, 엄마."

한시도 가만있지 못하는 엄마는 아르쉬발드의 방문으로 향했다.

"여기가 네가 읽기를 해야 하는 곳이니?"

"아니, 엄마, 만지지 마세요, 그건…."

오펠리는 자신이 내뱉은 마지막 단어를 듣지 못했다. 엄마가 손잡이에 손을 대기 무섭게 대기실 안에 경보가 쩌렁쩌렁 울리고, 밀랍 도장이 쇳물처럼 달아올랐다. 오펠리가 들어본 환영의 소리 중에서도 귀를 멀게 할 정도로 가장 강렬했다. 오펠리는 귀를 막고 입술을 크게 움직이며 말을 건네는 엄마를 보고 있었지만, 어떤 말도 알아듣지 못했다. 머릿속에 종탑이 들어 있는 것 같았다.

이내 옆방에서 멜키오르 남작과 필리베르 그리고 법무부 장관이 뛰어왔다. 법무부 장관은 부자연스러운 종종걸음으로 대기실을 가로질러 오며 손가락을 튕겨 밀랍 도장의 알람 장치를 조용하게 만들고, 거대한 가발이 비뚤어지지 않았는지 확인했다.

"이 문을 건드리시면 안 됩니다, 가족의 위대한 읽는 여자님." 법무부 장관이 짐짓 상냥하게 속삭였다. "아직 심의가 안 끝났거든요. 제가 권유한 대로 서류를 보고 계시지요, 네?"

"가족의 위대한 늙은 여자님께서 내가 결정을 서두르기를 바란 게 아닐까요?"

한 손에는 도자기 컵받침을, 다른 한 손에는 예쁜 찻잔을 들고 파시앙스가 대기실에 모습을 드러냈다. 섬세하고 긴 목에 새하얀 드레스, 깃털처럼 고운 은빛이 도는 금발의 젊은 파시앙스는 커다란 백조를 연상시켰다. 파시앙스는 이름처럼 아르쉬발드 자매들 가운데 가장 침착하고 신중했다. 눈썹 사이의 검은 눈물 문신은 원래도 근엄해 보이는 얼굴을 더 근엄하게 보이도록 만들었다. 티를 내지 않으려 애썼지만 지친 기색이 역력했다.

"아니면." '기적의 커피'를 한 모금 마시며 파시앙스가 이어서 말했다. "전(前) 부-스토리텔러께서 날 대신해 결정을 내리고 싶으셨나?"

오펠리는 그녀의 말에 주목했다. 전 부-스토리텔러? 물론 우연의 일치일 수도 있겠지만, 익명의 발신자가 편지에 마지막에 썼던 호칭과 정확히 일치했다.

"재를 대신해 결정할 사람은 나예요." 오펠리의 엄마가 풍만한 가슴을 한껏 부풀리며 끼어들었다. "당신 가족에게 닥친 불행으로 인해 충격받으신 것 이해해요. 하지만 쓸데없는 일로 시간 허비하게 만들지는 말아요, 그건 옳지 않아요. 오펠리, 이 사람들은 자기들 방식대로 하라고 내버려두고 어서 가자."

"아니요."

오펠리는 드레스 주머니에서 물방울무늬 손수건을 꺼내 감기가 대화에 방해가 되지 않도록 여러 번 코를 풀고 나서 결의에 찬 얼굴로 고개를 들었다. 자신의 삶에서 시각 연극 경험이 목소리를 내는 데 도움이 될 순간이 딱 한 번 있다면 바로 지금이었다.

"조금 전 저에 관해 말씀하신 것 들었어요."

법무부 장관과 멜키오르 남작은 난처한 듯 눈길을 교환했지만 파시앙스는 평온하게 '기적의 커피'를 한 모금 마실 뿐이었다. 오펠리는 봉인된 문을 손가락으로 가리키며 모든 관심을 파시앙스에게 집중했다.

"제가 무능력하다고 생각하세요? 이 방에서 당신 오빠에게 일어난 일을 증언해줄 단 하나의 물건이 있다면, 내가 그 물건이 말하도록 할 거예요. 제가 야심가라고요? 전 전문적으로 읽는 여자이고, 그에 따라 지켜야 할 직업 윤리가 있어요. 대사님의 사적인 일들은 사적으로 남게 될 겁니다. 이곳에 온 목적을 달성하지 않는 한 저는 떠나지 않겠어요. 하지만 당신의 동의 없이는 하지 않을 겁니다. 봉인을 떼라고 요청하세요, 파시앙스 아가씨, 지금 당장요! 대사님을 찾을 시간이 24시간밖에 남지 않았어요. 나를 위해서가 아니라, 오빠를 위해서 그렇게 해주세요."

오펠리의 엄마는 깜짝 놀란 얼굴로 가슴에 손을 얹고 딸을 알아보지 못하겠다는 듯 오펠리의 얼굴을 빤히 쳐다보았다. 하지만 누가 입을 열기도 전에, 바닥에서 삐걱대는 소리가 나서 모두의 시선이 대기실 입구로 향했다. 금빛 문틀에 기댄 거대한 그림자가 보였다.

노튼이 빗물이 뚝뚝 떨어지는 외투를 걸치고 가쁜 숨을 고르고 있었다.

연결 핀

오펠리는 피가 고막을 때리는 것을 느꼈다. 갑자기 안도감이 들어서인지, 아니면 긴장감이 고조되어서인지 알 수 없었다. 이 상황에서도 그녀는 성벽 철로에서 있었던 일을 떨쳐낼 수 없었다. 토른을 부끄럽게 만들지 않을 목소리를 내기 위해 여러 번 호흡을 가다듬어야 했다.

"딱 맞게 왔네. 모두 당신을 기다리고 있었어."

오펠리의 미소가 입술에서 사라졌다. 토른이 물웅덩이를 만들며 대기실로 나아가자, 클레르드들뢴 하인이 그의 뒤에서 조심스럽게 걸레질을 했다. 토른의 눈은 폭풍우가 몰아치는 두 개의 하늘처럼 번뜩였다.

"이 읽기를 허락하지마세요." 그가 파시앙스에게 명령했다. "제가 다시 조사를 맡게 되었습니다." 토른이 오펠리를 향해 돌아보며 말했다. "그리고 당신은 임무에서 제외되었어. 당장 호텔로 돌아가."

오펠리의 안경이 코 위에서 창백해졌다. 그녀가 기대했던 지원과는 거리가 멀었다.

"당신은 내게 그런 요구를 할 수 없어."

토른이 오펠리 앞에서 몸을 최대한 펴자 오펠리는 토른의 그림자에 완전히 묻혔다. 오펠리는 본능적으로 까치발을 하고서, 자신을 내려다보고 있는 토른의 이글거리는 시선을 계속 맞받았다.

"난 감독관이자, 당신의 남편이 될 사람이야. 당연히 그럴 수 있어."

"나는 이 읽기를 해야만 해, 그게 당신 마음에 들든 아니든."

비에 젖은 외투 아래 토른의 가슴이 불규칙하게 뛰고 있었다. 하지만 시타시엘까지 미친 듯이 뛰어와 숨이 찬 건지, 아니면 분노가 온 몸을 휘감았기 때문인지 알 수 없었다. 무엇 때문에 기분이 상한 걸까? 오펠리는 토른이 곤란할 수도 있을 거라고 생각했다. 하지만 왜 이토록 그녀에게 화난 듯 보이는 걸까?

"어쨌든 실종과 관련된 모든 읽기를 금지하겠어." 토른이 분명하게 말했다. "이 모든 일은 당신과 아무 상관 없어, 알겠어? 그리고 부인도 그 입 다무세요." 토른은 운을 떼려고 입을 여는 오펠리 엄마를 공격적인 말투로 저지했다. "우리의 약속 잊지 마세요. 결혼까지 그 어떤 일에도 관여하지 않기로 한 약속이요. 어떤 일에도요."

오펠리는 예전에 마차 문에 손가락이 끼인 엄마를 본 적이 있었는데, 지금 표정이 딱 그랬다.

멜키오르 남작은 곤란한 듯 헛기침을 하며 끼어들었다.

"저기…. 감독관님, 엄밀히 말하면 감독관님은 약혼녀에게 부여된 임무를 수행하지 말라고 명령하실 수 없어요. 파루크 폐하께서 직접 그녀를 가족의 위대한 읽는 여자로, 저를 보좌관으로 임명하셨죠. 이런 임무를 맡은 전례가 없기에 누구의 소관인지 파악하지 못했습니다. 현재 의전부 장관께서 이 문제를 검토 중이십니다."

토른은 멜키오르 남작을 무섭게 쏘아보았다. 하지만 남작은 수염이 올라갈 정도로 환한 미소를 지어보였다. 그리고 파시앙스를 향해 비행선처럼 유유히 몸을 돌렸다.

"이제 선택은 아가씨께 달렸습니다. 가족의 위대한 읽는 여자에게 허가를 내리실 건가요?"

모두의 시선이 파시앙스의 입술에 머물렀다. 젊은 여인은 텅 빈 찻잔 바닥을 오래도록 응시한 뒤 고개를 들어 토른을 바라보았다.

"당신은 이제까지 누구도 찾아내지 못했어요. 지금 이 사건에 관련된 사람은 내 오빠예요. 인정하기 싫지만, 오빠가 있었다면 당신께 읽기를 맡겼을 거예요." 이번에는 오펠리를 보며 말했다. "허락해드리죠. 봉인을 푸세요."

토른은 파시앙스의 목구멍에 찻잔을 처넣고 싶은 욕구와 싸우는 듯한 눈길로 그녀를 쳐다보았다.

법무부 장관은 손으로 짧게 허공을 갈랐다. 두꺼운 밀랍 덩어리처럼 보이던 봉인이 칠판 분필이 지워지듯 문에서 사라졌다.

"믿어줘서 고마워요." 오펠리가 속삭였다.

파시앙스가 문을 열자 대기실 빛이 쏟아지며 금빛 칼날처럼 어둠을 갈랐다.

"당신을 믿는 게 아네요. 오빠를 찾는 데 실패하면, 당신 삶을 지옥으로 만들 겁니다."

파시앙스는 이 말들을 놀랍도록 차분하게 뱉으며 전기 스위치를 올렸다. 아르쉬발드의 방을 처음으로 보게 된 오펠리는 아무 말도 할 수 없었다. 누가 아르쉬발드와 같은 이의 공간을 상상해보라고 했다면, 공기 중에 떠도는 모든 금기의 향기와 나뒹구는 베개들, 쾌락의 도구들 그리고 음란한 작품들을 떠올렸을 것이다.

텅 빈 공간이 기다리고 있을 거라고는 상상도 못 했다.

오래된 철제 침대가 덩그러니 한가운데에 놓여 있고, 벽과 천장에는 금이 가 있었다. 아르쉬발드의 방은 그의 의상과 마찬가지로 신경 쓰지 않은 모습이었다. 난방 환영도 이곳에서는 작동하지 않는지, 공기마저도 대기실보다 훨씬 차가웠다.

"이해가 되지 않아요." 오펠리는 뒤를 돌아보며 말했다. "아르쉬발드의 개인 물건들이 어디에 정리되어 있는 거죠?"

"어디에도 없습니다, 가족의 위대한 읽는 여자님." 필리베르가 문턱에서 말했다. "대사님은 항상 이 방을 지금 같은 상태로 유지하셨죠."

"그래도 그렇지." 멜키오르 남작은 대단한 디자이너의 비판적인 시선으로 대사의 방을 둘러보며 탄식했다. "제가 보기에 이 방은 너무 관념적이군요. 대사님께서 환영 한두 개쯤 주문하실 수는 없었나요? 로코코 스타일만 조금 가미해도 인테리어가

확 바뀔 텐데."

이제 모두가 방 수색을 방해하지 않기 위해 문턱에 모였다. 오펠리는 심사위원들 앞에서 자신의 역량을 발휘해야만 될 것 같은 인상을 받았다. 조금 전 내비친 당당한 자신감이 손가락 사이로 빠져나갔다. 물건이 하나도 없는 방? 그녀에게 이보다 까다로운 도전은 없을 것이다! 오펠리는 시도도 하기 전에 낙담하지 않겠다고 다짐하며 장갑 단추를 풀었다.

"침대를 꼭 읽어야 해요?" 파시앙스가 물었다. "당신처럼 어린 숙녀에게는 너무 외설적일 텐데."

토른의 얼굴은 오펠리의 심각한 표정과 비교도 되지 않을 정도였다. 그는 오펠리가 불시에 돌이킬 수 없는 잘못을 저지를 것처럼, 그녀에게서 눈을 떼지 않았다. 오펠리 엄마는 딸과 토른 가운데 누가 더 그녀의 감정을 상하게 한 건지 결정하지 못한 듯, 눈살을 찌푸리며 둘을 번갈아 쳐다봤다. 이상하게도 오펠리의 읽기에 가장 희망을 걸고 있는 사람이 필리베르 같았다.

"선택의 여지가 별로 없어요." 오펠리가 마침내 답했다.

"그러면 바닥은?" 파시앙스가 물었다. "벽은? 평소 읽는 것과 그렇게 다르지 않을 것 같은데요?"

"달라요. 면적이 너무 광범위하고 너무 흐려요. 우리는 직접적인 접촉을 통해 물건에 영향을 미치죠. 벽을 만지는 일은 흔치 않고, 바닥을 걸을 땐 신발을 신죠. 신발 바닥은 엄청난 차단을 하고요."

오펠리는 어디서부터 시작해야 할지 모르면서 철제 침대로 다가갔다. 침대는 흐트러져 있지 않았다. 해진 침대보의 가운데가 살짝 들어가 있었다. 형체를 남길 만큼 충분히 오랫동안 그곳에 몸을 뉘었다는 것을 짐작할 수 있었다. 탐정이 아니더라도 아르쉬발드가 이불 안으로 들어가지 않고, 위에 누워만 있었다는 것을 추측할 수 있었다.

오펠리가 알고 싶은 것은 아르쉬발드가 홀로 혹은 누군가와 이불 아래에서 보낸 수많은 밤이 아니라, 납치되기 전 마지막 순간이었다. 조사 범위가 그만큼 줄어든 것이다.

오펠리가 손을 펴고 침대보에 대자 손끝으로 미세한 떨림이 전해졌다. 이 느낌을 파악하기까지는 아직 너무 아득했다. 그녀는 아르쉬발드의 감정적 흔적이 가장 많이 남아 있는 곳을 찾기 위해 마법사가 마술 봉을 흔들 듯 천위에 손바닥을 대고 천천히 쓸어내렸다. 오펠리는 갑자기 권태에 휩싸였다. 그 정도가 너무 깊어 우수의 정수를 파고드는 것 같았다. 파티에 빠지고 쾌락에 도취되고, 관습에 맞설수록 오펠리가 느끼는 권태는 강해졌다.

오펠리의 생각이 아니었다. 바로 아르쉬발드의 것이었다. 차라리 그가 관계를 맺는 장면을 목격하는 게 덜 외설적이었다고 느꼈을 것이다. 오펠리는 아르쉬발드의 무심한 미소 뒤 감춰진 이면을 알게 되자, 그를 그저 스쳐 지나갔을 뿐 정말로 알려고 하지 않았다는 느낌을 받았다. 그녀는 끈질기게 다시 시도했다. 비정상적인 것이나 충격, 놀라움 아니면 천 사이사이를 물들인 끝없는 권태를 흔들 수 있는 그 어떤 것이라도 찾으려고, 계속 손가락으로 침대보를 샅샅이 훑었다.

갑작스런 감정의 동요가 척추를 따라 올라오며, 안경이 샛노랗게 물들었다. 오펠리는 이번만은 감정이 자기 안에서 나온 것임을 깨달았다. 이 침대는 아르쉬발드 실종에 대해 아무것도, 정말이지 그 어떤 것도 알려주지 않았다!

"오빠와 더 이상 연결될 수 없다는 거 알아요." 오펠리가 파시앙스를 향해 몸을 반쯤 돌리며 말했다. "혹시 그의 정신을 지배하는 건 가능할까요? 아르쉬발드가… 어… 발키리의 몸을 빌리는 걸 한 번 본 적 있어요. 어쩌면 당신도…."

"아니요." 파시앙스가 단호한 목소리로 오펠리의 말을 잘랐다. "투알의 구성원은 상대의 분명한 동의가 있을 때에만 정신을 지배할 수 있어요. 단순히 원칙의 문제가 아네요. 오빠가 내게 통로를 내주지 않으면, 오빠의 몸을 차지하는 건 불가능해요."

"당신의 읽기가 실패라고 결론 내려야 할까?"

오펠리는 매정하게 토른을 바라보았다. 맹렬한 눈빛에, 빗물이 뚝뚝 떨어지는 검은 외투를 입고, 커다란 코가 드리운 세모난 그림자에 얼굴 절반이 묻힌 토른은 흉조를 연상시켰다. 오펠리는 토른이 응원해줄 거라고 기대하지 않았다. 하지만 적어도 이런 종류의 반응은 자제할 수 있었을 것이다.

"아니. 안 끝났어."

오펠리는 그녀의 읽기를 이불과, 베개와 매트리스까지 넓혀볼 생각을 하고 있었다. 그때 멜키오르 남작이 다가왔다.

"아, 내 착각이 아니었네요! 여기 뭔가 빛을 받아 반짝이는 게 있어요."

남작은 도금된 지팡이 끝으로 침대보 위에 있는 금속 링을 가리켰다. 오펠리는 먼저 발견하지 못한 것에 자존심이 상했다. 가까이서 살펴보기 위해 여전히 장갑을 끼고 있는 손을 뻗어 손가락 끝으로 조심스럽게 링을 잡았다. 이게 무엇이었을까? 반지? 열쇠고리? 귀걸이?

오펠리는 격양된 감정을 진정시키기 위해 크게 심호흡을 했다. 아마도 이번 읽기가 아르쉬발드에게 닥친 일을 이해할 수 있는 마지막 기회일 것이다. 놓쳐서는 안 되는 기회였다. 오펠리는 충분히 정신을 가다듬고 난 뒤, 고리에 손을 살며시 갖다 댔다.

어떤 이미지가 머릿속에서 비누 거품처럼 터졌다. 심장이 단 한 번 박동하는 찰나, 오펠리는 아르쉬발드가 되었다. 그가 보고 느끼고 생각한 것을 보고 느끼고 생각했다.

모래시계. 환희. 위험.

“이건 고리가 아니야.” 오펠리는 다른 누구도 아닌 자신에게 속삭였다.

그건 모래시계 연결 핀이었다. 오펠리는 그녀 자신이 침대위에 누워있는 것처럼, 모래시계 유리를 통해 이중으로 비치는 천장의 조명을 아주 분명하게 보았다. 파란 모래시계에는 ‘가내 제조소 일드가르드 & CO.’라는 명판이 달려있었다. 오펠리는 생각에 잠겨 엄지로 고리를 매만졌다. 그리고 마침내 하나를 발견했다. 이 모래시계는 겉보기에는 다른 모래시계와 별반 다를 게 없지만, 한 가지 작은 차이가 있었다. 눈속임을 위한 지극히 미묘한 차이였다. 회전 장치 부근에 맨눈으로는 거의 식별되지 않는, 복잡하고 미세한 기계장치가 달려 있었다. 오펠리는 몇 주 동안 모래시계를 볼 때마다 그 장치를 찾아왔기에 발견할 수 있었다. 함정을 찾았으니 이제 무얼 해야 할까?

오펠리가 눈을 들었을 때, 모두 상기된 얼굴을 하고 주위에 몰려든 것이 느껴졌다.

"어때요?" 파시앙스가 처음으로 안절부절못하며 물었다. "그게 뭐죠? 뭘 봤어요?"

'환영을 경계하세요'

"파란 모래시계예요." 오펠리가 속삭였다. "모래시계가 실종자들을 데려간 거예요. 그리고 아르쉬발드는 그 사실을 알고 있었어요."

제조소

오펠리는 목도리에 대고 재채기를 했다. 포석들 사이로 고약한 냄새를 풍기는 물이 배어 나왔다. 웅덩이를 피하려 하면 할수록, 신발 안으로 물이 더 스며들었다. 치마 밑단을 축축하게 적시는 게 물인지도 확실하지 않았다. 오펠리는 작은 다리로 갈 수 있는 최대 속도로 걸음을 재촉했다. 거리에 징 박힌 군화소리를 울리며 걷는 헌병순찰대의 속도에 맞추기 위해서는 달리 방법이 없었다.

"모래시계 제조소는 아직 멀었나요?" 오펠리가 물었다.

"엘리베이터를 두 번 더 타야 합니다, 아가씨." 헌병 한 명이 그녀를 보지도 않고, 걸음을 늦추지도 않으면서 대답했다.

오펠리는 거리 맨 끝에서 다음 환승역의 철창을 두리번거리며 살폈다. 지금처럼 시타시엘의 지하 깊숙이 들어와본 적이 없었다. 지하로 내려갈수록, 도시의 하수구에 빠지는 듯한 강렬한 느낌이 들었다. 차가운 수증기와 역겨운 냄새로 가득한 이곳의 공기가 너무나 짙어 드문드문 보이는 가로등 불빛마저 삼켜버렸다. 오펠리는 가끔씩 기계실과 공장 작업실의 김 서린 창문에 붙어 있는 얼굴들을 보았다. 시타시엘의 지하에는 은제품, 자기류, 장식 끈을 만드는 일 외에도 난방 장치를 관리하고, 배관을 수리하고, 하수를 처리하는 수백 명의 노동자와 기술자 그리고 수공업자들이 있었다.

오펠리는 안경을 들어 아무 말 없이 오른쪽에서 걷고 있는 토른을 올려다보았다.

"생각하면 할수록, 더 이해가 안 돼." 오펠리가 토른에게 중얼대듯 말했다. "메르 일드가르드가 자신이 만든 모래시계를 이용해 궁정 사람들을 납치해서 얻는 게 뭘까? 하긴 모두가 그녀를 좋아하는 건 아니지." 오펠리는 인정했다. (오펠리는 헌병 대장과 니베룽겐 편집장, 아롤드 백작이 일드가르드 부인 같은 외국인을 진심으로 싫어했다는 사실을 떠올렸다.) "하지만 그녀가 그런 극단적인 일을 저질렀을 거라고는 상상할 수 없어. 분명히 뭔가 다른 게 있을 거야."

토른의 시선은 여전히 그녀를 비켜갔다. 듣고 있기는 할까?

"그런데." 오펠리가 힘주어 말했다. "아르쉬발드는 함정을 눈치챘어. 분명히 느껴졌어. 대사님이 눈치챘다면, 도대체 왜 스스로 함정에 빠진 걸까?"

"그걸 내가 어떻게 알아?" 토른이 투덜대듯 말했다.

오펠리는 더 묻지 않았다. 그녀는 미칠 듯 머리가 아팠다. 하지만 그게 감기 때문인지, 잠을 못 자서인지, 아니면 토른의 할퀴기 공격 때문인지 알 수 없었다. 토른은 의식하지 못할 수 있겠지만, 그의 분노가 몸 밖으로 퍼져나가 오펠리의 척수를 타고 고통스러운 파동을 일으켰다.

클레르들륀을 떠난 뒤로 오펠리는 걸음을 옮기거나, 엘리베이터를 타거나, 신발 끈을 다시 묶을 때마다 토른의 시선을 느꼈다. 그는 헌병대 호위로는 충분하지 않다는 듯 오펠리를 두 번째 그림자처럼 쫓아다녔다. 이를 꽉 깨물고 눈썹을 찌푸리며 불편할 정도로 가까운 거리를 유지했다. 정말로 오펠리에게 화가 난 것처럼 보였다. 그녀가 연결 핀을 읽은 뒤로 더 그런 것 같았다.

토른은 정말 무슨 생각을 하고 있는 걸까? 그가 한눈파는 사이 오펠리가 파루크 앞으로 쏜살같이 달려가 자신을 정식 읽는 여자로 만들어달라고 사정하고, 혼자 실종자들을 구했다고 자랑하는 모습을 상상하는 것일까? 오펠리는 결국 시체만 찾게 될까 봐, 아니 그마저도 못 하고 아무것도 찾기 못할까 봐 죽도록 겁이 났다. 최악은 이해심이 부족한 토른을 원망하기는커녕, 어쩌면 토른이 화가 난 이유가 자신에게 있을 거라고 믿기 시작했다는 점이다.

오펠리는 성벽에서 벌어진 일 때문임을 알고 있었지만, 그 생각을 떠올릴 때마다 귀가 달아올랐다.

"저기… 잠시만… 기다려주겠어요?"

오펠리, 토른 그리고 헌병순찰대가 서로 부딪히면서 동시에 뒤를 돌아보았다. 그들 뒤로 멜키오르 남작이 희미한 가로등 불빛 아래에서 레이스 손수건으로 삼중 턱을 두드리고 있었다. 땀에 흥건하게 젖은 볼이 반짝거렸다.

그는 이마지누아 입구 바로 앞에 멈춰 섰다. 예전에 이마지누아였던 곳이었다. '에로틱한 환희'라고 적힌 간판을 둘러싼 붉은 장식 전구는 하나같이 오래전부터 불이 나갔고, 창문은 먼지와 낡은 광고지들로 뒤덮여 있었다.

"설마… 지금 풍기단속반을… 따돌리시려는 건… 아니죠?" 멜키오르 남작이 실크해트로 부채질을 하고 숨을 헐떡거리며 조금은 장난스럽게 말했다.

오펠리 엄마는 떠나기 전 생뚱맞은 제안을 했다. 바로 자신이 호텔로 돌아가는 대신 우아부 장관이 직접 딸의 샤프롱 역할을 하라는 것이었다. 오펠리는 그가 보좌관이라는 사실만으로도 충분히 불편했다.

"최대한 빨리 제조소에 가야합니다." 토른이 불평하듯 말했다. "우리가 가고 있다는 게 알려지면 이번 기습 수사는 아무 의미가 없어요."

"이렇게 걷는 게 습관이 안돼서요." 멜키오르 남작이 사과하며 말했다. "새 구두를 망치고 말겠어요."

시간이 지체될 때마다 오펠리는 고통스러웠다. 매 층마다, 매 환승역마다, 매 길목마다, 새로운 헌병들이 나타나 신분증과 함께 허가 지역을 벗어난 이유를 설명하는 증명서를 요구했다. 그들을 개별적으로 호위하는 헌병들만이 내보일 수 있는 통행증이었다. 어쩌나 경비가 삼엄한지 북극나그네쥐도 검문을 받지 않고는 지나갈 수 없을 것 같았다.

"이 모든 게 민감한 사안입니다." 멜키오르 남작이 말했다.

"감독관님도 아시죠?"

멜키오르 남작은 연기가 자욱한 길을 걸으며 수시로 주변을 두리번거렸고, 오펠리는 그런 모습을 여러 번 목격했다. 삼엄한 경호를 받으며 겉으로는 평온한 척해도, 비열한 공격의 희생양이 될까 봐 끝없이 두려워하는 것 같았다.

"물론 미라주로서 사촌들의 실종이 염려되고, 정의가 실현되기를 바랍니다." 그가 낮은 목소리로 말을 이었다. "하지만 가족 간 바람 장미가 생긴 것도, 이 통로가 현재 막힌 것도 모두 일드가르드 부인 때문이라는 것을 장관으로서 재차 말씀드리고 싶군요. 부인 식구 중 누구 하나라도 잘못 건드리면, 아르카디앙들이 절대로 다시는 통로를 열어주지 않을 테고, 그렇게 되면 향신료와 맛있는 오렌지와는 영원히 작별해야 하죠. 파란 모래시계에서 단서를 찾아 지금 일드가르드 부인을 찾으러 가게 됐지만, 유죄가 확정되기 전까지는 부인에게 정중한 대접을 해드려야 합니다." 멜키오르 남작은 '정중한'이라는 단어에 음을 붙여 노래하듯 헌병들에게 말했다. "운 좋게 제조소에서 부인을 찾게 된다면, 부인의 능력으로 탈출할 수 없는 방에 구금할 것을 제안합니다. 물론 사건이 해결될 때까지만요. 그 어떤 폭력도 쓰지 않고 말이죠, 알겠죠, 제군?"

헌병들은 차려 자세로 턱을 높이 쳐들고 어떤 말도, 눈 맞춤도 하지 않았다. 아마도 '네'라고 대답하는 그들만의 방식인 듯했다.

"일드가르드 부인이 어떤 방식으로든 아르쉬발드의 실종에 관여되어 있다면.” 토른이 말했다. “부인 감방에 개인적으로 꽃 배달을 보내도록 하겠습니다.”

“못 들은 걸로 치겠습니다.” 멜키오르 남작이 달관하듯 말했다. “가시죠, 이제 숨을 좀 돌린 것 같네요. 가족의 위대한 읽는 여자님 이리 오시겠어요?”

오펠리는 안개가 자욱한 길로 다시 들어서기 전 마지막으로 이마지누아와 먼지 낀 창, 불이 꺼진 붉은 조명을 바라보았다. 그 순간 한 가지 중요한 사실이 떠올랐다. 오펠리는 수많은 검문을 통과하고, 모두 엘리베이터에 탈 때까지 기다린 뒤에야 멜키오르 남작에게 계속 묻고 싶었던 질문을 던질 수 있었다.

“이 이마지누아는 남작님 누님의 소유였나요?”

엘리베이터 거울에 비친 모습을 보며 머리를 손질하던 멜키오르 남작이 당황한 듯 인상을 찌푸렸다.

“너무 창피하지만 맞아요. 다행히 문을 닫았죠. 퀴네공드는 뛰어난 예술가예요. 자신의 예술적 재능을 천박함이 아닌 아름다움을 위해 사용했어야 했어요.”

오펠리는 고개를 저었다. 그녀가 듣고 싶었던 말이 아니었다.

“퀴네공드 부인은 이마지누아들이 경쟁에 밀려 파산했다고 주장해요. 메르 일드가르의 모래시계와의 경쟁요.” 오펠리가 콕 짚어 말했다.

멜키오르 남작은 주머니에서 작은 금속 통을 꺼냈다. 거기에서 향기 나는 왁스를 조금 덜어낸 뒤, 우아한 손놀림으로 긴 수염을 매만졌다.

"그게 바로 냉혹한 시장의 법이죠." 그가 한숨 쉬며 말했다. "저도 일드가르드 부인의 제조소 주식을 좀 샀다고 고백한다면요? 마침 그게 괜찮은 거래였는지 의구심이 들기 시작하네요." 그가 잠시 고민한 뒤 덧붙였다. "잠시 후 파란 모래시계들이 위험하다는 증거를 발견하게 된다면, 그 파장이 어떨지 아가씨 상상에…."

"제가 마지막으로 퀴네공드 부인을 봤을 때 부인은 파란 모래시계들을 가지고 계셨어요." 오펠리가 남작의 말을 끊었다. "개인 용도로 보기에는 너무 많은 양이었죠. 제게 비밀로 해달라고 당부하셨지만 이 상황에서 저 혼자만 알고 있어서는 안 될 것 같아요."

멜키오르 남작은 수염이 무너져 내릴 정도로 놀랐다. 이렇게 심각한 상황이 아니었다면 우스꽝스럽게 보였을 것이다.

"확실해요? 무척 당황스러운 얘기군요! 내 누이가 흠 없는 사람은 아니지만, 제 새 신발에 걸고 맹세하건대, 밀매꾼이나 범죄자는 아닙니다."

오펠리는 눈짓으로 토른의 생각을 물었다. 하지만 그는 오펠리가 계속 신경에 거슬린다는 듯 고개를 돌리고 눈썹을 한껏 올렸다. 또 실수를 저지른 걸까?

그들은 마지막 엘리베이터에서 내리고, 세 번의 검문을 받은 뒤, 빛바랜 간판이 달린 입구를 통과했다. 간판에는 큰 글자로 이렇게 적혀 있었다.

제조소 건물이 어찌나 큰지 지하층 전체를 독차지하고 있었다. 건물의 규모가 유일한 볼거리였다. 을씨년스러운 잿빛 외벽에는 창 하나 나 있지 않고, 마당에는 오래된 매트리스들이 축축한 바닥 위에 쌓여 있었다.

토른이 정문 노커를 여러 번 두드린 뒤에야 문지기가 모습을 드러냈다.

"네? 무슨 일로 오셨죠?"

"감독관입니다." 토른이 알렸다. "메르 일드가르드를 급히 만나야겠습니다."

"작업장에 안 계세요." 문지기가 말했다.

"언제 나가셨죠? 언제 오시나요?"

문지기는 무기력하게 어깨를 으쓱해 보일 뿐이었다.

"일드가르드 부인이 부재할 경우 누가 제조소의 책임을 맡나요?" 토른이 계속 질문했다.

문지기는 말 한 마디 없이 물러났다. 얼마 뒤 등장한 노신사가 고개를 들어 토른을 보고는 탄성을 내질렀다. 그리고 엄지손가락으로 작업모를 곧게 폈다.

"감독관님께서 직접 행차하시다니!" 그가 살며시 미소 지으며 외쳤다. "작업반장입니다. 무엇을 도와드릴까요?"

"건물을 조사할 수 있게 해주시면 됩니다." 토른이 그에게 수색영장을 건네며 말했다.

작업반장은 토른의 요청에 놀라움도, 걱정도, 그 어떤 감정도 내비치지 않았다. 오펠리는 그가 입구에서 헌병 한 부대를 본 사람치고는 특별히 긴장한 것 같지 않다고 생각했다. 그녀는 작업반장 모자에서 오렌지 표시를 알아보았다. 오렌지는 메르일드가르드를 상징하는 과일로, 그녀와 동맹을 맺은 모든 이들을 결집시키는 역할을 했다. 오펠리에게는 잊을 수 없는 일이었다. 오렌지 바구니를 전달한 뒤 몸소 헌병의 곤봉 세례를 받아봤기에.

수색영장 내용을 살핀 작업반장은 즐거움과 호기심이 어린 눈으로 토른, 멜키오르 남작 그리고 오펠리를 차례차례 바라보았다.

"아니 이런, 어린 아가씨가 누구인지 알아보겠네요. 윗층에는 한 번도 올라가보지 않았지만, 신문은 읽거든요. 아니마에서 오신 어린 스토리텔러시죠. 그리고 당신은." 작업반장이 멜키오르 남작 쪽으로 몸을 돌리며 말을 이었다. "장관님이시죠. 우애부인가 뭔가 하는 부서의 장관요. 한 부대가 출동했군요. 들어와요, 들어와! 동료들이 내가 누굴 데려왔는지 보면…."

토른은 오펠리에게 앞장서라는 신호를 보냈다.

"내 시야에서 벗어나지 마." 토른이 속삭이듯 말했다. "몰래 빠져 나가지도, 단독 행동을 하지도, 소란을 피우지도 마. 알았어?"

"조사에 필요하다고 판단되는 건 모두 할 거야." 오펠리가 신경질적으로 답했다.

오펠리는 정말로 분노에 치가 떨리기 시작했다. 코 위에 걸친 안경이 말 그대로 붉어졌다.

멜키오르 남작은 꼼꼼하게 발을 매트에 닦으며 중얼거렸다. "우애부 장관이라니… 아니, 나 원 참… 살다 살다 별 말을 다 듣겠네."

"이번 수색의 목적에 대해서만이라도 설명해주실 수 있나요?" 작업반장이 상냥하게 물었다.

"대사가 여기서 만든 모래시계 핀을 뽑은 뒤 사라졌어요."

"하지만 그게 모래시계의 주 용도인데요, 감독관님."

"대사는 그 뒤로 다시 모습을 드러내지 않았죠." 토른이 짜증스럽게 답했다.

"바로 그게 문제였군요." 작업반장은 엷은 미소를 띠며 말했다. "아마 끔찍한 오해가 생긴 것 같네요. 모래시계 작업장을 조사하고 싶으시다는 거죠? 보통 아무도 작업장에 접근할 수 없지만 감독관님께서 수색영장을 갖고 계시니…."

오펠리는 이 남자가 미리 준비한 대사를 외워서, 그것도 아주 어색하게 내뱉고 있다는 께름칙한 느낌을 받았다. 동시에 모래시계 작업장이 어떤 모습일지 궁금했다.

"전체 수색을 희망합니다." 토른이 정정했다.

작업장 내부는 바깥의 음산한 외관과는 딴판이었다. 현관에서 이어진 복도는 완벽한 청결을 자랑했다. 벽은 수많은 나무 칸막이들로 나뉘어 있었다. 각각의 칸에 '작지만 확실한 행복', '청정 공기', '여인의 집', '붉은 규방', '게임을 하세요', '이국적인 밤 풍경' 등 예쁜 라벨이 붙어 있었다. 모래시계의 목적지들이었다.

"바로 이곳에서 우리 모래시계들이 만들어지죠." 작업반장은 천장에 매달린 아름다운 조명을 받아 빛나는 방으로 들어서며 말했다. "여기서 평범한 모래시계가 만들어지는데, 여러분들이 궁금해하시는 그 공정은 아닙니다. 메르 일드가르드는 다음 공정에서 모래시계에 이동의 특성을 부여하시거든요."

오펠리를 가장 먼저 놀라게 한 것은 유리 뒤에 있는 선반들이었다. 수십, 수백 아니 수천 개의 작은 모래시계들이 끝도 없이 이어졌다. 하나하나가 말 그대로 금은 세공사의 작품이었다.

밤늦은 시간에도 작업대를 떠나지 않는 직공들을 보며 오펠리는 두 번째로 놀랐다. 직공들 사이로 헌병들이 지나가도 누구 하나 고개도 들지 않고, 관절 돋보기나 드라이브 혹은 연마기에 코를 박고 있었다. 모두 나이가 지긋했고 하나같이 오렌지 마크가 박힌 앞치마를 두르고 있었다. 대사의 실종, 문제가 된 모래시계, 헌병대의 작업장 수색. 그 무엇도 그들의 관심을 끌지 못했다.

심장을 덜컹하게 만들 정도로 오펠리를 놀라게 한 세 번째는 바로 작업장 구석 어둠 속에서 헝클어진 검은 곱슬머리 사이로 빛나는 눈이었다. 가엘이 의자에 걸터앉아 있었다. 담배를 물고, 공구 벨트 때문에 작업복 멜빵이 늘어진 차림으로 라디오 송수신기 같은 것을 수리하려는 것 같았다. 외알 안경이 마치 등대처럼 램프의 불빛을 반사하고 있었다. 가엘의 강렬하게 타오르듯 빛나는 파란 눈에 비하면 아무것도 아니었다.

오펠리는 가엘에게 달려가 반갑게 어깨를 흔들지 않기 위해 최대한 정신을 집중했다. 가엘은 지금 여기서 대체 뭘 하고 있는 걸까? 메르 일드가르드는 정말 어디 있는 걸까? 어째서 작업장 사람들은 그 어떤 일에도 놀라지 않는 걸까? 오펠리는 당장이라도 물어보고 싶은 질문들을 힘겹게 억눌렀다. 질문을 하게 되면, 헌병들이 가엘을 주목해서 곤란에 빠트릴 것이다. 요즘 같은 상황에서 가엘은 신분을 위조했단 이유로 혹독한 대가를 치를 수 있다.

"모래시계 목적지는 이쪽입니다." 작업반장이 작업실 가장 안쪽에 위치한 문을 열며 말했다. "힘드시겠지만 저를 따라 오세요."

라디오 송수신기 너머로 흘끗 보고 있던 가엘이 순간 화들짝 놀란 것 같았다. 하지만 그녀가 놀란 이유는 오펠리도 토른도 멜키오르 남작도 헌병들도 아니었다. 그들 뒤로 공중 어딘가에 매달린 어떤 것 때문이었다.

오펠리는 목도리 아래로 몸을 움츠렸다. 블라디스라바를 완전히 잊고 있었다! 투명 인간이 결국 여기까지 따라온 걸까? 가엘은 니힐리스트였다. 파루크의 다른 후손들이 지닌 가족의 능력들은 가엘 앞에서는 무력해졌다. 가엘은 정말로 투명 막을 쓴 보디가드를 본걸까? 그녀가 봐서는 안 된다는 걸 깨달은 걸까? 그저 현실과 환상만을 구별할 수 있는 걸까? 말 한마디로 정체가 드러날 수 있다. 가엘이 다시 라디오에 코를 박고 헌병대가 아무것도 눈치채지 못하고 작업장을 떠나자 오펠리는 안도의 한숨을 내쉬었다.

작업장은 관리실로 이어졌고, 토른은 눈으로 관리실을 샅샅이 훑었다. 오펠리도 모래시계 목적지 — 모래보관소? 모래 없는 모래시계? — 처럼 보이는 곳이 어디 있는지 주변을 살폈다. 하지만 이곳에는 회계 서류밖에 없었다.

“이것들을 압수하겠습니다.” 토른이 장부 전체를 손에 쥐며 선언했다.

“어떤 특이사항도 못 발견하실 것 같지만, 뭐 좋으실 대로 하세요.” 작업반장 얼굴에 미소가 붙어 있는 것 같았다. “모래시계 목적지는 저쪽에 있습니다.” 그는 잠겨 있는 또 다른 문을 열며 덧붙였다.

오펠리는 관리실을 나오자마자 온몸을 덜덜 떨었다. 고요 속에서 오펠리의 재채기 소리가 천둥처럼 울리고 끝없이 메아리쳤다. 그들이 도착한 곳은 온도가 급격히 떨어진 거대한 창고 위에 높이 설치된 철제 트랩 위였다. 푸른 유리 가로등이 빛을 비추고 있었다. 수중 조명 사이로 간신히, 엄청난 수량의 커다란 상자들이 눈에 겨우 들어왔다. 뚜껑은 우아한 나무 조각으로 장식되어 있고 하얀 모슬린 커튼이 드리워진 정말 이상한 상자들이었다. 오펠리는 이 상자가 사실은 캐노피 침대라는 것을 깨닫는 데 몇 초가 필요했고, 모슬린 커튼 뒤로 비치는 실루엣이 누워있는 사람이라는 것을 깨닫기까지 또 몇 초가 필요했다. 있을 수 없는 일이었다. 여기서 사람들이 잠을 잔다고?

“모래시계 목적지입니다.” 작업반장이 오펠리의 얼빠진 얼굴이 재미있다는 듯 말했다.

모래시계 목적지

"완전 눈속임이네!" 멜키오르 남작이 소리쳤다. "당신들의 그 대단한 파란 모래시계 목적지가 여기란 말예요? 위생 상태가 끔찍하군요!" 남작이 분통을 터뜨렸다.

토른은 눈썹 하나 까딱하지 않고, 제조소 회계장부에 커다란 코를 박고 있었다.

"아, 그건 여러분이 목적지를 바깥에서 보셔서 그런 겁니다." 작업반장이 차분히 말했다. "각각의 목적지는 보건위생규정을 완벽히 따르고 있으니 안심하셔도 됩니다. 매일 비질도 하고 청소를 하죠." 그가 살짝 약 올리듯 강조했다. (작업반장은 트랩에서 연결된 철제계단으로 향했다.) 창고로 내려가려면 모두 이쪽으로 오세요. 화물승강기가 있는데 기계를 좀 손봐야 해서요."

"발 디딜 때 조심해." 토른이 오펠리에게 명령조로 말했다.

오펠리는 현기증을 느끼지 않았지만 토른의 경고를 진지하게 받아들였다. 빛도 거의 들지 않는 좁은 계단이 수없이 이어졌다. 아래 위치한 창고에 가려면 수많은 층계를 내려가야 했다.

오펠리는 한 칸 한 칸 계단을 내려가면서, 창고에 놓인 침대들을 더 잘 보려고 몸을 기울였다. 모래시계가 한 번 내려오는 사이 모슬린 커튼 뒤로 실루엣이 나타났다 사라졌다. 오펠리는 가로등의 푸른 불빛으로만 그 모습을 분간해야 했지만 너무 높이 그리고 너무 멀리 떨어져 있었다. 그렇지만 이 사람들이 자기가 어디에 와 있는지 모른다는 게 의아했다. 그 누구도 캐노피 침대 커튼을 한 번쯤 젖혀볼 호기심이 동하지 않았을까?

오펠리가 새롭게 이어지는 계단을 막 내려가려는데 귓가에서 따스한 숨결이 느껴졌다. 뒤를 돌아보자 토른이 한 칸 위에 있는 층계를 내려오고 있었다. 오펠리가 느낀 숨결이 그의 것이라고 하기엔 거리가 너무 멀었다. 블라디스라바가 이렇게 가까이 붙어 있는 걸까? 이런 생각을 하던 찰나 오펠리는 가슴에 강한 충격을 느끼며 숨을 쉴 수 없었다. 그녀는 너무 놀란 나머지 왜 난간이 자신의 손가락 사이로 미끄러지고, 발이 바닥에서 떨어지고, 머리카락이 안경 앞으로 흩날리는지 곧바로 이해하지 못했다.

그녀는 떨어지고 있었다. 끝없이 이어진 계단 위로 추락해 뼈가 으스러질 참이었다.

오펠리는 완전히 비현실적이라 느끼며 장부를 넘기고 있는 토른의 시선 외에는 아무것도 붙잡지 못하고 뒤로 쓰러지고 있었다. 온몸의 무게로 바닥에 떨어지면, 폐의 공기가 다 빠져나가고, 충격이 전기 충격처럼 팔꿈치를 통과할 것이다. 오펠리는 반쯤 벗겨진 안경 너머로, 자신에게 고개를 숙이고 있는 콧수염 달린 얼굴을 멍하게 바라보았다.

헌병 한 명이 끼어들어 그녀를 팔로 받았다.

"괜찮으세요, 아가씨? 어디 안 다치셨어요?"

콧수염 양끝이 올라간 헌병이 당황한 듯 말했다. 그의 눈은 약간 사시였다. 오펠리는 어쩌면 생명의 은인이라고 할 이 얼굴을 잊지 못할 것이다.

"느… 네." 오펠리는 아직도 충격으로 가쁜 숨을 내쉬며 작은 목소리로 말을 더듬었다. "고마워요. 정말로."

마침내 얼굴을 들어 올린 토른은 오펠리가 일어설 수 있도록 부축하는 헌병을 보며 눈썹을 찌푸렸다.

"조심하라고 말했잖아."

"조심했어." 오펠리가 응수했다. "내가 그런 게 아니라…."

그녀는 말을 끝마치기도 전에 입을 다물고, 뒤로 굴러떨어질 뻔한 계단을 바라보았다. 눈에 보이지 않는 존재가 떠밀었다는 확신이 들었지만, 오펠리는 블라디스라바가 고의로 그랬다고 믿고 싶지 않았다. 전락한 귀족인 블라디스라바는 크로니쾨르들로부터 그들을 보호해줬고, 토른은 그녀가 속한 클랜을 변호할 예정이다. 지금 오펠리를 공격하는 것은 아무 의미가 없다. 다시는 궁정에 발을 들여놓지 마시오. 지금 그들과 함께 있는 자가 블라디스라바가 아니라면?

오펠리는 작업반장이 안내하는 동안 조심스럽게 헌병들 곁에, 그중에서도 그녀를 받아준 헌병 옆에 있었다.

"핀을 뽑고 즐기는 거죠!" 작업반장의 경쾌한 목소리가 창고 안에 쩌렁쩌렁 울렸다. "우리는 한동안 녹색 모래시계나 빨간 모래시계처럼 기존 모델들만 생산했어요. 뭐 전형적인 여행 왕복권 같은 거죠. 그러던 어느 날 메르 일드가르드께서 이렇게 말씀하셨죠. '이봐 노친네, 사람들을 곧장 꿈속으로 데려가는 모래시계를 만들면 어떨 것 같니?' 어머니는 항상 그런 식이세요. 완전히 정신 나간 생각을 하시고는 그걸 실현시킬 방법을 반드시 찾아내시죠."

그들은 창고의 싸늘한 공기에 몸이 꽁꽁 언 채로 줄줄이 늘어선 침대 사이를 지나갔다. 오펠리가 가까이에서 본 침대는 더 인상적이었다. 뱃머리처럼 조각된 침대에 돛처럼 펼쳐진 커다란 흰 커튼을 달아 진짜 배처럼 보였다. 정박한 배들 사이에서 길을 찾는 유일한 방법은 '여성용 일반 환영', '남성용 일반 환영', '젊음의 환영', '아이용 특별 환영', '하인 전용 환영', '단골 보너스 환영' 등이 쓰여 있는 방향 표지판을 따라가는 것이었다.

"목적지를 만들기 위해서는." 작업반장이 이어서 설명했다. "메르 일드가르드가 매트리스에서 공간 샘플을 추출해 그걸 모래시계 유리병에 슬쩍 넣기만 하면 되죠."

"공간 샘플요?" 오펠리가 물어보았다.

"네, 아가씨. 그게 무엇인지를 아가씨께 설명하기는 무척 난감할 것 같네요. 하지만 메르 일드가르드는 한 번도 실패한 적이 없으셨죠. 제조소에서는 부인이 작업을 끝내고 뚜껑을 닫아 핀을 맞물리면 완성될 수 있도록 모래시계를 만들어놓아요. 그러고 나서 이곳에서 예쁜 나무틀 안에 매트리스를 설치하고 깨꿋한 침대보를 씌웁니다.” 작업반장은 미소를 띠며 멜키오르 남작 쪽으로 몸을 돌려 힘주어 말했다. “준비가 다 되면 전문 환영사가 저기 보이는 보관소로 옵니다.” 그는 창고 끝에 있는, 양쪽으로 열리는 커다란 공장 문을 가리키며 덧붙였다. “환영사는 이처럼 평범해 보이는 침대를 환상의 나라로 바꾸어놓죠. 그 결과는 여러분의 판단에 맡기도록 하겠습니다.”

오펠리는 주의 깊게 주변의 모래시계 목적지를 살폈다. 지금껏 느껴보지 못한 기괴한 환영이었다. 모슬린 커튼 뒤로 그림자가 하나둘 나타났다 사라지기를 반복했다. 뒤집어진 페티코트 드레스 위로 웃음으로 들썩이는 두 다리가 보였다. 한 늙은이는 아이처럼 매트리스 위에서 방방 뛰었다. 가발 쓴 실루엣은 베개에 얼굴을 파묻고 기쁨에 겨워 울고 있었다. 아주 모호한 자세로 어떤 이들은 선정적인 신음을 내뱉었다. 오펠리가 불편한 마음으로 그들을 보고 있는 동안 헌병들은 속도를 내기 위해 침대 캐노피를 들추며 수색을 이어갔다. 하지만 그 무엇도 이들을 환영에서 빠져나오게 할 수 없을 것 같았다.

“어제까지만 해도 내가 이 사람들과 함께 여기 있었다니!” 남작이 기겁하며 탄식했다.

“남작님은 미라주시잖아요.” 오펠리가 놀라워하며 말했다. “이런 환영을 없애는 것도 가능하지 않나요?”

“미라주는 자기 자신이 만든 환영에만 면역됩니다, 가족의 위대한 읽는 여자님. 또 자기 환영을 취소할 수 있는 유일한 사람이기도 하죠. 그렇기 때문에 한 미라주의 모든 창조물은 그 미라주의 죽음과 함께 사라집니다. 우리의 기술은 일시적일 뿐이에요." 그는 수염 아래로 우수 어린 미소를 지으며 말했다. "내 음악 넥타이도, 향기 보석도, 만화경 드레스들도 내가 떠날 때 함께 사라진다고 생각하면 매번 마음이 아파요!"

"모든 환영이 작동하기 위해서는 엄지손가락이 필요하죠, 이해되시나요?" 작업반장이 계속 설명을 이어갔다. "뭐 신호라고 불러도 좋고요. 우선 눈으로 들어가 뇌에 전달되죠. '엄지손가락'을 보지 못하면, 환영도 보지 못하고, 그 어떤 효과도 느끼지 못하죠."

"지나치게 단순하게 말씀하시네요." 멜키오르 남작이 전문가 같은 말투로 이의를 제기했다. "우리의 환상은 우선적으로 시각을 통해 작용하나, 청각, 촉각, 후각적인 자극도 존재합니다. 각자 전문분야는 다르지만, 모두 매우 복잡한 작품을 만들 수 있어요. 조경사, 실내 장식가, 의상 디자이너 등 직업에 따라 특정 감각을 더 우선시할 뿐이죠. 하지만 시각이 우리가 선호하는 감각 증폭기라는 말은 인정합니다."

오펠리는 모든 환영을 걸러주는 가엘의 검은 외알 안경을 생각했다.

"이곳에서 일하는 환영사의 이름을 알 수 있을까요?" 멜키오르 남작이 가장 가까이 있는 침대를 자신의 지팡이로 가리키며 물었다. "이 환영들을 안에서 직접 맛본 사람으로서 효과가 끝내준다고 분명히 말씀드릴 수 있어요. 정확히 뭐 때문인지는 기억나지 않지만, 항상 벅찬 감동을 받고 나왔죠. 강렬한 인상을 남긴 환상적인 꿈에서 깬 것처럼 말예요."

작업반장은 엄지손가락으로 모자를 올리며 킥킥거렸다.

"전혀 모르겠어요. 환영사는 매번 작업장을 거치지 않고 곧바로 보관소로 가시거든요. 일드가르드 부인만이 그분의 정체를 알려주실 수 있을 겁니다."

오펠리는 소스라치게 놀랐다. 헌병 한 명이 모래시계 목적지를 수색하다 말고 갑자기 자지러지게 폭소를 터뜨렸다. 그는 이각모를 공중에 던지고 댄스 스텝을 밟으며 상상 속 관객들에게 키스를 날리고는 목청껏 '여러분 인생은 아름다워요!'라고 소리쳤다.

"아, 저 사람이 우리의 '엄지손가락'을 발견했군요." 작업반장이 말했다. "침대 천장을 쳐다봤나 봅니다."

토른은 장부에 몰두한 나머지 동료에게 광란의 왈츠를 청하고 있는 헌병을 거들떠보지도 않았다.

"결국, 아무도 찾지 못했어." 오펠리가 토른에게 속삭였다. "회계장부에서 정확히 뭘 찾고 있는 거야?"

토른은 신경질적으로 웅얼거리고 있었다. 오펠리는 조사에 속도를 내고, 무력감을 조금이라도 떨쳐낼 수 있도록 무엇이든 읽을거리가 있었으면 좋겠다고 생각했다.

"노란 모래시계는요?" 오펠리가 작업반장 쪽으로 몸을 돌리며 물었다. "르놀드… 제 친구가 얘기해준 적이 있어요. 파란 모래시계와 정확히 같은데, 시간제한 없이 목적지로 가는 것만 가능하다고요. 그것도 여기서 만드나요?"

"절대 아니죠." 작업반장은 단호히 딱 잘라 말했다. "너무 위험해요. 노란 모래시계는 하인들에게 환상을 심어주기 위해 만든 전설일 뿐이에요. 이 환영들 중 어느 한 곳에 갇힌다고 상상해보세요." 그가 황홀한 표정으로 아직 미소 짓고 있는 헌병을 가리키며 말했다. "탈진해 죽기도 전에 웃다 죽을 겁니다! 그렇지만 솜씨 좋은 사람이 아무 모래시계나 갖고 개조했을 수는 있죠." 그는 짓궂게 눈을 번득이며 인정하듯 말했다. "모래시계를 자동으로 뒤집는 장치를 설치하는 게 간단하지는 않지만 불가능한 것도 아니거든요."

오펠리는 곰곰이 생각에 잠긴 채 고개를 끄덕였다. 자동으로 뒤집는 장치? 그녀가 읽은 연결 핀이 달린 모래시계에서 아르쉬발드가 발견한 함정이라는 게 어쩌면 그것일지도 모른다.

"모든 목적지를 수색했습니다." 헌병이 토른 앞에서 구두 굽을 맞부딪치며 보고했다. "실종자들은 이곳에 없습니다."

"보관소에도 특이할 만한 게 없습니다." 또 다른 헌병이 건물 다른 쪽에서 돌아오며 말했다.

오펠리는 목이 메었다. 물론 예상은 했지만 그래도 아르쉬발드가 침대 캐노피를 걷고 하품을 하며 모습을 드러내기를 정말로 바랐다.

작업반장은 전혀 실망한 것처럼 보이지 않았다. 그는 제멋대로 비뚤어진 치열을 드러내며 미소 지었다.

"잘됐네요! 여러분도 보시다시피 우리 제조소는 이번 사건과 관련이 없습니다."

"거짓입니다."

토른은 그저 확인된 사실을 발표하듯 말했다.

막다른 골목

토른은 작업반장 쪽으로 성큼성큼 다가가 그가 고개를 들게 했다. 그리고 방금 살펴본 장부에서 문서 세 개를 꺼내 작업반장에게 보여주었다.

"이 문서는." 토른이 첫 번째 장부를 흔들며 시큰둥하게 말했다. "올해 당신네 작업장에서 매일 만들어진 모래시계 수량을 기록하고 있어요."

"맞습니다." 작업반장이 말했다. "그런데 무엇 때문에 그러시는지…."

"이 문서는." 토른이 이번에는 두 번째 장부를 흔들며 말을 잘랐다. "올해 일드가르드 부인이 모래시계와 침대를 연결한 횟수를 기록하고 있죠."

"정확합니다. 하지만 저는…."

"그리고 이 문서는." 토른이 세 번째 장부를 흔들며 말을 이었다. "모래시계에 연결된 뒤 환영에 사용된 침대 수를 기록하고 있어요."

"그런데요?"

"그런데 숫자들이 일치하지 않아요. 네 개의 파란 모래시계와 네 개의 침대가 작업장 출구와 그것을 사용한 곳 사이 어딘가에서 사라졌어요."

"아, 그건 매우 간단히 설명드릴 수 있어요." 작업반장이 엷은 미소를 띠며 말했다. "그 물품들은 아직 보관소에 굴러다닐 겁니다. 환영사는 시간이 나면 침대에 환영을 걸고, 우리는 처리되지 않은 침대와 연결된 모래시계는 판매하지 않거든요."

"처리 대기 중인 침대 장부도 관리하고 계시죠." 토른이 냉담하게 말했다. "물론 고려해서 계산했지만 여전히 총합이 맞지 않아요. 모래시계 네 개와 침대 네 대가 재고에서 사라졌어요."

작업반장이 토른의 말을 처음으로 진지하게 여기는 듯 보였다. 그는 앞치마 주머니에서 그만큼이나 나이 들어 보이는 안경을 꺼내 숫자가 기록된 칸들을 살펴보았다.

"정말 확실한 거죠?" 그가 장부를 넘기며 물었다. "아마 모래시계가 망가졌거나 사용불가 판정을 받은 것일 수도 있어요. 우리는 파손된 물품 장부를 관리하고 있죠."

"아주 확실합니다. 회계장부에서 정확히 차이가 발생한 부분을 뒤져서 5월 23일이라는 것을 찾아냈어요. 직접 확인해보시죠." 토른이 장부 하나를 작업반장에게 건네며 말했다. "해당 날짜에 메르 일드가르드가 모래시계와 침대를 연결시킨 횟수를 보면, 숫자가 '9'에서 '5'로 고쳐졌어요. 잉크가 달라요. 즉, 나중에 수정했다는 뜻이죠."

"우리 장부를 누가 위조했을까요?" 작업반장은 그게 불가능하다는 듯 중얼거렸다. “그렇다면 누가 이런 짓을 한 거죠?”

“당신 동료나 무단 침입자, 당신 또는 일드가르드 부인이 직접했겠죠.” 토른이 냉철하게 대답했다. “이 제조소는 누구든 몰래 드나들 수 있는 곳입니다.”

“그래도…. 우리 코앞에서 침대를 훔치다니.”

토른이 지겹다는 듯 콧방귀를 뀌었다.

“각각의 모래시계와 침대에 고유 번호를 매겨 장부들을 제대로 관리했다면 이런 실수는 피할 수 있었을 겁니다.”

오펠리는 토른을 믿을 수 없다는 듯 쳐다보았다. 어떻게 그토록 짧은 시간에 이토록 사소한 차이를 발견할 수 있단 말인가?

“이 모래시계와 침대들은 연결되고 난 뒤 환영에 걸리기 전 이곳 작업장을 떠났다는 얘기이죠.” 토른이 정리해 말했다. “납치범은 타깃으로 정한 사람들을 자신이 선택한 목적지로 보내기 위해 모래시계를 사용할 계획은 세운 거고요. 피해자들이 돌아올 수 없도록 그가 직접 모래시계 장치를 손봤을 겁니다.”

“네 개의 모래시계, 네 대의 침대, 네 명의 실종자.” 멜키오르 남작이 요약했다. “실종자들이 어디 있는지는 모르지만, 추가로 납치가 발생하지는 않겠네요.”

남작은 토른이 더 이상 목숨을 염려할 필요가 없다고 알려준 것처럼 안도하며 콧수염을 매만졌다.

“하지만 납치범은 어떻게 모래시계 핀이 빠질 거라고 확신했을까요?” 오펠리가 물었다. “모래시계를 선물로 주는 것과 그걸 사용할 거라는 확신은 별개의 일이잖아요.”

"그건 이기기 어려운 내기가 아니죠." 멜키오르 남작이 모래시계가 불룩 튀어나온 자신의 프록코트 주머니를 톡톡 치며 말했다. "윗동네에서 어떤 물건이 유행하면 궁정 사람들은 그걸 무절제하게 사용하니까요. 저를 포함해서 말이죠."

작업반장은 위조된 장부를 계속 넘겨보며 다른 장부와 비교했다. 그의 얼굴에서 미소가 사라졌다.

뼛속까지 얼어붙은 오펠리는 목도리를 코까지 올리고, 이제까지 발견한 사실들을 정리해보았다. 아르쉬발드의 특수한 경우를 제외하면, 실종자들은 지독히 불안한 상태로, 행복감을 주는 환영에 빠지기 쉬운 상태였다. 그들 각각은 목숨에 위협을 느껴 클레르들뤼에 보호를 요청하지 않았었나? 그들은 모두 협박 편지를 받았다. 납치범은 걱정이 커질수록 파란 모래시계 핀을 뽑고 싶은 욕구가 강렬해진다는 심리를 이용하려고 피해자들을 압박했다. 정말 악랄하게 그들을 농락한 것이다.

"그렇지만" 오펠리가 목소리를 높였다. "니베룽겐 편집장이 모래시계를 사용하는 모습을 상상할 수 없어요. 그는 모래시계를 규탄하는 끔찍한 광고를 실었고 독자들에게 사용하지 말 것을 권고했어요."

"모순덩어리 체크오브!" 멜키오르 남작이 부드럽고도 씁쓸한 미소를 띠며 탄식했다. "당신이 그의 내밀한 모습을 아신다면, 그가 모래시계 핀을 가차 없이 뽑았으리란 것도 아실 테죠. 유혹에 가장 격렬하게 저항하는 자가 유혹의 가장 맹렬한 신봉자인 경우도 있으니까요."

“하지만 아르쉬발드는 네 번째 타깃이 아니었어요.” 오펠리가 환기시켰다. “제가 연결 핀을 읽었을 때, 그가 다른 누군가의 모래시계를 가로챈 것을 보았어요.”

‘내가 아니었을까?’ 오펠리는 갑자기 궁금해졌다.

주저하며 침묵을 지켜보던 멜키오르 남작이 공에서 바람이 빠지듯 길게 한숨지었다.

“제 거였어요.”

“남작님 거요?” 오펠리가 놀라서 되물었다.

이에 토른이 눈썹을 찡그리더니 이내 다시 표정을 풀었다.

“제 거요.” 멜키오르 남작이 재차 답했다. “클레르들륀에 마지막으로 들렀을 때 어떤 이유에서인지 파란 모래시계 하나가 사라졌죠. 잠시 한눈판 사이 대사님이 주머니에서 빼간 것 같아요.”

“대사님이 남작님의 목숨을 구한 것일 수도 있겠네요.” 오펠리가 말했다. “하지만 왜 남작님을 납치하려고 했죠? 헌병 대장, 니베룽겐 편집장, 아롤드 백작은 모두 정치적 입장이… 뭐랄까… 상당히 극단적이었어요.”

멜키오르 남작은 무덤덤한 미소를 지었다. 콧수염이 미동도 없었다.

“과찬이십니다. 하지만 저는 가족의 위대한 읽는 여자님이 생각하시는 그런 고결한 사람이 아닙니다.”

오펠리는 마치 자기 그림자가 공격해올까 봐 염려하듯 걱정스러운 눈길로 수없이 뒤를 돌아보던 남작의 모습을 떠올렸다. 그는 지금도 완전히 안정을 되찾은 것 같지 않았다.

"협박 편지를 받으셨나요?"

멜키오르 남작은 갑자기 시선을 피했지만 오펠리는 순간 그의 외로움을 읽었다. 토른에게서 느껴지는 것과 정확히 같은 외로움이었다.

"죄송합니다, 가족의 위대한 읽는 여자님. 외람된 말씀이지만 그 질문에는 대답할 수 없습니다."

오펠리에게는 남작이 '네'라고 말한 것이나 마찬가지였다. 다시 묻고 싶었지만 자기 일에나 신경 쓰라고 분명히 말하는 토른의 눈빛을 보고 그만뒀다. 오펠리의 목도리는 마치 화난 고양이의 꼬리처럼 마구 흔들렸다. 왜 모두 자신의 비밀을 꼭꼭 숨기는 걸까? 서로가 서로에게 털어놓았다면 훨씬 간단하지 않았을까?

"부디 조심하세요." 오펠리는 불만으로 구겨진 토른의 얼굴을 외면하며 속삭였다. "제 생각에 남작님은 위험에 처하신 것 같아요."

멜키오르 남작은 오펠리 쪽으로 시선을 돌렸고, 당황해서 콧수염을 꼼짝도 하지 않았다. 남작만의 고유한 몸짓으로 반지 낀 두 손을 지팡이 손잡이에 갖다 대고 보름달처럼 둥근 몸을 오펠리 쪽으로 기울였다.

"위험은 우리 삶의 일부예요." 남작은 오펠리에게 숙연하게 말했다. "전 달라질 미래를 위해 싸우고 있고, 아가씨도 아가씨 위치에서 자신만의 방식으로 그렇게 하고 있다고 믿어요. 아가씨가 임무를 저버리지 않는 것처럼, 저도 제 임무를 저버리지 않을 겁니다. 우리는 우리가 한 선택에 끝까지 책임을 져야 해요, 제가 틀렸나요?"

오펠리는 수중조명에 잠긴 멜키오르 남작을 조용히 바라보았다. 그가 나름대로 멋지다는 사실을 인정할 수밖에 없었다.

"계속 여쭤봐서 죄송해요." 오펠리는 남작에게 부드럽게 말했다. "하지만 남작님도 협박의 피해자라면 정말로 우리에게 말씀해주셔야 해요. 저 역시도 협박…."

"그만!" 토른이 매서운 목소리로 말을 잘랐다. "장관님께서 증언하실 게 있으시면, 관리국에서 하실 겁니다."

오펠리는 살짝 놀라서 입을 닫았다. 멜키오르 남작도 불편해 보였다.

"제 누님이 혐의를 벗었다고 봐도 될까요?" 남작이 조심스럽게 물었다. "사실 아가씨가 보고 놀랐던 다량의 파란 모래시계는 누님의 사생활이니까요, 그렇지 않나요? 퀴네공드는 메르일드가르드의 여느 다른 고객처럼 분명히 정식으로 주문을 했을 겁니다. 물론." 멜키오르 남작이 팽이 같은 몸을 토른 쪽으로 돌리며 성급히 덧붙였다. "감독관님께서 필요하다고 여기시면 하나하나 확인하실 수 있을 겁니다."

토른은 코트 안 주머니에서 조서를 꺼냈다.

"두고 보면 알겠죠. 이곳 제조소는 공식적으로 연루되었습니다. 일드가르드 부인은 납치를 교사했는지의 여부와 상관없이, 빠른 시일 내에 법정에 출두하셔야 합니다. 사건이 규명될 때까지 제조소 운영 중단을 명합니다. 새로운 명령이 떨어질 때까지 모든 색상의 모래시계 판매와 소비를 금지합니다."

"이번 조치는 감독관님의 인기에 도움이 되지 않을 거예요." 멜키오르 남작이 탄식하며 말했다. "수많은 이들의 기호식품을 빼앗는 거죠."

토른은 서명한 조서를 수첩에서 떼어내 작업반장에게 건넸다.

"당신에게는 미결 구금을 내립니다."

"저요?"

"메르 일드가르드는 부재중이니, 당신이 대리인이죠." 토른이 마치 이 말로 모든 것이 설명된다는 듯 말했다.

노인은 점점 더 혼란스러워하는 것 같았다. 오펠리는 갑자기 작업반장에게 연민을 느꼈다. 매정한 토른은 그의 손에서 거칠게 장부를 가로챘다. 토른은 사팔눈으로 올려다보며 무엇을 해야 할지 몰라 하는 사시 눈의 헌병에게 장부를 맡겼다.

"이제 장부는 증거물입니다. 일드가르드 부인이 이 문서를 되찾고 싶다면 관리국에 정식으로 신청서를 접수하셔야 합니다."

"토른, 제발."

보다 못한 오펠리가 토른의 외투 소매를 잡아당겨 작업반장을 볼 수 있게 했다. 작업반장은 조서에 시선을 꽂은 채, 발밑으로 땅이 꺼질 듯 다리를 후들대고 있었다.

"이봐요, 그걸로 기절할 필요는 없어요!" 토른이 짜증을 냈다. "임시 구금은 유죄판결이 아닙니다. 일드가르드 부인을 심문하고 조사해 당신이 치안을 교란하지 않았다는 게 밝혀지면 다시 풀어줄 겁니다. 메르 일드가르드가 당신이 말한 대로 모범적인 고용주라면 당신을 대신해 법정에 자진 출두하시겠죠."

"아, 이런." 모자 아래 회색 머리를 긁적이며 작업반장이 내뱉었다. "부인에게 책잡히겠군. 그럼 작업자들은 내가 없는 동안 무얼 하죠?"

토른의 눈이 번개처럼 번뜩였다.

"이름에 걸맞은 회계원을 뽑아, 이 곳을 원상복귀시켜야겠죠. 참고로 말씀드리자면 불이 나간 전등이 14개, 줄이 맞춰져 있지 않은 침대가 23대 있고, 계단마다 층계 수가 비정상적으로 다릅니다."

오펠리는 눈살을 찌푸렸다. 토른의 넓은 이마 뒤로 무슨 일이 벌어지고 있는지 몰라도 확실히 정상은 아닌 것 같았다. 작업장으로 가기 위해 함께 계단을 올라가는 동안 층계 수를 셀 생각은 전혀 들지 않았다. 오펠리는 부상당한 팔을 안으로 굽히고 또다시 계단에서 굴러 떨어지지 않으려고 조심했다. 조금 전 누가 자신을 밀었는지 밝혀지지 않는 한, 오펠리는 안심할 수 없을 것 같았다.

토른의 매일 매일이 오늘 겪은 일과 같다면 그의 눈 밑에 다크서클이 내려앉은 것도 무리가 아니었다.

오펠리는 너무 불안해 쉬고 싶은 생각도 들지 않았다. 메르 일드가르드의 관리실에 도착한 오펠리는 말 안 듣는 아이 대하듯 권위적으로 의자를 가리키며 말하는 토른을 보자 화가 치솟았다.

"난 더 자세히 회계장부를 조사해야 해. 여기서 꼼짝 말고 있어. 내가 끝날 때까지 아무것도 만지지 마." 토른이 분명하게 말했다. "제군은." 토른이 헌병들을 향해 말했다. "작업장의 모래시계를 제조과정에 있는 것까지 포함해 모두 압수해요."

헌병들이 박자에 맞춰 금속 굽 소리를 내고 전쟁터로 향하는 군인들처럼 작업장을 지나갔다. 멜키오르 남작은 그들 뒤를 쫓아다니며 우아부 장관으로서 누구도 거칠게 다루지 말 것을 당부했다.

토른의 기분이 끔찍하게 안 좋아 보여 오펠리는 상황을 더 악화시키고 싶지 않았다. 그녀는 답답하고 곤란해하며 앉아 있었다. 추시계는 투알이 아르쉬발드와의 연결을 끊기까지 열여덟 시간밖에 남아 있지 않다고 알려주었다. 오펠리는 여전히 그가 어디 있는지 몰랐다. 게다가 단 하나의 실마리도, 단 하나의 단서도 찾지 못했다.

또다시 막다른 골목이다.

토른이 회계자료를 뒤지는 동안 오펠리는 방 안을 살펴보았다. 이 공간은 메르 일드가르드의 소유라는 것 말고는, 철제 캐비닛, 금전 등록기와 세 대의 전화기를 갖춘 여느 회계 사무실과 다름없었다. 각각의 수납공간은 필요 이상으로 지나치게 컸다. 오펠리는 여러 번 토른이 책상의 작은 서랍 안에 긴 팔을 팔꿈치까지 밀어 넣는 모습을 보았다. 벽마다 걸려있는 정물화들은 예외 없이 모두 오렌지 바구니 그림이었다. 오펠리는 이토록 과일에 집착하는 사람을 본 적이 없었다.

"그럼 저는, 독… 강도…. 감독관님?" 한참 만에 사시 눈의 헌병이 버벅거리며 말했다.

토른이 맡긴 장부 더미에 파묻힌 그는 사무실에 남았다. 그는 코를 긁고 싶은 욕구를 억누르듯 양쪽 끝이 둥글게 말린 콧수염을 움직였다.

"자네는 정신 사납게 하지 말게." 토른이 헌병이 들고 있는 장부 위에 추가로 문서들을 쌓으며 중얼거렸다.

오펠리는 자신의 목숨을 구해준 헌병에게 처음에는 고마움을 느꼈지만, 이제는 불편했다. 그의 뒤틀린 눈 때문이 아니었다. 그가 차가운 눈으로 그녀를 뚫어져라 쳐다보았기 때문이었다. 그는 마치 호기심 연구소 진열장에서 엉뚱한 생명체를 관찰하듯 오펠리를 보고 있었다.

오펠리는 의자에서 일어나 사무실에서 작업장을 볼 수 있게 난 유리로 된 벽에 코를 갖다 댔다. 토른이 명령한 대로, 헌병들은 커다란 천 가방에 제조소의 모든 모래시계를 쓸어 담고 있었다. 나이 든 직공들은 아무 저항도 하지 않고 망연자실한 눈으로 헌병들을 바라보았다. 작업반장은 이미 수갑을 차고 있었다.

아무도 움직이지 않는 가운데 가엘만이 홀로 손바닥으로 테이블을 치며 동요하는 모습을 보였다. 오펠리는 가엘의 입술 모양을 보고 그녀가 멜키오르 남작에게 '결백'이라는 단어로 항변하고 있음을 알았다. 그들은 계속 친구로 남을 수 있을까? 오펠리는 법이 잘못되어 나쁜 편에 서 있는 듯한 불쾌한 기분이 들었다. 메르 일드가르드 직원들은 사실 이 사건의 공범보다는 피해사에 가깝지 않나?

오펠리는 결심한 듯 토른 쪽으로 몸을 돌렸다. 그러다 의자에 무릎을 부딪쳤다.

"장부들은 현재 관리국 소유지, 그렇지?"

"안 돼."

"뭐?"

토른의 전광석화 같은 답변에 오펠리는 당황했다. 그는 빠른 속도로 전화번호부를 넘기며, 순식간에 메르 일드가르드와 연락을 주고받는 사람들 목록을 외우고 있었다.

"읽을 수 있게 허락해달라는 말을 하려는 거잖아." 토른은 오펠리를 보지도 않고 말했다. "허락하지 않아. 이상 대화 끝."

오펠리는 귀를 의심했다.

"읽어서 납치범의 정체를 파악할 수 있다 해도? 그렇게 해서 사람들의 목숨과 일자리를 지킬 수 있다고 해도?"

토른은 참을 수 없다는 듯 서랍을 닫았다.

"위조된 장부를 읽으면 5월 23일자의 해당 기록을 누가 위조했는지 정식으로 밝힐 수 있어?"

"아니." 오펠리는 인정할 수밖에 없었다. "누군가의 심리 상태에 들어가면, 대부분 그 사람은 친절하게 자신의 이름과 얼굴, 그 물건과 관계를 맺은 날짜에 대해 알려주는 않아. 하지만 여러 가지 단서를 토대로 신원을 파악해볼 수는 있어."

토른이 새로운 서랍을 열고 깊숙한 곳을 보기 위해 책상의 탁상등을 당겨서 비췄다. 토른은 인상을 쓰며 손수건으로 코를 막으며 역한 냄새를 풍기는 곰팡이 핀 오렌지 여러 개를 꺼냈다.

"지난 5월 이후 사무실에 드나들면서 장부를 만진 사람이 몇 명이나 될지 조금이라도 짐작할 수 있어? 가족의 위대한 읽는 여자가 '신원을 파악했다'고 생각하는 모든 사람을 범인으로 여겨야 하나? 당신은 법적으로 수리할 수 없는 증언을 내게 제안하려는 거야." 토른은 조금도 기다려주지 않고 오펠리를 대신해 답했다. "지금 우리에게 필요한 건 객관성과 사실이지, 소중한 시간을 낭비하게 할 추측이 아니야."

오펠리는 특별히 오만한 사람은 아니었지만 이렇게 모욕감을 느껴본 적이 거의 없었다. 마음속 깊이 그녀 스스로도 토른이 옳다고 생각했기에 모욕감은 더 깊었다. 사물이 경험한 층위가 많을수록, 감정의 정확성은 떨어졌다. 모래시계 핀과 회계장부는 완전히 다른 읽기이다. 지금은 사람의 목숨이 달려 있다.

"난 그저 도움이 되고 싶었어." 오펠리가 말했다.

"내 의견이 듣고 싶다면, 이미 지나치게 도움이 됐어. 정말로 빨리 결혼식을 마치고 당신이 가족들과 함께 빨리 폴을 떠나주기만을 바랄 뿐이야."

작업장에서 누군가 라디오를 켠 것이 분명했다. 지지직거리는 소리가 나더니 노래가 울려 퍼졌다.

"무도회에서 춤출 수 있는데 왜 자야 하죠? 카드놀이 할 수 있는데 왜 자야 하죠? 나의 나만의 놀라운 기적의 커피!"

오펠리는 정체를 알 수 없는 강력한 소리가 온몸을 타고 올라오는 게 느껴졌다. 배가 떨리고, 폐가 부풀고, 관자놀이를 울려

내고, 눈앞이 흐려졌다. 고기 막혔지만 심호흡을 해 속에서 올라오는 소용돌이를 억눌러야 했다. 하지만 둑은 결국 무너져 내리고, 오펠리의 목소리가 걷잡을 수 없는 파도처럼 몸 밖으로 밀려나왔다.

"당신이 날 약혼녀로 삼은 뒤 내게 수많은 일들이 벌어졌어. 믿기지 않을 만큼 많은 살해 협박을 받고, 그만큼 무례한 제안도 많이 받았지. 감금되고, 남장을 하고, 비웃음을 사고, 모욕당하고, 노예처럼 지내고, 어린아이 취급을 받고, 야유를 받고, 최면술에 걸리기도 했어. 바로 내 눈앞에서 이모가 정신을 잃은 것도 봤다고. 그런데 지금처럼 겁이 난 적이 없었어. 가족들이 걱정되고, 내가 걱정되고, 베르닐드가 걱정되고, 아르쉬발드가 걱정돼. 토른, 이 모든 건 당신 때문이야. 그러니 제발 당신이 겪는 모든 문제의 원인이 나인 것처럼 말하지 말아줄래?"

토른은 놀라서 찌푸렸던 눈썹을 풀었다. 갑작스러운 움직임에 얼굴에 난 흉터가 산산조각 나버릴 것 같았다.

오펠리도 토른 만큼이나 놀랐다. 그녀의 목소리, 입술, 손, 다리가 계속 떨리고, 눈물이 쏟아질 것 같았다. 자신에게 무슨 일이 벌어진 건지 전혀 짐작할 수 없었지만, 정신을 차려야 했다. 싸울 때가 아니었다.

토른은 커다란 몸이 꼼짝할 수 없게 된 듯 오펠리를 뚫어져라 바라보았다. 극도로 꽉 다문 턱만이 아무 소리 없이 살짝 열렸다 닫혔다 할 뿐이었다. 무슨 말을 해야 할지 모르지만 뭔가 말하고 싶어하는 것 같았다.

사시 눈을 한 헌병은 둘의 광경에 너무 몰두한 나머지, 팔로 받치고 있는 장부 더미가 점점 기울어 바로 그 순간 무너지려 하는 것도 알아차리지 못했다.

라디오에서 들려오는 진행자의 목소리가 불편한 침묵을 깨고 작업장에 울려 퍼졌다.

"…오늘 밤 사블도팔 해수욕장 근처에 위치한 요양원 상공에 시타시엘이 떠 있습니다. 질문에 답을 하지 않았던 간호사들이 걱정스레 소곤대는 것을 들었는데요, 이번 출산이 원만하게 이루어질지 불확실해 보입니다. 청취자 여러분, 냉정하게 생각해 보세요. 폴에서 제일가는 애첩이 괜찮아 보이려 애쓰고 있지만, 그녀가 어떻게 궁정을 빠져나갔는지만 봐도 어떤 상태인지 뻔히 알 수 있습니다. 아무래도 좋습니다, 여러분이 궁정에 오지 않으면, 궁정이 여러분에게 갑니다! 청취자 여러분, 이건 중요한 사건입니다. 이 아기(만약 아기가 건강하게 태어난다는 전제하에)는 삼백 년 만에 처음으로 우리 파루크 폐하가 보게 된 직계 자손입니다. 그만큼 아이의 미래도 아름다울까요? 누구나 알고 있듯 폐하는 아이들을 혐오하기에 아무것도 확실해 보이지 않습니다. 청취자 여러분 채널 고정하세요! 여러분이 가장 좋아하는 방송 프티 포탕*이 새로운 소식이 들어오는 대로 알려드리겠습니다."

오펠리는 용수철처럼 튕겨 일어섰다. 베르닐드는 분만중이

* petit potin은 작은 가십이란 뜻이다.

다! 그녀가 아기를 낳는 동안 기자들은 이미 그녀의 병실 문 앞에 진을 치고 있었다.

토른은 즉시 정신을 차리고, 어떻게 처신해야 할지 알았다. 그는 관리실과 작업장 사이의 유리문을 열고 헌병대 전체를 향해 말했다.

"운반할 수 있는 것은 모두 압수하고, 비행선을 준비시키세요. 자원자 여섯 명은 이곳에 남아 제조소를 샅샅이 살피도록 하세요. 커프스단추, 구두 발자국, 베개 깃털, 뭐든 주목할 만한 것을 찾거든 사블도팔 요양원으로 전보를 치세요. 꼭 필요한 시간만큼만 자리를 비우겠습니다."

토른은 초연한 듯 거의 기계적으로 말했지만 오펠리는 속지 않았다. 그는 강박적으로 외투에서 회중시계를 꺼내고 나서야 시계가 멈췄음을 기억해낸 듯 보였다. 절대로 아무것도 잊어버리지 않는 토른이 방심한 모습은 그의 마음이 극도로 혼란스러운 상태라는 것을 보여주었다. 극적으로 불길한 분위기를 조장하는 프티 포탕 방송이 효과를 발휘한 것이다.

"당신의 만능열쇠는?" 오펠리가 요동치는 목도리를 진정시키려 애쓰며 물었다.

"요양원으로 연결된 바람 장미는 없고, 기차역 건물을 이용하면 시간을 낭비하게 돼." 토른이 단호하게 말했다. "우리가 선택할 수 있는 가장 빠른 교통수단은 비행선이야. 통행증 발급은 내게 맡겨."

토른은 수화기를 들고 자기 수하에 있는 헌병을 대하듯 전화

교환수에게 말했다.

"내가 먼저 출발할게." 오펠리가 결심했다. "검문 여부를 떠나 폴의 어떤 법도 거울을 통과하는 것을 금지하지 않아."

오펠리는 사무실 벽의 거울로 다가가 두 손을 거울에 갖다 댔다. 반신반의하며 이미 모습을 비춰본 적이 있는 요양원의 대기실 거울에 집중했다. 거울은 오펠리에게 통로를 내주지 않았다. 목적지가 너무 멀었다. 오펠리는 호텔방에 돌아가기 위해 거울을 통과하려다 똑같은 저항을 느끼고 당황했다. 시타시엘은 사블도팔 상공에 떠 있어, 그렇게 거리가 멀지 않을 텐데, 아닌가? 점점 더 가까이에 있는 목적지를 시도해볼수록, 걱정도 커졌다. 비행선 선착장, 그랑플라스 근처의 거울 갤러리, 마지막으로 탄 엘리베이터. 오펠리는 들어오면서 확실히 비춰보았던 불과 몇 미터 떨어진 제조소 현관 거울로도 갈 수 없었다.

"아니." 토른이 수화기를 내려놓으며 중얼거렸다. "아직 여기 있었어?"

"이해가 안 돼." 오펠리가 거울에 비친 자신의 충격받은 얼굴을 보며 말을 더듬었다. "이제 거울로 드나들 수 없어."

조각. 네 번째 시도

신과 나, 그리고 다른 이들 모두 행복하게 살 수 있었을 것이다. 그 빌어먹을 책만 없었다면. 정말이지 끔찍한 책이었다. 그놈의 책과 내가 매우 역겨운 방식으로 연결되었다는 건 알고 있었지만, 공포는 나중에, 훨씬 뒤에야 찾아왔다. 당시엔 바로 알아챌 수 없었다. 나는 너무 무지했다. 그랬다, 나는 신을 사랑했다. 하지만 신이 별다른 이유 없이 펼쳐 들곤 했던 그 책은 싫었다. 신은 책을 펼치며 너무나 즐거워했다. 기분이 좋을 때면 신은 글을 썼고, 화가 날 때도 글을 썼다.

기억이 새로운 이미지로 옮겨갔다. 아이들을 위한 책.

기억은 그가 어디에 있는지 어떤 단서도 주지 않지만, 그는 그 책에 관해 세세하게 알고 있다. 따라서 그 책은 중요하다.

색칠한 커다란 삽화들은 차례대로 화려한 장식으로 가득한 동양 궁전, 사막 한가운데에 있는 오아시스, 청록 베일에 가려진 나체의 여인들을 그린 것이다. 삽화마다 금빛 피부의 기사가 등장한다.

언뜻 보아서는 흥미로운 구석이 하나도 없다.

그는 층층이 쌓인 기억을 통해 이 삽화들이 환기하는 감정들을 파악해낸다. 매혹과 질투. 과거의 오댕은 아이들을 위한 책의 주인공과 닮고 싶었다. 그는 있는 그대로의 자신을 사랑하지 않는다.

그래서 그게 다인가?

삽화는 그에게 아무것도 알려주지 않는다. 그래서 그는 책의 내용을 기억하기 위해 집중하기로 결심한다. 파열 전 사용되던 고어 가운데 한 언어이다. 이 언어는 오댕이 말하는 언어가 아니라, 신이 집에서 그들에게 가르친 언어, 조금씩 변형되어 언젠가 신의 모든 후손이 사용하게 될 언어이다. 하지만 이 아이들을 위한 책에 사용된 언어를 그가 어떻게 해서든 익히려고 했던 게 분명하다. 어려움 없이 제목의 글자를 해독하는 자신의 모습이 떠오르기 때문이다.

파루크 왕자의 멋진 모험

바로 이거로군. 이제 그는 이 기억에 숨겨진 동기를 이해한다. 정체성의 위기. 그는 이 아이들을 위한 책이 자신만을 위한 책이기를 바랐다.

기억의 갈래들을 거슬러 올라간 뒤로 마침내 처음으로 그의 책을 본다. 아르테미스의 책도, 다른 이들의 책도 아닌 그의 책을. 그는 섬세한 동작으로 책을 꺼내 피부로 만들어진 두꺼운 책장들을 넘긴다. 역겨움. 그 책은 신이 그에게 한 번도 가르쳐 주지 않은 글자로 쓰여 있다. 그것은 신만이 이해할 수 있는 언어로, 말로 하는 언어가 아닌 글로 쓰는 언어이다. 신은 매번 새로운 창작 욕구에 사로잡힐 때마다 그 언어를 사용한다.

그는 파루크 왕자의 아름다운 책과 자신의 끔찍한 책을 나란히 놓는다. 종이로 된 책과 피부로 된 책. 첫 번째 책은 그에게 따뜻한 나라 이야기를, 두 번째 책은 얼음세계 이야기를 들려준다.

그는 불현듯 자신을 북쪽으로 끌어당기는 부름을 온몸으로 느낀다. 오아시스도 동양풍 궁전도 없는, 자신만큼이나 새하얀 세계로. 때가 되면 철새가 이동하듯, 그도 때가 되면 그곳으로 가게 될 것이다. 그렇게 쓰여 있기 때문이다. 왜? 왜 그는 이해할 수 없는 언어로 적혀 있는 명령을 따라야 하나? 그는 신이 정한 이 운명을, 그에게 속하지 않은 이 이야기를, 그가 숙달하지 못한 그 능력을 원치 않는다. 그는 집과 신 그리고 다른 이들을 떠나고 싶지 않다. 그는 그가 되어야 하는 것이 되고 싶지 않다. 그는 정해진 존재로 존재하고 싶지 않다. 그는 오댕이라는 자기 이름마저도 원치 않는다.

기억은 흥미로운 국면으로 접어든다. 그날 밤, 무슨 일이, 뭔가 중요한 일이 벌어졌다. 그게 대체 무슨 일이었지?

아, 맞다. 칼. 이제 기억난다. 그는 칼을 휘두른다. 『파루크 왕자의 멋진 모험』과 피부로 된 자신의 끔찍한 책을 차례로 쳐다본다.

"내 이름은 파루크가 될 것이다." 그는 중얼거린다.

자신의 책에 칼을 꽂자 고통이 온몸을 파고든다.

기억은 이렇게 끝난다.

비고 : "네 눈부심을 닫아라." 이 말은 누가 했고, 무슨 의미인가?

외침

밖에서 태양의 모습이 눈에 띄게 변화했다. 태양은 지평선 아래로 넘어가지 않고, 작은 촛불처럼 풍경 끝에 둥둥 떠서 피오르의 바위와 수면 위에 밤새도록 노을빛을 드리웠다. 이제 태양은 북쪽의 숲 위로 천천히 떠올랐다. 그 빛이 올림픽 성화보다 더 찬란했다.

오펠리는 태양에 눈길조차 주지 않았다. 보조의자에 쭈그리고 앉아 조종실 창에 코를 대고 절박하게 요양원을 찾아보았다. 그렇게 하면 비행선이 더 일찍 도착할 수 있기라도 한 것처럼. 이제 막 이륙해 요양원이 보이기에는 너무 일렀다. 조종사는 북쪽으로 가기 위해 현재 사블도팔 상공에서 시타시엘을 우회하며 천천히 비행선을 몰고 있었다.

토른과 멜키오르 남작 사이에 낀 오펠리는 계속 몸을 움츠리고 있다가 온몸에 쥐가 났다. 베르닐드는 힘들게 출산하고 있고, 아르쉬발드의 생명은 바람 앞 촛불처럼 위태롭고, 거울은 갑자기 문이 닫히듯 닫혔다. 오펠리는 자기 세계를 단단히 지지하고 있던 모든 것이 언제든 와르르 무너져 내릴 것만 같았다.

비행선이 강한 서풍에 흔들리자 오펠리는 차례로 멜키오르 남작과 토른에게 부딪쳤다. 눈앞에 별이 번쩍일 정도로 팔꿈치가 너무 아팠다. 작은 비행선은 이렇게 많은 승객을 태우는 용도가 아니다. 헌병들은 철저한 직업정신을 발휘해 조종실이 아닌 경찰서에 있는 것처럼 행동했다. 그들 중 절반은 제조소에서 압수한 물건을 살피고, 나머지 절반은 규정에 따라 작업자들을 한 명씩 심문했다. 작업실의 익숙한 세계에서 끌려 나온 나이 든 직공들은 당황해 어쩔 줄 모르면서도, 놀라울 정도로 일관성 있게 대답했다. 누구도 메르 일드가르드나 동료들이 의심받을 말을 하지 않았다.

다른 직원들과 함께 비행선에 오른 가엘은 팔로 다리를 감싸고 조종실 구석에 쭈그리고 있었다. 모자챙 아래로 보이는 푸른 눈이 강렬하게 빛났다.

멜키오르 남작은 레이스 손수건으로 코를 막은 채 주머니 시계와 오펠리 그리고 토른을 차례로 바라보았다.

"감독관님의 방식에 문제를 제기하려는 건 물론 아닙니다만, 일이 공교롭게 되어 조사에 피해가 가지는 않을까요? 우리는 자정까지밖에 시간이 없어요. 일드가르드 부인만이 유일하게 신뢰할 만한 단서인데, 우리가 부인을 분만실에서 찾을 수 있을지, 정말이지 의심스럽네요"

오펠리는 뭐라고 대답해야 할지 몰랐다. 베르닐드와 아기가 건강한 것을 보기 전까지 제대로 생각하는 게 불가능할 것 같았다. 오펠리는 토른을 돌아보며 그 역시도 딱히 할 말이 없음을 일아자꼈다. 외투 깃을 볼까지 세우고, 멍한 눈으로 옆에 놓인 의자에 가시철사처럼 구부러져 있었다. 턱수염이 얼굴을 좀 먹기 시작했다. 토른은 비행선이 이륙한 뒤로 한마디도 하지 않았다. 엄지손가락으로 '탁탁' 소리를 내며 연신 시계 뚜껑을 여닫았다. 이제는 화가 완전히 가라앉은 것처럼 보였는데 더불어 생기도 함께 잃은 것 같았다.

"아직도 안 되시나요?" 멜키오르 남작이 예의 바르게 물었다.

그는 오펠리가 작업자 한 명이 빌려준 양면 손거울을 계속 손가락으로 건드리는 모습을 보았다.

"네, 계속요."

"가족의 위대한 읽는 여자님께 묻기 황송하지만." 그가 상냥하게 물었다. "그래도…. 음… 읽기는 계속할 수 있으신 거죠?"

"확인했어요." 오펠리가 중얼거렸다. "계속 읽을 수 있고, 생기를 불어넣을 수도 있어요. 하지만 무슨 이유에서인지 거울로 드나들 수 없어요. 각각의 능력은 특정한 정신적 배치가 필요한데, 그걸 잃어버렸어요."

바로 그 점이 오펠리를 혼란스럽게 했다. '거울로 드나드는 것은' 언젠가 할아버지가 오펠리에게 말했었다. '자기 얼굴을 감추는 사람들, 스스로를 속이는 사람들, 실제보다 더 좋은 모습으로 자신을 보는 사람들, 그들은 절대 할 수 없는 일이지.'

오펠리는 언제부터 솔직하지 않게 된 걸까?

비행선이 마침내 하강을 시작하자 안에 있는 사람들이 도미노처럼 넘어졌다. 발을 밟히고, 팔꿈치로 여러 번 옆구리를 찔리고 난 뒤에야 승객 전원이 비행선 뒤로 연결된 트랩을 통해 하선할 수 있었다.

소금과 송진을 머금은 바깥의 상쾌한 공기에 오펠리는 기분 좋게 정신이 들었다. 하지만 잔디밭에 발을 내딛고, 프로펠러 바람에 드레스가 물결치는 순간, 조종사가 엉뚱한 곳에 착륙했다는 생각이 들었다.

지난번 요양원 공원을 산책할 때 보았던 장의자에 누워있던 환자들은 온데간데없고, 오케스트라의 흥겨운 무도회 음악에 맞춰 유쾌하게 캐비어와 보드카 뷔페를 오가는 미라주들만 보였다. 꽃이 비 오듯 쏟아지고, 불꽃이 춤을 추고, 분수는 향을 풍겼다. 수많은 환영이 공원 여기저기에서 즉흥적으로 만들어져, 진짜 결혼식이라도 치르는 분위기였다.

해설가는 연극 무대처럼 꾸며진 연단 위에 서서 요양원의 둥근 창을 통해 보이는 내부 모습을 일일이 묘사하고 있었다.

"드디어 간호사가 보입니다." 탄소 마이크를 통해 감미로운 목소리가 울려 퍼졌다. "3층 창가로 다가갑니다. 공식 발표를 하려는 걸까요? 청취자 여러분, 헛된 희망이었네요. 간호사가 커튼을 닫았습니다. 저 방에 베르닐드 부인이 있는 걸까요? 분만이 순조롭게 진행되었어도 이토록 많은 주의를 기울였을까요? 정말 견디기 힘들지만, 짜릿한 서스펜스입니다! 청취자 여러분, 라디오 곁에 가까이 계세요, 언제나처럼 프티 포탕이 여러분의 눈과 귀가 되어드리겠습니다!"

"궁정 사람들이 전부 여기서 무얼 하는 거죠?" 오펠리가 놀라 물었다. "시타시엔 밖으로 오가는 것이 엄격히 통제되는 거 아니었나요? 우리는 통행권 받는 데 한 시간이나 걸렸잖아요."

멜키오르 남작은 오펠리에게 시계탑 천장에 정박해 하늘에 떠 있는 금색 비행선을 가리켰다. 오펠리는 날아다니는 금빛 동체에 반사되는 햇빛에 눈이 부셔 아무것도 볼 수 없었지만, 결국 가족 문양을 알아보았다. 파루크가 직접 이곳에 온 것이다!

"아이에게 무관심할 거라 생각했는데…."

"아버지는 아버지이죠." 멜키오르 남작이 사색하듯 말했다. "특히, 집안의 정령은 더하겠죠."

토른은 침울한 눈으로 축제를 둘러보았다.

"여기 돌아다니는 모래시계를 당장 모두 압수하세요." 그는 헌병들에게 명령했다. "어떤 설명도 하지 말아요. 일드가르드 직원들 경호를 위해 제군 가운데 두 명은 나와 남도록 해요. 무슨 일이 있어도 침묵을 지키고, 현재 진행 중인 조사에 대해 기밀을 유지하세요. 처음으로 명령을 어긴 자는 경찰서에서 작업 반장과 같은 방을 쓰게 될 겁니다."

가엘은 작업복 주머니에 손을 꽂았다.

"그러니까 당신 기분에 따라 우리 밸브를 열었다 닫았다 하시는군요."

토른은 대응하지 않았다. 그는 빛의 세계에 그림자가 길을 내듯 요란한 무희들과 축제의 환영들 사이를 가로질러 나아갔다. 노인들의 무리가 눈에 띄지 않을 리 없었다. 작업용 앞치마를 두른 채 얼빠진 얼굴을 하고 있는 직공들을 보자 정원 여기저기에서 폭소가 터져 나왔다. 하지만 헌병들이 미라주들 사이를 돌아다니며 모래시계를 압수하자 웃음소리는 항의로 바뀌었다.

"간단한 점검이 있겠습니다, 신사 숙녀 여러분." 헌병들은 예의를 갖추며 투철한 직업정신으로 같은 말을 반복했다.

토른은 씩씩대며 종종걸음으로 따지러 온 장관들, 맛있는 환영을 제안하는 하녀들, 플래시를 터뜨리며 그에게 몰려드는 사진기자들 그 누구에게도 눈길을 주지 않았다.

오펠리는 최대한 눈에 띄지 않도록, 목도리를 세 번 휘감고 토른 뒤를 바짝 쫓았다. 그녀는 토른의 허리가 눈에 띄게 굽은 것을 걱정스럽게 바라보았다. 가끔은 그를 견디기가 힘들다는 생각이 들었지만, 홧김에 그의 면전에 대고 퍼부은 말이 조금씩 후회되었다. 타이밍이 좋지 않았다.

오펠리는 왈츠를 추는 사람들 가운데 투알의 몇몇 외교관과 그 부인들을 알아보았다. 춤을 춘다기보다는 휘청대고 있는 것 같았다. 그들의 몽롱한 상태는 아르쉬발드가 불가사의한 두 세계 사이 어딘가에서 목숨의 끈을 놓지 않고 있다는 증거였다.

오펠리는 요양원 잔디밭의 혼란스러운 분위기를 틈타 가엘에게 다가갔다.

"일드가르드 부인이 어디 계시는지 전혀 짚이는 데 없어요? 부인이 뭔가 잘못했다는 게 아니라, 부인이 알고 있는 사실이 우리에게 정말로 도움이 될 수 있어서 하는 말이에요."

가엘은 소매에 대고 코를 풀었다. 노동자다운 태도와 멸시하는 눈빛을 보면 그녀도 귀족이라는 것을 상상하기 어려웠다.

"전에도 한번 말했지." 가엔이 속삭였다 "왜 '메르' 일드가르드라고 부르는지 알아? 어머니는 자기 자식들을 절대로 버리지 않거든."

오펠리는 이 대답의 의미를 전혀 파악하지 못했다. 더 묻고 싶었지만, 그녀의 목소리는 프티 포탕 방송에 묻혔다.

"내기가 시작되었습니다, 청취자 여러분! 태어날 아이는 어떤 능력을 지니게 될까요? 어머니의 할퀴기 공격만을 물려받게 될까요? 집안의 능력에 새로운 변이가 일어나게 될까요? 폐하의 직계 후손이니 정말로 모든 상상이 가능합니다! 오, 잠시만요!" 갑자기 마이크에서 찌직 소리를 내며 해설가가 소리쳤다. "감독관 그림자 뒤에 숨어 있는 게 누군가요? 가족의 위대한 읽는 여자가 자리를 빛내주시는 건가요?"

토른을 귀찮게 하던 기자들이 순식간에 오펠리에게 몰려들어 그녀를 에워싸고 실종 사건에 대해 질문을 퍼부었다. 멜키오르 남작이 나서서 모두의 시선을 자기에게 돌리지 않았다면, 오펠리는 절대 빠져나오지 못했을 것이다.

"가족의 위대한 읽는 여자님의 보좌관으로서, 기꺼이 여러분 질문에 답하겠습니다!" 남작은 지팡이로 오펠리를 슬며시 요양원 쪽으로 밀며, 과장된 목소리로 끼어들었다. "현재 진행 중인 조사를 방해하지 않는 선에서 말이죠. 질문 받습니다, 기자님들!"

오펠리는 일드가르드 부인의 직원들 사이로 몸을 숨겨 그들과 함께 급히 현관을 밟았다. 토른이 무거운 문을 닫자, 무도회 음악과 프티 포탕의 가십 방송 소리가 침엽수 사이로 부는 바람처럼 멀게 들렸다. 타일과 창유리, 주랑과 두꺼운 벽으로 된 요양원은 어쩌면 외부의 공격으로부터 환자들을 보호하기 위한 세계일지도 모른다.

전보를 처리하던 안내원이 라디오를 듣던 이어폰을 빼고 하얀 모자를 쓰고 요란하게 구두를 또각거리며 접수대 안쪽에서 모습을 드러냈다.

"다시 말씀드리지만 들어가실 수 없어요." 안내원이 속삭였다. "우리 환자들은 안정이 필요해요. 가까운 지인 방문만 허가를… 오, 감독관님이시군요!" 그녀는 토른을 알아보고 안심했다. "감독관님께서 이렇게 많은 동행인을 데려오신 적이 없으셔서."

"고모님은 어디 계시죠?"

"베르닐드 부인은 한창 분만 중이십니다. 그런데." 안내원이 홀을 가득 메운 나이 든 작업자들을 당황한 듯 쳐다보며 말했다. "의료기관에 방문객이 너무 많네요. 혹시 감독관님께 양해를…."

"이 사람들은 중요한 사건의 목격자들입니다." 토른이 말을 잘랐다. "밖에 내보낼 수 없어요."

직공들은 헌병 두 명의 감시를 받으며 고급스럽게 펼쳐진 새하얀 요양원을 바라보고만 있었다. 작업반장이 체포된 뒤로 어찌할 바를 몰라하는 것 같았다.

가엘만이 언짢은 기분을 더는 참지 못하고 하얀 타일 위에 침을 뱉었다.

"말은 똑바로 하셔야죠. 우린 목격자가 아니라 당신 포로잖아요!"

"이곳에서 소리 지르면 안 됩니다." 안내원이 낮은 목소리로 화를 냈다. "한 번 더 침을 뱉으면 세제로 당신 입을 씻어버리겠어요."

"고모님은 어디 계시죠?" 토른은 동요하지 않고 다시 물었다.

"지금 만나실 수 없습니다, 감독관님. 대기실에서 기다려주실 것을 부탁드립니다⋯ 아 이런." 안내원이 한숨을 쉬며 정정했다. "파루크 폐하를 모시려고 방금 대기실 전체를 바꿨어요. 폐하가 베르닐드 부인을 뵈러 직접 오실 거라고 예상하지 못했답니다."

"부인은 어떠세요?" 오펠리가 안내원의 말을 가로막았다.

"그 질문에는 대답해드릴 수 없겠네요, 아가씨. 보시다시피 제가 부인 방에 있지 않아서요."

"그럼 제가 부인을 뵈러 갈 수 있을까요? 전 아기의 대모입니다."

오펠리는 이 말을 하면서 스스로 대모의 책임을 받아들일 결심이 되었다고 느꼈다. 그녀가 기꺼이 책임지고자 한 미래가 있다면 그건 바로 대모로서의 미래였다.

"결혼하셨나요?"

"네?" 오펠리는 깜짝 놀랐다. "아 그게⋯ 아직 안 했어요."

"그럼, 안 됩니다. 부인을 보실 수 없습니다. 내부 규정이 엄격해서 남자와 미혼 여성은 분만을 지켜보실 수 없습니다. 파루크 폐하가 이곳에 계세요, 아시겠어요?" 안내원은 말이 끊기지 않았던 것처럼 설명을 이어갔다. "우리 간호사들은 흥분 상태예요! 요양원 환자들도 다들 새로운 지시가 있을 때까지 방에 갇혀 있어요. 말이 나와서 그런데." 안내원이 한 손을 입술에 가져다 대며 소곤거렸다. "감독관님, 삼가 조의를 표합니다. 어젯밤 할머니께서 숨을 거두셨어요. 할머니의 폐가 꺼졌다고요, 이해되시죠? 경황이 없으시겠지만 몇 가지 양식을 작성해주시겠어요? 사망신고, 장례 절차, 공증인 소환 등 관련 서류들 말이에요. 베르닐드 부인께는 현재 요청할 형편이 안 되고, 감독관님이 손자시니까…."

"고모님은 어디 계시죠?"

어딘가 달라진 토른 목소리에 이번에는 간호사가 답했다.

"동쪽 병동 2층 12번방요."

오펠리는 다리가 저절로 움직이기 시작했다. 오른쪽 계단을 올라가는 자신의 발소리 뒤로 토른의 목소리가 들려왔다.

"홀에서 작업자들을 지키고 있어요." 토른이 헌병들에게 명령했다. "내게 사전에 알리지 않고는 그 누구도 건물에 들어오거나 밖으로 나갈 수 없습니다."

나선형 계단은 원형 건물의 대기실로 이어졌다. 다른 길은 없었다. 오펠리와 토른은 주랑의 줄지어 늘어선 기둥들 뒤로 몸을 숨기며 지나갔다. 커다란 창들은 틈을 모두 종이로 메워 은은한 빛이 층 전체에 감돌았다. 파루크의 애첩들은 수심에 잠긴 얼굴로 거대한 벨벳 소파에 누워 물 담배를 홀짝홀짝 피우고 있었다.

요양원 대기실은 사창굴 분위기를 풍기고 있었다.

오펠리는 수많은 몸과 쿠션들 사이에서 쉽게 파루크를 찾을 수 있었다. 파루크는 환영 영사기가 스크린에 반복해 투사하는 공연 동영상을 응시하고 있었지만 정말로 보고 있는 것 같지는 않았다. 넋이 나간 얼굴로 이마를 찡그리고 자신이 어디에 있는지, 왜 이곳에 와 있는지도 전혀 모르는 것 같았다.

그런데도 그는 와 있다고 오펠리는 생각했다. 무심하고 기억력도 형편없지만, 파루크는 본능적으로 이곳에 와 있었다.

오펠리는 토른을 따라 요양원의 동쪽 병동으로 이어진 기나긴 복도를 지나갔다. 둥근 창이 있고 번호가 매겨진 수없이 많은 병실을 지나 베르닐드가 있는 특실에 도착했다. 문에는 '산파, 기혼여성, 과부만 출입 가능'이라는 팻말이 걸려 있었다. 토른은 복도에서 의자 하나를 가져와 문 옆에 두고는, 계속 자리를 지키겠다는 강한 의지를 분명히 비쳤다.

오펠리는 극도의 긴장감에 도저히 앉아 있을 수 없었다. 아니마 정신이 너무 고조돼 어떤 의자든 전속력으로 날려 보낼 수 있을 정도였다. 그녀는 문에 귀를 바짝 대고 두꺼운 나무를 뚫고 들리는 고함을 들었다.

로즐린 이모의 목소리가 제일 컸다.

"풀무처럼 숨을 들이마시고…. 그렇지, 잘했어, 계속 그렇게…."

오펠리는 두근대는 심장을 부여잡고 더 잘 들으려고 숨을 참았다. 왜 베르닐드 소리는 안 나는 걸까? 오펠리는 규정을 어기고 싶은 유혹에 맞서야 했다. 분만을 지켜본다는 생각만으로도 겁이 났지만, 복도에서 기다리는 건 더 견딜 수 없었다. 오펠리는 문이 경첩 위에서 흔들리자 단념하고 뒤로 물러섰다. 아니마 정신이 진정되지 않는 한 물건에 가까이 가는 것을 피해야 했다. 지금 이 순간 베르닐드에게 침대 머리맡에서 겁에 질려 있는 여자아이보다 도움 안 되는 것도 없을 것이다.

오펠리는 복도를 쉼 없이 서성거리며 여러 번 안경을 닦고 장갑 솔기를 물어뜯었다. 바깥을 보려고 발코니 커튼을 열었다가 연단 위 프티 포탕 진행자가 마이크에 대고 소리를 지르며 손가락으로 그녀를 가리키고 플래시 세례가 쏟아지는 통에 바로 닫아야 했다.

요양원의 초인종이 열 번 울리고, 한 번 울리고, 그러고 나서 열한 번 울렸다.

오펠리는 토른이 어떻게 이토록 침착할 수 있는지 의아했다.

"고모님이 너무 조용해." 그에게 물었다.

토른은 깊은 생각에 빠졌다 나온 듯 보였다. 그리고 거의 눈에 띄지 않을 정도로 가볍게 고개를 끄덕였다.

"고문을 받아도 비명 지르지 않는 분이지."

토른은 의자에 구부정하게 앉아 팔꿈치를 무릎에 박고 까마귀 날개처럼 외투를 늘어뜨렸다. 눈썹을 찡그리지도, 입을 비틀지도, 턱에 힘을 주지도 않은, 인상이 펴진 토른의 모습은 정말

희귀한 광경이었다. 불면증으로 다크 서클이 생긴 눈꺼풀 아래로 보이는 강철 같은 눈만이 맹렬히 빛나고 있었다.

문득 오펠리는 안내원이 그를 친근하게 대했던 모습을 떠올렸다. 토른은 이미 요양원을 방문했다. 그것도 자주. 이 건물 어느 층의 문이 닫힌 병실 안에는 십자가 문신을 한 그의 어머니가 있다. 아들을 실패작처럼 버렸지만, 그럼에도 아들과 연결된 여인.

오펠리는 주저했다. 토른 어머니의 기억과 파루크의 책 그리고 시타시엘을 덮친 사악한 음모들 사이에 어떤 연결 고리가 있었을까? 오펠리는 토른이 방심한 틈을 타 묻고 싶었으나, 그런 질문을 던지는 게 그와 화해하는 최고의 방법은 아니라는 생각이 들었다.

"보초를 서고 있네." 그 대신 오펠리는 이렇게 말했다. "베르닐드 부인이 위험한 상황에 놓였다고 생각해?"

"취약한 상태에 놓였다고 생각해. 내가 여기까지 왔다는 건, 누구라도 여기 올 수 있다는 말이지. 투알은 현재 고모의 안전을 책임져줄 수 있는 상태가 아니야."

오펠리는 토른의 말에 쉽게 수긍했다. 발키리가 밖에서 휘청대며 다니는 외교관들과 같은 상태라면, 누군가 해치러 와도 큰 도움이 되지 못할 것이다. 게다가 오펠리는 투알이 보인 호의가 아르쉬발드 덕분이었다는 것도 잊지 않았다.

"대사님을 찾을 수 있는 시간이 열세 시간밖에 남지 않았어." 오펠리는 신경질적으로 팔을 문지르며 말했다. "대사님을 찾지 않고 보내는 매 순간이 찾기를 포기한 것처럼 느껴져."

오펠리는 기나긴 복도를 응시했다. 하얗게 칠한 문, 하얀 나무를 댄 벽, 하얀 타일로 된 바닥, 하얀 커튼이 드리워진 창. 이 고요한 단색의 공간이 정말 차갑게 느껴졌다. 아니마의 출산 분위기는 사뭇 달랐다. 방마다 사람이 가득하고, 이웃들은 계속해서 소식을 물어왔다. 가구들은 제자리에 가만있지 못했고, 온 동네가 흥분의 도가니였다.

"그럼에도." 오펠리가 잠시 뒤 중얼거렸다. "우리가 있을 곳이 여기라는 생각을 하지 않을 수 없네."

토른이 눈길을 피했다. 몸은 하나도 움직이지 않고 눈동자만 굴렸는데도, 갑자기 그가 복도 반대편 끝에 가 앉은 것 같았다.

"당신이 이토록 내 고모님께 애착을 느끼는지 몰랐어."

오펠리는 베르닐드 부인도 그와 같은 마음인지 물을 뻔했다. 토른은 오펠리에게 베르닐드를 혼자서 자신을 지킬 수 있는 성인으로 대하게끔 했다. 하지만 조금 전 토른은 고모를 위해 심리를 중단하고 비행선에 뛰어들었다.

"그렇다고 우리가 조사를 어렵게 만든다고 생각하면 오산이야." 토른이 말을 이었다. "시타시엘 안에서 일드가르드를 찾을 가능성은 없지만 여기서는 아직 모든 게 가능하지."

"어머니는 자기 자식들을 절대로 버리지 않는다." 오펠리가 마침내 가엘이 한 말을 이해하고 되뇌었다. "직공들은… 정말로 당신의 인질인 거야?"

"일드가르드는 절대로 그들을 버리고 폴을 떠나지 않았을 거야. 나는 그녀가 바람 장미를 통해 다른 가족에게 가지 않고 근처에 있을 거라고 확신해. 나는 조만간 굴 밖으로 모습을 드러낼 때까지 기다리기만 하면 돼."

오펠리는 입술을 뒤틀었다. 토른은 강박적으로 '나'라고 말하고 있었다.

"그녀는 공간을 완벽히 제어할 수 있어." 오펠리가 환기했다. "손가락 한번 튕겨 직원들을 헌병들에게서 빼내 사라질 수도 있지 않을까?"

"일드가르드의 능력은 당신이 생각하는 것의 절반 정도밖에 되지 않아. 부인을 붙잡는 건 힘들 테지만 불가능한 일은 아니야."

토른은 초연하고 냉정하게 말했다. 그와 달리 오펠리는 안절부절못하고 이리저리 서성거렸다. 밤을 새웠음에도, 어쩌면 밤을 새웠기 때문에 오펠리의 머릿속에서 서로 모순된 생각들이 요란하게 뒤엉켰다. 일드가르드 부인이 정말 납치에 가담했고, 토른이 부인을 찾아낸다고 한들, 그녀가 도와줄 거라는 보장이 있나? 그런데 부인은 도와줄 수도 없고 계속 사람들이 사라진다면 어떻게 해야 하나? 편지를 보낸 이가 파란 모래시계가 아닌 다른 방법을 썼다면? 아르쉬발드가 멜키오르 남작 대신 함정에 빠지지 않았다면, 결국 남작이 다음 표적이었을 것이다. 물론 오펠리 자신은 말할 것도 없었다.

너무나 맹렬하게 실밥을 물어대서 결국 장갑이 다 뜯어졌다. 도대체 그녀는 왜 거울로 드나들 수 없게 된 걸까?

"드레스 단추를 풀어."

오펠리는 걸음을 멈추고 토른을 뚫어져라 보았다. 토른은 깍지 낀 손을 앞에 두고 의자에 앉은 채 오펠리를 태연하게 바라보았다. 그녀는 귀를 의심했다.

"소매만 풀면 충분해." 토른이 흔들림 없는 목소리로 말했다. "팔이 불편해 보이는데 한번 봐줄게."

오펠리는 소매 단추를 풀고, 소매를 최대한 걷었다. 팔꿈치 관절 부분이 부어 두 배로 커지고 피부는 정말이지 고약한 색으로 변해 있었다. 심한 부상에 익숙한 오펠리도 예상하지 못할 만큼 인상적이었다.

"계단에서 넘어지면서 난간에 부딪쳤나 봐. 그 헌병이 없었다면 목이 부러졌을 거야."

토른이 퉁퉁 부은 오펠리의 팔을 만졌다.

"탈골은 아니네. 부분 탈골도 아니고." 토른이 웅얼거렸다. "팔을 펼 수 있겠어?"

"간신히."

오펠리는 토른이 조치하는 것을 보지 않기 위해 눈을 질끈 감았다. 아파서인지 아니면 배고파서인지 속이 뒤집히기 시작했다.

"블라디스라바 부인은 우리를 계속 지키고 있는 거야?"

"아니." 토른이 주저 없이 답했다. "당신이 파루크에게 불려갔을 때, 그녀가 내게 알려주었지. 하지만 시타시엘에서 우리와 합류할 수 없었어. 지금 어디에 있는지는 모르겠어. 누를 때 통증이 느껴져? 따끔거려?"

"둘 다."

오펠리는 계속 눈을 꼭 감았다. 토른이 어서 끝내기를 바랐다. 속이 타는 느낌이 이제는 배 속 전체로 퍼져나갔다.

"계단에서 중심을 잃은 게 아니었어. 누가 밀었어."

토른의 손가락과 목소리에서 동시에 긴장감이 느껴졌다.

"투명 인간이?"

"어쨌든 내가 보지 못한 누군가가. 보아하니 당신도 못 봤군. 의도적이었다고 말하려는 게 아니야. 하지만 블라디스라바 부인이 실수로 그렇게 한 게 아닐 수 있다는 생각이 들어. 편지 발신인은 내게 궁정으로 돌아오지 말라고 분명히 경고했지." 오펠리가 작은 목소리로 말했다. "그런데 난 그 말을 어겼어."

오펠리는 잠시 기사를 생각했다. 기사에게 너무도 많이 당했던 오펠리는 그 아이가 능력을 빼앗기고 추방되었어도 사람 목숨을 위협할 수 있을 거라고 생각했다. 그러나 그들이 상대하고 있는 자는 기사보다 훨씬 더 복잡한 의도를 지닌 사람임이 틀림없었다.

"오늘 자정이 지나면 가족의회가 열려." 토른이 말했다. "내가 투명 인간들 변호를 맡았는데 내 기분을 거슬리게 해서 득될 일이 없지."

"나도 알아. 아무것도 바꾸지 말고 예정대로 해."

토른이 팔을 놓는 것이 느껴지자 오펠리는 눈을 떴다. 애첩 한 명이 파루크 곁을 떠나 슬그머니 복도로 왔다. 그녀는 토른과 오펠리를 본 순간, 그 자리에서 멈추었다. 특히 토른을 보자 몸이 굳었다. 굳이 놀란 기색을 감추지 않고, 다시 다이아몬드를 찰랑거리며 되돌아갔다.

"양심에 거리낌 없는 사람이 여기 있네." 오펠리가 중얼거렸다. "당신 말이 맞아. 베르닐드가 취약한 상태인 걸 정말로 이용하려는 사람들이 있어."

토른은 눈 하나 깜빡하지 않고 오펠리의 팔을 직각으로 되돌려놓았다.

"골절은 아닌 것 같지만, 혹시 모르니 이렇게 관절을 굽히고, 무거운 건 되도록 들지 마."

오펠리는 간신히 소매 단추를 잠갔다. 토른의 의학적 지식이 어디서 나온 건지는 묻지 않기로 했다. 어쨌든 토른은 다시 자기 의자로 돌아가 허리를 굽히고 앉았다. 아무 말도 하지 않았지만, 제조소 계단에서 진짜로 벌어진 이야기를 듣고 토른이 동요한 게 느껴졌다.

오펠리는 목도리를 손가락으로 가볍게 튕겼다. 목도리는 태연히 매듭을 묶고, 어깨에서 흘러내려 삼각건처럼 그녀의 팔을 지탱했다. 이렇게 하니 고통은 훨씬 덜해졌지만, 그녀의 위는 배 속 깊은 곳 어딘가에서 죽어가고 있었다.

"토른, 아까 내가 했던 말…."

오펠리는 말을 삼켰다. 토른은 눈썹을 찌푸리지도, 인상을 쓰지도, 흉터를 움찔하지도 않았으나, 눈빛만으로 그녀가 말을 더 하지 못하게 막았다.

"난 당신을 책임지고 있지만, 그 역할에 한참 못 미쳤어. 당신이 전적으로 옳아, 그러니 더 이상 그 얘기는 꺼내지 마."

"당신이 날 몰아붙였어. 난 무엇이 당신을 그토록 혼란스럽게 하는지 알고 싶어."

"무엇이 날 혼란스럽게 하는지 알고 싶으시다."

토른은 천천히 오펠리의 말을 반복했다. 억양이 세서 발음할 때 자명종 시계의 톱니바퀴가 끽끽대는 소리가 나는 듯했다. 토른은 잠시 생각에 잠기더니 가장 적절한 답변을 찾는 것 같았다. 오펠리는 그가 외투 안주머니에서 주사위를 꺼내는 것을 보고 놀랐다. 정교하게 만들어진 주사위로, 토른의 이복형제가 그들이 어렸을 때 조각해준 것과는 매우 다른 것이었으나 오펠리는 그 둘을 연결 짓지 않을 수 없었다.

"난 운도, 운명도 믿지 않아." 토른이 선언하듯 말했다. "오로지 확률의 과학만을 믿지. 수학 통계, 조합론, 확률 질량 함수, 확률 변수를 공부했고, 이 학문들은 결코 예상을 벗어나는 일이 없어. 당신이 나 같은 사람을 얼마나 불안하게 만들 수 있는지 모르는 것 같아."

"무슨 말인지 전혀 못 따라가겠어." 오펠리가 솔직하게 말했다.

토른은 손바닥에 주사위들을 굴리더니 다시 주머니에 넣었다.

"잠시라도 등을 돌리면 당신은 결코 있어서는 안 되는 장소에 가 있지. 당신은… 뭐랄까…. 재앙을 부르는 초자연적인 소질을 지닌 것 같아."

"그게 다야?" 오펠리가 다시 물었다. "다른 건 없어? 그래서 내가 폴을 떠나기를 바라는 거야? 지금 당신이 그런 상태에 있는 것도 그런 이유 때문이고?"

토른은 어깨를 으쓱하더니 입을 다물고, 깊은 생각에 빠진 듯한 표정을 지었다. 두 사람 사이가 너무 고요해, 베르닐드의 병실에서 간호사들이 외치는 둔탁한 소리와 창문을 통해 멀리에서 연주되는 왈츠 소리가 들릴 정도였다.

오펠리는 더는 견딜 수 없었다.

"내가 당신을 거부해서 화가 난 거야?"

"아니." 토른이 오펠리를 보지 않고 답했다. "잠시나마 당신이 거부하지 않을 거라고 자만하던 나 자신에게 화가 나. 당신은 매우 분명했고, 당신 뜻을 잘 알았어. 그 일을 다시 언급하는 건 의미가 없어."

이 말을 마친 토른은 깊은 물속에 빠진 듯 다시 생각에 잠겼다.

오펠리는 무슨 말을 해야 좋을지 몰랐다. 순간 왠지 모르게 재앙에 맞서고 있는 사람은 그녀가 아닌 토른이라는 확신이 들었다. 이게 납치와 관련이 있을까? 그의 어머니의 기억과? 파루크의 책과? 아니면 이 모든 것과? 오펠리는 갑자기 토른이 그 자신보다 훨씬 강한 장치로 인해 끝내 망가질 것이고, 그가 처음부터 자기만 알고 있는 그 장치를 무슨 일이 있어도 오펠리와 떨어뜨려놓으려 하고 있다는 예감이 들었다.

"토른… 정확히 무엇을 상대로 싸우고 있는 거야?"

"내가 한 가지 약속을 했지." 그가 혼잣말하듯이 중얼거렸다. "당신과 직접적으로 관련된 것은 어떤 것도 숨기지 않기로. 당신을 위협하는 것과 내가 알고 있는 것이 연관되어 있다고 완전히 확신이 서지 않는 한, 이 약속은 지켜질 거야."

토른이 한 약속을 말 그대로 지킬지에 대해 한순간이라도 의심했다면, 오펠리는 다른 형태로 말을 꺼냈을 것이다.

"오펠리 양인가요?"

한 간호사가 쟁반을 들고 복도에 모습을 드러냈다. 그녀 뒤로 전화기 선이 길게 이어졌다.

"네… 그런데요?"

"아가씨를 찾는 전화입니다."

오펠리는 토른과 짧게 시선을 주고받은 뒤, 이미 들어 올려진 놋쇠로 된 수화기를 잡았다.

"여보세요?"

"프티 포탕이 헛소리한 게 아니란 것을 다시 한번 확인하게 되어 기뻐요. 정말 요양원에 있는 거죠, 아가씨."

"퀴네공드 부인?" 오펠리가 놀라 물었다.

토른은 대화를 듣기 위해 두 번째 수화기를 들고 오펠리에게 계속 말하라는 신호를 보냈다.

"제가 뭘 해드리면 될까요?" 오펠리가 물었다.

"아니 아니죠, 아가씨. 반대로 내가 아가씨께 뭔가를 해드릴 수 있죠. 한 시간 뒤 사블도팔 등대 앞에서 만나요. 토른님도 물론 초대받으신 겁니다. 하지만 헌병들과 기자들은 피하도록 해요. 괜찮으시죠?"

"저… 뭐라고요?" 점점 더 당황한 오펠리가 말을 더듬었다.

"지금 당장은 이동이 힘들 것 같아요."

"한 시간 뒤입니다, 아가씨. 무슨 일이 있어도 일드가르드 부인을 만날 기회를 놓치지 않을 거라고 장담해요."

퀴네공드가 전화를 끊었다. 그 순간 우렁찬 소리가 요양원에 울려 퍼졌다. 아기의 외침. 바로 생명의 외침이었다.

무(無)공간

파루크에게 딸이 생겼다! 이 소식은 눈 깜짝할 새에 계단을 지나 정원을 넘어 라디오를 점령했다. 머지않아 인근에 있던 모든 귀족이 요양원으로 몰려왔다. 간호사들이 항의해봐도 소용없었다. 너나 할 것 없이 제일 먼저 아빠에게 축하 인사를 건네고 엄마에게 칭찬의 말을 전하고 싶어했다. 불과 한 시간 전만 해도 베르닐드를 땅에 묻은 것처럼 말하던 이들이 가장 부산스러웠다.

베르닐드가 매장되었다고? 그녀는 곱게 머리를 빗고 요람 옆에 앉아 빛나는 얼굴에 환한 미소를 띠며 벌써 손님 맞을 준비가 돼 있었다. 산파들이 병실 문을 열었을 때 오펠리가 받은 인상은 그랬다. 순식간에 궁정 사람들이 몰려와 오펠리는 아기를 보기도 전에 복도 반대편으로 밀려났다. 토른이 와서 꺼내주지 않았다면 페티코트 드레스와 모피 외투 사이에 낀 채로 사진기 플래시에서 나온 연기 때문에 기침하다 질식사했을지도 모른다.

"가자." 토른이 툴툴대며 말했다. "고모는 이제 자신을 지킬 수 있어. 다른 곳이 우리를 기다리고 있어."

인파를 거슬러 좁은 복도를 통과하는 데에는 많은 인내가 필요했다. 어쨌든 결국 오펠리와 토른은 대기실에 도착했다. 발 디딜 틈도 없이 북새통을 이룬 가운데 귀족들은 파루크가 있는 소파까지 길게 줄을 섰다. 폐하의 딸이 세상에 나온 지 얼마나 되었다고 벌써 부를 과시하거나, 아들 자랑을 내세우는 약혼 제안들이 물밀듯 밀려들었다. 멍한 눈으로 주위를 둘러보는 파루크는 이 집안의 아빠들이 자신에게 무엇을 원하는지 도통 모르는 눈치였다.

오펠리는 토른을 따라 계단을 내려가다 사람들 무리에 휩쓸려가는 헌병대원들과 나이 든 제조소 직공들과 마주쳤다. 가엘은 선체 위 돛대에 올라선 선원처럼 난간에 매달려 사람들 무리 가운데 모습을 드러냈다. 그녀는 '흡연 금지'라고 적힌 경고문 바로 옆에서 담배를 물고 있었다.

토른과 오펠리는 여러 번 떠밀리고 난 뒤에야 요양원을 벗어날 수 있었다. 통통한 몸집 때문에 비집고 들어갈 수 없었던 멜키오르 남작이 이내 그 둘과 합류해 예쁜 손목시계의 눈금판을 툭툭 건드렸다.

"여러분을 당황하게 만들고 싶지는 않지만 정오입니다. 이제 남은 시간은 불과 열두…."

"남작님, 누님의 전화를 받았습니다." 토른이 남작의 말을 잘랐다. "일드가르드 부인과의 만남을 주선해주셨죠. 자초지종은 묻지 마세요." 멜키오르 남작이 놀라서 시계를 내려놓자 토른이 덧붙였다. "우리 조종사는 어디 있나요?"

뷔페 테이블을 정리하는 몇몇 하인을 빼고 정원에는 사람이 없었다. 비가 내리자 축제의 환영도 흐려지기 시작했다.

"제가 모셔다드릴게요!"

이런 제안, 아니 명령에 가까운 말을 한 이는 가엘이었다. 그녀는 모자챙을 손가락으로 들어 올렸다. 가엘은 눈에 띄지 않게 쫓아오며 그들이 하는 이야기를 듣고 있었다. 그녀는 담배를 눌러 끄고 허락이 떨어지기도 전에 비행선 트랩에 올라타라는 신호를 보냈다.

"우리 사장님이 정한 약속인데 늦지 않게 가셔야죠."

몇 분 뒤 비행선 프로펠러는 윙윙거리는 소리를 내며 요양원을 떠났다. 오펠리는 고급스러운 요양원의 외벽을, 벌써 그녀에게 책임감을 느끼게 하는 새로운 생명이 꿈틀대는 2층 열두 번째 창문 쪽을 마지막으로 바라보았다.

"아직 이름도 못 지어주었는데." 오펠리가 중얼거렸다.

비행선 동체에 부딪히며 내리던 비는 사블도팔 상공에 이르자 그쳤다. 시타시엘이 사블도팔 위를 빙빙 돌며, 해수욕장 전체를 거대한 우산처럼 가리고 있었다. 지붕과 염전, 바위 들 위에 너무 어두운 그림자를 드리워 한여름에 겨울을 맞이한 것 같았다. 가엘은 온천의 수증기와 케이블카의 전선을 피할 수 있게 키를 조작하고, 등대 쪽으로 하강을 시작했다. 오펠리는 평지도 공원도 없는 사블도팔 어디에 비행선이 착륙할지 의아해하며 창에 꼭 붙어 있었다. 가엘은 방파제 산책로에서 약 백 미터 떨어진 곳에 넓게 펼쳐진 바위 해변을 골라 트랩을 펼쳤다. 이내 소금과 물보라를 머금은 바람이 조종실로 밀려들었다.

"내리시죠, 비행선은 제가 정박시킬게요."

"함정이 아니길 바라요." 멜키오르 남작이 모자를 부여잡고 내리며 걱정스럽게 말했다. "전화기 속 목소리가 정말 내 누이 목소리였다고 확신하세요?"

오펠리는 안경에 달라붙은 머리카락을 떼어내며, 모래톱 너머 바다 거품이 부서지는 하얀 등대 아래 방파제 끝을 바라보았다. 기묘한 실루엣이 그들을 지켜보고 있었다.

"퀴네공드가 확실하네요." 토른이 발걸음을 내디디며 말했다.

바다는 그들 주위로 폭풍을 몰아치는 요란한 소리를 냈다. 방파제 끝으로 갈수록, 등대 아래에서 그들을 기다리는 실루엣이 더 통통하고, 더 기괴해 보였다. 퀴네공드는 오펠리가 휴양지 복장이라 생각했던 차림을 하고 있었다. 깃털 달린 터번을 쓰고, 주렁주렁 목걸이를 하고, 검정 베일을 걸치고, 금실로 수놓은 화려한 실크 드레스를 입은 모습은 열대 풍경에 더 잘 어울릴 것 같았다.

"언제나 그랬듯 시간을 딱 맞출 줄 알았어요, 감독관님!" 목소리가 들릴 정도로 가까워지자 퀴네공드가 달콤하게 속삭이듯 말했다. "친애하는 일드가르드 부인이 그토록 갈망했던 시간 말이에요."

이 말을 하며 퀴네공드는 베일 밖으로 엄청난 다발의 검은 모래시계를 꺼냈다.

"누님, 이제 나 뭘 의미하는 건지 설명 좀 해주겠어요?" 멜키오르 남작의 멋진 콧수염이 바람으로 엉망이 됐다. "언제부터 일드가르드 부인과 어울리셨어… 아! 그게 누님이셨군요?" 남작이 갑자기 눈을 크게 뜨며 소리쳤다. "누님이 모래시계 목적지의 익명의 환영사였군요!"

퀴네공드가 미소 짓자 붉게 칠한 입술이 활짝 벌어졌다.

"이마지누아가 파산했으니 내 가치를 알아주는 곳에 능력을 제공한 거야. 일드가르드는 경쟁자일 뿐 아니라 훌륭한 사업가이기도 하거든. 물론 우리 동업이 안 좋게 보일 수 있으니 비밀에 부쳤지. 그것도 뭐." 그녀가 한숨지으며 말했다. "이제 중요하지 않은 것 같아. 모래시계는 오늘 자로 지난 일이 되었으니까."

"그것도 모르고 내가 얼마나 많이 누님의 환영에 취했었는지 아세요?" 남작이 격분해 말했다. "근친상간처럼요!"

"그 말은 내가 네가 생각했던 실패한 예술가가 아니란 말이겠지."

"일드가르드는 어디 있습니까?" 토른이 단호한 목소리로 끼어들었다.

퀴네공드는 꾸러미에서 세 개의 검은 모래시계를 떼어 하나씩 내밀었다. 목도리에 팔이 묶여 불편한 오펠리는 간신히 모래시계를 잡았다.

"장난하시는 거죠?" 멜키오르 남작이 검은 모래시계를 손끝으로 잡으며 화를 냈다. "정말 우리가, 지금 같은 시기에, 이렇게 의심스러운 핀을 뽑을 거라고 생각해요?"

"설명을 듣기 전에는 이 모래시계를 만지지 않을 것입니다." 토른이 말했다. "우선 이 납치사건에 개인적으로 어떻게 관련된 건지 말씀해주세요."

퀴네공드는 고상한 몸짓으로 베일을 둘렀다. 터번 위 깃털들이 나부끼고, 셀 수 없이 많은 목걸이가 서로 부딪쳤다. 그녀는 풍만한 가슴에 손을 얹고 엄숙히 말했다.

"저는 이번 일과는 아무런 관련이 없…."

오펠리는 그녀의 말을 끝까지 듣지 못했다. 퀴네공드와 토른, 멜키오르 남작, 등대, 바람, 하늘이 사라지고, 온 바다가 고요해졌다.

오펠리는 컴컴한 방에 들어와 있었다.

어리둥절한 시선으로 발밑에 난 틈새들과 머리 위 천장 들보의 어렴풋한 윤곽을 살폈다. 빛이 거의 들지 않았지만, 눈을 찡그리며 여전히 손에 들린 검은 모래시계를 보니 모래가 이제 막 떨어지기 시작했음을 알 수 있었다. 목도리에 걸린 핀을 본 오펠리는 자신도 모르게 모래시계를 작동시켰다는 것을 깨달았다. 물론 이 일은 누구도 오펠리를 주목하고 있지 않을 때 벌어졌다. 토른이 그녀가 사라진 것을 알기까지 얼마나 걸릴까?

오펠리는 여러 번 눈을 깜박이고 난 뒤에야 어둠에 익숙해져 주변을 파악할 수 있었다. 방 전체가 두꺼운 널빤지로 지어져 있었고, 눅눅한 소나무 향이 강하게 나 오랫동안 방치된 오두막을 생각나게 했다. 오펠리가 살펴본 바로는 이곳에는 문도 창문도 없었다. 저 멀리 구석에 램프의 흐릿한 역광을 받은 그림자가 보였다. 책상 뒤에 앉아 꼼짝도 하지 않았다.

오펠리가 발을 내딛자 바닥이 엄청나게 삐걱댔다. 책상 뒤 그림자가 잠에서 깬 듯 몸을 움직였다.

"가까이 와도 된단다, 니냐." 메르 일드가르드가 쉰 목소리로 중얼거렸다. "오더라도 이 선은 넘지 말아라."

오펠리는 주머니에 모래시계를 넣고, 바닥을 삐걱거리며 책상과 일정 거리를 두고 설치된 안전선 앞으로 다가갔다. 메르 일드가르드는 계속 그림자로만 보였다. 검버섯 핀 얼굴에 박힌 두 개의 작고 검은 눈이 오펠리를 집요하게 바라보았다. 손깍지를 끼고 팔꿈치를 책상에 대고 있는 일드가르드 부인은 커다란 주머니에 굵은 단추가 달린 흉측한 드레스를 입고 있었다. 앞에는 봉인된 봉투와 담배꽁초가 가득한 재떨이가 놓여 있었다.

"나의 무(無)공간에 온 것을 환영해. 혼자 왔니, 니냐?"

"그렇게 오래 있지는 않을 거예요." 오펠리는 자신이 한 말이 맞기를 간절히 바랐다.

"많이 긴장했구나." 메르 일드가르드는 만족스러운 듯 말했다. "나와 만나는 시간을 줄이려고 네 모래시계를 망가뜨릴 생각은 하지 말아라. 플롱보의 깨지지 않는 유리로 만들어졌거든. 그러니 모래가 전부 다 떨어질 때까지 이곳에 있게 될 거야."

오펠리는 망설이지 않겠다고 다짐했다.

"실종자들이 어디 있는지 아세요?"

"아니, 하지만 왜 사라졌는지는 알고 있지."

오펠리는 일드가르드 부인 특유의 말투가 묻어나는 답변을 듣고 크게 실망했다.

"별 소득이 없네요. 그건 우리도 알고…."

"아니." 메르 일드가르드가 말을 잘랐다. "너희는 어떻게 사라졌는지를 알고, 나는 왜 사라졌는지를 알지."

나무판 외벽에서 요란하게 삐걱대는 소리가 나더니, 메르 일드가르드 바로 뒤에 있는 목판에 금이 가기 시작했다. 오펠리는 일드가르드와의 대화에 집중한 나머지 무공간의 변덕을 신경 쓸 겨를이 없었다.

"왜 사라진 거죠?"

메르 일드가르드는 깍지를 풀더니 손가락을 꼭두각시처럼 흔들어댔다.

"오른손으로는 궁정 내 가장 불순한 자들을 제거하고, 왼손으로는 책임을, 말하자면 모래시계로, 메르 일드가르드에게 떠넘긴 거지."

"음모라는 말씀이신가요?" 오펠리가 조심스럽게 말했다.

"그래. 뭐 쿠데타라고 불러도 될 거야."

방 안에 굉음이 울렸다. 오펠리는 순간 토른이 마침내 그녀를 찾아왔다고 생각했으나, 벽에서 선반 하나가 떨어지며 난 소리일 뿐이었다.

"부인은 공간을 훤히 꿰뚫어 보시잖아요." 오펠리는 메르 일드가르드 쪽을 돌아보며 말했다. "혹시 아르쉬발드와 미라주들을 찾는 데 조금이라도 도움을 주실 수 있을까요? 그게 누명을 벗는 가장 좋은 방법이잖아요."

"내 시간을 어디에 썼다고 생각하는 거지, 니나? 네가 찾는 오귀스탱을 여기저기서 찾아봤지. 안타깝게도 내가 건축가 일을 너무 잘해서 시타시엘이 완전히 뒤죽박죽이더라. 건초더미에서 바늘 찾기와 마찬가지였단다."

"아르크앙테르로 가는 통로가 차단되었다고 들었어요."

"응, 나도 들었단다."

"부인이 차단한 게 아니었나요?" 오펠리가 놀라 물었다. "부인 가족이 직접 이곳에 부인을 버린 건가요?"

메르 일드가르드는 특별히 동요하지 않고 어깨를 으쓱했다.

"그게 규칙이야. 조금이라도 위험이 발생하면 국경 초소들은 바람 장미를 폐쇄하지. 난 그들에게 클레르들륀이 폴에서 가장 안전한 곳이라고 약속했었어. 내 모래시계에 배반당한 거야. 나도 그렇게 될 줄 예상하지 못했단다."

"하지만 실종자들은요." 오펠리가 간절히 말했다. "만약 누군가 통행이 폐쇄되기 전에 그들이 아르크앙테르로 가게 만든 거라면요? 우리가 여기서 찾는 동안 그들이 저쪽 세계에 있으면 어쩌죠?"

"운이 없는 거지."

오펠리는 안전선을 넘어갈 뻔했다. 바닥 판자들이 발밑에서 뒤틀리기 시작하고, 벽의 모든 나무판이 한목소리로 울부짖었다. 진동은 시작할 때처럼 빠르게 멈췄다. 무장소는 호두를 깨듯 이 공간을 부숴놓으려는 외부의 압력을 받는 것 같았다.

"부인이 음모에 휘말렸다고 말씀하셨죠." 오펠리가 목도리에 감긴 팔을 주무르며 말했다. "이토록 정신 나간 음모가 어떤 클랜에게 이롭다는 거죠? 그리고 누가 당신을 이토록 싫어하는 거죠?"

"감정적인 사건으로 보지 말아라, 니나. 이 이야기는 애증과는 아무 상관 없으니. (메르 일드가르드는 시가 끝을 자르고 성냥으로 불을 붙였다. 성냥불이 그녀 얼굴에 있는 모든 주름을 환하게 비추었다.) 숨바꼭질 같은 거야. 상대의 얼굴을 모르니 내가 지는 게임. 난 늙었어. 이곳만 봐도 알 수 있지." 그녀는 시가 연기를 뿜으며 말했다. "내가 가장 최근에 만든 곳이야. 눈에 띄게 줄어들었지. 자연의 법칙을 너무 많이 거슬러서 난 이곳에 오래 숨어 있지 못할 거야. 헌병들이 일제 단속을 벌이고 있으니, 밖에 발을 내디디자마자 붙잡힐 거야. 얘, 난 덫에 걸렸어. 시간문제일 뿐이지. 상대는 날 찾게 될 거고, 그가 섬기는 유일한 주인에게 날 넘길 거야."

"어떤 주인을 말씀하시는 건가요?" 놀란 오펠리가 속삭이듯 물었다.

일드가르드 부인은 시가를 움직이며 둘 사이에 놓인 안전선을 가리켰다.

"이 선을 넘고 싶어 안달 난 사람."

"편지에 쓰인 '신'이요?"

"아이야, 길에서 그자를 마주치지 않도록 피하는 게 좋단다." 메르 일드가르드는 대답 대신 냉소를 지었다. "하지만 그 책들에 조금 지나치게 관심을 보인 사람들은 결국 만나게 돼 있지."

"그 책들이라니요?" 오펠리가 되물었다. "부인도 그런 이유로…."

메르 일드가르드의 작고 검은 눈이 이글거리고, 주름으로 뒤덮인 얼굴에 물결이 일듯 미소가 번졌다.

"아니, 나는 책 이야기와는 전혀 상관없단다. 완전히 다른 이유로 날 노리고 있지만, 네게 말해줄 수는 없어. 파밀리아의 일이라고 볼 수 있거든. 조용히 아기자기하게 살고 싶다면, 내 조언 하나 하마. 질문은 그만하고 최대한 남의 일에 참견하지 말아라. 오귀스탱에게 닥친 일을 보아라. 그리고 조만간 토른에게 닥칠 일도."

오펠리는 등골이 오싹했다. 그녀는 점점 더 불안해하며 메르 일드가르드를 살핀 뒤 책상 위에 놓인 봉투를 보았다.

"왜 우리를 보자고 한 거죠?"

"내가 말했잖아, 니냐. 난 너무 늙고 지쳤어."

바닥이 엄청나게 삐걱대는 소리가 나더니 이번에는 정말로 토른이 모래시계를 들고 방 한가운데에 모습을 드러냈다. 토른의 기다란 몸이 천장 들보에 부딪혔다. 갑자기 빛이 달라진 공간에 들어온 토른은 눈을 찡그리고 사방을 두리번대다 오펠리를 발견했다.

"언제부터 여기 있는 거지? 날 기다릴 수는 없었어?"

다음으로 멜키오르 남작이 빈 공간에서 별안간 모습을 드러내더니 방향을 잃은 팽이처럼 허우적댔다. 멋진 흰 구두 밑으로 바닥이 갈라지자 소스라치게 놀랐다.

"여긴 어디죠? 아, 일드가르드 부인!" 남작이 책상 뒤 부인을 발견하고 한숨을 내쉬었다. "마침내 찾았군요!"

일드가르드 부인은 의자에서 꼼짝하지 않고 시가를 재떨이에 비벼 끄고 다시 새로운 시가에 불을 붙였다.

"이 선은 넘지 마세요, 신사 여러분, 포르 파보르."

"일드가르드 부인이 정말 혼란스러운 얘기들을 들려주었어요." 오펠리가 말했다. "부인의 말을 들어보셔야 할 것 같아요."

"저 아이 말이 맞아요, 더 이상 시간 낭비하지 마세요." 일드가르드 부인은 책상 위에 놓인 봉인된 봉투를 건드리며 말했다. "이건 친필로 작성한 자백입니다. 내 모든 범죄에 대해, 전부 다 털어놓았어요. 미라주들을 납치하기 위해 내 제조소를 이용했고, 상황이 안 좋게 흘러 도주했다고."

"네?" 오펠리는 말을 더듬었다. "그렇지만…."

"처음부터 끝까지 단독 범행이었어요." 메르 일드가르드는 봉투를 토른에게 투원반 선수처럼 던지며 말했다. "거기 다 적혀 있어요. 그러니 작업반장을 풀어주고, 직공들은 귀찮게 하지 말고, 퀴네공드에게 트집 같은 거 잡지 않아주시면 고맙겠어요."

오펠리는 계단을 헛디딘 느낌이 들었다. 메르 일드가르드가 자기 식구들을 보호하기 위해 충분히 연극을 할 만한 사람이라는 것은 알고 있었다. 하지만 이런 반전은 예상치 못했다.

"정말로 문제가 해결되었네요." 멜키오르 남작은 기분 좋게 놀란 표정으로 배를 손가락으로 두드리며 말했다. "그런데 부인, 포로들이 어디 있는지 알려주실 친절도 베풀어주실 수 있나요?"

메르 일드가르드는 시가를 깊이 빨아들였다

"그들은 그들이 있는 곳에 잘 있어요. 계속 거기 있어야 하죠."

"부인의 말을 듣지 마." 오펠리가 토른의 팔을 붙잡으며 말했다. "나랑 말했던 거와 전혀 달라."

토른이 아무 대답도 하지 않았다. 오펠리가 잡은 외투의 검은 소매 속 토른의 근육이 전부 팽팽한 용수철처럼 느껴졌다. 그는 메르 일드가르드의 책상과 그 사이에 놓인 안전선을 뚫어져라 바라보았다. 사실 토른은 안전선을 본 뒤로 안전선이 세상에서 가장 매혹적인 것이라도 되는 듯, 다른 데는 시선도 두지 않았다. 토른은 무장소가 그들 주위에서 나무 부서지는 기괴한 소리를 내며 1분마다 1센티미터씩 줄어들고 있다는 것을 알아차리지 못한 것 같았다.

토른은 외투 주머니 안에 봉인된 봉투를 정리해 넣었다.

"부인을 체포합니다. 사안의 시급성과 도주의 위험성을 고려해 보안이 가장 잘된 감방에 가둘 것입니다. 법이 허락하는 한 최대한 오랫동안 그 어떤 방문객도 찾아오지 못하도록 개인적으로 감시하겠습니다."

오펠리는 토른의 결정에 아연실색했다. 반면에 일드가르드 부인은 매우 즐거워 보였다.

"오, 아니, 난 그렇게 생각하지 않아, 얘야. 이 선을 넘을 생각 같은 건 추호도 하지 말렴." 토른이 안전선을 붙잡자 그녀가 경고했다. "피할 수 없는 일을 재촉할 뿐이야."

일드가르드 부인은 시가의 마지막 한 모금을 음미하고, 재떨이에 눌러서 껐다. 이번에는 새로운 시가에 불을 붙이지 않았다.

"내가 지난 백오십 년 동안 변형시킨 모든 공간에 관해 한 마디 덧붙이고 싶구나. 복제된 방들, 지름길, 확장된 공간과 보안실은 모두 계속해서 작동할 거야. 내가 제대로 만들어 견고하지. 하지만 가족 간 바람 장미는 포기해. 아르크앙테르 통로는 앞으로 다시는 열리지 않을 거야."

멜키오르 남작의 콧수염이 무너졌다.

"뭐라고요? 향신료와 오렌지, 커피 그리고 카카오와 영영 작별인가요?"

오펠리는 이 대화가 흘러가는 모양새가 마음에 들지 않았다. 하지만 일드가르드 부인은 침착하게 말을 이었다.

"시타시엘은 몇 세기 동안 하늘에서 내려오지 않게 될 거야. 당시에 시클롭 사람들과 계약을 맺었지. 필요하면 한두 번 무중력 상태를 회복시켜줄 거야. 그리고 이곳 무공간은." 그녀가 작고 검은 눈으로 주위를 둘러보며 말했다. "앞으로 몇 시간 후면 저절로 사라질 거야. 여러분의 모래시계가 그전에 당신들을 이곳에서 탈출시켜줄 거고. (메르 일드가르드는 피식 웃었다.) 지금까지 무언가를 이토록 망쳐본 적이 없었어. 이제 은퇴할 때가 된 거지."

토른은 안전선을 넘지 않기 위해 자제하는 듯 힘줄이 솟은 손으로 선을 꽉 쥐었다. 그가 흥분한 목소리로 재차 말했다.

"부인, 이성을 잃지 마시고, 저를 따라오실 것을 부탁드립니다."

메르 일드가르드는 의자에서 힘겹게 일어났다. 관절에서 무공간 바닥만큼 삐걱대는 소리가 났다.

"네 게임이 이제야 명확히 보이기 시작하는구나, 얘야. 넌 키만 컸지, 도량이 부족해, 내 말을 믿으렴. 그리고 니냐, 넌." 메르 일드가르드가 오펠리에게 미소 지으며 덧붙였다. "나의 가엘리타에게 자신만의 오렌지 껍질을 벗기는 법을 배워야 한다고 전해주렴."

이 말을 남기고 메르 일드가르드는 주머니에 한 손을 찔러 넣었다. 그녀의 팔 전체가 빈 공간으로 빨려 들어가듯 손과 함께 들어가지 않았다면 그저 평범한 몸짓에 지나지 않았을 것이다. 일드가르드 부인의 손목, 팔꿈치, 어깨, 가슴 전체가 뼈가 으스러지는 끔찍한 소리를 내며 드레스 안으로 뒤틀려 들어갔다. 그녀의 머리가 호주머니로 들어가는 순간 척추는 완전히 부서지고, 몸의 나머지 부위가 비틀리며 쪼그라들고 분해된 뒤, 흡입되는 기괴한 소리와 함께 빈 공간으로 완전히 빨려 들어갔다.

메르 일드가르드의 남은 흔적은 이제 바닥에 덩그러니 놓인 드레스의 거대한 단추뿐이었다.

너무 순식간에 펼쳐진 광경에 오펠리는 비명을 지를 새도 없었다. 그녀가 방금 무엇을 목격한 건지 깨달았을 때는 주변이 빙빙 돌기 시작했다. 이번에는 공간이 줄어들었기 때문이 아니었다. 오펠리는 의자를 붙잡았다. 위경련이 일었다. 한 번도 이토록 강렬한 공포에 사로잡힌 적이 없었다.

멜키오르 남작은 지팡이로 안전선을 밀고, 드레스 단추를 모왔다. 그리고 토른을 원망하듯 바라보았다.

"감독관님 방식대로 부인을 거칠게 다루셨어요."

토른은 대답하지 않았다. 여전히 안전선을 붙잡은 상태로 그 자리에 굳어서 메르 일드가르드가 조금 전까지 서 있던 장소를 바라보고 있었다.

방금 모래시계 시간이 끝나버렸다는 단순하고 분명한 이유 때문에 오펠리는 토른에게 말을 건넬 수 없었다. 무공간의 어슴푸레한 빛이 산산조각이 나고 소금기를 머금은 돌풍이 입안과 머리카락, 드레스 안으로 불어 닥쳤다. 오펠리는 출발지로 돌아왔다. 혼자였다. 퀴네공드는 떠났고, 토른도 멜키오르 남작도 모래시계의 모래가 완전히 다 쏟아지기 전까지 돌아올 수 없다.

모든 게 끝났다. 메르 일드가르드는 자정 전까지 실종자들의 위치를 파악할 수 있는 유일한 능력을 지닌 사람이었지만, 그 능력을 자신을 파괴하는 데 사용했다. 이토록 끔찍한 죽음을 선택하게 만든 신은 누구였을까?

오펠리는 해변의 바위 위에 떠 있는 비행선 쪽으로 몸을 돌렸다. 몇몇 사람들이 호기심에 트랩 주위에 몰려 있었다. 멀리 떨어져 있지만, 사람들 속에서 가엘에게 몸을 기울이고 있는 르나르의 붉은 머리를 알아볼 수 있었다. 가엘… 오펠리는 용기를 내 가엘에게 메르 일드가르드의 유언을 전할 수 있을까?

오펠리는 이 질문에 대해 오래 생각할 수 없었다. 보이지 않는 힘이 그녀를 등대 벽으로 밀치더니, 이내 바닥에 내동댕이치고, 팔꿈치로 온몸을 가격했다. 하지만 이 고통은 오펠리가 숨을 쉬지 못하면서 느낀 공포에 비하면 아무것도 아니었다.

"이제 당신 목숨도 끝이네요." 오펠리 뒤에서 익숙한 목소리가 숨을 거칠게 내쉬었다.

어둠

눈을 번득인다. 천둥 같은 소리가 귓전을 때린다. 숨을 쉴 수 없어서 오펠리는 눈에 보이는 것도, 들리는 것도 거의 없다. 투명 인간은 오펠리의 등 위에 앉아 팔로 목을 조르고 온몸의 체중을 실어 그녀를 짓눌렀다.

"용서해줘요…. 어쩔 수 없어… 아르쉬발드님을 위해서는…."

수 킬로미터의 안개를 뚫고 들려오는 속삭임 같았다. 오펠리는 누구의 목소리인지 알았다. 그런데 시야는 카메라 셔터가 닫히는 속도로 좁혀졌다.

갑작스레 폐에 공기가 들어오지 않았다면 오펠리는 세상과 작별했을 것이다. 그녀는 숨을 들이마시며 기침을 토하고 딸꾹질했다. 어떤 이유에서인지 투명 인간은 목을 조른 손은 풀었지만, 계속해서 온몸으로 오펠리를 짓누르고 있었다. 오펠리는 멀쩡한 팔을 이용해 투명 인간을 떼어내려고 몸을 옆으로 돌려보려 했지만, 겨우 고개만 돌릴 수 있었다. 적어도 어깨 너머로 누가 자신을 구하고 있는지는 알 수 있었다.

목도리가 보아뱀 같은 몸짓으로 허공을 조이고 있었다.

"날 놓아주면 목도리도 당신을 놓아줄 거예요." 오펠리가 쉰 목소리로 약속했다.

협박은 통하지 않았다. 목도리가 꿈틀거리는 모습으로 보아, 투명 인간이 발버둥 치다 머지않아 우세를 잡을 것 같았다. 오펠리는 무슨 수가 없을까 생각하며 두리번거렸다. 도움을 요청하기에는 해변에서 너무 멀리 떨어져 있었다. 그리고 여름이라 등대지기도 없다. 어떻게 하면 르나르와 가엘의 주의를 방파제 앞쪽으로 끌 수 있을까? 오펠리는 옆에 놓인 커다란 붉은 나팔에 연결된 흰 통을 발견했다. 포그혼이었다.

목도리는 헐거워지면서 손가락으로 뜨개질 그물을 맹렬히 잡아당긴 것처럼 모양이 일그러졌다.

오펠리는 가능한 한 멀리 그리고 높이 팔을 뻗어 포그혼 벨브를 내렸다. 통속의 압축된 공기가 빠져나가며 나팔 진동판이 울렸다. 하지만 사이렌 소리는 갑자기 멈추었다. 보이지 않는 손이 오펠리의 손을 덮쳤다.

"왜 이렇게 할 수밖에 없게 만드는 거죠?" 익숙한 목소리가 오펠리 목에 목도리를 감으며 탄식했다. "계단에서 추락한 걸로는 충분치 않았나요? 난 범죄자가 아니에요. 당신이 폴을 떠나기만 하면, 난 내 임무를 완수하고, 아르쉬발드님은 약속대로 풀려났을 거예요. 당신이 죽음을 자초한 거예요."

목도리는 주인의 목을 조르지 않으려고 사력을 다해 버텼다. 오펠리는 투명 인간을 치고 싶었지만, 손은 허공에서 마구잡이로 허우적댈 뿐이었다. 산소가 다시 부족해졌다. 오펠리가 의식을 잃겠다는 생각이 들었을 때, 그녀는 투명 인간 위로 덮치는 무게를 느끼고 자신을 잡고 있던 것이 풀리는 느낌이 들었다.

오펠리는 다시 한 번 세차게 기침을 토해냈다. 목을 조이는 것을 풀기 위해 목도리를 당겼다. 눈앞에 빛나는 조명들 사이로 마침내 르나르가 눈에 들어왔다. 숨을 헐떡이고 있는 것으로 보아 포그혼 소리를 듣고 방파제로 뛰어 올라온 것 같았다. 르나르는 바닥에 웅크린 채로 격렬하게 허공을 때렸다. 네 번 중 세 번은 주먹이 포석을 강타했다. 하지만 투명 인간을 맞출 때면 고통스러운 듯 신음이 들렸다.

오펠리는 르나르를 돕고 싶었으나 다리가 마비돼 움직일 수 없었다. 목이 멘 상태로 거친 숨만 내뱉을 뿐이었다.

"빠져나가려 해!" 이번에는 가엘이 도착해 측면에서 누르며 말했다. "때려눕혀!"

"어떡하면 되는데?" 르나르가 커다란 손을 허공에 가로지르며 외쳤다. "그의 머리통이 어디 있는지도 모르는데! 억…."

르나르가 마치 복부에 거친 타격을 입은 듯 몸을 반으로 접자, 그때까지 르나르 머리카락을 붙들고 있던 앙두이가 울부짖으며 바닥에 널브러졌다. 그리고 잠시 뒤 실루엣 하나가 난데없이 모습을 드러냈다. 회색 프록코트를 입은 작은 체구의 남자가 거친 숨을 몰아쉬며 멍든 얼굴로 등대 벽에 바짝 몸을 기댔다. 오펠리는 클레르들륀의 존경받는 관리소장 필리베르를 겨우 알아보았다. 그는 모든 사람의 시선이 자신에게로 쏠린 것을 깨닫고는 투명망토를 잃게 된 것에 누구보다 놀란 것 같았다.

르나르는 놀라움을 가라앉히고 즉시 관리인의 프록코트 깃을 붙잡아 그를 바닥에서 들어 올렸다.

"나를 지하 감옥에서 썩게 만든 걸로는 성에 차지 않았냐, 이 씹은 종이야? 우리 아가씨까지 공격해야 했어? 그리고 당신이 언제부터 투명 인간인 거야? 그 알량한 능력도 이제 고장 난 것 같지만!"

필리베르는 르나르의 손아귀에서 벗어나려고 발버둥 쳤지만 몸을 숨길 수 없으니 유리한 점도 없었다. 오펠리는 이제야 왜 그가 항상 배경에 스며든 것처럼 느껴졌는지 이해가 됐다. 지금 그의 모습은 알아보기 힘들 정도였다. 가발은 완전히 벗겨졌고, 평소 감정을 거의 내비치지 않던 눈은 분노로 불타올랐다.

"넌 나를 배신했어." 필리베르가 씩씩대며 말했다. "외국 여자와 아무 능력도 없는 이 때문에!"

오펠리는 가엘이 다가오는 것을 보고야 이 말의 의미를 이해했다. 바람은 가엘이 쓰고 있던 기술자 모자를 날려버리고, 검정 곱슬머리를 흩뜨렸다. 마치 가엘이 끝없이 감추려 애쓰던 얼굴을 드러내길 원했다는 듯이.

하지만 이 순간 가엘은 더 이상 자신을 숨기지 않았다.

그녀는 외알 안경을 벗고 진짜 눈빛을 드러냈다. 다른 쪽 눈이 밝다면, 니힐리스트의 눈은 그만큼 더욱 검고 불가사의했다. 가엘은 눈 한번 깜박이지 않고 필리베르를 뚫어져라 보았다. 가엘이 필리베르를 시야에서 놓치지 않는 한, 니힐리스트의 힘은 그를 무력화시켰다.

"네가 우릴 배신했지." 가엘이 엄숙하게 말했다. "외국인과 무능력자들이 언제부터 적이었지? 네가 이 아이를 미행하는 걸 봤을 때, 네 머릿속에 무슨 꿍꿍이가 들어 있는지 알았더라면, 더 일찍 네 모습을 드러내줬을 텐데."

"잠깐, 잠깐만." 르나르가 말을 더듬었다. "내가 뭐 놓친 거 있어?"

르나르는 계속해서 가엘의 오드아이와 그녀가 두 손가락으로 들고 있는 외알 안경에서 시선을 떼지 못했다. 르나르는 필리베르를 노려보며 그를 다시 투명 인간으로 되돌리려는 듯 붙잡고 흔들다가 숨을 헐떡거렸다.

"니힐리스트들은 죄다 죽은 줄 알았는데. 나란 놈은 참 운도 좋네, 몇 년 동안 눈독 들인 여인이 귀족이라니!"

가엘의 두 볼이 거북함과 분노로 부풀어 올랐다.

"날 모욕하지 마, 르놀드! 네가 끼어들 일이 아니야, 이건 배신자와 읽는 여자아이 그리고 내 일이라고. 메르 일드가르드는 그녀 얼굴에 먹칠이나 하라고 우릴 보호해준 게 아니야." 가엘이 필리베르를 향해 말했다. "수년 전 넌 네 클랜을 부정하기로 했어. 그건 네 권리야. 새로운 삶을 원했으니까. 어머니는 네게 그런 삶을 주었지. 과거는 벽장에 처박고, 기억나? 그런데 지금 네 원한을 갚겠다고 가족 능력을 쓰는 건 용납할 수 없어."

필리베르는 계속 바둥댔다. 르나르의 억센 손아귀에 거추장스럽게 매달려 아무와도 눈을 마주치지 않기 위해 단호히 눈을 내리깔고 있었다. 그의 얼굴은 분노와 절망, 죄책감과 씁쓸함

등 서로 모순된 감정들로 찢겨 진짜 종이로 만들어진 얼굴처럼 보였다.

"어머니의 보호는 아무 쓸모가 없어." 필리베르가 비통한 목소리로 말했다. "우리 젊은 주인님도 구하지 못했어, 그가 내 새로운 삶인데. 검은 모래시계와의 약속이 뭘 의미하는지 너도 나만큼 잘 알잖아."

가엘의 얼굴에 그림자가 스쳤다. 그녀의 파란 눈이 다른 눈과 비슷하게 어두워졌다.

"그건 그가 선택한 거야." 가엘이 못마땅해하며 말했다. "어머니는 살아 계실 때와 마찬가지로 돌아가시는 마지막 순간까지 우릴 보호하셨지."

"그녀는 우릴 버렸어." 필리베르가 침울한 목소리로 반박했다. "나 혼자 알아서 할 수밖에 없었지. 어제 편지를 한 통 받았는데, 읽는 여자를 제거하면 아르쉬발드님이 풀려날 거라고 적혀 있었어."

"편지?" 가엘이 분통을 터뜨렸다. "편지 때문에 사람을 죽이려 했다는 거야?"

오펠리는 그 둘의 대화를 따라가는 게 너무 벅차 머리가 돌 지경이었다. 하지만 끼어들어야만 할 것 같았다. 몸을 일으켜 세우려는데 팔꿈치에서 전기 충격이 느껴졌다. 오펠리는 난간에 주저앉으며 힘겹게 숨을 내쉬었다.

"그 협박범이…. 그에게뿐만 아니라…. 내게도 그랬어."

오펠리는 여러 번 숨을 들이쉬고 나서야 그녀의 원래 목소리와 비슷한 소리를 되찾았다. 코에서 무언가 흐르기 시작했는데 이번에는 감기 때문이 아니었다. 코피가 엄청나게 쏟아졌다. 가엾은 목도리마저도 상처 입은 동물처럼 그녀의 발밑에서 꿈틀거렸다. 필리베르는 공격하는 데 정말로 거침이 없었다.

"거 편지를 쓰 사람" 오펠리는 소매를 코끝에 가져다 대며 말을 이었다. "그에 대해 아는 것이 있으면, 마래주세요."

"여기 무슨 일이 벌어진 거야?"

토른이 검은 외투를 부딪치는 소리를 내며 등대 아래에 모습을 드러냈다. 상황을 파악하는데 1초, 권총을 꺼내는 데 1초가 걸렸다. 그리고 가엘, 르나르, 필리베르를 차례로 겨누었다.

"이 중 누가 당신을 이렇게 만든 거지?" 토른이 오펠리에게 물었다.

그의 차분한 목소리에서 위험이 느껴져, 오펠리는 대답을 자제했다.

"우선 총을 집어넣어." 오펠리가 소매에 코를 댄 채 부탁했다. "전부 다 차분히 설명할게."

그 순간 세 번째 모래시계가 멜키오르 남작을 원래 자리에 돌려놓았다. 장관이 한가운데에 모습을 드러내면서, 필리베르를 보고 있던 가엘의 시야가 가로막혔다. 필리베르는 놀란 틈을 이용해 르나르 손아귀를 빠져나가 다시 자취를 감추었다.

"젊은 아가씨가 조심 좀 해요!" 멜키오르 남작이 분노했다.

가엘이 가차 없이 남작을 밀었지만, 너무 늦었다. 르나르 손에는 회색 프록코트만이 남아 있었다. 주인에게 버려진 코트는 즉시 투명함을 잃었다. 가엘이 욕설을 퍼부으며 검은 눈을 사방으로 굴렸지만 필리베르의 모습은 어디에도 보이지 않았다.

"망했네." 화가 난 르나르는 프록코트를 세차게 내던졌다. "숨었든지 달아났든지."

"누구 말씀이시죠?" 멜키오르 남작이 점점 더 어리둥절하며 물었다. "에구머니나!"

남작은 머리카락이 심하게 헝클어지고, 안경은 뒤틀렸으며, 턱은 피로 얼룩진 채 난간 구석에 축 처져 있는 오펠리를 발견했다.

"필리베르였어요." 오펠리가 쉰 목소리로 답했다. "아르쉬발드의 관리소장."

"야만적이군요!" 멜키오르 남작이 눈살을 찌푸렸다.

그는 고약한 환영 앞에서도 말투를 바꾸지 않을 것 같았다. 오펠리는 괜찮아 보이려고 일어서려 했지만 방파제 전체가 그녀 주변에서 흔들리는 것처럼 느껴졌다. 오펠리는 눈에 띄게 털실이 풀린 목도리를 되감으며 자신도 목도리만큼이나 볼품없을 거라 생각했다.

"필리베르가 날 계단에서 밀었던 투명 인간이었어." 오펠리는 토른을 향해 말했다. "하지만 클랜을 대표해서 한 행동은 아니었어. 그 역시 협박의 희생자였지. (목소리가 거의 잠긴 오펠리는 소매에 대고 여러 번 기침했다.) 그렇다고 그의 행동이 정당화되는 건 아니지만, 모든 게 그만의 잘못은 아니라는 말이야."

오펠리는 자신의 설명을 듣고 토른이 권총을 집어넣기를 바랐다. 토른은 총구로 바닥을 겨누고 있었지만, 계속 두 손으로 권총을 쥔 채 상황이 긴박해지면 바로 사용할 태세였다. 사방이 적인 듯 매의 눈으로 여기저기를 살폈다. 바람에 흩날리는 외투와 머리카락 때문에 토른은 더욱더 험상궂게 보였다. 오펠리는 토른이 무공간에서 아무 타격도 없이 나오지 않았을 거라 생각했다.

"가엘과 르놀드가 내 목숨을 구해줬어." 오펠리가 토른에게 말했다. "이들은 믿어도 돼."

가엘이 질문을 피하려고 즉시 눈길을 피하지 않고, 르나르가 눈을 내리깔고 침묵에 빠지지 않았다면, 오펠리의 말은 더 그럴싸하게 들렸을 것이다. 앙두이마저도 얌전히 있지 않고, 멜키오르 남작의 멋진 흰 바지를 사납게 할퀴고 있었다.

멜키오르 남작은 신경 쓰지 않았다. 그는 시계 체인을 당기고, 방파제 맞은편에 호기심에 찬 사람들이 점점 몰려들고 있는 비행선을 응시했다. 이마를 찌푸리고 수염을 늘어뜨린 멜키오르 남작은 크게 낙담한 것처럼 보였다. 오펠리는 그가 시계 뚜껑을 닫을 때 반지 낀 그의 손이 떨리는 것을 보았다. 그 역시도 메르 일드가르드의 예기치 못한 자살에 충격을 받은 듯했다.

"이제 포기하는 일만 남은 것 같군요." 그는 체념한 듯 시계를 집어넣으며 한숨지었다. "자필로 쓴 자백이 있고, 더 이상 우리가 할 일은 없어요. 감독관님께서 제안하실 게 있지 않다면 말이죠."

토른은 아무 대답도 하지 않았다. 완전히 경직된 모습으로 권총 손잡이를 쥔 채, 강렬한 생각에 사로잡힌 듯 눈을 크게 떴다. 오펠리는 눈썹을 찌푸렸다. 그녀가 알던 토른이라면 벌써 수습에 나서고, 새로운 행동 계획을 세우고 명령을 하고 전화를 했을 것이다.

"가족의 위대한 읽는 여자님?" 멜키오르 남작이 이번에는 오펠리에게 물었다. "다른 제안이 있으신가요?"

오펠리는 퍼즐의 거의 모든 조각을 갖고 있다는 느낌을 받았다. 머리가 잠시만이라도 빙빙 도는 것을 멈춘다면, 조각들을 다 맞출 수 있을 텐데….

"알겠어!" 갑자기 토른이 외쳤다.

인상도 비웃음도 아닌 어렴풋한 미소를 띤 토른은 주의 깊게 권총을 살펴보았다.

"조금 시간이 걸렸지만." 그가 차분하게 말을 이었다. "무엇을 해야 할지 마침내 알겠어."

토른은 냉정을 되찾았을 뿐 아니라, 온몸이 결의에 차 보였다. 오펠리는 그가 몇 센티미터는 커졌다고 확신했다가, 단지 허리를 꼿꼿하게 세운 것임을 알게 되었다.

"정말 뭘 해야 할지 알았어?" 오펠리가 희망에 가득 차 물었다.

토른이 만족한 듯 활처럼 휜 눈썹을 하고 오펠리를 돌아보자, 그녀는 자신의 상상이 아니었음을 깨달았다. 토른은 미소 짓고 있었다. 거의 눈에 띄지 않았지만, 그것은 확실히 미소였다.

"방정식에서 당신을 빼내기만 하면 돼." 그가 오펠리에게 말했다.

감정이 격해진 오펠리는 자리에서 일어섰다. 그 즉시 땅이 흔들리더니 사방이 어두워졌다.

발표

오펠리는 아르쉬발드가 차를 따를 수 있도록 잔을 내밀었다. 그리고 테이블 맞은편에 있는 아르쉬발드를 바라보았다. 유쾌하게 미소 짓고 있는 태평한 그의 모습이 어딘가 격에 맞지 않아 보였다.

"선은 어때요?" 오펠리가 찻잔에 설탕을 넣으며 물었다.

아르쉬발드는 실크해트 안쪽에 손을 넣어 전화기를 꺼냈다. 선이 잘려 있었다.

"가위가 한번 지나간 것 같네요!" 그가 웃음을 터뜨리며 말했다.

오펠리는 뭐가 즐거운 건지 알 수 없었다. 선이 끊겼다는 건 언제나 곤란한 일이었다. 녹지 않는 설탕도 마찬가지다. 아무리 스푼으로 저어봐도 설탕은 녹지 않았다. 어쩌면 찻잔이 모래로 가득 차 있어서인지도 모른다.

"외알 안경을 미리 준비했기를 바라요." 아르쉬발드는 느긋하게 팔꿈치를 테이블에 기대며 말했다. 비가 내리기 시작했다.

오펠리는 아르쉬발드의 시선을 따라 그들 주위로 운석처럼 떨어지는 매트리스들을 보았다. 그녀는 모래 잔에 입술을 적셨다. 뭔가 이상한 게 느껴졌지만, 이유를 알 수 없었다.

"인테리어를 바꾸셨나요?"

오펠리는 바닥도 벽도 없는 공간에 있다는 것을 분명히 알게 되었다. 테이블은 옛 세계 어느 도시의 아주 높은 상공 한가운데를 둥둥 떠다녔다. 그녀는 비처럼 쏟아지는 매트리스들이 저 아래에 있는 사람들을 해치지 않기를 바랐다.

"일드가르드 부인의 아이디어였죠." 아르쉬발드가 오펠리 잔에 다시 차를 채우며 설명했다. "그녀는 기억 속에서 모든 걸 다시 만들었어요."

"기억해서겠죠?"

"아니요, 기억 속에서요. 기억은 보기보다 훨씬 견고한 재료죠."

"누구의 기억이냐에 따라 다르겠죠." 오펠리가 전문가처럼 말했다. "토른의 기억인가요? 아니면 파루크의 기억인가요?"

아르쉬발드는 테이블 쪽으로 몸을 기울이며 장난기 가득한 커다란 동작으로 오펠리에게 모자로 인사를 했다.

"당신의 기억요, 어리바리 아가씨."

오펠리는 중심을 잃고 뒤로 넘어졌다. 아르쉬발드도, 테이블도, 모래도, 매트리스도, 옛 세계도 없었다. 그녀는 아니마에서 어린 시절을 보냈던 방에서 잠옷 차림으로 거울을 보고 있었다. 거울에 비친 오펠리의 입술이 움직였다. 날 풀어줘.

오펠리는 눈을 떴다. 심장이 터질 듯했다.

오펠리는 운행 중인 트램에서 떨어진 적이 있다. 이루 말할 수 없는 고통과 혼란을 느끼며 병원에서 깨어났었다. 하지만 지금 오펠리가 느끼고 있는 것에 비하면 아무것도 아니었다. 머리, 목, 허리, 배, 팔, 무릎이 아팠다. 어쩌다 이 지경이 되었는지 아무것도 기억나지 않았다.

오펠리는 베개에 머리를 가눈 채, 근시인 눈으로 주위를 둘러보았다. 덧문 틈새 사이사이로 들어온 주황빛이 방 안에 가득했다. 바다는 화산처럼 우르릉거리고, 공기 중에는 유황 물 냄새가 떠다녔다. 오펠리는 온천의 호텔 방에 있다는 것을 깨달았다.

고개는 가만히 둔 채, 시선만 출입문 쪽으로 돌렸다. 흐릿하게나마 문이 살짝 열려 있는 게 보였다. 아래층에서 들려오는 것 같은 토른의 목소리는 웅웅대는 바닷소리만큼 아득하고 깊게 느껴졌다.

"정신이 드니?"

오펠리는 눈을 반대로 굴려 커다란 침대 바로 옆 의자에 걸터앉아 있는 가늘고 흐린 실루엣을 보았다. 아빠를 알아보고 미소를 지었다. 작은 체구의 오펠리 아빠는 참견쟁이 부모가 아니었다. 한 번도 딸들에게 사적인 일을 묻지 않았다. 그에게는 딸들의 사생활에 끼어드는 것보다 더 당황스러운 일도 없었다. 하지만 자녀들이 조금이라도 열이 나거나 혹이라도 생기면, 침대 머리맡을 떠나는 법이 없었다.

오펠리는 여러 번 입을 떼고 시도한 끝에 겨우 알아들을 만한 목소리로 말했다.

"아빠도 거울로 드나드셨죠."

당황한 오펠리의 아빠는 민머리를 긁적였다.

"음… 젊었을 때 옷장에 달린 거울 몇 개를 통과하곤 했단다. 하지만 너처럼 잘하지는 못했어."

"왜 그만두셨어요? 한 번도 그 이유를 말해주지 않았어요."

"오, 엄밀히 말해서 그건 선택하는 게 아니란다." 아빠가 조심스럽게 속삭였다. "그건… 어떻게 설명하면 좋을까…그러니까 시선이 변한 거지. 나이를 먹고 크면서 어느 순간 거울과 완전히 틀어지게 되었단다."

오펠리는 천장을 바라보며 손가락 아래에서 서서히 깨어나는 목도리를 쓰다듬었다. 긴 침묵을 깨고 멀리서 토른의 목소리가 들려왔다. 낮고 단조로운 음색 때문에 그가 하는 말을 한마디도 알아들을 수가 없었다. 오펠리는 그가 누구에게 이렇게 말을 하는 걸까 궁금했다.

"얼마 전 여러 거울에 끼인 적이 있어요." 오펠리가 말을 이었다. "이상하게 들릴 수도 있는데, 맨 처음 거울을 통과하던 때가 생각나는 거예요. 아니, 그 순간 벌어졌을지 모를 무언가가요. 마치…. 마치 내가 거울로 들어가면서 다른 누군가를 거울 밖으로 나오게 한 것처럼요. 하지만 그건 불가능하잖아요, 그렇죠? 거울로 드나드는 사람이 다른 생명을 데리고 거울을 통과할 수는 없어요. 그렇게 하고 싶어도 할 수 없는 거잖아요."

오펠리는 희미하게나마 아빠의 실루엣이 고개를 끄덕이고

있는 것을 보았다.

"우리가 그날 밤 발견한 건 너뿐이었어. 정확히 말하면 두 개의 거울에 끼어 있는 너의 두 부분이었지. 우리에겐 그것만으로도 벅찬 일이었단다. (오펠리의 아빠는 다시 한번 민머리를 긁적이며 살짝 주저하더니 침대 쪽으로 몸을 숙였다.) 아가야, 토른이 널 힘들게 하니?"

"토른이요?" 오펠리가 놀라서 물었다.

"그가 널 병원에 데려왔을 때, 괜찮다고 말할 수 없는 상태였단다. 어떤 설명도 하지 않더구나. 있지… 이 결혼 말이다…. 만약 네가 원한다면, 엄마와 난 없던 일로 하기 위해 불가능한 것도 마다하지 않을 거야. 두아옌들의 불만을 사겠지, 그건 확실해." 오펠리의 아빠가 걱정하는 목소리로 말했다. "하지만 우리는… 음… 불만을 산다고 해도 함께 살 거야."

오펠리는 베개에서 고통스럽게 몸을 일으켜 세웠다. 순간 팔다리가 희한하게 얽힌 상태로 잠옷을 입고 깊이 잠들어 있는 엑토르, 도미틸, 베아트리스와 레오노르의 모습이 눈에 들어왔다. 귀가 웅웅거리기는 했지만, 정신이 들기 시작했다. 형제 모두가 침대로 가야 한다고 느꼈다면, 오펠리가 제대로 걱정을 끼친 게 분명했다. 순간 그녀는 자신이 오래전 겪은 거울 이야기가 너무나 사소하게 느껴졌다.

"아빠, 나 여기서 뭐 하는 거예요? 토른은 지금 누구에게 말하고 있는 거죠?"

"아무것도 기억나지 않니?"

아빠는 안경이 기억을 되돌려줄 수 있기라도 한 것처럼 딸에게 안경을 내밀었다. 효과가 있었다. 여기저기 뜯기고, 올이 풀리고, 더러워진 목도리를 보자 오펠리의 기억이 되살아났다.

오펠리는 몸의 저항을 무시하며 동생과 언니들을 깨우지 않고 침대에서 빠져나왔다. 그리고 잠옷 위로 드레스를 입고 단추를 채웠다.

"더 쉬어야 할 텐데." 아빠가 침착한 목소리로 말했다. "시간이 늦었으니, 내일 아침에 다시 얘기하자."

오펠리는 창가에 비친 석양에 아빠 모습이 선명하게 보이자, 아빠가 얼마나 불안해하고 있는지 느껴졌다. 상황이 급하지 않았다면 서둘러 아빠를 안심시키려 했을 것이다. 그녀는 자명종을 보았다. 새벽 세 시일 리가 없었다. 파루크는 그녀에게 실종자들을… 아르쉬발드를 찾을 시간을 자정까지 주었다. 토른은 무슨 권리로 지금까지 자게 내버려둔 걸까?

오펠리는 목도리를 두르고 구두를 집었다.

"너무 오래 쉬었어요."

오펠리는 고개를 숙이고 호텔 방 바로 앞에서 검은 외알 안경을 눈에 단단히 고정하고 경계를 살피고 있는 르나르 앞을 재빠르게 지나갔다. 보초를 서고 있었나?

르나르에게 할 말이 많았지만, 그는 자기 입에 손가락을 갖다 댔다. 호텔 엘리베이터 샤프트에서 토른의 목소리가 천둥처럼 울렸다.

"…각료 회의 내 대표성은 각 가족의 인구 비중과 비례해야 합니다. 현재 각료 회의 의원 수는 미라주 클랜 다섯 명, 투알 클랜 세 명, 무능력 민족 출신 가운데 한명이 있습니다. 드래곤 클랜은 지난 3월 블라디미르 씨의 사망으로 유일했던 의원직을 상실했습니다. 이 비율은 아슈의 사회적 현실을 전혀 반영하지 못하고 있으며, 오히려 독점 상황을 조장하고 있습니다⋯."

오펠리는 영문도 모른 채 한 칸 한 칸 계단을 내려가 토론의 목소리를 따라 복도를 지나갔다. 오펠리 아빠는 딸이 또 쓰러질까 봐 걱정하며 팔로 딸을 부축했다.

"나랑 너무 멀리 떨어져 있지 말아요." 르나르가 뒤에서 투덜거렸다. "씹은 종이가 야비한 임무를 끝내러 올 수도 있으니까요. 당신 뒤를 지켜봐줄 외알 안경이 하나밖에 없다고요."

"가엘이 준 건가요?" 오펠리가 물었다. "가엘은 어디 있어요?"

"비행선을 타고 떠났어요. 다른 데 볼일이 있다고."

오펠리는 층계 구석에 있는 르나르를 난간 너머로 살펴보았다. 르나르는 기분이 너무 안 좋아 걸음을 내디딜 때마다 같은 속도로 계단을 내려가는 앙두이를 밟을 뻔하고 있다는 것도 알아차리지 못했다.

"가엘의 정체를 알고 그녀를 원망하는 거예요?"

"아니요." 르나르가 투덜거리듯 말했다. "제게 이제껏 아무 말도 하지 않은 게 원망스러워요. 상류사회 부인은 완전히 제 능력 밖이라서요."

오펠리 아빠는 외알 안경, 씹은 얼굴, 상류사회 이야기들을 전혀 이해할 수 없어 계속 머리만 긁적였다.

호텔 1층에 도착해 석양에 반짝이는 구리 장식이 가득한 대형 홀로 향했다. 밤이 늦었지만, 사람들이 많았다. 오펠리 가족의 어른들과 몇몇 호텔 직원이 수군거리며 커다란 라디오 근처에 모여 있었다. 아니마 사람들은 홀 주변 물건을 온통 물들일 정도로 신경이 곤두서 있었다. 카펫은 부들부들 떨고, 의자들은 발을 동동 구르고, 램프들은 깜박거리고, 진열대는 책자들을 바닥에 쏟아내고 있었다.

오펠리는 이곳에서 베르닐드를 본 것에 그다지 놀라지 않았다. 베르닐드는 아기를 품에 안고 벨벳 의자에 앉아 있었다. 장미처럼 싱그러운 모습이 오늘 아침 출산을 했다는 사실도 잊게 했다.

오펠리는 주변을 두리번거리며 토른을 찾았다. 그러다 그의 목소리가 라디오의 거대한 확성기에서 흘러나오고 있음을 깨달았다.

"…그래서 식료품 저장고가 현재의 상태에 이르렀습니다. 다음으로 말씀드리는 것은 모두 사실입니다. 가족 간 바람 장미는 다시 개방되지 않을 것이고, 항로를 통한 식량 수입은 엄청난 비용을 초래합니다. 한 부씩 배포해주시길 바랍니다. (종이 소리와 참을성 없는 웅성거림이 라디오 확성기를 타고 호텔 홀 전체에 울려 퍼졌다. 하지만 토른은 흔들림 없이 회견을 이어갔다.) 방금 나눠드린 문서를 보시면 아시겠지만, 가족화 환율이 유리하지 않기에 우리가 보유하고 있는 자원에 의존해야 합니다. 지난 몇 년간 남획이 계속되어 호수가 텅 비었어요. 조만간 사냥철이 시작되는데 수렵 부장직이 아직도 공석입니다. 전락한 자들 대부분이 뛰어난 사냥꾼이기 때문에…."

"곧 그놈의 빌어먹을 발표를 하겠군!" 작은할아버지가 손바닥으로 라디오를 치면서 화를 냈다.

"무슨 발표요?" 오펠리가 물었다.

모두 똑같은 동작으로 그녀를 돌아봤다. 불편한 침묵이 몇 초간 지속되자 오펠리는 그 침묵이 자기 몸에 난 멍들과 헝클어진 머리카락, 구멍 난 목도리, 손에 든 구두, 드레스 밖으로 튀어나온 잠옷 때문일 거라 생각했다.

처음 반응을 보인 사람은 로즐린 이모였다. 그녀는 오펠리를 의자에 강제로 앉히고 입에 빵 조각을 억지로 밀어 넣었다.

"식사를 거르고, 밤새 한숨도 못 자고, 공격받고, 그러고 나서 기절한 게 놀랍니? 네겐 대모 한 부대가 필요해, 이것아."

라디오를 에워싸고 있던 가족들이 순식간에 오펠리 의자 곁으로 몰려들었다. 할머니들은 앞다투어 외투를 건네고, 형부는 메이플 시럽을 따라주고, 삼촌, 이모, 사촌들은 동시에 너무 많은 질문을 해대는 통에 오펠리는 아무 말도 이해하지 못했다. 아가타는 그녀의 뒤엉킨 머리카락 뭉텅이를 미역 더미 올리듯 손가락 끝으로 들어 올렸다.

"오, 내 동생!" 아가타가 앓는 소리를 냈다. "정말 모양새가 형-편-없-구-나."

엄마는 엄청나게 큰 빨간 드레스를 입고 모두를 밀치고 맨 앞으로 나왔다.

“꼭꼭 씹고 나서 말해줘.” 엄마라 명령하듯 말했다. “토른이 네게 뭔가 특별히 말하지 않았니?”

오펠리는 힘겹게 빵을 삼키며 끝도 없이 이어지는 법령을 낭독하는 토른의 목소리를 내보내는 라디오가 토른이라도 되는 듯 원망스럽게 바라보았다. ‘방정식에서 당신을 빼내기만 하면 돼.’ 이 남자는 오펠리에게 한 유일한 선언을 이미 실행 중이었다.

“아니요.” 오펠리의 대답에 모두 실망했다. “무슨 일이죠?”

“시타시엘에서 생방송으로 중계되는 가족의회 방송을 듣고 있어.” 베르닐드가 소파에 앉아 차분히 설명했다. “궁정에서 총회가 열렸고, 지금은 전락한 자들에 대한 안건을 다루는 중이지. 토른이 총회 서두에서 전락한 자들의 복권을 변론한 뒤에 발표하겠다고 미리 공지했어. 개인적인 발표.” 베르닐드가 손가락으로 잠든 아기의 볼을 쓰다듬으며 말했다. “토른이 아무것도 털어놓지 않은 게 확실해?”

오펠리의 심장이 요동쳤다.

“아마 실종자들과 관련된 걸 수도 있어요!”

“정말이지 그 사람들이라면 털끝만큼도 신경 안 써.” 엄마는 천장으로 눈을 치켜뜨며 화를 냈다. “네가 어떤 몰골로 돌아왔는지 알기는 해? 머리부터 발끝까지 온통 멍투성이였어! 네가 토른 때문에 어떤 공격을 받았는지 르놀드가 말해줬어.”

르놀드는 당황한 손짓으로 외알 안경을 톡톡 건드렸다.

“실례지만 ‘토른 때문에’라고는 말씀드리지 않았던 것 같은데요.”

"토른은 아무 잘못 없어요." 오펠리가 단호히 말했다.

작은할아버지는 콧수염 너머로 맹렬히 숨을 내쉬었다. 나이를 무색하게 할 만큼의 엄청난 힘으로 오펠리의 의자 등받이를 붙잡아 리포터 쪽으로 돌려놓았다.

"이 아이 얼굴을 한번 보세요! 여기 상황을 전하러 오셨죠, 네? 그렇다면 두아엔들에게 이걸 알려주세요!"

라디오 근처에 앉은 리포터는 아무 답도 없었다. 평소와 달리 풍향계 모자를 쓴 채 얌전히 있고, 황새는 주인 머리 위에서 갈피를 못 잡고 뱅글뱅글 돌고 있었다.

"토른에게 맡겼을 때는 건강한 상태였죠!" 오펠리의 엄마가 라디오를 향해 삿대질하며 흥분해 덧붙였다. "저 지독한 인간이 내 딸을 있는 대로 망가뜨렸어요. 그리고 데려와서는 아무 일 없었다는 듯 저 같잖지도 않은 일을 하러 떠났죠!"

"가족의회가 같잖지도 않은 일은 아녜요, 소피 부인." 베르닐드가 그녀를 진정시켰다. "15년에 한 번씩 개최되고, 각각의 의제는 매우 중대한 사안이죠. 제 조카는 감독관으로서 처음 의장직을 맡았어요. 막중한 책임을 동반하는 일이니 양해해주시면 고맙겠어요."

토른의 목소리가 지칠 줄 모르고 이어졌다.

"…투명 인간, 나르코틱, 페르쉬아지프 등의 공익성이 인정되었음으로 복권법 제 16조 4항에 의거하여…."

오펠리는 라디오까지 의자를 가져가 최대한 주의를 기울여 들었다. 그가 하려는 개인적인 발표라는 게 뭘까?

"뭔가 발견한 게 틀림없어." 오펠리가 중얼거렸다. "투알이 아르쉬발드 소식을 전해줬을까?"

베르닐드는 말처럼 이를 앙다물고 있는 로즐린 이모와 빠르게 눈짓을 주고받고는 우아하게 금발을 출렁거리며 오펠리에게 다가왔다.

"나를 보호할 책임을 맡은 발키리는 초저녁에 투알에 불려갔어. 라디오를 들으면서 두 시간 전에야 그 이유를 알았지. 아르쉬발드 누이들이 오빠와 관련해 발표했어. 아주 슬픈 발표." 베르닐드가 오펠리의 안경을 똑바로 보며 말했다. "사건의 면면을 모두 알지는 못하지만, 아르쉬발드의 위치가 파악되지 않았어. 그의 의식 상태가 가족 전체에 혼란을 초래한 것 같아. 투알은 사적으로 아르쉬발드와의 관계를 끊는 의식을 진행했지. 그렇게 됐어, 오펠리." 베르닐드는 오펠리가 창백해지는 것을 보며 속삭였다. "우리 괴짜 대사님을 다시는 못 보게 될까 봐 두려워."

오펠리는 체온이 급격하게 떨어지는 것을 느끼며 팔로 몸을 세게 감쌌다. 그녀는 꿈속에서 선이 끊긴 수화기를 흔들던 아르쉬발드를 보았다. 대사는 룰렛의 방에서 '그에게 치명적일 수 있는, 돌이킬 수 없는 절차'에 대해 말한 적이 있었다.

일드가르드 부인 그리고 이제는 아르쉬발드. 오펠리는 추웠다. 정말이지 너무 추웠다.

"왜 자게 내버려뒀어요?"

로즐린 이모는 오펠리에게 술을 조금 따라주었다.

"자책할 것 없어, 이것아. 네 엄마가 다 말해줬어. 파루크 폐하는 네게 그 일을 맡기면 안 되는 거였어."

"그동안 난 딸의 새로운 대부가 되어 줄 사람을 찾아야겠네." 베르닐드는 아기 이마에 입을 맞추며 한숨지었다. "그리고 이름도 필요해. 오펠리 정신이 돌아오는 대로 말이야. 자, 그러니, 기운 차려!" 베르닐드는 부드러우면서도 씁쓸한 미소를 지으며 말했다. "그 바람둥이에게 나도 어느 정도 애정이 있었지만 우리는 미래에 집중해야 하니까."

배 속까지 꽁꽁 언 오펠리는 라디오 스피커에 몸을 바짝 붙였다. 그녀는 아직도 토른에게서 기적을 바라고 있었다. 그는 조금 전 방파제에서 확신에 차 있었고 자신만만해 보였다. 그의 머릿속에는 분명 계획이 있다. 오펠리는 가족 간 헌법 개정과 함께 집안의 정령이 후손들에게 갖는 부모로서의 의무를 환기하며 발표를 마치는 토른의 낮은 목소리에 귀를 기울였다.

"끝났어요!" 호텔 전보 담당관이 소리쳤다. "감독관님 연설이 끝났어요!"

모두 라디오 주위에서 숨을 죽였다. 토른의 설명이 끝나자 의자 끄는 소리와 정체불명의 웅성거림이 들려왔다. 구석에서 무기력한 파루크의 목소리가 들리자 장내가 고요해졌다.

"이렇게 장시간 발언해줘 고맙소. 감독관이 요청하는 게… 어…."

"복권입니다, 폐하."

오펠리는 예의 어린 기억 도우미의 속삭이는 목소리를 알아들었다. 투알은 아르쉬발드와의 관계를 끊은 뒤 신속히 활동을 재개했다.

"그렇지." 파루크가 말했다. "복권 요청을 잘 고려해 그 무슨… 노트… 음…."

"진정서입니다, 폐하."

"그렇지. 복권 요청에 관해 심의 후 누가… 의결하게… 어…."

"의원들입니다, 폐하."

"그렇지. 이제 물러나도 좋다."

"제 개인적인 발표가 남았습니다." 토른이 환기했다.

천천히 종이를 넘기는 소리가 들렸다. 오펠리는 수첩을 보고 있는 파루크의 모습이 눈에 선하게 그려졌다.

"의제에 있는 발표인가?"

"아닙니다." 토른의 목소리가 답했다. "추가 발언을 할 수 있도록 삼 분을 할애해주실 것을 부탁드립니다. 그 이상 필요하지는 않을 것입니다."

"간단히 말씀하시오."

라디오를 통해 유리잔 부딪히는 소리와 액체 따르는 소리가 들려왔다. 토른은 물을 마시고 있었다. 그는 목을 가다듬고 분명한 목소리로 말을 이었다.

"제가 지금 손에 들고 있는 것은 작년에 폐하와 맺은 계약입니다. 저는 귀족 칭호를 얻는 대가로 아니마의 읽는 여자와 결혼해 그녀의 가족 능력과 제 가족 능력을 합쳐 폐하의 책을 완전히 감정해드리기로 약속했습니다."

"이게 무슨 소리냐?" 오펠리의 엄마가 소리쳤다. "계약이 다 무슨 말이야?"

오펠리는 엄마에게 조용히 해달라는 신호를 보내고 라디오에 귀를 더 가까이 가져갔다. 베르닐드도 도자기로 빚은 동상처럼 의자에 꼼짝하지 않고 앉아 있었다.

"그래." 파루크가 잠시 머뭇거린 뒤 답했다. "기억난다. 그런데 이 기다림이 끝도 없는 것 같구나."

종이를 찢는 소리가 들리더니, 충격의 탄성이 총회장 전체에 퍼졌다.

"맞습니다." 토른이 침착한 목소리로 알렸다. "저는 방금 계약을 파기했습니다. 결혼을 취소합니다. 전 폐하의 책을 읽지 않을 것이며, 감독관직에서도 물러나겠습니다. 분명히 말씀드리지만, 이는 제가 단독으로 내린 결정입니다. 그러니 모든 결과는 저 혼자 책임지도록 하겠습니다. 경청해주셔서 감사합니다."

스피커를 통해 들리던 탄성이 야유로 바뀌었지만, 그 어떤 외침도 파루크의 침묵만큼 강하지는 않았다. 의사봉을 탕탕 두드리는 소리가 울리고, 누군가 조용히 하라고 외치더니 급기야 방송이 음악으로 대체되었다.

라디오 주위에 있던 모든 사람이 깜짝 놀라 입을 다물지 못했다.

"왜?"

모두 베르닐드가 앉아 있는 쪽으로 몸을 향했다. 눈은 튀어나오고, 턱은 떨리고, 이마는 주름으로 가득하고, 눈썹을 찌푸리고, 입술은 뒤틀린 베르닐드의 모습은 알아보기 힘들 정도였다. 세상에서 가장 완벽한 부인의 가면이 산산조각 났다.

"왜?" 그녀가 창백한 목소리로 반복했다. "왜 그렇게 한 거야? 정신 나갔어?"

너무 심하게 경련을 일으키자 아가타가 재빨리 베르닐드의 품에서 아기를 받았다. 베르닐드는 복부를 정통으로 가격당한 사람처럼 의자에 쭈그리고 앉아 오펠리에게 간청하는 눈길을 보냈다.

"부탁이야. 조카를 버리지 마."

오펠리는 완전히 굳어버렸다. 꼼짝하지 않은 채 눈썹 하나 움직이지 않고, 아무 말도 하지 않았다. 하지만 그녀 몸속 세포 하나하나가 이미 움직이기 시작했다. 토른의 발표를 듣자 그녀 마음을 짓누르던 돌덩이가 사라지고, 몇 시간 아니 며칠 전부터 머리를 가득 채우고 있던 어둡고 갑갑한 것이 불현듯 연기처럼 사라졌다. 오펠리는 심호흡을 했다.

갑자기 모든 게 분명해졌다.

오펠리는 의자에서 일어나 안절부절못하고 자신을 바라보고 있는 베르닐드에게 다가갔다.

"부인께 저는 두 가지 약속을 했어요. 토른을 저버리지 않고, 따님에게 어울리는 이름을 붙여드리기로요."

"정확히 뭘 하려는 건지 나도 좀 알자!" 엄마는 허리춤에 두 주먹을 얹고 깜짝 놀라 물었다. "토른 얘기 들었잖아. 이 고약한 장난은 끝났어. 집으로 돌아가자."

"엄마 난 집에 가지 않아요. 저 위로 들어갈 거예요."

오펠리의 말을 들은 주변 사람들은 믿을 수 없다는 반응을 보였다. 눈살을 찌푸리고, 중얼거리고, 분노하고, 신경질적으로 웃기도 했다. 하지만 아무도 그녀가 진심이라는 것을 눈치채지 못한 것 같았다.

르나르만은 예외였다.

"저 위요?" 르나르가 몹시 당황해 말했다. "시타시엘 말씀하시는 거죠?" 가족의회다 뭐다 이 소란 통에 지나다니는 비행선도 썰매도 없어요. 저기 아스가르에 있는 카니발 카라반 사람들도." 르나르가 엄지로 창문을 가리키며 말했다. "아직 이륙 허가를 받지 못했죠. 게다가 당신 약혼자… 아니 전 약혼자께서 아가씨를 호텔 문밖으로 나가지 못하게 하라고 명령하셨답니다." 르나르는 근육질 팔로 팔짱을 끼며 결론 내렸다. "저 밖은 너무 위험해졌어요."

"토른의 명령을 어기지 않아도 돼요." 오펠리가 르나르를 안심시켰다. "문을 넘어가지 않고 저기로 갈 거예요."

그리고 오펠리는 홀에 있는 거울을 가리켰다. 오펠리는 거울을 통과할 것이란 걸 온몸으로 느꼈다. 그녀는 자신에게 거짓말을 했었고, 그 이유를 이해했다. 하지만 이제는 끝났다.

"아, 그건 안 돼, 안 돼, 안 돼요!" 르나르가 오펠리 어깨를 붙잡으며 반대했다. "난 저 안으로 너와 함께 갈 수 없어, 꼬마야!"

오펠리는 안내원에게 손거울과 간단한 필기도구를 달라했다. 그녀는 필기도구를 챙기고 손거울은 르나르에게 주었다.

"이 거울을 수시로 확인해요. 제가 어디 있는지 알 수 있도록 메시지를 보낼게요."

르나르는 불타는 두 개의 덤불처럼 눈썹을 찡그리다 결국 외알 안경을 벗었다.

"대신 이걸 가져가세요. 다시는 목이 졸리지 않도록 조심하시고요, 알았죠?" 르나르가 툴툴대며 말했다. "아가씨는 제 주인이고, 전 제 일을 아주 오랫동안 하고 싶으니까요."

"고마워요." 오펠리는 참기 어려운 미소를 지으며 말했다. "외알 안경도, 그리고 방파제에서 도와준 것도요."

엄마는 벽난로 아궁이만큼 크게 입을 벌렸지만, 폭발하기 전에 로즐린 이모가 막았다.

"다들 네 계획이 말도 안 된다고 생각하는 걸 내가 대표로 말하는 거야. 대체 이 꼴로 어딜 가겠다는 거니? 가족의회 총회에? 널 들여보내지 않을 거야. 헌병들이 모두 보안을 위해서 궁정에 소집됐거든."

"잘됐네요." 오펠리가 말했다. "난 궁정으로 가지 않으니 검사도 피할 수 있겠어요."

로즐린 이모는 당황했다.

"이제는 네 말을 전혀 이해하지 못하겠구나. 그래서 어딜 가겠다고?"

"매트리스요." 오펠리가 설명했다. "니베룽겐에 실린 기사 기억나요? 매트리스로 인해 엘리베이터가 정체됐다는 기사였죠. 그때는 우스운 소리라 생각했는데, 이제 알겠어요. 모래시계에 연결된 침대 네 개가 일드가르드 부인 제조소에서 도난당했죠. 이 침대들이 납치에 사용되었다는 걸 알고 있어요. 이 침대들이 교통체증을 유발한 거예요, 아시겠어요? 매트리스를 찾으면, 실종자들을 찾을 수 있어요. 실종자들을 찾으면, 아직은 토른을 구할 수 있어요. 전 이미 마음을 정했어요." 오펠리는 가족들이 반대하는 목소리를 잠재우기 위해 단호하게 선언했다. "전 떠나요. 여러분이 동의하든 동의하지 않든 상관없어요."

"내 딸이 정신을 놓았네!" 엄마가 끝내 폭발했다. "그러니까 넌 그 귀하신 토른이 공개적으로 파혼을 선언했단 걸 이해하지 못한 거니? 그를 위해 네가 또다시 위험에 뛰어드는 꼴은 못 봐, 절대 안 돼!"

오펠리는 머리카락에 방해받지 않으려고 목도리를 단단히 둘러맸다. 그리고 엄마 눈을 똑바로 바라보았다.

"이해 못 한 사람은 엄마예요. 토른은 엄마가 생각하는… 그리고 내가 생각했던 그런 끔찍한 이기주의자가 아니에요." 오펠리는 인정할 수밖에 없었다. "난 그가 사욕을 채우기 위해 파루크의 책을 읽고 싶어한다고 믿었죠. 그런데 그게 다가 아니었어요. 항상 다른 이유가 있었죠. 그리고 토른은 우리를 보호하기 위해 방금 그걸 포기했어요. 우리는 이제 토른을 포기할 수 없어요."

"그게 무슨 말이야?" 베르닐드가 의자에서 몸을 떨며 걱정스레 물었다. "다른 이유라는 게 뭐지?"

"저도 몰라요." 오펠리가 인정했다. "하지만 결국 알아낼 거예요.”

오펠리는 메르 일드가르드가 무공간에서 그녀에게 알려주었던 것과 편지에 쓰인 ‘신’ 사이에 어떤 관계가 있다는 예감이 들었다. ‘아이야, 길에서 그자를 마주치지 않도록 피하는 게 좋단다. 하지만 그 책들에 조금 지나치게 관심을 보인 사람들은 결국 만나게 돼 있지.’ 생각하면 할수록, 토른이 처음부터 그 문제에 관해 조사하고 있었던 게 분명해 보였다. 그가 일드가르드 부인을 체포하려 한 건 부인을 보호하기 위해서였다.

오펠리가 단호한 걸음걸이로 홀의 거울로 다가가자, 엄마는 딸의 팔을 급히 붙잡았다. 아빠가 엄마를 말렸다.

“여보, 우리 딸이 처음으로 스스로 내린 결정을 따르도록 보내줘야 할 것 같아요. 그동안 너무 우리의 선택을 강요했어요.”

그때까지 최대한 조심히 자리를 지키던 리포터가 더 이상 참지 못하고 검은 드레스를 휘날리며 오펠리가 길을 막고 나섰다. 모자의 풍향계는 오펠리를 가리키고, 리포터의 돌출된 눈은 금색 안경 너머로 오펠리를 차갑게 바라보았다.

“네 부모님이 네게 어떤 권위도 행사하지 않는 게 분명하니 내가 나설 수밖에 없구나. 그 인간 일에 더 이상 끼어들지 마. 그가 의심스러운 일에 관련되어 있다는 걸 진작 알았더라면, 우리의 귀한 어머니들께 불리한 보고를 했을 텐데. 토른은 두아옌들을 속이고 우리 가족 전체를 모욕했어. 그를 위해 이 거울을 통과해서는 안 돼. 내 말 알아듣겠니, 오펠리?”

오펠리가 누구보다 도전적으로 노려보는 리포터의 시선을

힘겹게 맞받아치는데 할아버지가 끼어들었다.

“이 아이를 막고 싶거든, 날 밟고 가야 할 겁니다. 떠나렴, 내 손녀딸.” 할아버지가 콧수염을 움직이며 중얼거렸다. “네 괴짜 신랑도 내가 보기에는 나름 대단한 동조자로 보이는데, 그렇지? 그 이유만으로도 난 네가 그를 돕도록 도울 테다.”

“고마워요, 할아버지.”

오펠리는 분에 찬 리포터와 나머지 가족들의 얼빠진 시선을 무시하고 호텔 홀에 놓인 거울로 다가가 자신의 모습을 비춰보았다. 온갖 상처와 멍으로 뒤덮인 결의에 찬 얼굴이 보였다. 오펠리는 마침내 결코 알고 싶어하지 않던 진실과 마주할 준비가 됐다.

토른에게 그녀가 필요한 게 아니었다. 오펠리에게 그가 필요했다.

오펠리는 몸과 마음을 다해 거울로 들어갔다.

매트리스

오펠리는 일드가르드 가내 제조소의 관리실에 모습을 드러냈다. 불은 꺼졌고, 사무실은 고요했다.

그녀는 어둠을 헤치고 피스톤 램프 쪽으로 다가가 일드가르드 부인의 책상 서랍을 뒤졌다. 믿기지 않을 정도로 깊었다. 몇 분이 지나서야 찾고 있던 것을 손에 넣었다. 바로 오늘 아침 토른이 만졌던 접이식 대중교통 안내서였다.

램프 조명 아래 자리 잡은 오펠리는 시타시엘에 설치된 바람장미 노선은 제쳐두었다. 이 지름길은 시타시엘의 최상층으로만 연결되어 있고, 매트리스를 옮기기에 폭이 너무 좁다는 것을 알고 있었다.

오펠리는 시타시엘의 엘리베이터 노선표를 펼쳤다.

제조소는 도시의 맨 아래 하수구와 수많은 기계실 사이에 위치해 있다. 정비를 하기 위해서 많은 엘리베이터가 지하에 정차했고, 모두 살펴볼 시간이 없기에 오펠리는 조사 범위를 최대한 줄여야 했다. 제조소에는 단 한 곳의 엘리베이터 역이 있고, 두 개의 노선은 이 지하층에 정차하지 않는다. 또한 제조소 엘리베

어디든 상층으로 접근하는 것만 가능하다.

따라서 침대 도둑은 분명히 위로 올라갔다.

실마리를 찾았지만, 계속 추적할 수 있게 해줄 신호나 흔적이 부족했다.

오펠리는 창고로 통하는 문을 열고 들어가 필리베르가 지난 밤 그녀를 밀었던 계단 통로에 이르렀다. 늘어선 가로등을 따라 정렬된 모래시계 목적지를 내려다보았지만 침대 커튼 뒤로 어떤 그림자도 보이지 않았다. 시중에 있는 모든 파란 모래시계가 회수되었기 때문이다. 그녀는 난간에 몸을 기울이고 작업반장이 그들에게 말했던 화물 승강기를 두리번거리며 찾았다. 오펠리의 오른쪽으로 창고 바닥과 거대한 철창 사이에 멈춰 있는 화물 승강기가 보였지만 너무 멀리 떨어져 있어 손이 닿지 않았다. 작업반장은 현재 점검 중이라고 했지만, 5월에는 그렇지 않았을 것이다. 오펠리는 도난당한 침대 네 개가 화물 승강기를 이용해 작업장을 빠져나갔을 거라고 확신했다. 정확히 어디로 이어지는지를 찾는 일이 남았다.

오펠리는 사무실, 작업장, 현관을 지나 커다란 야외 마당에 다다랐다. 다행히 문이 잠겨 있지도, 법무장관의 밀랍으로 봉인되어 있지도 않았다. 수년째 방치된 낡은 매트리스들이 습기에 차 눅눅했다. 물론 오펠리가 찾는 매트리스는 아니었다. 그녀는 제조소의 회색 외벽을 따라갔다. 관리실과 작업실이 커다란 공장 건물에 맞닿아 있었다. 커다란 문이 쇠사슬로 잠겨 있었다. 하지만 오펠리는 벌어진 틈 사이로 안을 들여다볼 수 있었다.

공장 안쪽에 창고 계단에서 봤던 커다란 철창이 눈에 들어왔다. 화물 승강기가 정차한 곳이 바로 여기였다. 도난당한 침대들은 이곳을 통해 빠져나갔다.

엘리베이터의 정체를 유발한 것은 침대 전체가 아니라 매트리스였다. 도둑들은 침대 틀과 밑판 그리고 캐노피를 작업장 창문 밑이 아닌 이곳에 버렸을 것이다. 오펠리는 타일 위에서 곰팡이가 슨 낡은 장비를 뒤져 모슬린 천을 찾아냈다. 침대 커튼이었다. 얼마 지나지 않아 창고의 모래시계 목적지에서 본 것과 비슷한 귀한 나무 조각들을 찾아냈다.

오펠리는 장갑 단추를 풀었다. 평소에는 주인의 허락 없이 읽지 않았지만 이건 버려진 조각인 데다, 그녀는 위대한 가족의 읽는 여자로서 공공재에 접근할 권한을 지녔다.

오펠리는 침대 부품들을 하나하나 살펴보았다. 예상한 대로 이 물건들에 마지막으로 손댄 사람은 바로 도둑들이었다. 오펠리의 머릿속에 인상들이 스쳐 지나가고, 그녀는 도둑들의 의식 안으로 들어갔다. 가죽 장갑. 수염으로 뒤덮인 얼굴, 가쁜 숨. 마당 반대쪽에서 계속 작업장을 쳐다보는 눈. 그들은 셋, 어쩌면 넷이었다. 오펠리는 그들의 생각에 침투할 수는 없지만, 이 물건들이 풍기는 매우 독특한 정신상태를 파악했다. 극도로 주의를 기울이고, 그들만의 작업방식에 따라 행동하며, 무척 긴장되어 있었다. 오펠리는 신호를 붙잡았다.

오펠리는 침묵을 깨고 들려온 소리에 화들짝 놀랐다. 흰 담비가 먹을 것을 찾는지 잔해들을 헤집고 있었다. 오펠리는 혹시 몰라 가엘의 외알 안경을 주머니에서 꺼내 오른쪽 눈을 감고 왼쪽 안경알에 갖다 댔다. 제자리에서 여러 번 돌며 숨어 있는 투명 인간이나 환영으로 된 함정이 없는지 확인한 뒤에야 자신이 있는 층의 유일한 엘리베이터로 걸음을 옮겼다.

오펠리는 노선표를 보며 엘리베이터가 두 층만 운행하고 있음을 깨달았다. 노선표에 적힌 대로라면 그중 한 층은 석탄을 보관하는 출구 없는 건물이었다. 도둑들은 한 층 더 올라가서 다른 엘리베이터로 갈아탔을 것이다.

오펠리는 레버를 작동해 두 층을 올라가 악취를 풍기는 거리에 도착했다. 기계들과 배관이 뒤엉켜 뜨거운 수증기를 내뿜고 있었다. 이제 본격적으로 시작되었다. 오펠리는 환승 분기점에 있었다. 이곳에는 방금 내린 엘리베이터 역 외에 다섯 곳의 엘리베이터 역이 있었다. 이 가운데 매트리스 도둑들이 탄 곳이 있을 것이다. 그들의 흔적을 찾으려면 각각의 엘리베이터를 읽는 것 말고는 방법이 없었다.

오펠리는 드레스 주머니를 뒤져 수첩에 메모를 휘갈겨 적고 모래시계 작업자 한 명이 빌려준 양면 손거울에 비췄다. 르나르가 그녀가 건넨 거울을 주시하고 있다면 이 메시지를 읽고 있을 것이다. '아무 문제 없어요, 조사에 진전이 있어요.' 대단한 말은 아니지만 적어도 가족들을 안심시킬 수 있을 것이다.

오펠리는 가장 가까운 엘리베이터로 가서 호출용 줄을 당겼다. 시타시엘의 아래층에는 정해진 시간 동안 활동하는 보이들이 없었다. 오펠리는 편하게 할 일을 할 수 있었다.

오펠리는 엘리베이터 안으로 들어가 심호흡을 크게 하고 맨손으로 층계 레버를 쥐었다. 그 즉시 한 무리의 유령들이 차례대로 그녀에게 빙의된 듯한 느낌이 들었다. 오펠리는 짜증이 났다가, 기진맥진했다가, 흥분했다가, 두려웠다가, 지쳤다가, 화가 났다가, 감동했다가, 실망했다가, 초조했다가, 어수선했다가, 불안했다가, 걱정되었다가, 속상했다가, 좌절했다가, 지겨워졌다. 이 감정들 중 그녀 자신의 것은 없었다. 공공재에 속한 물건을 읽는 게 이번이 처음은 아니었다. 하지만 매년 매달 매주 매일 수십 번씩 오르락내리락하는 이 엘리베이터 레버와 견줄 만한 것은 없었다. 언젠가는 도둑의 신호를 감지하기를 바라며 시간을 거슬러 올라갈 수밖에 없었다.

오펠리가 아무 수확 없이 레버를 놓았을 때, 그녀는 자신이 누구이고, 어디 있는지를 깨닫기까지 몇 초의 시간이 걸렸다.

엘리베이터를 나와, 거리의 뜨거운 수증기를 헤치고 다음 엘리베이터의 호출용 줄을 당겼다. 이번 읽기도 성과가 없었다.

세 번째 엘리베이터에서 오펠리는 휴식 시간을 가져야 했다. 손이 떨리고 안경이 탁해졌다. 이 모든 낯선 감정들이 갈바니 전기처럼 그녀를 통과해 온 신경을 곤두서게 했다. 오펠리는 자신의 방식이 적절한지 의구심이 들기 시작했다. 그리고 마침내 네 번째 엘리베이터에서 신호를 감지했다. 경계, 방법, 그리고 긴장감.

오펠리는 도둑들을 찾았다.

이제 정교한 읽기를 통해 정확히 몇 층으로 갔는지 알아내야 했다. 오펠리는 다시 한번 레버를 살피며 시간의 흐름을 하루씩, 한 주씩, 한 달씩 거슬러 올라갔다. 도둑들의 신호를 되찾자마자, 그들의 정신 속으로 최대한 깊숙이 들어갔다.

드디어 마지막…. 너무 걸리적거려 이 매트리스들은… 보너스를 생각해…. 세 개만 더 하면… 또 작업자들이… 우리가 지연시키고 있다면서 투덜대… 보너스를 생각해… 두 개만 더하면…이런, 작업자들… 다 올려보낼 자리가 없어…. 보너스를 생각해… 자, 이제 하나만…. 지금이야, 길이 뚫렸어… 보너스를 생각해.

오펠리는 레버를 놓았다. 모든 근육이 동시에 이완되었다. 너무 집중한 나머지 머리가 아팠다. 하지만 장면을 재구성할 충분한 단서를 모았다. 도둑들의 시선을 통해 관찰한 층을 알리는 반달 모양 번호판을 살폈다. 그들은 한 번에 매트리스를 하나씩 옮기며 26층과 지하 13층 사이를 네 번 왕복했다. 오펠리는 엘리베이터 문을 닫고 같은 경로로 따라가기 위해 레버를 당겼다.

오펠리는 지하 13층에서 데자뷔를 느꼈다. 똑같은 어두운 골목들, 악취를 풍기는 똑같은 배관들, 시궁창이 내뿜는 축축한 수증기도 같았다. 오펠리는 이곳에 이미 와본 듯한 익숙한 느낌을 받았다.

노선표에 따르면 이 층에는 단 하나의 환승역밖에 없다. 하지만 오펠리가 엘리베이터를 자세히 읽었을 때, 더 이상 신호를 되찾지 못했다. 독특하게 뒤섞인 경계, 방법, 긴장감이 사라졌다. 이러한 현상은 심리 상태가 급격하게 바뀔 때만 나타난다.

도둑들은 엘리베이터 두 정거장 사이인, 바로 이곳에서 짐을 내렸다.

오펠리의 심장이 메트로놈처럼 뛰었다. 기쁨의 박동과 두려움의 박동이었다. 그녀는 연기로 가득 찬 창들을 보며 조심스럽게 길을 내려갔다. 밤이 깊었지만 반짝이는 불빛과 연기 사이로 한창 작업 중인 실루엣들을 짐작할 수 있었다. 그들은 어디에 매트리스를 배달했을까? 납 제련소? 도자기 공방? 아니면 가스 공장?

오펠리는 불이 나간 빨간 조명이 달린 벽 앞에 멈췄다. 창문에 오래된 광고지들이 수북이 쌓여 있었다. 그러니까 이것은 느낌이 아니었다. 그녀는 이곳에 이미 왔었다. '에로틱한 환희', 퀴네공드의 이마지누아는 파산해서 문을 닫았다.

최적의 은신처였다.

안개가 자욱한 거리에 행인의 모습이 하나도 보이지 않았다. 혼자 안으로 들어갈 생각을 하자 입이 바싹 말랐다. 하지만 시간이 촉박했다. 오펠리는 떨리는 손으로 르나르에게 보낼 새로운 메모를 휘갈겨 쓰고 손거울에 비추었다.

'붉은 조명 이마지누아, 지하 13층. 둘러보고 올게요.'

오펠리는 무단으로 들어갈 생각을했지만, 당황스럽게도 살짝 밀었더니 문이 열렸다. 처음으로 이마지누아 내부를 보게 되었다. 조명이라고는 천장의 가랜드 전구에서 나오는 빛이 전부였다. 아마도 가스 공급이 끊길 경우에 대비한 비상 환영 같았다. 홀이 붉은 카펫, 붉은 벽지, 붉은 벨벳, 붉은 쿠션, 붉은 계단으로 이어져 하나의 유기적인 세계로 들어가는 인상을 주었다.

오펠리는 아직 매트리스도 실종자들도 찾지 못했다.

그녀는 조심스럽게 입구의 계산대로 다가가 수화기를 들었다. 아무 소리도 들리지 않았다. 오펠리는 신경질적으로 허공에서 나부끼는 목도리를 진정시켰다. 정말로 그녀와 목도리 단둘이서 헤쳐 나가야 했다.

기다란 붉은 장갑 모양의 간판들이 모두 이마지누아의 유일한 상층인 2층을 가리키고 있었다. 방들의 이름을 지칭하는 것으로 보이는 명패들을 달고 있었다.

부채 신사

손의 카드리유 춤

검은 벨벳 스타킹

세 여인의 뒷모습

오펠리는 오른쪽 계단이 습기에 무너져 내려 왼쪽 계단으로 올라갔다. 위층은 홀과 마찬가지로 어둠에 잠겨 있었으나 분위기가 매우 달랐다. 하얀 대리석으로 된 거대한 누드 조각상들은 가면을 쓰고 네 개의 검은 문을 에워싸고 있었다. 조명을 받아 두 겹으로 보이는 조각상 그림자들이 병풍으로 이루어진 미로 위에 드리워졌다.

오펠리는 중앙 통로의 병풍 사이를 비집고 들어갔다. 각각의 병풍에 그려진 예술 작품은 음란한 환영들로, 방문객들에게 윙크를 보내며 맨어깨를 보이고, 손가락 끝으로 키스를 날려 보내고 있었다. 오펠리는 '부채 신사' 문에 다가갔다. 가면 아래로 조각상 눈들이 자신의 몸짓 하나 손짓 하나까지도 좇는 것을 보자 온몸에 소름이 끼쳤다. 오펠리는 가엘의 외알 안경을 꺼내 안경에 붙였다. 그 즉시 환영이 희미해지며 자취를 감추고, 이내 현실이 모습을 드러냈다.

오펠리는 외알 안경을 정리하고 문을 열고 아무 소리 내지 않고 들어갔다.

어두운 방에 시선이 닿자마자 편두통이 심해졌다. 머릿속이 실타래처럼 뒤엉켜서 바닥에 쌓여 있는 쿠션에 발이 걸려 넘어지기 직전에 겨우 원탁 테이블을 붙잡을 수 있었다. 그 순간 테이블에 놓여 있던 조화 꽂힌 화병이 쓰러졌다. 오펠리는 넋을 잃고 주변을 살폈다. 방이라기보다는 쿠션들과 원탁 테이블, 카펫, 막, 그림자와 빛이 가득 차서 흔들릴 뿐이었다.

오펠리는 왜 이곳에 들어왔는지 더 이상 기억나지 않았지만, 본능적으로 나가는 게 좋겠다는 느낌이 어렴풋하게 들었다.

점점 흐물거리는 원탁 테이블을 붙들고 있던 오펠리는 끝내 문을 찾지 못했다. 갑자기 방이 폐쇄된 것이다.

오펠리는 끝없이 이어지는 흔들리는 사막을 건너는 듯한 불쾌한 느낌으로 방 안의 거울을 찾다가 긴 베개에 부딪혀 대자로 넘어졌다. 팔이 폭발할 것 같았지만 정신이 몽롱해진 오펠리는 아픈 것도 신경 쓰지 못했다.

몇 번이나 눈을 깜박이고 몸을 비틀고 난 뒤 오펠리는 생각을 가다듬었다. 그녀가 부딪힌 것은 긴 베개가 아니었다. 그것은 긴 수염에 사틴 가운을 입은 남자였다. 아롤드 백작은 왜 이렇게 불편한 곳에서 잠들어 있는 걸까?

결국 그가 옳았다. 쿠션의 바다가 너무 심하게 요동쳐 바닥에 누워 있는 편이 나았다. 목도리가 안경이 벗겨질 정도로 세게 그녀의 뺨을 때리지 않았다면, 오펠리는 천장을 응시하고 오래도록 카펫 위에 누워 있었을 것이다.

'외알 안경.' 오펠리는 희미하게 떠올렸다. '외알 안경을 써야 해.'

오펠리는 주머니를 뒤져 오른쪽 눈을 감고 검은 렌즈를 왼쪽 눈에 끼웠다. 주변이 어두워지고 머릿속은 밝아졌다. 그리고 바닥이 다시 단단해졌다. 환영은 술에 취한 것과 같은 효과를 낼 수 있었다. 퀴네공드가 오펠리에게 이미 말한 적이 있었다.

이곳은 혼돈의 방울이었다.

오펠리는 쿠션들 사이에 누워 있는 아롤드 백작에게 무릎걸음으로 다가갔다. 방도 어두운데 외알 안경까지 써 주변이 더욱 깜깜해졌지만, 오펠리는 최선을 다해 백작을 살펴보았다. 미라주의 문신이 새겨진 눈꺼풀은 닫혀 있었다.

"백작님?" 오펠리가 속삭였다.

깊은 혼수상태에 빠진 백작은 아무 대답도 하지 않았다. 외알 안경을 끼고 주변을 둘러보던 오펠리는 책들이 놓인 원탁 테이블, 코담뱃갑, 사탕 바구니, 물병, 향수병을 비롯한 온갖 편의용품들이 놓여 있는 것을 보았다. 어딘지 지나치게 세심하고 역설적으로 우아하게 연출된 모습에 오펠리는 얼어붙었다.

도난당한 네 개의 매트리스 가운데 하나가 깔린 것으로 추정되는 간이침대가 바닥에 그대로 놓여 있었다. 아기 침대에 매달린 모빌처럼 침대 위에 매달린 파란 모래시계를 보니, 도난당한 매트리스 가운데 하나인 게 확실했다. 조금이라도 판단력이 있다면, 그 모래시계를 잡을 수도, 깨트릴 수도 없음을 알 수 있었다.

오펠리는 인제야 왜 이 방에 들어오고 나서 문이 보이지 않았는지 알 수 있었다. 외알 안경이 문을 가린 벽의 환영을 흐릿하게 보여주었다.

퇴폐의 극치.

"백작님?" 오펠리가 다시 물었다. "제 목소리 들려요?"

미라주는 긴 금색 수염의 털끝 하나도 움직이지 않았다. 귀가 어두워서일 수도 있지만, 아무 반응이 없는 모습에 두려워졌다. 그녀는 외알 안경을 계속 안경 아래에 쓴 상태로 백작의 입에 귀를 갖다 댔다.

숨을 쉬지 않았다.

오펠리는 공포에 사로잡혀 호흡이 날뛰는 게 느껴졌다. 너무 늦게 온 것일까? 아롤드 백작에게서는 어떤 상처나 고통의 흔적도 찾아볼 수 없었다. 환영의 충격으로 죽은 걸까? 오펠리는 허겁지겁 장갑을 벗어 손목과 목의 맥박을 짚어 보았다. 하지만 체념하고 받아들여야 했다. 기사의 전 후견인은 사망했다…. 몸의 온기로 보아 사망한 지 얼마 되지 않았음을 알 수 있었다.

오펠리는 일어났다. 백작을 위해 해줄 수 있는 게 더는 없지만, 다른 사람들을 구할 수 있을지도 모른다.

그녀는 두 번째 암실 '손의 카드리유춤'에 들어갔다. 이번에는 외알 안경을 엄지와 검지로 잡은 채로, 문턱부터 찬찬히 내부를 살펴보았다. 과거 상영실의 흔적은 남아 있지 않았다. 방안 곳곳에 실제로 있었던 혹은 환상으로 만들어졌던 방탕의 자취는 사라진 뒤였다. 백작이 있던 방과 같은 물건들이 놓여 있었다. 꽃과, 코담뱃갑, 사탕류, 쿠션, 책, 향수병. 그리고 매트리스 위로 손이 닿지 않는 위치에 자동으로 뒤집어지는 파란 모래시계가 비웃기라도 하듯이 걸려 있었다. 환영을 걸러주는 외알 안경을 쓰고 있었지만, 머리를 어지럽게 만드는 짓누르는 듯한 분위기가 느껴졌다. 또 다른 혼돈의 방울이 여기서 작동하고 있었다. 끝없는 진수성찬의 향연 속에서 영원히 알코올의존증으로 인한 환각증에 빠지는 것은 그 어떤 처벌보다 견디기 힘든 고문이었다.

오펠리는 원탁 테이블 위에 쓰러져 있는 남자를 발견하고 내달렸다. 그의 얼굴을 알아보지는 못했지만 감긴 눈꺼풀 위에 미라주의 문신이 있었다. 아마도 첫 번째 납치사건의 희생자인 헌병 대장인 것 같았다.

그 역시 숨을 쉬지 않았다. 혈흔이나 싸움의 흔적도 없이, 그저 줄이 끊긴 꼭두각시처럼 죽어 있었다.

하지만 아직 온기가 남아 있었다.

오펠리는 극심한 공포를 억누르기 위해 손바닥으로 입을 막으며 최대한 천천히 뒷걸음질했다. 아래층 출입문이 열려 있던 것은 단순한 실수가 아니었다. 지금, 이 순간 누군가 이마지누아에 있었다. 포로들의 목숨을 완전히 끊으려고 특별히 온 것이다.

오펠리는 황급히 '손의 카드리유춤' 방을 빠져나와 병풍 사이를 헤집고, 최대한 이곳에서 멀리 벗어나려고 계단에 발을 내디뎠다. 계단 한가운데에서 몸이 굳었다. 온몸이 도망가라고 재촉했지만, 마음이 따르지 않았다. 목표에 거의 다 왔다. 지금 와서 포기하면 토른과 아르쉬발드를 동시에 버리는 것이다. 아르쉬발드…. 그는 분명 여기에, 나머지 두 방 중 한 곳에 있다.

오펠리는 극도로 주의를 기울이며 조금이라도 의심스러운 소리가 들리면 도망갈 태세로, '검은 벨벳 스타킹' 방문을 밀어 열었다. 외알 안경을 낀 눈으로 방 안을 살폈다. 이전 두 방과 모든 면에서 똑같았다. 오펠리는 원탁 테이블과 쿠션 사이에 놓인 의자에 앉아 한쪽으로 고개를 떨구고 축 늘어진 몸을 본 순간 피가 솟는 것 같았다.

아르쉬발드!

오펠리는 서두르다 전축을 엎을 뻔했다. 그녀는 어깨에 고개를 파묻고 뒤엉킨 옅은 금발에 가려진 아르쉬발드의 얼굴을 확인하기 위해 의자 앞에 몸을 웅크렸다. 안색이 끔찍했다. 그를 너무 세차게 흔드는 바람에 외알 안경이 떨어질 뻔했다.

"제발요." 오펠리가 속삭였다. "살아요, 부탁이에요."

대사의 팔이 의자 팔걸이에서 힘없이 툭 떨어졌다. 아르쉬발드는 깨어나지 않았다. 오펠리는 미친 듯 맥박을 찾았다. 이번에도 한발 늦은 거라면 절대로 자신을 용서할 수 없을 터였다.

안도감에 딸꾹질이 나왔다. 심장이 아직 뛰고 있었다. 미약하지만 아직 박동이 느껴졌다. 이마지누아의 살인자도 투알의 절연도 그의 숨통을 끊지 못했다.

"여기서 꺼내줄게요." 오펠리가 약속했다.

그녀는 뒤죽박죽 놓인 쿠션 사이에서 아르쉬발드를 이곳에 데려온 매트리스를 찾았다. 한쪽 눈을 감고 외알 안경을 끼고 있기가 점점 버거웠다. 매트리스를 발견했지만, 핀을 뺀 모래시계를 찾기 위해서는 더 뒤져야 했다. 모래시계는 카펫 위에 굴러 떨어져 있었다. 다른 이들에게 한 것처럼 침대 위에 모래시계를 매달 시간이 없었던 것 같았다.

오펠리가 모래시계를 부러뜨리자, 의자에 있던 아르쉬발드의 몸이 사라졌다.

사람들이 클레르들륀의 대사 방에 늦지 않게 도착해 아르쉬발드에게 응급조치를 취하기를 바라는 수밖에 없었다. 운이 좋다면 그의 증언이 협박범을 찾는 데 중요한 단서가 될 것이다. 오펠리는 나중에 읽기 위해 모래시계 파편을 드레스 주머니에 넣었다. 출처를 파악할 수 있는 단서가 될지도 몰랐다.

마지막 방에 체크오브가 남아 있다. 오펠리는 그를 구할 용기를 낼 수 있을까? 아직 나갈 수 있을 때 최대한 빨리 여길 벗어나는 게 더 낫지 않을까?

오펠리는 발끝으로 걸으며 암실을 지나 열린 문틈으로 살며시 빠져나와 그 어느 때보다도 조심스럽게 병풍 사이에 몸을 숨겼다.

몹시 주의를 기울였지만 헛수고였다. 비행선 같은 실루엣이 등장하며 오펠리의 앞을 가로막았다.

"가족의 위대한 읽는 여자님" 멜키오르 남작이 탄식했다. "정말이지 이런 상황이 오지 않기를 바랐는데 말이죠."

죽는 법

멜키오르 남작이 손잡이가 금으로 된 지팡이로 바닥을 치며 다가왔다. 공작 깃털로 장식된 프록코트를 입고 있어 오펠리는 수십 개의 커다란 눈을 쳐다보고 있는 것 같았다. 멜키오르 남작의 눈에 깊은 회한이 서려 있었다.

"두 손이 보이도록 내미세요." 남작은 지극히 부드럽게 말했다.

오펠리는 주머니 안에서 붙잡으려던 수첩을 놓을 수밖에 없었다. 르나르에게 알렸어야 했다. 이제는 너무 늦었다.

"혼자 오셨나요?"

"아니요." 오펠리가 속삭이듯 말했다.

남작이 미소 짓자 입꼬리가 올라가며 끝이 뾰족하게 말린 수염도 함께 올라갔다. 비웃음보다는 안쓰러워하는 미소에 가까웠다.

"혼자 오셨잖아요. 외람된 말씀이지만, 거짓말을 못 하시네요."

오펠리는 분노로 속이 끓는 것 같았다. 지금껏 포식자를 사냥감으로 본 것이다.

"당신은 그 반대죠. 연기를 참 잘하시네요."

"너무 가혹하게 판단하지는 말아요. 제 의도는 언제나 훌륭했으니까."

"누님께서는 자신의 이마지누아가 어떻게 사용되는지 알고 계셨나요?"

"누님의 예전 이마지누아죠." 멜키오르 남작이 강조했다. "아니요. 퀴네공드는 이곳에서 무슨 일이 벌어지는지 전혀 몰라요. 이 장소, 그리고 이곳에 있는 모든 음란 환영은 치욕이죠." 그는 님프가 수련에서 나와 자신을 따라오라는 손짓을 보내는 병풍을 가리키며 얼굴을 찌푸렸다. "어느 정도 봐줄 만한 곳으로 만들기 위해 내가 할 수 있는 선에서 손봤어요."

다가오는 멜키오르 남작을 보고 뒷걸음질 치던 오펠리 등에 병풍 미로가 닿았다. 남작은 오펠리와 계단 사이에 서 있었다. 계단 난간을 뛰어넘었다가는 추락해 뼈가 부러질 것이다. 다른 계단실은 넘어설 수 없는 판자들로 막혀 있었다. 오펠리는 2층에서 거울을 하나도 보지 못했다. 상황이 좋지 않았다.

멜키오르 남작은 검은 장갑에 금반지를 낀 손으로 조각상이 떠받치고 있는 '세 여인의 뒷모습' 박공을 가리켰다.

"친애하는 체크오브를 끝내는 중이었는데, 옆방에서 소리가 나지 뭐예요. 당신일 거라고는 예상하지 못했어요. 어쩌다 여기까지 오셨어요? 어떻게 혼돈의 방울들을 통과했죠? 정말이지 가족의 위대한 읽는 여자님은 절 깜짝 놀라게 하는군요."

오펠리는 얼어붙은 것처럼 꼼짝도 할 수 없었다. 멜키오르 남작은 그녀가 이마지누아에서 살아 나가지 못하게 할 것이다.

"남작님이 폭력을 끔찍이 싫어하신다고 생각했어요."

"싫어하죠. 필리베르가 아가씨를 그렇게 거칠게 대할 줄 알았다면, 그에게 맡기지 않았을 거예요."

오펠리는 멜키오르 남작의 얼굴을 붉은 조명 빛 사이로 뚫어져라 보았다. 진심인 것처럼 보였다. 그녀를 천천히 하지만 분명히 계단에서 멀어지게 해 도망갈 수 없게 만들고 있다는 것을 눈치채지 못했다면, 그의 말에 흔들렸을 것이다.

"저는 삶의 지혜를 무척 중시하죠, 아가씨. 하지만 그만큼 죽음의 지혜도 중시한답니다. 문명인들끼리는 서로 깔끔하게 죽일 수 있죠, 제가 필리베르에게 기대한 바였고요. 직접 처리할 걸 그랬어요." 멜키오르 남작은 어쩔 수 없다는 듯 어깨를 들썩였다. "그런데 토른이 항상 당신을 주시하고 있었죠. 적어도 지금까지는요."

"이 모든 게 토른이 파루크의 책을 읽지 못하게 만들기 위해서였나요?" 오펠리가 넌지시 물었다.

"토른 같은 능력자가 끼지 말았어야 할 일에 끼어든 게 참 안타까워요. 아가씨와의 결혼이라는 실수를 제가 바로잡으려던 거였어요. 물론 아가씨 대신 토른을 죽이기로 선택할 수도 있었겠죠." 멜키오르 남작이 순순히 인정했다. "너무 섭섭하게 생각하지 말고 들어요. 제가 볼 때 아가씨는 토른에 비해 꼭 필요한 사람은 아니거든요."

"남작님이 왜 책을 두려워하는지 답하지 않으시네요."

멜키오르 남작은 우수에 젖어 머리를 가볍게 흔들었다.

"두려워한다고? 자, 자, 잘 모르시면 얘기하지 마세요."

"두려워하고 있잖아요." 오펠리가 다시 강조했다. "남작님은 다른 사람의 판단을 두려워해요. 당신의 신을 두려워하고, 기대에 못 미칠까 봐 두려워하죠. 쉴 새 없이 인간의 존엄성에 대해 늘어놓지만, 제 눈에 남작님은 주인 마음에 들 궁리만 하는 노예 같아요."

잠시 침묵이 이어지고 오펠리는 심장이 두근대는 소리를 들었다.

"아가씨 표현을 빌리자면." 멜키오르 남작이 침묵을 깨고 중얼거렸다. "저보다는 아가씨가 훨씬 더 겁먹은 것 같네요."

그는 거대한 공작새처럼 용의주도하고 침착하게 움직였다. 오펠리가 포기하기를 기다리는 것 같았다. 그녀의 얼굴에 대고 갑자기 환영을 날릴 것인가? 병풍에 등을 바짝 댄 오펠리는 손에 든 외알 안경을 꽉 쥐며 언제라도 사용할 준비를 했다. 빠져나갈 틈을 확보하려면 시간을 끌어야 했다.

"신이 누구죠?"

"아가씨, 전 그 질문에 답할 의무가 없어요."

"남작님은 신의 마음에 들려고 사촌들을 죽였어요."

멜키오르 남작이 불쾌한 표정을 지었다.

"깔끔하게 처리했죠." 그가 강조했다. "피 한 방울 안 쏟고, 상처 하나 안 남기고요. 아가씨도 일을 복잡하게 만들지 않는다면, 똑같이 깔끔하게 처리해드리겠다고 약속해요. 쯧쯧, 목도리

조심해요." 남작이 경고했다. "올이 나간 양모 누더기치고는 힘이 넘치는군요."

오펠리는 이 말을 듣고 날뛰는 목도리를 진정시키는 데 애를 먹었다.

"목도리 신경을 건드리셨어요."

"상호적인거죠. 제발 목도리를 묶어요."

멜키오르 남작은 지팡이로 병풍 밑을 가리켰다. 오펠리는 외알 안경이 떨어지지 않도록 주의하며, 목도리와 한바탕 몸싸움을 벌였다. 그 순간 병풍 하나를 남작 쪽으로 쓰러트릴 수 있기를 바랐지만, 병풍은 모두 바닥에 고정되어 있었다.

"이해가 되지 않아요." 그녀가 중얼거렸다. "어떻게 이토록 비굴해지실 수 있죠?"

멜키오르 남작은 풍선 바람이 빠지듯 한숨 쉬었다.

"이런 말을 듣고 있자니 슬프네요. 예전에도 말씀드렸듯이 전 지금과는 다른 미래를 위해 싸우고 있어요. 무고한 사람의 피를 쏟게 한 살인자, 여론을 호도하는 비방가." 그는 한 명씩 나열하며 헌병 대장과 니베룽겐 편집장이 있는 문을 차례로 가리켰다. "정신 나간 아롤드 백작은 자기 수하의 후견인 아이와 집안 전체를 욕보이는 것으로도 모자라 공개적으로 추잡한 발언까지 했어요. 그 셋이 너무 오랫동안 미라주 가문에 먹칠했죠. 가족의회는 15년에 한 번 개최됩니다, 아시겠어요? 드디어 궁정에 새 지평이 열릴 기회가 온 거예요! 사촌들은 자신들의 무기력을 내세웠을 거예요. 그래서 그들을 제거하는 게 제 도의

였답니다.”

“그럼 아르쉬발드는요? 가족이 연을 끊는 동안 대사님을 여기 데리고 있는 것도 도의에 따른 건가요? 그를 정말 죽일 뻔했어요.”

멜키오르 남작이 편견의 피해자가 된 양 괴로워하며 얼굴을 집어넣자 삼중 턱이 튀어나왔다.

“대사님은 아가씨와 저, 우리 둘 모두를 곤란하게 만들었어요. 대사님이 가로챈 모래시계는 제가 이곳을 수시로 다녀갈 수 있도록 해주는 유일한 장치였죠. 아시다시피 제 손재주가 좋은 편이라 핀을 빼지 않고도 원하면 모래시계를 다시 쓸 수 있게 장치를 손봤죠. 그런데 그 녀석이 아무렇게나 사용했어요! 물론 저는 혼돈의 방울을 만들 때 훼방꾼이 나타나 제 모래시계 핀을 의도적이든 실수로든 뽑게 될 가능성까지 고려했어요. 그런데 그 훼방꾼이 대사일 거라고는 예상하지 못했죠. 그가 사라지는 바람에 최고 수준의 보안 경보가 내려지고, 복도 모퉁이마다 헌병들이 배치되었죠. 신분 검사나 성가신 질문들을 신경 쓰지 않고 마침내 제 손님들을 방문하기 위해서 가족의회를 기다릴 수밖에 없었어요! 목도리가 충분히 잘 묶인 것 같네요.” 멜키오르 남작이 갑자기 친근하게 말했다. “일어나요. 계속해서 손을 보여주면서요. 아, 정말이지 저도 당신만큼 이 상황이 내키지 않아요!”

목도리가 묶인 상태에서 장어처럼 꿈틀대자 뜨개질 구멍이 더 벌어졌다. 오펠리는 목도리의 공격을 피하는 척하며 몸을 움직여 한발 옆으로 비켜서 자리를 잡을 수 있었다. 오펠리는 병풍 구석에서 빠져나와 멜키오르 남작 왼쪽으로 틈을 확보했다. 그는 둔하고 느렸다. 오펠리가 그를 우회할 수 있다면, 그의 앞에 있는 계단에 이를 수 있을 것이다.

"남작님은 저와는 달리 이 상황을 즐기고 계시는 것 같네요."

멜키오르의 콧수염이 아래로 처졌다.

"어떻게 그런 말을 할 수 있죠?"

"방들을 꾸며놓은 모양, 남작님이 보낸 편지의 말투, 제 보좌관 역할을 완벽하게 수행한 방식. 남작님은 바로 이 이마지누아 앞, 희생자들이 불과 몇 걸음 떨어져 있는 곳에서 토른과 제게 말을 걸 정도로 악랄했어요. (한 단어씩 뱉으며 오펠리는 남작과의 간격을 벌이기 위해 일 센티미터씩 움직였다.) 우리 결합을 반대한다고요? 남작님이 제 웨딩드레스를 만들겠다고 자청하는 것도 들었죠. 어린아이가 인형놀음하듯 우리를 갖고 놀았어요. 그게 진실이에요. 그렇게 하니까 스스로 농락당하고 있다는 느낌이 좀 줄어들던가요?"

멜키오르 남작은 여전히 침착함을 유지했다. 하지만 오펠리는 그의 프록코트 깃털 장식이 떨리는 것을 확실히 보았다. 남작이 두 손으로 지팡이를 세게 쥐어 지팡이에서 끼익 하는 소리가 들릴 정도였다.

"아가씨는 제가 고약한 기사를 무력화시키는 데 필요한 일을 했을 때 크게 반대하지 않으셨죠. 다 알고 싶어하시니까 말씀드리는데, 저는 그 누구도 살해할 생각이 없었어요. 원래는 가족의회가 끝날 때까지 이곳에서 사촌들을 조용히 데리고 있으려 했죠. 아가씨도 이성을 되찾아 알아서 폴을 떠나주길 바랐고요. 한 명 한 명에게 편지를 보냈죠. 힘겨운 대결을 피하기 위한 우정의 편지였어요. 작은 당신 손의 통찰력을 피하려고 몇 달 전부터 제가 얼마나 주의를 기울였는지 모르실 거예요. 제 모래시계 핀이 읽힐 위험을 감수하긴 했지만, 그 위험이 아주 작다는 걸 알고 있었거든요."

"만약 살인이 여러 가능성 중 하나였다면." 오펠리가 되물었다. "왜 살인을 선택한 거죠?"

멜키오르 남작의 눈에 어려 있던 쓸쓸한 빛이 촛불처럼 사그라졌다.

"제가 어제 한 말 기억해요? '우리는 우리가 한 선택에 끝까지 책임을 져야 해요.' 제 편지를 무시하면서 당신들 모두 살해당할 수 있다는 생각을 받아들인 거죠. 그래서 저도 살인자가 되겠다는 생각을 받아들였어요."

목도리가 갑자기 거칠게 몸부림치며 멜키오르 남작의 주의를 잠시 흩트려놓았다. 다시 오지 않을 기회였다. 오펠리는 다리가 허락하는 한 최대한 빨리 계단으로 향했다.

멜키오르 남작의 몸이 무겁기를 바랐다. 하지만 그는 날렵하고 여유로운 몸짓으로 오펠리의 팔목을 낚아채 그녀를 바닥에 쓰러뜨렸다. 남작이 팔꿈치로 오펠리의 등을 누르며 차분히 팔을 꺾자 오펠리는 비명을 질렀다. 계단에서 추락할 때 이미 호되게 당했던 뼈에서 우지끈 끔찍한 소리가 났다.

"제가 팔을 부러트렸네요." 멜키오르 남작이 지겹다는 듯 말했다. "제 말을 순순히 따랐으면 이런 상황을 피할 수 있었을 텐데."

오펠리는 고통으로 눈물이 앞을 가린 상태로 바닥에 굴러 떨어져 동전처럼 빙글빙글 돌아가는 외알 안경을 바라보았다. 멜키오르 남작은 오펠리를 계속 조이면서 지팡이로 안경을 깨뜨렸다.

"니힐리스트의 외알 안경이라." 물건의 진가를 알고 있는 목소리였다. "아직도 이런 게 있는지 몰랐네요. 이 물건들은 시각적 환영을 막는 데 확실히 효과가 있죠. 그래서 제 혼돈의 방울을 드나들 수 있었던 거군요, 가족의 위대한 읽는 여자님!" 그는 온몸의 체중을 실어 오펠리를 누르며 중얼거렸다. "아직도 제가 두려워한다고 생각해요? 어쩌면 아가씨가 한 말 중 하나는 맞는 것 같아요. (남작이 몸을 더 기울이자, 그의 콧수염이 오펠리의 귀를 간지럽혔다.) 사실 전 이 상황이 그렇게 싫지 않아요."

"그런데 내가 당신을 제지해야 할 것 같네요."

바닥에서 팔이 꺾인 채로 오펠리는 고개를 들어 계단을 올라오는 그림자를 바라보았다.

심장

오펠리의 눈에는 제복 단추에 반사되는 붉은 조명만이 들어왔다. 계단에 있는 사람이 정말 토른인 걸까 아니면 환영에 시달리고 있는 걸까?

멜키오르 남작도 같은 질문을 하고 있었는지 특유의 입담을 뽐내는 데 몇 초가 걸렸다.

“둘이 참 안 어울리는 거에 비하면 끈질기게도 붙어 있네요. 토른 씨, 한참 위층에 계실 거로 생각했는데 어떻게 우리를 찾으셨나요?”

토른은 서두르지 않고 차분히 층계참 마지막 계단까지 올라왔다. 오펠리는 토른의 얼굴을 볼 만큼 시선을 들지는 못했지만, 그의 신발은 알아볼 수 있었다.

“지금 당신이 바닥에 꼼짝 못 하게 붙들고 있는 여인 덕분이죠.” 토른이 오펠리 위에서 낮은 목소리로 답했다. “그녀가 조수에게 위치를 알려주었고, 그가 내게 긴급 전보를 보냈어요. 당신에게 합류하려고, 공무원과 헌병들에게 인사도 하지 않고 왔어요. 걱정하지 말아요, 나 혼자 왔으니. 불편한 증인들 없이 당신과 담판 지을 겁니다."

오펠리는 귀를 의심했다. 토른은 가족의회에 같이 있던 헌병들 가운데 아무도 데려오지 않기로 결심했단 말인가? 멜키오르 남작은 오펠리의 고통 따위는 신경 쓰지 않고 팔을 꺾어 일으켜 세웠다. 그녀는 견딜 수 없는 아픔에 혀를 깨물었다. 남작은 왈츠 동작처럼 오펠리를 깃털 장식이 붙은 자신의 배 쪽으로 끌어당겼다.

"이렇게 하면 교섭이 더욱 수월할 것입니다, 말씀하시죠, 토른 씨."

머리카락이 흘러내려 얼굴을 덮었음에도 오펠리는 토른이 자신을 보지 않으려고 애써 피하고 있다는 사실만은 알 수 있었다.

"왜죠?"

"제게 왜냐고 왜 묻는 건가요?" 멜키오르 남작이 경계를 늦추지 않고 반문했다.

"일을 시작한 뒤로 나는 당신의 지지를 받아왔어요. 당신이 적절한 순간에 적절한 귀에 적절한 말을 흘려주지 않았다면 감독관이 되지 못했을 수도 있어요. 당신의 사적인 이해가 걸리지 않은 사건이나 일을 처리할 때도 자주 도움을 주었죠. 하지만 단 한 순간도 대가를 요구한 적이 없었어요. 왜죠?"

멜키오르 남작은 순간 온화하고 자상한 아버지 같은 얼굴을 했지만, 오펠리의 팔을 으스러뜨리는 데에는 거리낌이 없었다.

"왜냐하면 전 처음부터 당신이 놀라운 일을 해내리라는 걸 직감적으로 알았거든요. 전 그 어떤 미라주보다도 당신을 믿어요."

"나를 믿으신다." 토른이 되뇌었다.

토른은 남작과 적정한 거리를 유지했다. 그는 발을 바닥에서 꼼짝하지 않으며 그에게 유혹의 눈길을 보내는 환영이 그려진 주위의 병풍과 가면을 쓴 조각상이 에워싸고 있는 네 개의 문을 살폈다. 오펠리는 토른이 현장에 공범이 숨어 있는지 살피고 있다는 것을 알아차렸다.

"당신이 아르쉬발드 침대에서 기적처럼 찾은 이 모래시계 핀." 침묵하던 토른이 말을 이었다. "당신이 그걸 찾은 건 그게 거기 있다는 걸 알고 있었기 때문이죠. 그 기회를 붙잡아 내가 제조소를 압수 수색하게 만들었어요. 모래시계 핀이 아니면, 다른 계략을 꾸며냈겠죠. 당신은 분명 내가 장부 조작을 찾아내 제조소가 납치와 관련되어 있다는 것을 밝혀낼 거라고 확신했어요. 당신의 미묘한 행동 하나하나가 내가 메르 일드가르드를 입건하도록 부추겼죠. 당신이 내 일을 도왔던 건 날 신뢰해서가 아니에요." 토른은 차분히 결론지었다. "내가 필요할 때, 날 효과적으로 조종하기 위해서였죠."

"그러니까." 멜키오르 남작이 한숨 쉬었다. "제가 감독관님을 실망시켰다고 말씀하시는 건가요?"

"난 이제 감독관이 아니에요. 그리고 이 여인은." 토른은 오펠리에게 눈길도 보내지 않고 덧붙였다. "이제 내 약혼녀가 아닙니다. 그녀 부모님이 딸을 아니마로 데려가려고 기다리고 계세요. 우리의 사소한 가정사는 더는 그녀와 상관없어요. 그러니 당신과 나 둘이서 이야기를 나누면 어떨까요?"

멜키오르 남작이 잠시 생각할 시간을 갖는 동안, 오펠리는 자기 팔에서 나는 뼈가 으스러지는 소리를 충분히 감상했다.

"결혼을 완전히 포기하시는 건가요?"

"네, 그리고 책을 읽는 것도 마찬가지입니다. 당신이 내게 바라던 게 그거 아니었나요? 이제 이 아니마 여인을 두려워할 필요가 없습니다."

"잘됐군요!" 멜키오르 남작이 기뻐하며 외쳤다. (그렇다고 오펠리를 풀어 주기는커녕 남작의 레이스 목장식이 그녀에게 닿을 정도로 더 세게 숨통을 조였다.) 토른, 당신에게는 세 가지 중요한 장점이 있죠. 유능하고, 청렴하고, 평화롭죠. 전락한 자들 사건에 뛰어든 방식은 모범적이었어요! 클랜 사이의 전쟁, 끝없는 복수, 쓸데없이 쏟은 이 모든 피." 분노로 떨리는 목소리로 남작은 하나씩 나열했다. "우리는 끝을 내야 했죠. 가장 민감한 문제들을 당신처럼 매끄럽고, 세련되게 해결할 사람이 필요했어요."

"난 이제 감독관이 아니에요." 토른이 상기시켰다. "그리고 난 평생 사생아로 남을 것입니다."

멜키오르 남작이 어찌나 격렬히 지팡이를 허공에 휘둘렀는지 오펠리는 아주 가까이에서 공기 가르는 소리를 들었다.

"한 가지 빠졌네요! 제가 새 삶을 드릴게요! 다시 말해 당신에게 새로운 책임을 드릴게요. 파루크 폐하보다 높은 곳에 있어, 폐하의 책에 대한 병적인 집착에서 벗어날 수 있도록 말이죠. 절대적인 보호를 받으실 테니 당신이나 당신 고모님에 대해서는 절대 걱정하실 거 없습니다. 제 말 이해되세요, 토른 씨? 제 부하로 들어오라는 말이 아니에요. 제 파트너가 되기를 제안하는 겁니다."

토른이 천천히 눈썹을 올리자 흉터가 더욱 커진 것처럼 보였다.

"나의 어머니도 당신이 말하는 그 책임과 보호를 받으셨죠. 그녀가 지금 어디 있는지 보세요. 궁금한 게 있는데." 토른은 더할 나위 없이 심각하게 물었다. "이건 당신의 제안인가요 아니면 당신이 섬기는 신의 제안인가요?"

멜키오르 남작이 웃음을 터뜨리자 공작 깃털이 그와 함께 사방으로 흔들렸다. 오펠리는 비명을 지르지 않기 위해 입술을 깨물었다. 남작이 몸을 흔들 때마다 팔뼈가 수천 조각으로 폭발할 것 같았다.

"아, 토른 씨, 당신 어머니가 당신 반만큼이라도 선견지명이 있었다면 전락하지도 절단되지도 않았을 텐데 말이죠." 멜키오르 남작이 흥분하며 말했다. "소문이 사실이었군요. 어머니의 기억을 물려받으셨나요? 그렇다면 당신은 후계자로 안성맞춤이네요. 당신 어머니가 실패한 것을 우리는 성공할 거예요, 당신은 성공할 겁니다. 당신과 나 우리 둘이서 폴을 좀먹는 모든 부패를 청산해 파루크 폐하가 안 좋은 영향을 받지 않도록 보호해드릴 수 있어요. (이 말을 하며 남작은 오펠리의 어깨를 지팡이 손잡이로 두드렸다.) 이제 토른 씨, 소수의 선택받은 자만이 들어본 질문을 드리겠습니다. 신을 만나고 싶으신가요?"

"내 가장 큰 소원입니다."

오펠리는 토른의 주의를 끌 수 있기를 바라며 그의 얼굴을 뚫어져라 보았다. 토른은 조금도 머뭇거리지 않고 답했다. 호기심으로 강하게 빛나는 토른의 눈빛을 보고 오펠리는 그가 무척 진지하다는 것을 알 수 있었다.

"만남을 주선하겠습니다." 멜키오르 남작이 약속했다. "최소한 일드가르드 부인과의 만남을 주선하지 못한 걸 만회할 수 있겠네요. 지금 당장은 이 어린 아가씨를 처리해야 합니다." 남작은 지팡이로 오펠리의 턱을 들어 올리며 탄식했다. "당신만큼이나 저도 살인이 내키지 않지만, 그녀가 너무 많이 보고 들은 건 아닌지 우려스럽거든요."

토른이 검지로 아랫입술을 쓰다듬었다. 안경이 눈에 띌 정도로 새파랗게 질린 오펠리와 달리 토른은 조금도 동요하지 않았다.

"남작님 의견에 동의하지만, 그보다는 그녀의 기억을 조작할 것을 제안드립니다. 내게는 크로니쾨르의 피도 섞여 있어, 그녀가 이곳에서 겪은 모든 일을 잊게 할 수 있습니다."

오펠리는 그 말이 사실이 아니란 것을 알았다. 토른은 스스로 인정할 정도로 거짓말에 전혀 소질이 없었지만, 이 순간만큼은 매우 설득력 있어 보였다. 멜키오르 남작은 검지로 지팡이를 돌리며 토른의 제안을 신중히 고려하는 것처럼 보였다. 마침내 오펠리의 팔을 원래 각도로 되돌려 고문을 끝내고는 그녀의 손에

깍듯이 입을 맞추었다.

"아가씨를 알게 되어 영광이었습니다."

남작은 이 말을 마치며, 둥지에서 새를 꺼내 하늘로 날려 보내듯 과장된 동작으로 오펠리를 놓아주었다.

오펠리는 안도하기는커녕, 온몸의 신경이 곤두서는 것 같았다. 그녀는 주저하는 발걸음으로 계단 앞에서 자신을 태연히 기다리고 있는 토른을 향해 걸어갔다. 멜키오르 남작과의 거리가 벌어질수록, 오펠리는 그가 생각을 바꾸고 지팡이로 가엘의 외알 안경을 깨뜨린 것처럼 자신을 내려칠 거란 예감이 들었다.

그런 일은 없었다.

오펠리는 뭔가 잘못되었다는 것을 느꼈다. 팔이 끔찍이 거북하게 느껴졌는데, 단지 골절 때문만은 아니었다. 강렬한 열기가 어깨를 지나 가슴으로 퍼져나갔다. 멜키오르 남작의 손 키스가 그녀의 피부에 불을 지핀 듯했다. 심장이 너무 세게, 빨리 뛰어서 불편할 정도였다.

토른은 그 순간 몸을 움츠리는 오펠리를 보고 어깨를 부축했다.

"그녀에게 뭘 한 거죠?"

"당신이 그녀의 기억을 조작할 수 있는 능력이 있을지는 모르나, 그녀의 본성 자체를 바꿀 능력은 없죠." 멜키오르 남작이 태평하게 답했다. "어쩌나 호기심이 왕성하고 고집이 센지, 결국 우리를 곤경에 빠뜨릴 겁니다. 파트너님, 무례하게 생각하지는 마세요. 그저 제 방식을 선호한 것뿐이니까요."

오펠리는 남작의 말이 거의 들리지 않았다. 열기는 점점 고통으로 바뀌어 천천히 칼날로 갈비뼈를 후비듯 파고들었다. 오펠리는 토른의 손을 놓치고, 몸을 웅크리며 무릎을 꿇었다.

"이건 제가 만든 환영이죠." 멜키오르 남작이 말투만큼이나 평온한 발걸음으로 가까이 다가오며 설명했다. "그녀의 몸 안에 직접 불어넣었어요. 심장이 제멋대로 날뛰다 멈출 겁니다. 평온하고 완벽한, 형식에 맞는 깨끗한 죽음이죠. 물론 혹시라도 문제가 되지 않도록 사고사로 위장할 겁니다. 가족대법원은 이런 문제를 가볍게 다루지 않으니까요."

바닥에 쓰러진 오펠리는 온몸에 식은땀을 흘리며 심장박동을 늦추기 위해 두 팔로 가슴을 조였다. '이건 환영이야, 환영.' 오펠리는 되뇌었다. '진짜가 아니야. 내 심장은 완벽히 정상이야… 이건 환영이야, 환영, 환영, 환영.'

고통이 견딜 수 없을 만큼 생생하게 느껴졌다.

"자, 이제 제가 드린 제안에 대해 말씀 나눠보시죠." 멜키오르 남작이 토른에게 손을 내밀며 말했다. "계약이 성사된 건가요, 파트너님?"

오펠리 안경에 피가 튀었다. 그녀는 다섯 개의 장갑 낀 손가락이 바로 옆 바닥에 떨어진 것을 보았다. 반지를 잔뜩 낀 손가락이었다.

"이게… 뭐죠?"

"환영을 취소하세요."

몸속 가장 깊은 곳에서 나오는 목소리로 토른이 말했다. 동물이 포효하는 소리처럼 들렸다. 그의 마음속은 혼돈 그 자체였지만, 겉으로는 손가락 하나 까딱하지 않았다. 하지만 오펠리는 토른에게서 갑자기 전기가 차오르는 것을 감지했다.

깜짝 놀란 멜키오르 남작의 눈이 점점 더 커졌다. 그는 프록코트와 바지 그리고 구두에 흥건하게 흐르는 피를 보고 하얗게 질렸다.

"제게 할퀴기 공격을 쓴 건가요?" 남작이 가늘게 숨을 몰아쉬며 중얼거렸다. "정신 나갔어요? 제가 당신의 가장 큰 소원을 들어주려 했는데…." 그제서야 고통을 의식한 듯, 그는 끔찍한 비명을 내질렀다.

토른은 남작의 레이스 목장식을 숨통을 끊을 정도로 거칠게 붙들었다.

"사임한 순간 그 소원도 포기했어요." 토른이 거칠게 숨을 내쉬며 말했다. "환영을 취소해요!"

창백한 멜키오르 남작의 얼굴이 벌겋게 달아올랐다. 분노에 찬 그는 지팡이를 휘둘러 토른의 뺨을 가격했다.

"당신은 나와 동맹을 맺을 생각이 없었지, 단 한 번도! 이 더러운 하녀를 데려가려고 날 속인 거야. 신과의 만남을 제안했는데, 이 더러운 하녀를! 여기저기 피가 흐르잖아, 이것 좀 봐요." 남작은 잘린 손을 흔들며 분노했다. "지독한 악취미군요, 토른씨, 당신은 내게 깊은 실망감을 안겼어요."

멜키오르 남작이 다시 한번 토른에게 지팡이를 휘두르려는 찰나, 지팡이가 나머지 손가락들과 함께 바닥에 떨어졌다. 토른이 남자에게 다시 할퀴기 공격을 쓴 것이다. 멜키오르 남작은 놀라움과 고통으로 휘청대며 뒷걸음질 치다 (층계참의) 난간에 이르렀다. 몇 개의 나사로만 고정되어 있던 난간이 남작의 무게에 위태롭게 기울어졌다.

바닥에 꿇어앉아서 오펠리는 헝클어진 머리카락과 피가 튄 안경 너머로 이 광경을 지켜보았다. 시야가 점점 흐려졌다. 그녀의 심장은 격한 광기에 사로잡혀 더 버틸 수 없을 것 같았다.

"환영을 취소해!" 토른이 명령했다.

멜키오르 남작은 믿기지 않는다는 듯 두 손에서 피를 뚝뚝 흘리며 웃었다. 전부 다 고약한 농담이라고 생각하는 것 같았다.

"자, 자, 설마 우아부 장관이자 신의 대리인을 죽일 생각은 아니시죠. 그건 죽는 법에 완벽히 위배되는 것입니다."

토른은 멜키오르 남작의 복부 한가운데를 발로 가격해 난간으로 날려 보냈다. 이번에는 난간이 남작의 무게를 견디지 못했다. 오펠리는 추락한 금속과 뼈가 함께 으스러지는 소리를 들으며 눈을 감았다.

눈을 감고 암흑 속에서 거대한 고요가 차오르는 것을 느꼈다. 그녀의 피가 하천의 수위가 낮아지듯 빠져나갔다. 피부 속 열기도 차츰 잦아들다 식었다. 고통이 점차 약해지더니 완전히 사라졌다. 심장박동도 조금씩 가라앉았다. 환영은 그 창조자와 함께 사라진다. 멜키오르 남작의 심장이 멈추자 오펠리의 심장이 되살아난 것이다.

오펠리가 눈을 다시 떴을 때 그녀 앞에서 토른이 무릎을 꿇고 있었다.

그는 오펠리의 머리카락을 걷어내고, 안경을 벗긴 뒤, 말없이 그녀의 동공을 세심히 살폈다. 그리고 의사처럼 오펠리의 턱을 약간 거칠게 이쪽저쪽으로 돌리며 그녀가 계속 눈을 마주치고 있는지 확인했다.

오펠리는 눈물이 터질 것 같았다. 토른이 알아채지 않기를 바랐다. 안경을 쓰지 않아도 볼 수 있었다. 멜키오르 남작이 지팡이로 가격한 곳에, 토른의 볼에 원래 있던 흉터와 대각선으로 심한 상처가 생겼다. 있는 대로 눈썹을 찌푸리고, 턱을 세게 다물고 있는 토른을 보자 오펠리는 차라리 그가 화를 참지 말고 시원하게 터뜨리는 게 나을 것 같았다.

토른은 짧게 물었다.

"심장은?"

"괜찮아." 오펠리는 말을 더듬었다. "환영이 지나갔어. 지금 느낌이…."

오펠리는 말을 끝낼 수 없었다. 토른은 숨 쉬지 못할 정도로 세게 그녀를 껴안았다. 그녀는 토른의 빠른 심장박동을 느끼며 눈을 크게 떴다. 오펠리는 이해할 수 없었다. 자신에게 비난을 퍼붓고, 세차게 몸을 흔들어도 모자랄 판인데. 왜 껴안은 걸까?

"당신이 재앙을 끌어들이는 초자연적인 소질을 가졌다고 말한 건, 내 말이 맞다는 걸 증명해달라는 부탁이 아니었어."

오펠리는 더는 울음을 참을 수 없었다. 그녀가 매달리자 놀란 토른의 팔이 그대로 굳었다. 오펠리는 그의 가슴에 얼굴을 묻고 목 놓아 울었다. 태어나서 그렇게 울어본 게 처음이었다. 그녀의 가장 깊은 곳에서부터 소용돌이처럼 온몸을 휘감고 올라와 터진 외침이었다. 토른은 오펠리가 흐느껴 울고, 딸꾹질을 하고, 제복에 코를 풀고, 호흡이 완전히 진정될 때까지 지켜보았다. 그들은 붉은 조명이 내려앉은 이마지누아 바닥에 한참동안 아무 말 없이 있었다.

"당신을 돕고 싶었어." 오펠리가 마침내 쉰 목소리로 입을 열었다. "내가 다 망쳤어."

"후회해? 난 아니야."

겨울의 차가움이 느껴지지 않는 토른의 말투가 색다르게 들렸다.

"당신은 두 집안 모두에게 등을 돌리고, 한 사람을 죽였어." 오펠리가 그에게 속삭였다. "전부 나 때문이야."

오펠리는 어디에 어떻게 손을 둬야 할지 몰라 머뭇거리며 머리카락, 목덜미 그리고 어깨뼈를 스치는 토른의 손길을 느꼈다. 토른은 누군가를 위로해본 적이 별로 없었다.

"결코 당신을 내 일에 끌어들여서는 안 됐어. 위험하다는 걸 알고 있었지. 상황을 통제하고 있다고 확신했는데, 이번 실수로 당신은 목숨을 잃을 뻔했어. (토른은 오랫동안 말이 없었다. 오펠리는 그가 침묵하고 숨을 죽이는 이유가 주저하고 있어서라고 생각했다.) 여러 번 말하려다가 못한 말이 있어. 이런 게 별로 편치 않으니 어서 해치우고 더 얘기하지 말자. (그는 단어들이 목에 걸린 듯 목을 가다듬다가 마침내 웅얼거렸다.) 날 용서해줘."

오펠리는 자신이 바짝 몸을 기대고 있는 뜨거운 어둠을 응시했다. 그 순간 마침내 자신이 있어야 할 곳이 어디인지 절대적인 확신이 들었다. 그곳은 폴도 아니마도 아니었다. 그녀가 지금 있는 곳, 바로 토른 곁이었다.

오펠리는 질문을 하면서 자신의 목소리가 바뀐 것을 깨달았다.

"신이 누구야?"

토른은 침묵을 지켰지만, 오펠리는 그의 팔 근육의 긴장이 풀어지는 것을 느꼈다.

"당신 어머니의 기억." 오펠리가 토른을 위해 대답했다. "어머니가 기억을 전하면서 당신을 증인으로 만들었어, 그렇지? 당신은 바로 그 과거를 비밀리에 파헤치고 있었지? 집안의 정령보다도 훨씬 강한 존재를 발견했어? 파루크 폐하의 책에 그 내용이 담겨 있는 거야?"

"오늘 밤 당신이 들은 것은" 토른이 오펠리의 말을 막았다. "누구에게도 말하지 말고 잊으려고 노력해. 멜키오르는 아주 기나긴 사슬의 고리에 불과해. 아슈마다, 그리고 집안마다 분명 다른 고리들이 존재하지."

충격을 받은 오펠리는 순간 리포터가 그녀에게 들려준 두아옌들의 결정에 영향을 미칠 수 있는 '기이한 외지인'을 떠올렸다. 그녀의 직감이 맞았다. 폴에서 벌어진 사건들과 아니마에서 벌어진 사건 간에 정말로 공통분모가 존재했다.

"내게 약속했잖아." 오펠리가 말했다. "나와 직접 관련이 있는 일에 대해서는 아무것도 숨기지 않기로. 지금 난 관련된 사람 이상이야. 내게 진실을 말해줘야 해."

"그 약속을 파기할게." 토른은 한 치의 망설임도 없었다. "궁정의 음모보다 훨씬 큰일이야." 그는 엄숙하게 강조했다. "손끝 하나라도 건드리면 톱니바퀴에 휘말리듯 그 뒤로 다시는 평화를 느끼지 못할 거야. 이 말의 의미를 난 분명히 알고 있지. 당신에게는 아직 뒤로 물러날 시간이 있어."

오펠리는 조금도 그러고 싶지 않았다. 하지만 여전히 병풍에 묶인 채 더 이상 참지 못하고 바닥을 치고 있는 목도리 소리를 듣고 다시 현실로 돌아왔다.

오펠리는 팔에 심한 통증을 느끼며 토른에게서 몸을 떼고 안경을 썼다. 너무 울어 눈앞이 뿌옇게 보였지만 생각만큼은 더없이 명료했다.

"여기 계속 있을 수 없어. 이곳 이마지누아에는 세 구의 시체가 있어. 남작의 시체까지 넷이지. 아르쉬발드는 제때 풀어줄 수 있었지만, 혼돈의 방울에서 타격을 입었어. 그가 증언해줄 거라고 기대해서는 안 돼. 우리는 도망쳐야 해."

"아니." 토른이 대답했다.

"아니라고? 다른 생각이 있어?"

오펠리는 피가 튄 안경 너머로 토른의 단호한 눈빛을 보았다.

"이제 '우리'는 없어. 결혼은 파기되었어. 부모님과 함께 돌아가서 내가 절대 멈추지 말았어야 했던 당신 삶을 살아. 난 폴의 법정에 서서 내 행동에 대한 책임을 질 거야. 당신 비서가 보낸 전보를 받았을 때부터 그렇게 하려고 다짐했어." 토른이 무너진 난간을 바라보며 덧붙였다. "내가 해야 할 일을 한 거야. 정당방위로 사람을 죽인 게 처음도 아니고, 그게 내가 책임을 감수하는 데 방해가 된 적은 한 번도 없었어."

"달라, 당신도 알잖아." 오펠리가 반박했다. "사람들에게 그는 미라주고 당신은 단지…."

토른은 입술을 비틀었는데, 그 의미를 해석하기가 어려웠다.

"그래, 사생아일 뿐이지. 공정한 재판을 받을 거라는 헛된 기대는 하지 않아. 귀족들이 법 위에 군림하는 것을 막기 위해 싸웠지." 토른은 입을 연 오펠리를 보며 단호한 말투로 저지했다. "이제 와서 법을 피하지는 않을 거야. (그는 오펠리의 눈을 똑바로 보기 위해 그녀의 어깨를 움켜쥐었다.) 내 결정을 존중해줄 거지?"

고집스럽게 침묵을 지키던 오펠리가 끝내 입을 열었다.

"존중할게."

거래

궁정 내 혼란이 극에 달했다. 하늘 정원 아래서, 온천의 수증기 속에서, 가족 오페라 발코니에서, 방파제 산책로의 게임방에서, 귀족들은 한시도 가만있지 못했다. 엄청난 반향을 일으킨 '이마지누아 사건'과 관련해 새롭게 폭로되는 소식을 접하려고 자주 신문 가판대 주변으로 몰려들었다. 토른의 역할은 배신자에서 살인자로, 이제는 거짓말쟁이로 계속해서 바뀌었다. 그중에서도 미라주들이 크게 충격을 받았고, 모든 내막을 알기 위해 목을 맸지만, 희생자를 애도할 여유는 없었다. 그들의 세상은 매우 빨리 변해갔다.

하루아침에 새로운 인물이 무대에 등장했다. 과거 전락한 자들이었던 투명 인간, 나르코틱*, 페르쉬아지프**들이 여기저기 당당히 모습을 드러냈다. 다시 등장한 세 클랜은 새로운 삼각구도를 형성하며 파루크의 호의를 사려는 경쟁에 뛰어들었다. 수 세대에 걸쳐 고통과 추위, 허기를 견뎌온 매우 다른 종류의 귀

* narcotique는 '마취성의' '잠이 오게 하는'을 뜻한다.
** persuasif는 '설득력 있는'을 뜻한다.

족들이었다. 이들에게서는 미라주의 우아함도, 투알의 외교적 수완도 찾아볼 수 없었다. 그들은 레이스보다는 칼을, 말보다는 행동을, 사교보다는 사냥을 선호했다. 뛰어난 현실 감각을 발휘해 궁정에 복귀하기가 무섭게 오래전 다른 귀족들에게 분배되었던 자기 집안의 예전 소유물에 대한 권리를 주장했다.

이렇게 과열된 분위기만으로는 부족하다는 듯, 카니발 카라반 극단이 누가 불러서 온 건지도 모르게 시타시엘에 상륙했다. 분노에 찬 귀족, 신경이 곤두선 변호사들, 키메르 훈련사를 마주치지 않고는 윗동네에서 한 걸음도 내디딜 수 없었다.

파루크만이 모습을 드러내지 않아 궁금증을 자아냈다. 그는 가족의회 이후 아무도 들여보내지 말라고 명령하고 개인 거처에 틀어박혀 있었다.

그런 그를 오펠리가 결의에 찬 발걸음으로 만나러 갔다.

오펠리는 광활한 가짜 바다에 가짜 태양이 지고 있는 방파제 산책로를 다시 올라갔다. 사람들과 부딪힐 때마다 목도리로 감싼 팔이 아팠지만 쉼 없이 발걸음을 재촉했다. 질문을 퍼부어대는 궁정 사람과 마주치면 이내 인파로 뛰어들었다. 그녀는 이미 가족과 헌병들, 법원과 언론에 여러 차례 증언했다. 이제는 단 일 초도 지체할 수 없었다.

보이가 막 파루크의 개인 엘리베이터 창살을 닫으려는 순간 로즐린 이모가 모습을 드러냈다. 오펠리는 그녀가 나머지 가족들과 같이 호텔에 있을 거로 생각했었다.

"이번에도 가족들을 모두 따돌리는 데 성공했을지 몰라도,

내 앞에서는 두 번 다시 기울도 사라지지 마. 넌 지금 그 어느 때보다 샤프롱이 필요하니까."

"파루크는 저를 단독으로 보기를 원해요." 오펠리가 말했다.

"그게 면담 직전까지 널 수행하면 안 된다는 말은 아니잖니."

내부를 접견실로 꾸민 엘리베이터는 크리스털 샹들리에가 부딪히는 소리를 내며 천천히 올라갔다.

"리포터가 풍향계를 네게 겨누고 있어." 로즐린 이모가 오펠리에게 귀띔해주었다. "두아옌들에게 보고서를 보내고, 이제나 저제나 답을 기다리고 있지. 아니마의 가족부는 네가 하려는 일을 허락하지 않을 거야. 나조차도 그럴 수 있을지 확신이 안 서는구나."

"두아옌들의 전보를 받지 않는 한, 전 누구의 말도 거역한 게 아니에요." 오펠리가 단호하게 반박했다. "바로 그런 이유로 급하게 면담을 요청했어요."

"파루크가 너무 빨리 수락했어. 느낌이 안 좋아. 베르닐드가 만나달라고 여러 번 부탁했는데도 형식적인 답조차 하지 않았거든. 자기 자식 친모에게 말이야! 베르닐드는 아기를 품에 안고 기댈 곳을 찾아 거실 여기저기를 뛰어다니기만 해. 베르닐드가 애걸하다니! 그렇게 절망에 빠진 모습을 본 적이 없단다. (로즐린 이모는 오펠리가 목도리에 감긴 팔을 손으로 꽉 붙잡고, 정면을 응시하며 고집스레 침묵을 지키고 있다는 것을 깨달았다.) 난 토른이 그렇게 달갑지는 않구나." 그녀가 다소 부드러워진 목소리로 덧붙였다. "하지만 그에게 닥친 일을 보면 화가 난다. 접견권도 없고, 출두도 못 하게 막고, 소송도 어찌나 약식으로 처리했던지 배심원들이 자리에 앉을 새도 없었지. 전락한 귀족들… 아니, 예전 전락했던 귀족들조차도 모두 토른에게 등을 돌리고 있어. 네가 얼마나 충격을 받았을지 이해한다."

오펠리는 아무 말도 하지 않고, 축음기에서 흘러나오는 음악이 정적을 채우도록 했다.

충격을 받았다고? 그 이상이었다. 누군가를 증오해본 적이 별로 없는 오펠리였지만 멜키오르 남작이 죽었음에도 그를 떠올릴 때마다 점점 증오에 가까운 감정을 느꼈다.

궁정의 누구도 남작처럼 온화한 사람이 사촌들을 납치하고, 어린 소녀를 살해하도록 교사했다고 믿고 싶어하지 않았다. 반면 토른이라면 당연히 그럴 수 있다고 하나같이 입을 모아 말했다. 토른이 파루크에게 사임을 표하고, 아니마와의 외교적 동맹을 파기해 나쁜 인상을 남긴 것이 그에게 더욱 불리하게 작용했다. 토른은 우아부 장관을 살해했을 뿐 아니라 아롤드 백작, 니베룽겐 편집장, 헌병 대장, 심지어 완전히 베일에 싸인 정황에서 사라진 메르 일드가르드까지 살해한 악질 범죄자가 되었다. 일드가르드 부인의 자필 자백은 불가사의하게 사라졌다.

물론 오펠리가 증언을 하겠다고 요청했지만 법원에서 기각됐다. 서기관이 그녀의 증언을 접수한 게 전부였다. 오펠리는 그 종이가 서랍에 들어간 뒤로 한 번도 나오지 않았을 거라고 확신했다.

그날 아침 법원은 단두대 날이 내려오는 속도만큼 빠르게 판결했다. 토른을 가족 배신자로 선고하고, 두 개의 가족 능력을 박탈해 성 밖으로 추방하는 형을 내렸다. 그는 할퀴기 공격과 기억력을 빼앗기고 야수들에게 넘겨질 것이다. 법원의 신속한 판결로는 부족했는지, 바로 다음 주에 형을 집행하도록 결정했다.

오펠리는 속에서부터 폭발할 듯 올라오는 두려움과 분노를 억눌렀다. 그녀는 용납하지 않을 것이다. 토른이 제 발로 법원에 가겠다고 했을 때, 오펠리는 그의 결정을 존중하겠다고 말했지만, 한순간도 그의 일에 끼어들지 않겠다고 약속하지는 않았다.

"규방입니다!" 보이가 말했다.

오펠리가 계속 올라갈 것을 부탁하려는 찰나, 누군가 탑승하기 위해 창살의 벨을 울렸다.

아르쉬발드였다.

"경의를 표합니다." 그는 오래된 실크해트를 벗으며 인사를 건넸다.

빗지 않은 머리, 깎지 않은 수염, 엉망인 옷차림이 꼭 부랑자 같았다. 보이조차도 엘리베이터에 타는 아르쉬발드를 보며 자기도 모르게 눈살을 찌푸렸다.

"안색이 안됐네요." 로즐린 이모가 물었다. "기분은 어떠세요?"

"안색과 비슷합니다, 부인."

이내 아르쉬발드의 얼굴에 장난기 어린 미소가 사라지고, 눈은 초점을 잃었다. 부랑자도 아닌, 부랑자의 유령 같았다. 그의 육신만으로는 아르쉬발드가 살아 돌아왔다는 증거로 부족했는지, 그와 선을 끊었던 투알은 계속해서 아르쉬발드를 애도했다. 여동생들도 오빠를 이방인처럼 대했고, 관리소장은 자취를 감추었고, 그가 태어났을 때부터 그의 세상 일부였던 메르 일드가르드는 죽었다. 아르쉬발드의 세상이 하루아침에 뒤집혔다. 오펠리는 그의 상황에 유감을 표하고 싶었지만, 그럴 시간도 없었다.

"새로운 소식이 있나요?" 오펠리가 물었다.

아르쉬발드는 긍정하는 듯한 작은 손짓으로 모자를 다시 쓰고 엘리베이터 장식장에 있는 샴페인을 한 잔 따랐다.

"아주 점잖게 말해서, 나디아 부인과 얘기를 나누고 오는 길입니다. 부인은 처음에 제가 온 이유를 알고 신중한 태도를 보였어요. 토른의 인기는 바닥을 치고 있지만, 다행히 제 경우는 다르죠. 누구도 아르쉬발드를 계속 거부할 수 없어요!"

오펠리는 그를 기꺼이 믿었다. 다른 어떤 남자도 그가 방금 한 것처럼 파루크의 규방에 멋대로 드나들 수 없을 것이다.

"나디아 부인은 매우 흥미로운 애첩이죠." 아르쉬발드가 샴페인을 한 모금 마신 뒤 말을 이었다. "궁정에서 가장 아름다운 다리를 가졌을 뿐 아니라 인맥도 놀랍도록 넓죠. 전화 몇 통으로 면회소에서 오 분간 접견을 주선해줄 수 있었어요. 국가 감옥에서 그 이상을 바랄 수는 없어요."

"우리가 토른과 이야기할 수 있는 건가요?" 오펠리는 위가 오그라드는 느낌을 받으며 외쳤다.

로즐린 이모는 오펠리가 가볍게 몸을 떨며 살짝 동요하고 있다고 느꼈지만 아무 말도 하지 않았다.

아르쉬발드는 입꼬리를 실룩이며 고개를 저었다.

"당신 말고요. 나디아 부인은 저에게만 접견을 허락했어요. 이 오 분을 최대한 활용하겠습니다." 그가 짐짓 진지하게 약속했다. "토른이 당신에게 보내는 메시지가 있다면, 전달해드리겠다고 약속해요."

"우리는 절대 그를 포기하지 않을 거라고 전해주세요." 오펠리가 아르쉬발드의 소매를 꽉 붙잡으며 속삭였다. "대사님은 멋진 일을 하고 계세요. 토른이 고마워할 거예요."

아르쉬발드는 눈을 깜박였다. 그의 눈이 샴페인 잔처럼 빛을 내며, 예전의 눈빛이 잠시 나타났다가 사라졌다.

"토른이 고마워할 거라고요?" 그가 반복했다. "방금 전까지만 해도 저는 그가 그런 말을 할 수 있을 거라고 상상도 못 했어요. 오해 없기를 바라요, 오펠리. 제가 이렇게 하는 건, 그를 위해서가 아녜요. 전 당신에게 빚을 졌고, 그 사실이 싫어요. 그 반대였으면 훨씬 더 유쾌했을 겁니다."

그는 자신의 방식대로 고마움을 표했다.

아르쉬발드가 다시 모습을 드러낸 뒤로 그들은 서로 별다른 말을 하지 않았다. 오펠리는 그가 조금 부끄러워한다고 생각했다. 아르쉬발드는 이마지누아에 관해서 정신 착란에 대한 기억만을 간직하고 있었다. 마지막으로 그가 멜키오르 남작을 상대한 것은 클레르드륀에서 남작의 모래시계를 가로챘을 때였다.

당시 아르쉬발드는 일드가르드 부인이 납치에 책임이 있다고 확신하고, 남작이 새로운 희생자가 될 것이라 생각했었다. 물론 완전한 오판이었다. 그는 아무에게도 말하지 않고 몰래 모래시계 핀을 뽑기로 결심했다. 그렇게 하면 메르 일드가르드를 만나게 될 거라고 믿었다. 그녀를 만나 정신을 차리게 만들어 상황을 말끔히 해결할 수 있다고 생각했었다.

그는 지금도 이러한 판단 착오의 대가를 치르는 중이었다.

"마지막 층입니다!" 보이가 엘리베이터 브레이크를 고정하고 금색 창살을 열었다. "파루크 폐하의 개인 아파트입니다. 아가씨만 들어가실 수 있습니다."

로즐린 이모가 잠시 그녀를 불러 세우기 위해 어깨를 잡았다.

"내가 틀렸어, 넌 더 이상 어린아이가 아니야…. 자." 그녀는 오펠리를 놔주며 무뚝뚝한 말투로 말했다. "파루크에게 아니마 사람의 능력을 보여줘."

오펠리는 정말로 웃을 기분이 아니었지만, 입꼬리가 올라가는 것만은 어쩔 수 없었다.

"제게 맡겨주세요."

오펠리는 대기실의 바둑판 모양 타일로 다가갔다. 보이가 창살을 닫고, 엘리베이터가 내려가는 것이 보였다. 아르쉬발드는 그녀를 위해 샴페인 잔을 들었고, 로즐린 이모는 응원의 몸짓을 보냈다.

오펠리는 망루의 8층에 처음으로 발을 들여놓았다. 파루크의 소굴에 들어가면 편리함과 기상천외함의 정수를 볼 것이라 예상했다. 하지만 아무 가구도 없는 대기실은 천장이 높고 폭이 좁았다.거대한 황금 문에 연결된 게 대기실의 유일한 용도였다. 하인도 한 명 없는 데다 기다릴 기분도 아닌 오펠리는 들어오라는 말도 없었지만, 문을 열었다.

파루크의 거처는 대기실보다 더 놀라웠다. 거대한 책장들이 거리처럼 거대한 통로를 이루며 방 안을 바둑판 모양으로 가르고 있었다. 오펠리의 발소리가 바둑판 모양으로 된 타일 바닥에 울려 퍼졌다. 그녀는 자신의 키보다 세 배나 높은 무수히 많은 책장 사이를 걸어갔다. 파루크의 개인 컬렉션은 부모님이 근무했던 아니마의 가족 대도서관과 맞먹는 규모였다. 어떤 책들은 분명히 복구 조처를 했음에도 상태가 너무 안 좋아 금방이라도 산산조각이 날 것 같았다.

오펠리는 오로지 세로선과 가로선으로만 이루어진 세계에서 이정표를 잃은 느낌이었다.

"계세요?" 오펠리가 외쳤다.

그녀의 목소리가 바둑판 모양의 타일 바닥과 높은 천장 사이에 아무런 대답도 없이 울렸다.

오펠리는 마침내 책장의 마지막 통로에서 파루크를 찾았다. 그는 선 채로 독서에 몰두해 있었다. 미동도 없이 조용하게 서 있는 새하얀 모습을 보고 오펠리는 처음에 대리석 조각상인 줄 알았다.

"폐하?"

파루크는 지극히 느린 동작으로 창백한 눈을 책에서 떼고 오펠리를 내려다보았다. 그의 강력한 정신이 즉시 오펠리에게 얼어붙는 비처럼 쏟아졌다.

"면담을 수락해 주셔서 감사합니다, 폐하."

파루크가 아무 대답을 하지 않자, 오펠리는 부러진 팔을 감싼 목도리가 신경이 곤두서서 팽팽해지는 것을 느꼈다.

"기억 도우미는 여기 없나요?" 오펠리가 눈으로 소년을 찾으며 물었다.

"내가 돌려보냈다. 너와 단둘이 있고 싶어서."

파루크의 무기력한 목소리를 듣자 오펠리는 온몸에 소름이 돋았다. 하지만 공포에 사로잡히지 않기 위해 애썼다. 지금은 아니다.

"폐하, 제가 이렇게 찾아온 이유는…."

"보아라."

파루크는 오펠리의 말을 자르고 손에 들고 있던 책을 그녀에게 보여주었다. 오펠리는 그 책이 메모장이라는 것을 알아차렸다. 파루크는 신문에서 오린 사진 한 장을 노트 마지막 페이지에 어설프게 붙여놓았다. 눈을 감고 있는 창백한 아기였다. 파루크는 자필로, 잉크 얼룩 사이에 짧게 '베르닐드의 딸'이라고 써두었다.

오펠리가 전혀 예상치 못한 광경이었다.

"폐하, 제가 온 이유는…."

"이 아이를 잊고 싶었다." 파루크는 깊은 생각에 잠긴 듯 사진을 응시하며 또다시 오펠리의 말을 잘랐다." 아이들은 너무 시끄럽고, 귀찮고, 쉽게 울음을 터뜨리니까." 그가 무기력하게 말했다. "원래 아이들과 함께 있는 걸 견디지 못하지만, 이 아이는 다른 아이들보다 더 잊고 싶다. 이 아이가 베르닐드 삶에서 내 자리를 차지했지. 골칫덩이가 될 거란 느낌이 들어. 정말 그 아이를 잊고 싶은데 왜 머릿속에서 지우지 못하는 걸까?"

파루크는 노트를 덮은 뒤 맞은편 책장에 꽂았다. 오펠리는 그제야 서재에 있는 모든 것이 메모장이라는 것을 깨달았다. 수백, 수천 개의 수첩이었다. 이 장소는 파루크의 기억 그 자체였다.

"폐하." 오펠리가 다시 말했다. "제가 온 이유는 제안을…."

오펠리는 문장의 마지막을 입 밖으로 꺼내지 못했다. 파루크가 피부와 모피와 백발을 끝없이 움직이며 오펠리에게 몸을 기울였다. 눈앞에서 눈사태가 벌어지는 듯했다. 파루크는 한 손가락으로 그녀의 안경을 들고 매혹에 가까운 호기심으로 오펠리의 얼굴을 뚫어져라 보았다. 그의 정신 현상이 숨을 쉴 수 없을 정도로 너무 가까워 오펠리는 철도 터널을 막 통과한 것처럼 귀가 먹먹해지는 느낌이었다.

"너도 마찬가지다, 아르테미스의 아이여." 파루크가 한 자 한 자 천천히, 분명히 발음하며 속삭였다. "내 머리 밖으로 너를 쫓아내지 못하고 있어. 화가 난 것처럼 보이는구나." 갑자기 파루크가 말했다.

오펠리는 너무 오랫동안 참았던 숨을 내쉬었다.

"저와 결혼하기로 되어 있는 남자가 일주일 후면 절단형에 처해진 후 야수들에게 버려집니다. 토른은 언제나 폐하를 가장

정직하게 모셨지만, 폐하께서는 단 한 순간도 그가 공정한 재판을 받도록 신경 쓰지 않으셨어요."

파루크가 안경을 놓자, 안경이 갑자기 오펠리 코 위로 떨어졌다. 주름 하나 없이, 티 없이 천사 같은 그의 얼굴이 얼음처럼 굳었다.

"내가 앙심을 품지 않는 이유는 단순하다. 내 기억력이 매우 나쁘기 때문이지. 그렇지만 그 배은망덕한 자가 내게 약속을 파기한 방식을." 파루크가 목 깊은 곳에서 격노하며 으르렁거렸다. "난 아직 용서할 마음이 없다. 아르테미스의 아이여, 그를 사면해달라는 요청을 하러 온 것이 아니기를 바란다. 그러는 게 네게 이로울 테니. 나 자신을 욕보일 정도로 너를 아끼는 건 아니니까."

파루크는 들릴 듯 말듯 위협을 속삭이며 동시에 심리적 파장을 일으켜 오펠리 몸 전체에 신경통을 유발했다. 오펠리는 토른이 계약을 파기한 이유가 파루크에게 맞서기 위해서가 아니라, 자신을 보호하기 위해서였다고 설명해봐야 부질없다는 것을 알고 있었다.

"아니요." 오펠리는 태연하게 답했다. "거래를 제안하려고 면담을 요청한 것입니다. (오펠리는 부러진 팔 때문에 더더욱 서툰 동작으로 소중히 간직하고 있던 종이를 펼쳤다.) 토른의 계약서 사본입니다." 오펠리가 설명했다. "토른은 계약서에서 저와 결혼해, 제 가족 능력을 익혀 폐하의 책을 해석하기로 약속했죠. 제가 그를 대신해 이 계약을 지키러 왔습니다."

파루크는 갑자기 전에 없던 집중력을 발휘하려는 듯 서서히 눈썹을 올렸다. 그리고는 사본에 형식적 결함이나 이면 조항이 없는지 한없이 오랫동안 살펴보았다. 마침내 오펠리를 보기 위해 고개를 들었을 때, 그의 눈에는 위험한 빛이 서려 있었다.

"내 책을 읽고 싶다고?"

"이 계약서에서 약속한 것을 지키고 싶습니다." 오펠리가 말을 정정했다. "책을 읽는 대가로 오늘부로 결혼을 유지시켜주세요."

"다른 요구사항은 없나?"

"없습니다."

파루크의 얼굴에 미소가 천천히, 아주 천천히 퍼져나갔다. 표정이 온화해지기는커녕 더욱 매섭고 차갑게 보였다.

"거래가 성사되었다."

읽기

파루크는 무겁고 느린 몸짓으로 오펠리에게 자신의 아파트에 있는 다른 방으로 난 거대한 문을 지날 것을 권했다.

직선으로 정돈된 서재의 세계를 지나 혼돈의 세계가 펼쳐졌다. 형형색색의 카펫 위로 온갖 잡동사니가 뒤죽박죽 쌓여 있었다. 엄청난 크기의 가구들, 인간 크기의 꼭두각시들, 피라미드처럼 쌓여 있는 작은 상자 더미, 나무처럼 큼지막한 수연통들, 집채만 한 침대가 보였다. 판화가 찍힌 여러 겹의 종이들이 엉망으로 찢긴 채 벽을 온통 뒤덮고 있었다.

오펠리는 거대한 퍼즐 조각에 발이 걸려 여러 번 넘어졌다. 신발 밑창에 아주 오래된 캐러멜 사탕 같은 것이 달라붙었다. 오펠리는 왜 파루크가 갓 태어난 자신의 딸을 경쟁자로 여겼는지 이해가 되기 시작했다.

"여기 앉아라." 그가 말했다. "더 편할 것이다."

파루크는 엎어진 의자를 바로 세우고, 거친 손길로 테이블 위에 놓인 모든 것들을 쓸어버렸다. 다기, 설탕 통, 우유 통, 찻잔 받침, 더러운 찻잔들이 카펫 위로 쨍그랑 소리를 내며 쏟아졌다.

파루크가 테이블에 책을 내려놓는 동안 오펠리는 너무도 큰 의자 위에서 힘겹게 몸을 바로 세웠다. 그는 먼저 책을 덮고 있는 먼지를 손으로 털어냈다. 환영에 불과한 보석이 상감된 장정이 연기 속으로 사라지자, 온전한 책의 맨살이 드러났다.

오펠리는 집중하며 안경을 코 위로 고쳐 쓰고, 오늘을 위해 새로 끼고 온 읽는 사람용 장갑을 부드럽게 만들기 위해 손가락을 접었다 폈다. 초조함으로 속이 울렁거렸다. 하지만 계약에서 정한 의무를 완수하기 전까지 이런 감정은 잠시 접어두기로 했다. 토른의 운명이 자신의 활약에 달렸다.

오펠리는 전문가다운 손짓으로 첫 페이지를 넘겼다. 파루크의 책은 아르테미스가 아니마의 가족 기록 보관소에 가져다놓은 책과 당황스러울 정도로 닮아 있었다. 파루크의 책은 전체가 부드럽고 매끈한 감촉의 피부로 되어 있는 것 같았다. 몇 백 년 전에 만들어졌지만, 피부 위로 곰팡이 하나 피어 있지 않고, 열은 냄새조차 나지 않았다. 테이블 조명을 받은 파루크의 책은 아르테미스의 책보다 더 희미했으나, 그 차이는 아주 미묘한 정도였다.

오펠리는 글을 살피기 위해 몸을 기울였다. 이걸 글이라고 부를 수 있을까? 어디에서도 본 적이 없는 섬세한 아라베스크와 문장부호로 된 글자였다. 글자가 책의 피부에, 지워지지 않는 문신처럼 인쇄되어 있었다. 문장 서두에 주기적으로 등장하는 기호들만이 혼란스러운 글 사이로 유일한 논리적 단서를 제공해주었다.

책장을 넘기던 오펠리가 인상을 찌푸렸다.

"어떤가?" 파루크가 물었다.

그는 완전히 새로운 수첩을 앞에 펼쳐놓고, 만년필을 손에 쥔 채로 자신의 기억력으로 붙잡지 못할 내용을 모두 적을 준비를 하고 있었다. 어린 학생 같은 거구의 황제의 모습은 그 자체로 놀라운 광경이었다. 우유로 된 강처럼 흘러내린 긴 백발 사이로 파루크의 흔들림 없는 눈빛을 아주 어렴풋하게나마 볼 수 있었다.

"이 책이 폐하 수중에 들어온 뒤로 훼손되었었나요?" 오펠리가 물었다.

파루크는 대답하지 않았다. 오펠리는 장갑 낀 손으로 두 장의 종이 사이에 장정을 따라 맨눈으로 겨우 보이는 찢어진 세로선을 쓸어내렸다. 아주 조금밖에 남아 있지 않은 피부는 흉측한 흉터를 남긴 상처처럼 보였다.

"한 페이지가 모자라요. 여러 번 아르테미스의 책을 만져볼 기회가 있었는데, 정확히 같은 자리에서 똑같은 문제를 발견했었죠. 우연이라고 보기에는 이상하다는 점은 인정하시죠?"

한동안 꼼작하지 않던 파루크가 만년필로 천천히 메모장 종이를 긁었다.

"내게 알려줄 게 그게 다인가?" 파루크가 글씨를 쓸 때 나는 질질 끄는 듯한 목소리로 말했다. "그렇다면 매우, 매우 실망스러운데."

"그저 관찰한 것을 말씀드린 것뿐입니다. 아직 시작도 하지 않았습니다."

오펠리는 장갑 단추를 풀고 손바닥을 책에 갖다 댔다. 피부와 피부가 맞닿았다.

아무것도 없었다.

파루크의 책은 살아 있는 유기체만큼이나 읽을 수 없었다. 예측하지 못한 상황은 아니었다. 아르테미스의 책도 똑같은 특징을 지니고 있었기 때문이다. 그렇다면 오펠리는 어떻게 책을 감정해야 하는 것일까? 테이블 맞은편에서 계속해서 자신을 주시하고 있는 파루크 앞에서 당황한 기색을 들키지 않으려고 무척 애를 썼다. 오펠리는 책의 모든 피부를 손으로 샅샅이 느끼며, 한 장씩 책장을 넘겼다. 하지만 자신의 걱정 외에는 다른 어떤 것도 느끼지 못했다. 애당초 불가능한 일이었다면 토른은 절대로 읽겠다고 제안하지 않았을 것이다. 여기에는 틀림없이 파고들 빈틈이 있다.

오펠리는 마지막 페이지를 넘기고 나서야 마침내 뒤표지에 박혀 있는 빈틈을 찾아냈다. 너무 오래되어 완전히 녹슨, 아주 작은 금속조각이 뾰족하게 튀어나와 있었다.

"원래 박혀 있던 건가요?" 오펠리가 놀라서 물었다.

파루크는 만년필을 메모장 위에 내려놓고, 머리카락이 벌어진 틈으로 오펠리를 바라보았다.

"그 질문에 대한 답은 네가 해야 할 것 같은데."

"좋아요. 이 책에 적힌 글의 내용을 해석해드린다고 장담은 못 하지만, 이 금속조각이 저를 데려다주는 한 최대한 멀리 시간을 거슬러 올라가겠습니다."

너무 오래 입을 다물고 있는 파루크의 오라에서 엄청난 긴장이 느껴져, 오펠리는 거절당할지도 모른다고 생각했다. 하지만 파루크는 오펠리를 당황하게 하는 답을 했다.

"이 책과 관련해 내가 잊어서는 안 되지만 잊어버린, 뭔지 모를 무언가가 있다. 대단히 중요했다는 느낌이 든다. 아르테미스의 아이여, 그게 무엇인지 찾는 데 도움을 준다면, 계약을 지킨 것으로 보겠다."

오펠리는 집중을 흩트릴 위험이 있는 목도리를 풀고, 부러진 팔을 요령껏 놓았다. 읽기를 마칠 때까지 고통은 잊어야 했다.

"시선을 거두어주실 수 있나요?"

파루크는 계속 눈썹을 움직이며 치켜떴다.

"왜지?"

"폐하의 집안 능력은 너무 강합니다. 저를 보실 때마다, 제가… 혼란스럽습니다." 오펠리는 신중히 단어를 골라 대답했다. "양질의 감정을 받고 싶으시다면, 관심을 조금 거두어주십시오."

불편한 침묵의 시간이 흐르고 파루크는 있는 대로 고개를 꺾었다. 인간의 일반적인 신체 구조였다면 척추가 부러졌을 것이다.

녹슨 쇳조각에 손가락을 대기 무섭게 오펠리는 이번 읽기가 자신의 경력을 통틀어 가장 길고 가장 힘들 것임을 알았다. 대부분의 물건은 휴지기가 있다. 그것은 선반이나 서랍, 가방 깊숙이 넣어둔 채 잊힌 시간이다. 긴 침묵의 시간 덕분에 읽는 사람은 시간 여행을 하는 동안 몇 번의 휴식을 취할 수 있다. 이 책은 달랐다. 파루크는 매일, 매달, 매년, 수십 년, 수 세기에 걸쳐 책을 품에 넣고, 켜켜이 쌓인 지층만큼 깊고 강렬한 억겁의 시간을 금속에 새겼다.

나는 누구인가? 나는 무엇인가?

오펠리는 시간을 거슬러 올라갈수록 깊은 심해에 빠지는 느낌이었다. 심해의 혼탁한 물은 오로지 만족스럽지 못한 것들로 가득해 보였다. 미완의 감정이 오펠리를 영원히 불완전한 상태로 녹이는 듯했다. 마치 아무것도, 어떤 것도 될 수 없는 상태에 꼼짝없이 갇힌 것 같았다. 그렇다, 오펠리는 지금 그녀의 살 안에서, 배 속에서, 핏줄 안에서 그것을 온전히 느꼈다. 파루크의 퍼즐에서 모자란 중요한 한 조각은 절박하게 채워지기를 염원하는 공허함이었다.

때때로 오펠리의 시점이 순식간에 전환되었다. 학문적 호기심, 보상에 대한 희망, 깊은 당혹감. 이것들은 오펠리보다 먼저 읽기를 시도한 전문가들이 남긴 일시적인 흔적들이었다.

나는 누구인가? 나는 무엇인가?

오펠리는 영원할 것처럼 보이는 시간의 강물을 거슬러 올라갔다. 불현듯 숨을 쉴 수도, 견딜 수도 없는 고통이 느껴졌다. 보이지 않는 손이 장기를 꺼내려고 오펠리의 배에 파고드는 것처럼 끔찍했다. '내 페이지!' 자신의 것도 아닌 공포에 휩싸여 오펠리는 생각했다. '그 페이지' 그녀는 즉시 정정했다. 책에서 찢겨 나간 그 페이지. 파루크는 그 페이지가 찢긴 것을 자기 몸의 일부가 잘려 나간 것처럼 느꼈다. 오펠리가 거리를 두고 관객석에 머무르며 이 고통과 공포는 아주 오래전 파루크가 느꼈던 것이라고 자신에게 되뇌어봤지만, 소용없었다. 포기할 뻔했다. 오펠리는 토른을 생각했다. 파루크가 토른의 머리에 거대한 손을 올리고, 그의 집안 능력을 빨아들이고, 그의 기억을 모두 지우고, 그 자신에 대한 기억까지 빼내고, 어린아이처럼 나약해진 그를 거대한 북극곰 발아래에 버리는 모습을 떠올렸다.

오펠리는 이를 악물고 읽기를 계속했다.

고통은 시작되었을 때와 마찬가지로 예고도 없이 멈추었다. 그러자 내면의 시야가 확연히 맑아진 듯한 놀라운 느낌이 들었다. 파루크의 존재를 수세기 동안 감싸던 안개가 사라진 것이다. 찢겨 나간 페이지의 전과 후가 있었다. 오펠리는 파루크가 새하얗고 고운 손으로 금속조각을 꿈꾸듯 쓰다듬는 모습을 보았다. 금속은 전혀 녹슬지 않은 상태였다. 오펠리는 감정이 한층 더 강렬해지고, 생각은 훨씬 명료해졌음을 느꼈다. 그녀는 파루크의 지각체계로 과거를 회상하고 있어서 그의 얼굴을 볼 수 없었다. 하지만 자신의 책을 뚫어져라 바라보는 파루크의 젊음과 희망, 의심과 의구심들이 그녀의 가장 깊은 곳에서 느껴졌다.

나는 누구인가? 나는 무엇인가?

강렬한 이미지들이 오펠리를 스쳐 지나갔다. 태양 아래 서 있는 머리 없는 군인, 오래된 학교 복도에서 터져 나오는 목소리,

오펠리아가 평생 맡아본 적이 없지만, 확실히 알 수 있는 금빛 미모사의 향기.

갑자기 시간을 건너뛰어 오펠리는 파루크를 보았다. 어쩌면 아이와 어른의 경계에 있는 청년 파루크의 모습인 것 같았다. 바닥에 웅크리고 있던 파루크가 오펠리를 향해 고개를 들었다. 파루크의 얼굴에서 도전과 두려움, 반항과 숭배와 같은 모순된 감정들이 난투극을 벌이고 있었다. 오펠리는 파루크가 되는 것을 멈추었기에 그를 볼 수 있었다. 책의 주인이 바뀌고, 새로운 주인공은 살에 파고든 금속조각과 발밑에서 자신을 탐욕스럽게 바라보는 파루크를 번갈아 쳐다보았다. 오펠리는 자신도 모르는 새에 다른 누군가가 되었다. 마치 과거 속에서 그녀 자신보다 더 오래된 누군가가 되어 어린 파루크를 내려다보고 있는 것 같았다. 지금껏 그런 비슷한 경험을 해본 적이 없는 오펠리는 충격에 휩싸이고, 순간 그녀의 감정이 회상을 뒤덮었다.

"왜?" 파루크가 오펠리를 노려보며 물었다. "왜 쓰여 있는 걸 해야 해? 신, 네게 난 뭐지?"

신? 파루크의 목소리를 넘어서, 깜짝 놀란 오펠리 내면의 목소리가 물었다. 그녀는 이 장면을 노련한 에릭의 환영 영사기처럼 되감아 반복해서 보고 싶었다. 그 대신 오펠리는 과거로 더 깊이 빨려 들어가, 파루크가 자신의 책을 부엌칼로 찌르고, 책 사이에 뾰족한 쇳조각을 남기던 밤으로 거슬러 올라갔다. 그날 밤 고통이 파루크의 몸을 파고드는 동안, 그는 자신이 누구고, 무엇인지 완전히 알게 됐다. 그리고 절대로 그 사실을 받아들이지 않으리란 것도 알았다.

오펠리는 작은 금속조각에서 마침내 손가락을 떼고, 살짝 떨리는 손으로 천천히 읽는 여자의 장갑을 꼈다. 그녀의 활약은 끝났다. 그녀의 삶은 결코 예전과 같지 않을 것이다.

오펠리는 목을 가다듬었다. 계속 메모장 위에 만년필을 대고 있던 파루크는 머리를 제자리로, 사람다운 각도로 돌려놓았다.

"말하라."

오펠리는 눈썹을 찡그리지 않고 파루크의 정신적 압력을 견뎠다. 그녀는 감정이 끝나고 보통 그렇듯 책을 파루크에게 돌려주지 않고 테이블 위에 그대로 두었다. 오펠리는 자신이 무엇을 상대하고 있는지 알게 된 이상, 극도로 은밀한 무언가를 모독하고 있다는 느낌 없이는 이제 책을 만질 수 없었다.

"이 책과 관련해 폐하께서 잊으셨다는 '뭔지 모를 무언가'를 찾았습니다."

"말하라." 파루크가 되뇌었다.

같은 말을 반복했지만, 몇 옥타브 아래로 내려간 목소리는 거의 들리지 않을 정도로 완전히 달라져 있었다.

파루크에게 알리기 전, 그가 차분히 마음의 준비를 할 수 있도록 배려해야 했는지도 모른다. 하지만 그녀에게는 그럴 시간도 재능도 없었다. 오펠리는 읽기를 통해 알게 된 사실을 늘어놓는 자신의 목소리를 생판 모르는 이방인이 말하는 것처럼 들었다.

"이 책은 당신 몸의 연장입니다. 책의 살은, 당신의 살이고, 책의 이야기는 당신의 이야기입니다. 책에는 당신이 누구이며, 당신이 미래에 어떤 모습이 될지 모두 상세히 적혀 있습니다."

파루크는 눈썹 하나 까딱하지 않고 메모장에 어떤 내용도 적지 않았다.

"다시 말해." 오펠리는 계속해서 저 멀리 누군가 말하는 것을 듣고 있는 듯한 이상한 느낌을 받으며 말을 이었다. "당신은 자연적인 방식으로 수태되지 않았습니다. 아마 집안의 모든 정령이 그러했겠죠."

테이블 반대편에서 끈질긴 침묵이 이어졌다. 오펠리 자신도 자기 입에서 그런 말이 나오고 있다는 것을 믿기 힘들었다.

"찢겨 나간 페이지 문제가 남아 있습니다. 과거 어느 순간에 누군가 당신 자신의 일부를 절단했습니다. 그 페이지에 당신 기억이 작동하는 방식과 관련된 음… 어… 지침들이 담겨 있었다고 추정할 만한 충분한 근거들이 있습니다. 이것이 당신의 집안 능력에 타격을 입히지는 않았습니다. 당신의 엄청난 기억력이 여러 세대에 걸쳐 후손들에게 전달되었기 때문입니다."

파루크는 정말로 동상이 돼버린 것 같았다. 오펠리는 혼자 돌아가는 축음기처럼 계속해서 말을 이어나갔다.

"제가 드리고 싶은 말씀은, 당신의 기억상실이 의도적으로 유발되었다는 것입니다. 아르테미스 부인도 마찬가지입니다. 부인의 책에도 똑같은 페이지가 없습니다. 집안의 정령들이 모두 똑같은 절단을 당했다고 말씀드리는 게 성급한 결론처럼 보이지 않습니다. 과거 누군가 당신들 모두 영원한 망각에 빠지기를 바랐습니다."

파루크는 전혀 요동하지 않았다.

"그게 누구인지는 모릅니다." 오펠리가 말했다. "아마도 이 책들을 만들고… 집안의 정령들을 창조하신 분과 같을 것입니다. (오펠리는 침을 꼴깍 삼키고 결론을 내렸다.) 당신들이 '신'이라 부르는 분이시죠."

오펠리는 충격을 받았다. 파루크가 얼굴을 자신의 얼굴에 갖다 댔기 때문이다. 파루크는 오펠리 의자 등받이를 움켜쥐고 의자와 함께 오펠리가 뒤로 기울어지게 했다. 그처럼 느린 거구가 어떻게 이토록 놀라운 속도로 움직일 수 있었을까? 의자의 나무가 그의 손가락 힘을 못 이기고 부서지는 소리가 났다. 하지만 그가 오펠리 정신을 짓누르는 것에 비하면 아무것도 아니었다. 두개골이 호두 껍데기처럼 으스러질 것 같았다.

"지금 여기서 널 죽이지 않을 이유를 하나만 대보라."

파루크의 목소리는 더는 중얼거림이 아니었다. 그는 잡아먹을 듯한 눈으로 오펠리를 보고 있었다. 그와의 거리가 너무 가까워 말할 때마다 오펠리 안경에 김이 서렸다.

"넌 내 기억을 훔쳤어." 파루크가 속삭였다. "넌 내게서 나를 빼앗았어. 난 네게 뭐지?"

"절 다른 사람과 혼동하신 것 같아요." 오펠리가 아주 작은 목소리로 말했다.

파루크의 눈이 무서운 서광으로 번득이더니, 본격적으로 불이 붙었다.

"아르테미스의 아이야, 네가 한 말은 내가 듣고자 한 게 아니다. 반드시 다른 뭔가가 있어."

"책에 갇힌 비밀을 알고자 하셨고, 제가 그 비밀을 밝혀드렸어요."

오펠리가 앉은 의자의 나무 등받이가 파루크의 손 사이에서 더욱더 요란한 소리를 냈다. 둘 사이의 거리가 너무 가까워 짓눌릴 것 같았다. 오펠리는 그를 오랫동안 견딜 수 없을 것 같았다. 귀가 웅웅거리고, 시야가 겹쳐 보이고, 보이지 않는 칼날이 머리를 베는 것 같았다. 계단에서 추락하고, 목을 졸리고, 심장이 마비되었다. 간신히 살아남은 오펠리였지만 한계는 있었다.

"절 아프게 하고 계세요." 오펠리가 단호한 말투로 말했다.

파루크가 손을 떼자 의자가 거칠게 네 다리로 떨어졌다. 오펠리는 파루크가 최후의 일격을 가할 거라고 믿었다. 그러는 대신 파루크는 뒤로 돌아서더니 천천히, 거의 기계적인 동작으로 방 안에 놓인 모든 예술품을 하나씩 쓰러뜨렸다. 화병, 램프, 장롱, 시계, 의자, 긴 수연통, 당과 그릇, 꼭두각시, 작은 상자들이 바닥에서 산산이 조각 났다. 파루크가 멈추었을 때 오펠리가 앉은 의자와 테이블만이 세워져 있었다.

"무슨 문제가 있으신가요, 폐하?" 작고 정중한 목소리가 물었다.

기억 도우미였다. 그의 어리고 여린 실루엣이 문틀을 넘어 모습을 드러냈다. 그는 완전히 중립적인 시선으로 주변의 난장판을 바라보았다. 오펠리는 투알 구성원을 보며 지금처럼 기뻤던 적이 없었다.

“아르테미스의 아이를 데려가라.” 파루크가 중얼거렸다.

파루크는 두 주먹을 불끈 쥐고 물러나며 이미지들로 가득한 벽을 향해 단호히 몸을 돌렸다. 긴 백발이 그의 옆모습을 가려 표정이 보이지 않았다. 오펠리는 그 순간 파루크의 시선과 마주친다면 누구든 그 자리에서 즉사할 거라고 확신했다.

그녀는 겁에 질린 목도리를 되는대로 팔에 감고 의자에서 미끄러지듯 내려왔다. 오펠리는 제대로 서 있을 수도 없었지만, 자신의 요구가 받아들여졌는지에 대한 확답을 듣지 않고는 떠날 수 없었다.

“약속을 지키시는 건가요?” 오펠리가 물었다.

파루크의 머리카락이 살짝 흔들렸지만, 여전히 벽을 바라보고 있었다.

“무슨 약속?”

“계약 말입니다, 폐하.” 오펠리는 할 수 있는 한 최대의 인내심을 발휘해 말했다. “읽는 조건으로 오늘 토른과 저의 결혼을 유지해주시겠다고 약속하셨잖아요.”

종이가 부스럭대는 소리가 났다. 파루크는 모피 외투에서 계약서 사본을 꺼내 다시 읽었다. 상당한 시간이 소요되었다.

“토른과 결혼하라.” 마침내 그가 선언했다.

오펠리는 심호흡을 했다. 너무 걱정하며 파루크의 판결을 기다리다 숨 쉬는 것도 잊고 있었다.

“고맙습니다.”

"토른과 결혼하라." 파루크가 계약서 사본과 벽만을 응시한 채로 되풀이했다. "그에게 네 능력을 전해라. 능력을 사용하는 법을 배울 시간은 내일 아침까지다."

"능력을 사용하는 법을 배운다고요?" 오펠리는 어리둥절해 되물었다.

"네가 내게 한 말은." 파루크는 각 음절을 끊어가며 말했다. "내가 듣고자 한 바가 아니었다. 다른 것이 있다. 그러니 너는 계약을 온전히 지키지 않은 것이다. 너를 대신해 남편에게 내일 아침 계약을 완수하도록 맡기겠다. 성공한다면 그를 사면할 것이고, 실패한다면 절단할 것이다. 기억 도우미?"

"네, 폐하."

"내 결정이 엄격히 지켜질 수 있도록 하여라. 이제 그만 물러가거라."

오펠리는 겁에 질렸다.

"불가능한 걸 요구하고 계십니다! 제 감정은 이미 충분해요. 토른은 하룻밤 사이에 절대로 전문적인 읽는 사람이 될 수 없어요. 그렇게 하실 수 없…."

"나는 다 할 수 있어." 파루크가 말을 잘랐다.

파루크가 계약서 사본을 외투에 정리했다. 더 이상 어떤 반박도 용납하지 않겠다는 말투였다.

그런데도 오펠리는 되물었다.

"기억을 빼앗긴다는 게 어떤 건지 폐하는 이 세상 누구보다 잘 알고 있어요. 어떻게 토른을 같은 운명에 처하도록 벌하실 수 있나요?"

"아르테미스의 아이여, 한마디만 더하면 그에게 어떤 시간도 주지 않겠다. 내일 보자."

오펠리는 오래도록 파루크의 등을, 그리고 테이블 위에 놓인 책을 응시했다. 그녀는 체념하고 엘리베이터까지 자신을 배웅해주는 기억 도우미를 따라갔다. 그는 보이에게 파루크의 결정을 전달하고, 해당 소식을 전 층에 알리라는 임무를 맡겼다. 그러고 나서 우아하게 오펠리를 향해 몸을 돌렸다.

"경찰서에서 만나요, 아가씨. 형식적인 절차는 제가 맡아서 할게요."

오펠리는 충격에 휩싸인 나머지 눈앞에서 금빛 창살이 닫히는 것도, 엘리베이터 안 크리스털이 흔들리는 것도 신경 쓰지 않았다. 보이가 평소와 달리 레버를 처음 사용하는 초보처럼 서투르게 작동해 엘리베이터가 급정지하는 것도 알아차리지 못했다. 아래층으로 끝없이 내려가는 내내 오펠리는 형언할 수 없을 정도로 끔찍한 감정에 사로잡혀 눈을 크게 뜨고도 아무것도 볼 수 없었다.

보이가 창살을 열자 오펠리는 기계적으로 발을 옮기며 엘리베이터에서 내렸다.

"네 눈부심을 닫아라."

오펠리는 잠시 멈칫하고 보이를 돌아보았다. 아까 로즐린 이모와 오펠리를 8층에 데려다주었던 보이와 동일인이었지만, 원래 모습을 알아보기 힘들었다. 완전히 직업의식을 잃은 듯, 팔을 말도 안 되게 반대로 꺾어 레버를 잡고, 기괴한 미소를 지으며 입술을 비틀었다.

"뭐라고 하셨죠?"

"네 눈부심을 닫아라." 보이가 반복해 말했다. "'네 눈물을 닦으라'고 말하려 했다. 지나간 일은 지나간 일이고, 해야 할 일을 하게 될 것이다."

보이는 창살을 닫고, 엘리베이터와 함께 올라갔다. 오펠리는 완전히 아무것도 이해하지 못했다.

조각 : 다섯 번째 시도

그러다 몹시 기분이 나빴던 어느 날, 신은 터무니없는 짓을 저질렀다.

문이 쾅 하고 닫힌다. 기억은 이 장면과 함께 시작된다. 그는 새로운 기억을 환기할 만한 단서를 찾기를 바라며 문이 닫히는 장면을 반복해서 떠올려본다. 누가 이 문을 닫았나? 그인가? 아니다. 그는 문이 닫히는 것을 보고 있다. 그렇다면 다른 누군가다.

좋다.

문이 쾅 소리를 내며 세게 닫힌다. 화가 난 걸까? 그렇다, 기억이 분명해진다. 신은 화가 나 있다. 신이 문을 쾅 닫았다. 누가 신을 화나게 했나? 기억나지 않는다.

좋다.

차례차례 하나씩 해결하자. 신이 들어오면서 문을 닫았나 나가면서 문을 닫았나? 이번에는 답이 분명하다. 나가면서였다. 그렇다, 이제 기억이 난다. 문을 쾅 닫은 날은 헤어진 날이었다. 그 이후의 삶은 결코 이전과 같지 않았다.

좋다.

신은 어디로 갔나? 밖으로 나간 걸까 아니면 다른 곳으로 들어간 걸까? 여기서부터는 기억이 떠오르지 않는다. 하지만 중요하다는 느낌이 든다. 반드시 문밖에 무엇이 있는지 알아내야 한다.

좋다.

다른 각도로 기억을 떠올려보자. 그는, 오댕은 그 순간 어디 있나? 이 질문에 대한 답이 분명히 떠오른다. 집안. 이 생각이 머리를 스치는 순간 이미지들이 함께 떠오른다. 바닥에 있던 유리 조각들. 깨진 거울들. 부서진 창문들. 수저들도 모두 던져져 있다. 심지어 물도 끊겼다. 왜? 무슨 일이 일어난 거지?

그는 문을 열어야 한다.

그는 문을 열 것이다.

그는 문을 연다.

빈 공간.

신이 박차고 나간 문을 열자 끝없이 펼쳐진 하늘뿐이다. 땅이 없는 하늘. 파열된 세상.

기억은 여기서 끝난다.

비고 : "네 눈부심을 닫아라." 이 말은 누가 했고, 무슨 의미인가?

기억

경찰서는 커다란 건물로 정면이 고대 사원처럼 장식되어 있었다. 시타시엘 중심에 위치하며 여덟 대의 엘리베이터가 이곳에 정차했다. 여러 부대를 실을 수 있을 정도로 큰 규모였다. 그중 일개 부대가 본관 메인 계단을 오르고, 로비를 지나는 오펠리의 호위를 맡았다. 파루크의 기억 도우미는 놀라울 정도로 유능했다. 오펠리가 입도 뻥긋하지 않았지만 모든 문이 열렸다.

파루크와 면담이 끝나자마자, 오펠리는 헌병들의 감시를 받게 되었다. 그들은 그녀가 전화를 거는 것도, 전보를 보내는 것도, 공개적 발언을 하는 것도 허락하지 않았다. 오펠리는 주변에 몰려든 호기심 가득한 인파 속에서 필사적으로 로즐린 이모를 찾았으나, 금테 코안경 너머로 자신을 쏘아보고 있는 궁정 사람들밖에 보이지 않았다.

오펠리는 가족들 몰래 감옥에서 결혼할 작정이었다.

헌병들은 오펠리를 국가 죄수들이 수용된 지하로 데려갔다. 노파의 몸수색을 받은 뒤, 대기실에서 기다리라는 안내를 받았다. 헌병 네 명의 감시를 받으며 얼음처럼 차가운 대리석 장의자에 앉아 추시계를 바라보았다. 대기실에 있는 유일한 가구였다. 삼백십칠 분이 지나자, 부대장이 검은 정복에 하얀 가발을 쓴 젊은 법관과 함께 모습을 드러냈다.

"행복한 신부가 여기 계셨군요!" 그는 장의자에 앉은 채 얼어붙은 오펠리를 보며 외쳤다. "아가씨, 절 따라오세요. 오늘 결혼식은 제가 진행합니다. 어, 다치셨나 봐요. 글을 쓰는 손이 아니길 바라요. 서명할 서류가 한 무더기거든요. (그는 팔 아래 끼고 있는 서류 묶음을 톡톡 건드렸다.) 잠깐이지만 기다리게 해드려 죄송합니다. 죄수를 채비하고, 주례와 증인을 소환하고, 이것저것 준비할 게 많아서요. 결혼은 결혼이고, 법은 법이잖아요!" 법관이 유쾌하게 흥얼댔다.

오펠리는 감시가 삼엄한 방탄 문들이 줄지어진 복도를 지나 가장 마지막에 있는 토른의 감방에 도착했다. 한 번도 본 적 없는 아주 인상적인 곳이었다. 지름 3미터는 족히 돼 보이는 원형 문은 전체가 순금으로 주조되어 표면에 모습을 비춰볼 수 있을 정도였다. 빗장과 톱니바퀴가 설치된 복잡한 기계장치로 잠겨 있어 최악의 공공의 적이 수용되어 있다는 생각이 들었다.

보초를 서고 있는 안전 요원들은 로봇처럼 꼼짝도 하지 않았다. 오펠리는 그들 사이에서 호주머니에 두 손을 넣고 한가로운 여행객처럼 서 있는 아르쉬발드를 발견하고 깜짝 놀랐다. 다른 길로 그를 데려온 것이 틀림없었다.

법관은 아르쉬발드 앞에서 공손하게 몸을 숙였다.

"자청해주셔서 감사합니다, 대사님! 죄수와 면담하신 게 불과 몇 시간 전인데, 계획에 없던 결혼식을 올리는 데 또다시 행차해주시다니 무척 영광입니다. 궁정사가 다 그렇듯 반전은 일상다반사죠. 부대장!" 법관이 이번에는 부대장을 향해 근엄하게 말했다. "문을 열라는 명령을 내리세요."

감방 문을 여는 데, 세 사람이 필요했다. 잠금장치를 풀기 위해 각각 열쇠와 핸들을 조작했다. 덜컹대는 쇳소리가 대리석으로 된 대기실에 울렸다.

"여기서 뭐 하세요, 대사님?" 오펠리가 문을 여는 동안 속삭였다.

아르쉬발드는 그의 오래된 실크해트를 가슴에 갖다 댔다.

"제가 주례이자 증인입니다."

"대사님 혼자서요?"

"네, 저 혼자서요. 화려한 결혼식을 꿈꾸셨다면 실망하실 수 있어요."

"대사님이 오셔서 기뻐요." 지나치게 조급하게 말하는 오펠리를 보며 아르쉬발드는 눈썹을 올렸다. "그런데… 기증 의식은요? 하실 수 있으세요?"

아르쉬발드가 더 선명하게 미소 지었지만 그의 시선은 오히려 텅 빈 듯 보였다.

'투알과 나를 연결하는 선은 끊어졌지만' 그는 마음속으로 답했다. '그렇다고 집안의 능력을 잃은 건 아닙니다. 곧 있으면 당신과 토른은 혼인보다 훨씬 더 흥미로운 관계로 맺어지게 될 겁니다.'

마침내 두께가 수십 센티미터에 달하는 감방 문이 열렸다. 부대장이 문 뒤에 모습을 드러낸 금색 창살을 열었다.

감방 내부는 지하 다른 곳과 마찬가지로 대리석으로 지어져 있고, 똑같이 금으로 덮여 있었다. 방 한가운데에 있는 토른을 보자 오펠리는 내장이 모조리 뒤틀리는 것 같았다. 토른은 터무니없게 낮은 테이블에 앉아 있었다. 가죽 끈이 손목을 결박하고 있어 허리를 구부릴 수밖에 없었다. 얼굴에는 여러 번 파우더를 덧발라도 감출 수 없는 구타의 흔적이 역력했다. 예복이라고 입힌 흰 셔츠마저도 작았다. 단추가 풀린 소매는 팔 절반만 겨우 가려 토른의 예전 흉터들을 그대로 드러냈다.

'죄수를 채비한다'는 게 이거였나?

"앉으세요, 아가씨." 법관이 오펠리에게 의자를 가리키며 말했다. "곧 시작하겠습니다."

법관은 토른의 할퀴기 공격으로 머리가 잘릴까 봐 두려웠는지 멀찍이 떨어져 앉았다. 헌병들과 안전 요원들은 조금이라도 위험한 상황이 발생하면 바로 개입할 수 있도록, 곤봉을 틀어쥔 채 그들 주위를 에워쌌다. 신발 구멍으로 튀어나온 발가락을 응시하고 있는 아르쉬발드는 증인치고는 별 관심이 없어 보였다.

오펠리는 테이블 반대편에 자리 잡았다. 맞은편에 있는 토른과 눈이 마주쳤을 때, 오펠리는 그의 눈이 맹금의 눈빛만큼이나 불가사의하다고 생각했다. 방 안의 유일한 조명인 테이블에 놓인 백열등은 토른의 각진 얼굴 아래로 음산한 그림자를 드리웠다.

법관이 연설을 시작했다.

"우리는 오늘 정통은 아니지만 파루크 폐하의 후손인 토른 씨와 아르테미스 여제의 후손인 오펠리 양의 결혼식을 올리기 위해 이 자리에 모였습니다. 결혼은 가족 축제 그 이상의 의미를 지닙니다. 결혼은 가족의 기본이자 성취이고, 그 본질에 있어서나 영속성에 있어서 가족 그 자체입니다!"

법관은 끝도 없이 결혼의 의무를 늘어놓더니, 곧이어 길고 긴 법문을 인용했다. 최대한 시간을 뺏으려고 정말이지 온갖 수를 다 쓰고 있었다.

오펠리는 토른의 얼음 같은 시선을 마주하자 몸 둘 바를 몰랐다. 그녀는 토른의 말을 어겼을 뿐 아니라, 사태 해결에 아무런 도움도 되지 못했다. 오펠리는 공증문서에 서명하며 너무 긴장한 나머지 펜대를 부러뜨리고, 종이를 찢고, 잉크를 두 번이나 쏟았다. 반면 토른은 입을 꾹 다물고 오펠리에게 시선을 고정한 채 가죽 끈으로 손이 결박되어 있음에도 모든 서류를 기계처럼 연달아 서명했다.

"이제 두 사람이 부부가 되었음을 선언합니다!" 법관이 외쳤다. "이제 대사님께서 기증 의식을 거행하도록 하겠습니다."

아르쉬발드는 거침없이 테이블로 다가갔다.

"의자를 남편 쪽으로 붙이세요, 오펠리 양… 토른 부인. 네, 됐습니다. 이제 여러분의 집안 능력이 하나가 될 수 있도록 제가 두 분 사이에서 가교 구실을 하겠습니다. 약간 거북한 느낌이 들 수도 있어요. 하지만 금세 사라질 겁니다."

오펠리는 의자에 앉아서 몸을 뒤틀었다. 지난 몇 달 동안 이 순간을 두려워했지만, 이제는 기적을 바라고 있다. 파루크가 한 말이 진짜라면 그녀가 찾지 못한 '다른 것'이 그 책에 있고, 토른은 그녀보다 뛰어난 읽는 사람이 되어 그것을 서둘러 알아내야만 했다. 법관이 있는 대로 일을 지체시켜 오늘 밤 그들에게 남은 시간이 얼마 없었다.

아르쉬발드는 한 손을 오펠리 머리에, 다른 한 손은 몹시 인상을 쓰고 있는 토른의 머리 위에 올렸다. 그는 엄지손가락으로 오펠리의 미간을 눌렀다. 자신의 문신이 새겨진 곳과 똑같은 위치였다. 오펠리는 몸을 떨었다. 처음에는 특별한 어떤 것도 느껴지지 않았다. 하지만 조금씩 몸 안에 열기가 차오르더니 일 초, 이 초, 시간이 흐를수록 강도가 점점 세지는 전류가 온몸을 통과하는 것 같았다. 오펠리는 눈을 들어 토른을 보았다. 그도 느끼고 있을까? 맞은편에 몸을 구부린 채, 테이블에 묶여있는 토른은 무덤덤한 모습이었다. 온 혈관을 따라 간질이는 느낌이 몸 전체에 퍼지자 오펠리는 몸을 움츠렸다. 몸속을 흐르는 피의 속성 자체가 바뀌는 것 같았다. 간질거림은 아르쉬발드가 엄지를 대고 있는 이마 한가운데에 이르러 멈추었다. 성격도 출처도 알 수 없는 이미지들이 넋을 잃을 정로도 너무 빠른 속도로 머릿속을 지나가 아무것도 붙잡지 못했다.

아르쉬발드가 마침내 손을 떼자, 오펠리는 관자놀이를 때리는 듯한 강렬한 두통을 느꼈다.

"좋아요, 좋아, 좋습니다." 법관이 서류들을 가방에 정리하며 흥얼거렸다. "모두 잘된 것 같군요. 우리는 이만 물러나도록 하겠습니다… 정말로… 여러분이 할 일을 할 수 있도록 말이죠. 부인, 내일 아침 6시에 부대장이 데리러 올 것입니다." 법관이 오펠리를 보며 말을 마쳤다.

"6시요?" 오펠리는 분통을 터뜨렸다. "시간이 더 필요해요."

"규정은 규정입니다, 부인." 법관이 정복을 휘날리며 멀어져 갔다.

다음으로 아르쉬발드가 작별 인사를 하기 위해 실크해트를 들어 올렸다.

"부인의 부모님과 베르닐드에게는 제가 소식을 전하겠습니다. 축하드립니다, 전 감독관님!" 대사는 가죽 끈에 묶인 토른의 손을 감싸며 인사를 건넸다. "짧은 신혼을 즐기세요!"

"대사님, 죄수에게서 떨어지세요." 부대장이 주의시켰다. "위험합니다."

부대장은 아르쉬발드, 법관, 헌병들이 감방에서 나간 뒤에야 토른의 손목을 묶고 있던 끈을 풀었다. 그러고 나서 열쇠로 창살을 잠갔다. 그는 흉악범의 할퀴기 공격에 오펠리를 내버려 두는 게 불안하다는 듯 바라보며 감방 벽에 설치된 전화기를 가리켰다.

"부인, 혹시 조금이라도 문제가 생기면 보안팀을 부르세요."

감방의 무거운 방탄 문이 닫히고, 수많은 톱니 장치가 덜컹대는 소리를 낸 뒤 숨이 막히는 고요가 엄습했다.

오펠리 홀로 토른을, 그의 납처럼 무거운 시선을 마주하고 있었다. 토른을 결박하던 끈은 사라졌지만, 그는 여전히 테이블에 주먹을 대고 등을 구부리고 있었다. 그의 얼굴에 조명이 비치자 파우더로 덧바른 상처와 혹이 더 두드러져 보였다.

"결코 내가 바라던 바가 아니야." 마침내 오펠리가 말을 꺼냈다. "아니, 맞아. 결혼을 유지하고 싶었어. 하지만 당신의 형 집행을 앞당기려던 건 아니었어. 항소하려고 이번 주 유예 기간만을 기다리고 있었어, 알겠어? 멜키오르 남작이 가족대법원에 대해서 말해준 적이 있는데… 거기서 아이디어를 얻었어. 당신은 이제 나와만 연결되어 있는 게 아니라, 아니마 사람들 전부와 연결되어 있어. 파루크 폐하가 내게 시간을 줬었더라면, 맹세하건대 당신을 다른 관할법원으로 이송시켰을 거야. 그럼 당신이 진짜 재판을 받았을 테고, 누구도 당신을 학대하지 않았을 테고, 내가 증언을 했을 테고. 그리고… 토른." 오펠리는 자신의 의자를 가까이 가져가며 속삭였다. "내가 그 책에서 읽은 이야기를 어디서부터 시작해야 할지 모르겠어."

오펠리는 망루 8층에서 있었던 모든 일을 두서없이 얘기했다. 그녀가 파루크와 맺은 거래와, 먼 과거로 시간을 거슬러 올라간 일. 집안의 정령들과 그들의 책의 진짜 모습. 그들에게 망각을 유발한 찢겨 나간 페이지. 오펠리는 머리 없는 군인과 과거 학교였던 공간, 금빛 미모사의 향기 같은 다소 엉뚱해 보이는 디테일마저도 중요하다고 확신하며 토른에게 들려줬다.

토른은 입을 꾹 다문 채 오펠리의 말을 들었다. 오펠리가 '신'의 시선으로 목격한 이야기를 할 때도 눈썹 하나 까딱이지 않았다.

"이 기억은 확실하지 않아." 오펠리가 고백했다. "뭔가 놓친 게 있다는 느낌이 들어. 당신이 날 대신해 그걸 찾아야 할 거야. 그게 당신이 멜키오르와 말했던 것과 관련이 있을 수 있다고 생각해?"

오펠리는 토른이 마침내 꽉 낀 셔츠의 솔기를 뜯으며 몸을 일으켜 세우자 깜짝 놀랐다.

"물 한 잔 마실 수 있을까?"

"아… 그럼, 물론이지." 오펠리가 말을 더듬었다.

그녀는 램프 줄에 발이 걸리고, 침대의 철제 프레임에 무릎을 찧고, 자기 세면대에 부딪혔다. 오펠리는 두통 때문에 어느 때보다도 덤벙거렸다. 새로운 집안의 능력이 들어왔기 때문일까? 방탄 문처럼 반사하는 금으로 덮인 벽에 비친 자신의 얼빠진 모습을 바라보았다. 안경의 안색이 좋지 않았지만, 그 점을 빼고는 평소와 다르다는 느낌이 들지 않았다.

오펠리는 토른 쪽으로 돌며 바닥에 컵을 엎을 뻔했다. 그녀는 인제야 토른의 왼쪽 다리뼈가 처참히 비틀린 것을 보았다.

"이게 무슨… 당신에게 무슨 짓을 한 거야?"

토른이 의자에서 힘겹게 몸을 움직이자, 다리가 훨씬 더 끔찍한 각도로 꺾였다.

"멜키오르 남작은 친구가 많았지." 토른은 상관없다는 듯 말했다. "당신이 말한 대로 '집행일을 앞당기지' 않았더라도, 내 몸의 뼈는 똑같은 대접을 받았을 거야. 그런 눈으로 보지 마." 토른이 중얼거렸다. "난 고통을 견디는 탁월한 능력을 지녔으니."

오펠리는 나뭇잎처럼 떨었다. 바지 안의 다리가 어떤 모습일지 상상조차 할 수 없었다.

"재촉하고 싶지 않지만, 수업을 시작해야 할 것 같아." 오펠리는 감방의 자명종 시계를 보자 걱정이 몰려왔다.

토른은 한 모금 한 모금 천천히 물을 마셨다. 오펠리는 이런 순간에도 그가 어떻게 침착함을 유지할 수 있는지 의아했다. 그녀는 공황에 빠지지 않기 위해 부단히 애를 썼다.

물을 다 마신 토른은 빈 잔의 바닥을 내려다보았다. 다른 손은 여전히 주먹을 쥔 채 테이블 위에 두었다. 깊은 생각에 잠긴 듯 보였다.

"처음에 우리는 하나였어." 토른이 갑자기 말했다. "그러나 신은 우리가 그런 식으로는 자신을 만족시킬 수 없다고 판단했고, 그래서 우리를 갈라놓기 시작했지."

"뭐?" 오펠리가 너무도 당황해 말을 더듬었다.

"어머니는 15년 전에 절단당했어." 토른은 넋이 나간 듯한 목소리로 말했다. "지난번 가족의회 직후에 벌어진 일이지. 마지막으로 감옥에서 어머니를 뵈었어. 바로 이 감옥이었어. 난 언제나 어머니에게 아무것도 아니었는데, 어째서 날 선택했는지 아직도 모르겠어. 다른 대안이 없었겠지. 당신께 허락된 3분의 면회 시간을 이용해 내게 기억의 일부를 전달하셨어. 아주 작은 일부에 불과했지만." 토른이 빈 잔을 응시하며 분명히 말했다. "내 삶을 완전히 바꾸기에 충분했지. (토른은 오펠리를 향해 금속처럼 반짝이는 눈을 들었다.) 파루크의 개인적인 기억들 말이야. 적어도 몇 개의 기억 조각들을 세세히 파헤치는 데 몇 년이 걸렸어. 당신이 읽어서 알게 된 것을 나는 이미 좀 더 세세하게 알고 있었어. 어쩌면 그보다 조금 더 알고 있을 거야."

한동안 숨을 쉬는 것도 잊고 이야기에 빠져들었던 오펠리가 깊게 호흡을 들이마셨다.

"그보다 조금 더?"

"신이 세상을 부쉈지."

토른은 마치 날씨를 알려주듯 말했다. 오펠리는 어지러워 테이블에 몸을 기대야 했다.

"파열… 그게 단 한 사람이 벌인 일이었다고?"

"어떻게 했는지는 모르겠지만, 신이 세상을 부쉈어." 토른은 극도로 침착하게 반복했다. "그 후로 남은 조각들을 완전히 지배하고 있지. 멜키오르만 그에게 영혼을 판 게 아니야. 집안의 정령들과 그들의 후손들이 모두 신이 정한 계획에 따라 행동하는지, 여러 남자와 여자들이 어둠 속에서 살피고 있어. 나의 어머니도 그 가운데 한 명이었지. 그게 그녀를 뼛속까지 타락시켰고, 끝내 신이 직접 어머니를 부인하기에 이르렀지. 아니마의 두아옌들은 물론이고, 어쩌면 당신 가족 중에도 그자들이 있다 해도 놀랍지 않을 거야. 그래서 최대한 조심하라고 말했던 거야."

오펠리는 눈을 감았다. 그녀 안에서 뭔가가 모습을 다시 드러내듯이, 두통이 심해지며 머릿속에서 휘몰아쳤다.

"도대체 누가 신이야?"

"뭐가 신인가가 더 적절한 질문일 거야." 토른이 컵을 테이블에 놓으며 정정했다. "어머니의 기억을 물려받은 뒤로, 줄곧 그 질문에 대해 생각해봤지만 어떤 만족스러운 답도 찾지 못했어. 내가 아는 건, 그는 우리가 상대도 할 수 없는 기술을 지녔다는 거지. 그는 집안의 정령을 창조하고, 세계를 조각내고, 인류를 감시 하에 두었어. 그는 비교도 안 될 만큼 긴 수명을 누리고, 어떤 이유에선지 진짜 얼굴을 드러내고 싶어하지 않지. 안타깝게도, 내가 파루크와 공유하는 몇 안 되는 기억 가운데 신과 관련된 기억은 그 즉시 흐려져."

"바로 그래서 당신이 그토록 그의 책을 읽고 싶어한 거야?" 오펠리가 중얼거렸다.

토른이 눈썹을 찡그렸다. 테이블의 조명인지도 모르겠지만, 위협적인 섬광이 그의 푸른 납빛 눈을 통과하는 것 같았다.

"인간은 각자 자기 삶의 주사위를 던질 권리를 지녀야 해. 주사위는 미리 정해진 모든 것을 뛰어넘고 예기치 않은 결과를 가져오지. 주사위가 속임수라면 어떤 것도 의미가 없어. 궁정 전체가 속임수를 쓰고 있어. 우리 사회의 틀이라고 할 수 있는 집안의 정령마저 속임수를 쓰고 있으니 그럴 수밖에 없겠지. 파루크는 규칙을 따르게 하기 위해서가 아니라, 자기 기분에 따라 상벌을 내려. 하지만 이 세상의 파괴자가 꾸미고 있는 일은 훨씬 더 나쁘지." 토른이 분을 삭이며 말했다. "그는 한 번도 그림자 밖으로 나오지 않고 인류에게서 주사위를 훔쳐 갔어."

오펠리는 몸이 오그라드는 느낌이었다. 토른이 그녀에게 이렇게 털어놓은 건 처음이었다. 드디어 그녀의 눈을 바라보며 정말로 동등한 입장으로 말을 했다.

"그러니까 당신은 처음부터 신을 조사하고 있었어." 오펠리가 말했다. "그다음은? 뭘 할 생각이야?"

토른이 당연하다는 듯 어깨를 으쓱했다.

"세상에 주사위를 돌려줘야지. 그 이후에 세상이 주사위를 갖고 뭘 할지는 내가 관여할 바가 아니야."

오펠리는 점점 더 기가 막혔다.

"그러니까… 신을 상대하겠다는 거야?"

"신의 관심을 끌려고 그 어떤 것도 소홀히 넘기지 않았어. 멜키오르는 모든 극단적인 방법을 동원해 내가 파루크의 책을 읽는 것을 막을 준비가 되어 있었지. 파루크와 신이 같은 과거를 공유하고 있기 때문이야. 그 공통의 과거에 발을 들여놓고, 신과 만날 기회를 잡게 되기를 비밀스럽게 바라왔어. 신에게도 약점이 있어. 누구나 하나씩은 있지. 그 약점을 찾아냈다면 해결됐을 거야."

"그런데 왜 당신이지?" 오펠리가 재차 물었다. "그러니까 왜 당신 혼자 이 일을 해결해야 하는 거야?"

토른이 자세를 바꾸려 애쓰며 인상을 찌푸렸다. 머리카락 뿌리에서부터 땀방울이 뚝뚝 떨어지고 있었다. 말하지 않아도 그의 앞에 놓인 다리가 얼마나 심한 고통을 견디고 있는지 알 수 있었다.

"직업병이지." 그가 결국 불평하듯 말했다. "가소로운 의무감이거나 어쩔 수 없는 지적 독단으로 볼 수도 있겠지."

오펠리는 매료되어 램프의 희미한 불빛 속에서 오래도록 토른을 바라보았다. 지금까지 스스로가 이토록 작게 느껴지고, 토른이 이토록 크게 느껴진 적이 없었다. 자신은 서 있고 토른이 의자에 앉아서 몸을 세 번 접는다고 해도 전혀 바뀌지 않을 것이다. 토른은 철저한 인간 혐오자이지만 사리사욕을 초월해 그 누구보다 무엇이든 넓게 그리고 깊이 생각하고 있었다.

"15년 전부터 이 모든 걸 비밀로 간직한 거야?"

토른이 강렬한 은빛을 내뿜는 두 눈을 가늘게 뜨고 고개를 끄덕였다.

"고모를 이 일에 연루시킬 생각은 결단코 없어. 아는 것보다 모르는 게 더 안전해. 당신은 책을 읽었으니 더는 해당되지 않는 말이 되었네. 하지만 진실에는 대가가 따르고, 그 대가가 비싸다는 사실을 잊지 마. 절대로 일드가르드에게 일어난 일을 잊지 마. 분명히 나보다 더 많은 것을 알고 있었지만, 내가 제안한 보호를 거부하고 자살을 택했어. 멜키오르가 왜 그토록 그녀와 신을 만나게 하려고 했을까 계속 고민하고 있어." 토른이 생각에 잠긴 듯 덧붙였다. "그는 이 비밀을 무덤에 가져갔고."

두통을 느끼고 있던 오펠리의 머릿속에 순간 빛이 번쩍였다. 뒤늦게 시동이 걸린 듯 토른 집안의 능력이 그녀에게로 흘러 들어가고, 자신만의 기억의 불씨를 되살렸다. 발밑에 무릎을 꿇고 갈망하는 눈으로 그녀를 올려다보는 어린 파루크가 떠올랐다. 마치 그녀에게서, 오직 그녀에게서만 삶의 의미를 찾는 것 같은 어린 파루크. 왜 쓰여 있는 걸 해야 해? 신, 네게 난 뭐지? 수많은 작은 디테일들, 그녀가 책을 읽는 동안 파악하지 못했다고 확신했던 디테일들이 떠올랐다. 유리가 빠진 창, 천으로 덮인 거울들 그리고 그녀, 파루크에게 뭔가 중요한 것을 설명하고 있는 신.

갑자기 울린 자명종 소리에 오펠리는 현실로 되돌아왔다.

"더 이상 낭비할 시간이 없어."

"난 결코 시간을 낭비하지 않아." 토른이 눈썹을 활모양으로 치켜뜨며 단호히 말했다. "내가 말한 모든 것은 지금 당신에게 말해야만 하는 것들이었어. 그것을 가지고 나보다 더 뛰어나게 사용하는 건 당신에게 달렸어."

토른이 이 말을 마치며 꽉 쥐고 있던 주먹을 폈다. 손안에 휴대용 소형권총을 쥐고 있었다. 그것을 보자 오펠리는 심장이 철렁했다. 토른이 빈손으로 법관의 서류에 서명했다고 확신했는데.

"아르쉬발드." 마침내 오펠리는 이해했다. "그가 당신에게 축하 인사를 건넸을 때…."

"재미는 없지만, 능력은 있는 사람이야. 지난번 면회를 왔을 때 부탁했었어."

오펠리는 얼음처럼 차가워졌다가 이내 불처럼 뜨거워졌다.

"왜 무기를 부탁했지?"

"내 어머니처럼 끝나고 싶은 생각은 추호도 없으니까." 토른이 단호하게 말했다. "언제 그리고 어떻게 죽을지는 오직 나만이 결정할 수 있어."

"당신은 어머니처럼 끝나지 않아, 내가 약속해. 그러니 그 총 당장 버려."

지나치게 격앙되어 말하는 오펠리를 보고 놀란 토른의 근엄한 표정이 풀어졌다.

"내게 약속할 건 아무것도 없어. 이 물건과 관련해 당신을 흥미롭게 해줄 만한 사실이 하나 있어. (토른은 램프의 조명에 반짝이는 휴대용 권총을 예리한 눈길로 바라봤다.) 내내 손에 쥐고 있었지만, 읽을 수 없었어."

"뭐라고?"

"나는 이걸 읽지 못해." 토른이 다시 말했다. "만지고 있지만 어떤 특별한 것도 느껴지지 않아. 물론 내가 전문가는 아니지만 분명 좋은 징조는 아니라는 생각이 들어."

오펠리는 테이블 위 양철로 된 잔을 발견하고 토른 앞에 내밀었다. 토른이 잔을 잡고 손가락 사이에 넣고 돌린 뒤 다시 내려놓았다.

"아무것도."

"더 집중해봐." 오펠리는 당황한 모습을 애써 감추며 조언했다. "물건을 읽는 것은 수화기를 드는 것과 같아. 수화기가 당신에게 들려줄 말에 귀를 기울여야 해."

토른은 다시 시도했다. 이번에는 램프의 밝기 조절 버튼을 손으로 만지며 왼쪽 오른쪽으로 돌려보았다.

"아무것도."

"보이는 게 없어?" 오펠리가 말을 더듬었다. "특별한 느낌도 없어? 희미한 인상조차도?"

"없어."

오펠리는 안경을 벗었다.

"받아. 우리 자신의 정신 상태가 아직 물들지 않은 물건을 읽는 게 더 쉽거든."

토른은 그녀의 안경을 몇 번 만진 뒤 오펠리에게 되돌려주었다.

"여전히 아무것도 없어. 이것 참 어이없군, 난 읽기에 정말 재능이 없는 것 같아. 이제부터 내가 하는 말 잘 들어. 부탁할 게 하나 있어."

"아니."

오펠리는 자기도 모르게 답했다. 그렇지만 토른은 동요하지 않고 말을 이었다.

"고모를 아니마로 데려가줘. 당신도 고모도 날 대신해 파루크의 벌을 받지 않을 거야. 당신이 알고 있는 것을 누구에게도 말하지 말고, 예전처럼 당신 삶을 살아. 진실이란 무거운 짐을 모두 짊어질 필요는 없으니."

"아니." 오펠리가 반복했다.

그녀는 주변에 있는 읽기에 사용할 수 있을 법한 물건을 찾았다. 하지만 감방에는 선택의 여지가 별로 없었다.

토른은 권총을 셔츠 주머니에 찔러 넣었다.

"당신 앞에서 이 무기를 사용하지 않겠어. 안전 요원을 부르고 떠나."

오펠리가 있는 힘껏 고개를 젓자 묶여있던 머리카락이 풀려 등 위로 쏟아졌다. 두려움이 몰려왔다.

"아니야, 아니야, 아니야." 오펠리는 점점 더 믿을 수 없어 말을 더듬었다. "당신은 더 해봐야 해… 우리는 더 해봐야 한다고. 내가 파루크에게 그의 책을 한 번 더 읽게 해달라고 설득할게. 분명히 방법이 있어, 항상 해결책은 있어."

"오펠리."

토른은 오펠리와 마주 볼 수 있도록 그녀의 얼굴을 두 손으로 감쌌다. 힘겹게 의자에 앉아서 그 어느 때보다도 진지하게 오펠리를 바라보았다. 움푹 파인 팔의 흉터가 방 안의 희미한 조명에 초승달처럼 빛났다.

"내 일을 더 힘들게 만들지 마. 우리 중 누구도 파루크를 만족시킬 수 없어, 당신도 잘 알고 있지. 그는 내 기억을 도려내고, 기억과 함께 내 모든 것을 도려낼 거야. 어머니처럼 끝나고 싶지 않아, 이해하지? (그의 손가락이 오펠리의 뺨을 더 세게 눌렀다.) 난 고통받지 않을 거야." 토른은 약속했다.

"제발…."

오펠리는 작은 소리로 애원했다. 토른은 당혹감을 숨기지 않고 오펠리를 바라보았다. 반쯤 미소를 짓고, 반쯤 인상을 쓴 토른의 입술이 떨려왔다. 토른은 조금 수줍은 듯 주저하며 오펠리의 부러진 팔과 자신의 부러진 다리 사이에서 최선의 타협점을 찾아 그녀가 의자 가까이 오도록 했다. 오펠리가 충분히 가까워지자 토른은 그녀의 어깨에 이마를 기댔다.

"처음 당신을 봤을 때 당신에 대해 참 못난 생각을 했었어. 당신이 분별력도 없고, 성격이 물러서 결혼할 때까지 못 버틸 거라고 말이지. 내 삶에서 가장 커다란 잘못으로 영원히 남을 거야."

오펠리는 비탄과 분노로 갈가리 찢기는 것 같았다. 그에게는 그럴 권리가 없어! 그녀의 삶에 이렇게 들어와서 모든 걸 뒤죽박죽으로 만들어놓고 아무 일도 없었다는 듯 떠날 권리가 없어.

토른이 오펠리를 품에 꼭 안자 그녀는 마음이 찢어지는 것 같았다.

"앞으로는 계단에서 넘어지지 말고, 날카로운 물건은 피해. 형편없는 사람들은 더더욱 멀리하고, 알겠지?"

눈물이 오펠리의 뺨을 타고 흘러내렸다. 토른의 말은 그녀의 몸을 파고들어 한없이 깊은 공허를 남겼다. 오펠리는 토른과 헤어지고 나면, 다시는 어떤 따스함도 느끼지 못할 거라고 굳게 확신했다.

토른은 오펠리의 어깨에 기댄 채 눈물을 삼켰다.

"실은 말이야, 당신을 사랑해."

오펠리는 울음이 복받쳐 목이 메었다. 더 이상 아무 말도 할 수 없었다. 숨 쉬는 것도 고통스러웠다.

토른은 손을 뻗어 오펠리의 숱 많은 곱슬머리를 쓰다듬었다. 호흡이 가빠졌다. 토른이 최대한 몸을 가까이 밀착시켜 오펠리를 껴안았다. 그러다가 난폭할 만큼 격렬한 동작으로 그녀를 떼어냈다.

갑자기 목이 메는 듯 토른은 헛기침을 했다.

"이게… 내가 생각했던 것보다 조금 더 어렵네."

그는 옅은 금발 머리카락을 뒤로 정리하고 결심한 듯 오펠리의 시선을 피했다. 눈꺼풀 가장자리가 붉어졌다. 그런 토른의 모습이 이 세상 그 무엇보다 더 오펠리의 마음을 흔들었다. 이렇게 흔들렸던 적이 없었다.

"이제 가." 토른이 웅얼거렸다. "눈물 젖은 작별은 질색이니까."

토른은 자기 셔츠를 붙잡고 있는 오펠리의 손을 뿌리쳤다. 오펠리는 토른을 더 꽉 붙잡을 수 있게 두 팔이 온전했으면 싶었다.

"떠나." 꿈쩍하지 않는 오펠리를 보며 토른이 들릴 듯 말 듯한 목소리로 말했다. "당신이 여기서 지체하면 할수록, 내게 더 힘들어질…."

토른이 말끝을 흐렸다. 그가 천천히 눈을 크게 뜨자 얼굴의 흉터가 끝없이 늘어났다. 깜짝 놀라 뒤를 돌아본 오펠리도 보았다.

어떤 발 하나가 금색 방탄 문을 뚫고 나오는 것을.

부모

오펠리는 꿈을 꾸는 게 아니었다. 정말로 누군가 40센티미터 두께의 문을 통과하는 중이었다. 그는 용암처럼 녹아내리는 빛나는 금을 화상도 입지 않고 유유히 빠져나온 뒤, 감방에 들어와 옷에 붙은 금 조각들을 털어냈다. 피부는 검었고, 연금술사 클랜인 플롱보 특유의 체크무늬 옷을 입고 있었다. 문의 금속성은 이미 단단하게 굳었지만 조금 전까지만 해도 완벽하게 매끈하던 금으로 된 표면에 보기 흉한 흔적이 남았다.

그는 버터를 통과하듯 감옥 문을 통과하는 게 하나도 특이하지 않다는 듯 보안 창살 너머로 오펠리와 토른을 태연히 바라보았다. 별안간 얼굴이 창백해지고, 눈꼬리가 올라가더니 동양풍 의상을 착용한 모습으로 바뀌었다. 순식간에 완전히 다른 사람이 된 것이다. 온몸이 신기한 고무로 된 것처럼 아주 유연하게 창살 사이를 빠져나왔다.

"아니마 아이야, 우리 또 만났구나." 그가 홍얼거리듯 말했다.

오펠리는 아무 소리도 내지 못하고 두 단어를 입만 뻥긋하며 발음했다. '천의 얼굴!' 카니발 카라반 단원의 믿기지 않는 등장에 뇌가 정지한 것 같았다. 하지만 토른이 놀란 것과는 비교도 되지 않았다. 그는 테이블에 몸을 기댄 채 멀쩡한 다리로 버티고 서 있으려 했다. 벌써 셔츠가 땀으로 흥건하게 젖었다. 펜치로 조인 듯 이를 앙다물고, 눈을 빛내며 천의 얼굴을 바라보고 있었다.

천의 얼굴은 세상 무심한 표정으로 의자 하나를 붙잡았다. 몸을 숙이자마자 몸이 고무줄처럼 늘어나더니 그가 순식간에 의자에 앉았다. 양 끝을 말아 올린 커다란 수염이 버섯처럼 얼굴 위로 쭉쭉 자라나고, 동양풍 옷이 단추 달린 제복으로 바뀌더니 한쪽 눈이 안쪽으로 돌아갔다. 점점 얼이 나간 오펠리는 모래시계 제조소 계단에서 자신을 붙잡아 준 사시 헌병을 알아보았다.

그는 전혀 군인답지 않은 동작으로 다리를 꼰 뒤, 손으로 무릎을 감쌌다.

"근쇠 건사들을 지켜봤어… 최근 사건들을 흥미롭게 지켜봤어." 이번에는 북쪽 지방의 강렬한 억양이 느껴지는 완전히 다른 목소리였다. "특히 당신 두 사람을. 얼마 전부터 날 혼란스럽게 만들고 있지."

오펠리는 심장이 멈칫했다. 토른이 그녀를 대신해 머릿속을 스친 말도 안 되는 생각을 들릴 듯 말 듯 한 목소리로 입 밖으로 꺼냈다.

"당신은 신이군요."

천의 얼굴이 미소 짓자, 수염 꼬리가 올라갔다. 오펠리가 살면서 본 미소 가운데 가장 인간답지 않은 미소였다. 그가 자신에게 말을 건네고 있다는 것을 깨닫자 오펠리는 온몸에 소름이 돋았다.

"그래, 네가 내 아들의 책을 읽었지. 적어도 시도는 했지만. 아무 읽는 여자나 내 작품들을 읽을 수는 없지."

천의 얼굴은 사시 눈으로 감방 안을 둘러본 뒤, 토른에게 온 관심을 쏟았다. 토른은 서 있으려고 부단히 애를 썼다. 어찌나 세게 테이블 끝을 붙들고 있었는지 손가락뼈가 끊어져버릴 것 같았다.

"반면 넌 아무 읽는 남자가 아니야. 네 기억을 증폭기처럼 사용하다니, 과감한 발상이었어."

말을 마친 천의 얼굴은 갑자기 딸꾹질하면서 손을 입에 갖다 댔다. 그러고는 세상에서 가장 자연스러운 동작으로 입에서 녹슨 작은 쇳조각을 꺼냈다.

오펠리는 공포와 흥분에 사로잡혔다. 마지막으로 그 쇳조각을 봤을 때, 그것은 파루크 책의 피부 사이에 끼어 있었다. 그가 이 물건을 가지고 있다는 것은, '신'이든 '천의 얼굴'이든 상관없이 그녀의 적이라는 의미였다. 그 책에서 무엇도 결코 읽을 수 없게 만들었으니까.

"나는 서재를 전부 다 합친 것보다 더 많은 지식을 보유하고 있지." 천의 얼굴이 선언하듯 말했다. "하지만 이 작은 디테일." 그가 손가락으로 잡은 녹슨 칼끝을 차분히 응시하며 말했다. "이걸 깜박했다는 걸 인정해야 할 것 같아."

그는 쇳조각을 꿀꺽 소리를 내며 삼켰다.

"엘리베이터의 보이." 오펠리가 속삭였다. "당신이었죠, 그렇죠? 내가 가고 난 뒤 파루크를 찾아가셨어요."

천의 얼굴은 이각모의 그림자 아래로 눈을 반쯤 감았다.

"평소에는 아이들 일에 끼어들지 않아. 그런데 오댕은 휴태… 아니 수태했을 때부터 문제였어. 다른 형제들과 달리 절대로 순종하지 않았거든. 오늘 교훈도 쓸모없지 않았을 거라 생각해. 이제부터는 내가 하라고 쓴 것은 전부 다 하게 될 거야."

천의 얼굴은 사시 눈을 치켜뜨며 토른을 보았다. 토른은 끔찍할 정도로 이상한 각도로 부러진 다리를 짐처럼 거추장스럽게 끌며 테이블을 붙들고 있었다. 그에게는 지금 이곳에 서 있는 게 가장 중요한 일처럼 보였다.

"우리가 대화하고 있는 지금, 오댕이 여기로 오고 있지. 형을 집행하려고 말이야, 얘야. 넌 바람을 불었어…. 사람을 죽였어. 그것도 아무나가 아닌 사람을."

이 말과 함께 천의 얼굴은 의자 위에서 몸을 부풀렸다. 콧수염 끝이 느낌표처럼 가늘어지고, 이각모가 실크해트로 바뀌고, 헌병 제복은 가장 우아한 프록코트에 자리를 내주었다. 오펠리는 속이 메슥거렸다. 바로 눈앞에 앉아 있는 멜키오르 남작을 보고 있는 게 끔찍할 정도로 엽기적으로 느껴졌다.

"두 가지 흥미로운 질문이 있어." 천의 얼굴은 멜키오르 남작의 멋을 부린 말투로 말했다. "첫 번째는 이 사람이 살 가치가 있느냐는 질문이고, 두 번째는 네가 죽을 가치가 있느냐는 질문이지. 사실 난 네가 남작보다 훨씬 더 좋은 후견인이 될 거라 생각해."

오펠리는 숨을 고르며 토른을 올려다보았다. 토른은 한 다리로 아슬아슬하게 중심을 잡고 서서 고집스럽게 침묵을 지키고 있었다. 이를 벌리는 게 불가능한 것처럼 너무 세게 악물고 있어, 턱뼈가 튀어나왔다.

천의 얼굴은 대화 상대를 다른 각도로 보려고 머리부터 삼중 턱까지 위험천만하게 비틀었다. 오펠리는 그의 기괴한 자세가 파루크의 자세와 너무 닮아 깜짝 놀랐다. 둘 다 척추동물에 적용되는 자연의 법칙을 거스르는 몸을 가진 것 같았다.

"주저하는 건가? 네게 얼마나 큰 영광을 안겨주는 건지 모르는 것 같네. 후견인은 선택받은 자들 가운데에서도 선택받은 자들이지. 그들에게만 신적인 전뢰를… 전적인 신뢰를 보내고 있어. 유일하게 이 아슈에서만 나를 대표할 아이를 찾지 못했어. 모두 어찌나 실망스럽던지. 멜키오르는 자기 의무를 벗어나는 일에 함부로 내 이름을 사용했지. 네 엄마의 경우는… (이 두 음절을 발음하는 순간 천의 얼굴에서 살이 빠지기 시작했다. 그의 몸이 섬세하고 여성적으로 바뀌더니 선이 굵고 아름다운 여성의 모습으로 바뀌었다. 이마에는 크로니쾨르의 회오리 모양 문신이 새겨져 있었다.) 네 엄마는" 그가 여자 목소리로 말을 이었다. "자신의 의무를 저버렸지."

오펠리는 순간 토른이 완전히 중심을 잃을 거라고 생각했다. 치욕의 표시도 없고, 기억도 잃지 않은 젊은 시절의 엄마를 바라보는 토른의 얼굴이 새파랗게 질려 있었다.

“내 아들의 후견인이 되어라.” 천의 얼굴이 말했다. “이 아슈에서 내 눈과 귀가 되어라. 내 가족이 파란 일로… 바른길로 갈 수 있도록 나를 도와라. 무엇보다도 사랑받는 내 아이가 되어라.”

오펠리는 온몸의 피가 들끓는 것 같았다. 엄마의 입을 빌려 그런 말을 한다는 건 상상을 초월할 정도로 잔인했다. 천의 얼굴이 여인의 아름다운 입술을 일그러뜨리며 미소를 지었지만, 어떤 관능미도 느껴지지 않았다.

“네 생각은 어떻니, 내 아들? 오댕에게 널 사면해달라고 제안할까? 네가 내게 목숨을 줄래, 아니면 내가 네게 죽음을 줄까?”

“내 생각은.” 토른이 말했다.

오펠리는 셔츠 주머니에서 권총을 꺼내 천의 얼굴에 겨냥하는 토른의 모습에 눈이 휘둥그레졌다. 그는 다른 한 손으로 테이블을 붙들고 있었다. 극도로 긴장된 손가락 아래로 테이블이 덜덜 떨렸다.

“인류가 주사위를 되찾을 때라고 생각해요.”

천의 얼굴은 눈 하나 깜박하지 않고 총구를 뚫어져라 바라보았다.

“그러니까 아들아 이해를 못 한 거니? 내가 곧 인류다.”

“헛소리하지 마요!” 토른이 씩씩대며 외쳤다. “당신은 자기 얼굴과 약점을 감추기 위해 다른 이들의 모습과 능력을 따라 하죠. 이제야 일드가르드가 왜 안전선을 설치했는지 이제 알겠어요.” 토른이 증오에 찬 목소리로 중얼거렸다. “당신은 그녀의 공간 장악 능력을 질투했어요, 그렇죠? 당신에게 없는 능력이라

탐났던 거죠. 당신은 전능하지 않아요."

폭발음에 오펠리는 몸을 움츠렸다. 토른이 자기 엄마의 얼굴 한가운데에 총을 쏘았다. 천의 얼굴은 사팔눈을 굴려 이마 한가운데 클랜의 문신이 새겨진 바로 그 지점에 정확히 박힌 총알을 쳐다보았다. 그 모습에 오펠리는 놀라움을 넘어 공포를 느꼈다. 구멍에서는 피 한 방울 흐르지 않았다. 구멍은 어떤 상처도 남기지 않고 이내 감쪽같이 사라졌다.

"너도 네 엄마만큼이나 실망스럽구나. 오댕만큼이나 실망스러워."

토른의 얼굴이 일그러졌다. 천의 얼굴의 주요 장기에 총을 겨누며 두 발, 세 발, 탄창이 빌 때까지 총을 쐈다. 하지만 천의 얼굴의 몸은 크림으로 만들어진 것처럼 충격을 흡수했다.

실탄이 모두 떨어지자 천의 얼굴은 경박한 몸짓으로 드레스를 흔들며 의자에서 일어났다.

"전쟁." 그가 탄식했다. "항상 전쟁이 문제야. 이 못된 괴벽을 자식들에게서 없애려면 어떻게 해야 할까?"

토른은 무기를 던지고 목도리로 오펠리를 잡은 뒤 있는 힘껏 그녀를 밀어냈다.

"달아나!"

천의 얼굴이 반응할 겨를도 없이 토른은 두 손으로 테이블을 누른 채 곤두선 신경망에서 모든 할퀴기 공격을 날렸다. 마치 수십 개의 보이지 않는 가위가 맨살을 난도질하듯 순식간에 토른 엄마의 얼굴과 목과 팔이 크게 벌어진 상처로 뒤덮였다. 깊게 베인 상처가 아물기도 전에 다른 곳이 상처로 벌어지면서 계속해서 생살을 드러냈다. 토른의 할퀴기 공격이 깊게 살을 베어 근육 조직 전체를 떼어냈다. 하지만 천의 얼굴은 재생능력을 발휘해 상처가 하나둘 아물게 했다.

오펠리는 등을 벽에 붙인 채로 한 번에 한 발 이상 뗄 엄두도 내지 못했다. 처음으로 드래곤 힘의 최대치를 목격했다. 토른과 천의 얼굴 가운데 누가 더 그녀를 놀라게 한 건지 판단할 수 없었다. 오펠리는 스스로가 창조의 힘과 파괴의 힘 사이에 낀 미약한 존재처럼 느껴졌다.

마침내 전화기 근처로 온 오펠리는 도움을 청하고, 헌병에게 문을 열어달라고 부탁하려고 수화기를 들었다. 하지만 자신의 목소리 외에 어떤 답도 들리지 않았다. 전화선이 끊긴 것이다. 그녀는 맞은편 금색 벽에 비친 자기 모습을 보고 커다란 충격에 빠졌다. 감방에는 그녀와 토른 외에 다른 이의 모습은 보이지 않았다. 천의 얼굴은 반사되지 않는 걸까?

오펠리는 이 질문을 오래 생각할 겨를이 없었다. 돌풍 비슷한 놀라운 힘이 그녀를 벽으로 밀어붙였다. 금으로 된 방탄벽이 볼을 얼어붙게 했다. 안경이 뒤틀리고, 목도리에 감긴 팔이 그녀의 배 속으로 파고들었다. 오펠리는 갑자기 자석에 끌리는 핀이 된 것 같았다. 아직 손에 들려 있는 수화기도 손가락을 으스러뜨리며 벽에 붙었다.

모든 가구가 방의 네 모서리로 몰려들었다. 침대는 쇠가 삐거덕대는 소리를 내며 엎어지고, 의자는 천장에 붙고, 테이블 다리는 보안 창살 사이에 꼈다. 탁상등만이 장터 축제에 있는 풍선처럼 둥둥 떠다니고, 전등갓은 빙빙 돌고 있었다. 스탠드의 흔들리는 조명이 이번에는 민머리의 어린아이 모습이 특징인 시클롭 형상을 한 천의 얼굴을 비추었다. 시클롭은 자기와 중력의 장인들이다.

토른은 어디 있나? 오펠리는 몸을 비틀어 세면대 아래 웅크리고 있는 토른의 커다란 몸을 보았다. 그의 머리에 부딪혀 깨진 사기로 된 세면대에서 물과 피가 뒤섞여 토른 위로 쏟아지고 있었다. 천의 얼굴의 척력 때문에 꼼짝하지 못하게 된 토른은 반은 벽에 반은 바닥에 박혀 있었다.

"세상의 파괴자."

오펠리는 토른에게 다가가 그 앞에서 몸을 웅크리는 천의 얼굴을 보며 몸서리를 쳤다. 무중력으로 둥둥 뜬 램프는 해파리처럼 유유히 천의 얼굴을 따라다녔다.

"나는 상세를 파쇄하지… 세상을 파괴하지 않았어." 천의 얼굴이 가냘픈 목소리로 말했다. "나는 세상을 구했어. 나는 집안의 정령들의 아버지이자 어머니이고, 너희 모두의 부모야. 난 항상 너희가 잘되기만을 바랐지. 상대를 잘못 골랐구나, 아이야."

토른은 벽에서 떨어지려고 팔꿈치에 단단히 힘을 주었지만 천의 얼굴이 손가락을 튕기자 강력한 중력이 그를 거칠게 뒤로 밀어붙였다.

"아직도 내가 약하다고 생각하니?"

순간 천의 얼굴은 정말 아이처럼 보였다. 메뚜기를 잡아 막

다리를 뽑으려는 아이 같았다.

오펠리는 빠져나오려고 벽을 밀었다. 복부 안으로 접혀 들어간 부러진 팔이 갈비뼈까지 파고들었다. 중력 왜곡이 너무 심해 더는 수직과 수평을 구분할 수도 없었다.

오펠리는 금으로 된 방탄 문에 비친 자기 모습을 응시했다. 거울. 감방의 벽은 거울과 마찬가지였다.

오펠리는 완전히 벽에 흡수되어 맞은편 벽의 토른 바로 옆으로 튀어나왔다. 천의 얼굴에서 나오는 척력이 오펠리의 폐를 세게 조였다.

"그만하세요!" 오펠리가 숨을 내쉬었다. "토른은 당신이 한 제안을 거절했어요, 그 정도로 끝내시죠."

오펠리는 토른의 만류하는 시선을 느끼며, 모든 관심을 그들 앞에 쭈그리고 있는 아이에게 쏟았다. 천의 얼굴은 기차를 타고 창밖으로 단조로운 풍경을 보듯이 호기심 없는 지루한 눈으로 오펠리를 보았다. 하지만 조금씩 그의 눈빛이 바뀌었다. 그의 눈꺼풀과 눈썹, 이마와 민머리 전체가 똑같이 부풀어 올랐다. 그의 얼굴에 처음으로 진짜 감정이 드러났다.

"넌 울거로 나드는 여자지…. 거울로 드나드는 여자지. 알고 있었어. 네게서 뭔가 익숙함이 느껴졌지. 넌 그 흔적을 지니고 있구나."

"흔적?"

오펠리는 변덕스러운 중력 변화에 꼼짝하지 못하는 상황이 아니었다면 제대로 질문을 던졌을 것이다. 그녀는 숨통이 트이는 게 느껴졌다. 그사이 천의 얼굴은 다시 모습을 바꾸었다. 오펠리를 뚫어져라 보더니, 결국은 그녀와 같은 모습을 했다. 짙은 곱슬머리가 맨머리 위로 솟아나고, 어린아이의 얼굴 위로 안경이 생겨났다. 그의 뒤로 벽과 천장에 붙어 있던 모든 가구가 비 내리듯 떨어지는 운석처럼 대리석 위로 쏟아졌다. 램프가 떨어지면서 꺼지자 감방은 몇 초간 완전히 어둠에 잠겼다. 그러다 전등이 주저하듯 깜박이며 켜졌다.

"바로 네가 그를 빠져나오게 한 거야." 또 다른 오펠리가 알 수 없는 목소리로 말했다. "네가 타자를 풀어줬어. 너 때문에 이 세상의 균형이 흔들린 거야."

토른은 자기의 영향에서 벗어나자마자 세면대를 붙잡고 일어서려 했지만, 천의 얼굴이 하는 말을 듣고는 그대로 굳어버렸다. 어리둥절해하는 토른의 얼굴 위로 수돗물이 계속 쏟아졌다.

오펠리는 몇 차례 심장이 요동치고 난 뒤에야 천의 얼굴이 한 말의 의미를 이해했다.

나를 풀어줘.

"내가 처음으로 거울을 통과했을 때." 오펠리가 속삭였다. "그건 내가 만든 상상이 아니었어, 그날 밤 반대편에 정말로 누가 있었어. (오펠리는 자신과 꼭 닮은 모습을 마주보려고 일어서다 젖은 대리석 위로 미끄러져 팔만 더 아프게 했다.) 당신 말이 맞는다면." 그녀는 고통스러워하며 인상을 찡그렸다. "타자는 누구이고, 그는 내 방 거울에서 뭘 하고 있었던 거죠?"

천의 얼굴은 깊이 고민하는 표정을 지었다. 오펠리는 너무나 심각한 표정을 한 자기 얼굴을 보고 있기가 무척 거북했다.

"타자는 슈아의 붕괴… 아슈의 붕괴를 유발할 거야. 이미 시작되었고 계속 악화될 거야. 타자가 자유 상태에 오래 있을수록 세상은 점점 더 붕괴될 거야."

처음에 천의 얼굴이 자신을 놀리고 있다고 생각했던 오펠리는 이제 공포로 목도리까지 소름이 돋았다. 그녀는 4년 전 폴의 가장자리에서 땅의 조각이 떨어져 나갔다는 사실이 떠올렸다. '이건 그렇게 크지 않은 거야'라고 토른이 말했었다. '2년 전 헬리오폴리스라는 작은 아슈에서는 수십 킬로미터에 달하는 덩어리가 떨어져 나갔어.'

아니야.

거울을 통과했기 때문일 리가 없다. 오펠리 때문일 리가 없다.

천의 얼굴은 주변의 혼돈 속에서도 기적적으로 살아남은 감방의 괘종시계 쪽으로 천천히 몸을 돌렸다. 세상의 종말을 예언한 자치고는 특별히 예민해 보이지 않았다. 그는 구릿빛 피부의 노인으로 변한 뒤 토른을 무심하게 내려다보았다.

"오댕이 곧 도착할 거야. 십오년 전 그가 네 엄마의 운명을 처리한 것처럼, 네 운명을 처리하도록 내버려둘 거야. 그리고 너는." 천의 얼굴이 이번에는 오펠리에게 말했다. "네가 망가뜨린 것을 다시 고쳐놓아야 해. 너는 이제 타자와 연결되어 있어. 언제든, 네가 원하든 원치 않든, 너는 나를 금에게 섞을… 너는 나를 그에게 이끌 거야. 그때까지 널 지켜보겠어."

노쇠한 몸을 한 천의 얼굴은 예언과 같은 말을 남기고 연기로 바뀌었다. 이내 붉은 유령처럼 공기 중에 떠오르더니 환풍구로 사라졌다.

판결

감방에서 오펠리 귀에 들리는 소리는 자신의 심장박동, 바닥에 흐르는 물, 엎어진 램프의 깜박거림 그리고 여기저기 뒤집힌 가구의 삐걱거림이 다였다. 조금 전 벌어진 일이 너무나 충격적이어서 헤어나는 데 몇 달 아니 몇 년, 어쩌면 평생이 걸릴 것 같았다. 당장 하나는 분명해졌다.

"파루크에게 말해야겠어."

오펠리는 놀라울 정도로 계속 침묵을 지키고 있는 토른을 돌아보았다. 커다란 거미처럼 얼굴을 움켜쥐고 있는 손 때문에, 토른의 시선이 가려져 보이지 않았다.

"토른?" 오펠리가 걱정스럽게 불렀다.

길게 뻗은 앙상한 손가락을 한층 세게 쥐자, 그림자가 얼굴을 삼켜버렸다. 발작적인 기침을 참으려는 듯 가슴이 움칫대고, 목울대가 흔들리더니, 토른은 별안간 웃음을 터뜨렸다. 몸속 깊은 곳에서 나온 듯한 거친 소리가 참으로 생경하게 느껴졌다.

질겁한 오펠리는 혹시 토른이 실성한 게 아닐까 생각했다. 하지만 큼직한 손을 떼자, 화살처럼 날카로운 시선이 눈에 들어왔다. 마침내 과녁을 찾은 화살 같았다.

"가짜 신이 내게 아주 유용한 교훈을 줬어. (땀과 피로 이마에 달라붙은 머리카락 사이로 토른의 눈은 번개처럼 강렬하게 빛났다.) 그리고 당신도." 토른이 말했다. "당신도 내게 많은 걸 가르쳐 줬어."

토른의 억지 미소는 자세를 바꾸려는 순간 사라졌다. 상처들이 존재감을 드러낸 것이다.

"움직이지 마." 오펠리가 토른에게 말했다. "도움을 청할게. 파루크에게 말해볼게."

오펠리의 부츠는 물웅덩이에서 헛걸음하고 있었다. 토른이 그녀를 붙잡으려고 드레스를 움켜쥐고 있었다.

"아니. 여기까지 오게 내버려둬. 이제 더는 중요하지 않아. (토른은 눈을 감고 심호흡을 한 뒤, 한 줄기 빛만 간신히 들어올 정도로 살며시 눈을 떴다.) 내 말 잘 들어. 신만이 당신을 지켜보고 있는 게 아니야."

오펠리는 토른이 방금 한 말의 의미를 전혀 알 수도, 알고 싶지도 않았다. 지난 사건들로 인한 흥분이 남아서인지, 깊은 곳에서부터 뜨거운 기운이 솟구치는 것 같았다. 오펠리는 토른의 손을 떨치려고 드레스를 확 잡아챘다.

"이번 일이 끝나면 다시 얘기하도록 해. 그전에는 안 돼. 파루크가 당신을 공격하지 못하게 할 거야. 약속해줘, 당신도 내가 돌아올 때까지 여기서 절대로 경솔한 행동은 하지 않겠다고."

토른은 단념하듯 벽에 머리를 기댔다. 깊은 생각에 빠진 듯 눈의 초점이 흐려졌다. 망가진 수도에서 흘러나온 물은 대리석 바닥을 토른의 피로 물들였다. 토른은 꼭 탈구된 꼭두각시 같았다. 순간 오펠리는 그를 혼자 두기가 무서웠다.

"약속해줘." 그녀가 다시 말했다.

토른은 커다란 코로 숨을 내쉬었다.

"난 절대로 경솔한 행동은 하지 않아."

오펠리는 지체하지 않고 금으로 덮인 벽을 통과해 문 바깥의 외벽으로 나왔다. 그녀는 천의 얼굴이 통과한 부분에 녹았던 금속이 껍질처럼 딱딱하게 굳어 있는 것을 보았다. 어떻게 안전 요원들이 눈치채지 못했을까 의아해하다가 제복을 입고 있는 몸 위로 넘어지면서 깨달았다. 보초를 서던 헌병은 바닥에 누워 깊은 숨을 내쉬고 있었지만, 깨울 수는 없었다. 천의 얼굴이 인위적으로 수면에 빠지도록 기면증을 유발했을 것이다.

오펠리는 이곳에 오기 위해 지나왔던 일련의 방탄 문을 피하려고, 금으로 된 표지판을 거울 삼아 첫 번째 문을 통과해 마지막 문으로 빠져나왔다. 천의 얼굴이 한 말이 사실이라면 파루크는 이미 경찰서로 오는 중일 것이다. 그가 이 순간 정확히 어디 있는지 알아내는 게 관건이었다.

오펠리는 지하에서 지상으로 연결된 대리석 계단에 올라서다, 소란스러운 웅성거림을 듣고 답을 찾았다. 맞은편에 보이는 계단 맨 꼭대기에서 궁정 사람들이 무리 지어 다가오고 있었다. 가발과 프록코트와 드레스가 넘실댔다. 그들 사이로 파루크가 극도로 천천히 계단을 내려오고 있었다. 헌병들이 방문객 무리를 막으려 해도 소용없었다. 수적 우위 앞에 속수무책이었다.

"제발요, 폐하!"

사람들 무리 한가운데에서 우뚝 선 베르닐드가 아름다운 목소리로 외쳤다. 그녀의 긴 드레스 자락이 계단 위로 펼쳐졌다. 그녀는 파루크에게 애원의 눈길을 보냈다.

"제 조카에게 집행유예를 내려주세요. 그가 감독관직을 수행하며 이룬 성과를 부디 참작해주세요."

베르닐드는 고통에 일그러진 얼굴을 하고, 요란하게 귀걸이를 흔들고, 생기 잃은 눈을 부릅떴다. 오펠리가 궁정에 온 뒤로 베르닐드에게서 한 번도 보지 못한 유약한 모습이었다.

베르닐드가 감정 그 자체였다면 파루크는 무관심 그 자체였다. 그녀에게 눈길도 주지 않고 무심히 계단을 내려갔다. 그는 계단과 같은 대리석으로 만들어진 것 같았다.

베르닐드는 계단 아래 서 있는 오펠리를 보고 걸음을 멈추었다. 뒤따르던 행렬이 연이어 구두 소리를 내며 함께 멈추었다. 뒤에서 '무슨 일이야? 왜 앞으로 가지 않는 거지?'라고 수군대는 소리가 들렸다. 참을성 없는 사람들의 웅성거림이 잦아들자, 계단 전체가 완전히 침묵에 휩싸였다.

파루크만이 눈을 반쯤 감은 채 긴 백발을 실크 망토처럼 일렁이며 무기력하게 계속 계단을 내려갔다.

오펠리는 그를 만나기 위해 계단을 올라갔다. 드레스에서는 물이 뚝뚝 떨어지고, 머리는 산발에 팔 하나는 부러진 그녀의 모습은 딱한 구경거리였다. 하지만 그런 것은 하나도 중요하지 않았다. 그녀는 눈꺼풀이 차양처럼 내려앉은 파루크와 시선을 마주하기 위해 최대한 높이 몸을 세웠다.

"저도 그를 만났어요." 오펠리의 목소리는 대리석에 반영되어 크게 울려 퍼졌다. "그가 폐하에게 뭘 기대하는지 알아요. 하지만 폐하는 그의 말을 따를 필요가 없어요."

궁정 사람들이 어리둥절한 얼굴로 서로를 쳐다보았다. 베르닐드도 어안이 벙벙해 입을 다물지 못했다. 오펠리는 이들 가운데 자신이 암시한 대상이 누구인지 알 수 있는 사람이 거의 없다는 것을 알고 있었다. 파루크는 계속해서 오펠리를 향해 한 계단 한 계단 천천히 내려왔다. 거대한 몽유병 환자 같았다. 그녀와 아주 가까운 거리까지 내려왔지만, 오펠리는 아직 파루크의 능력이 느껴지지 않아 놀랐다. 좋은 징조가 아니었다. 아직 그의 관심을 전부 다 끌지 못한 셈이었다.

"당신의 자유를 내세우세요." 오펠리가 간청했다. "토른을 사면해서 당신의 자유를 내세우세요."

파루크가 가까이 다가올수록, 오히려 그가 더 멀어지고 있는 듯한 이상한 느낌을 받았다. 그는 아득히 먼 곳을 응시하다, 마침내 빙하에 균열이 생기는 듯한 목소리로 답했다.

"난 쓰여 있는 걸 해야 해."

그제야 오펠리는 파루크가 계단을 계속 내려와, 자신을 비켜가지 않을 것임을 깨달았다. 베르닐드가 제때 파루크가 지나가는 길목에서 오펠리를 빼내지 않았다면, 그녀는 이미 그의 발밑에서 끝났을 것이다.

파루크 뒤를 따라 궁정 사람들이 긴 행렬을 만들었다. 그의 애첩들은 차디찬 경찰서와는 어울리지 않게 다이아몬드로 한껏 치장하고 있었다. 파루크의 노트를 팔에 끼고 있는 기억 도우미도 확신이 서지 않는 눈으로 주변을 둘러보았다. 파루크가 계단 아래에 다다르자 헌병들은 아무 말 없이 방탄 문을 열었다.

베르닐드는 인파를 피해 오펠리를 계단 구석으로 데려가 조난자가 뗏목을 붙잡듯 오펠리의 손을 붙잡았다.

"폐하는 알아볼 수 없을 정도로 변했어! 평소의 모습이 아니야. '난 쓰여 있는 걸 해야 해'라는 말만 계속 되풀이해. 마치… 마치 내 불쌍한 조카를 처벌할 생각뿐인 것 같아. 파루크에게 왜 그런 말을 한 거지? 그에게 무슨 일이 생긴 건지 알고 있어? 토른은 어떻게 되는 걸까?"

"저기 보이네!" 누군가 아주 큰 목소리로 외쳤다. "지나갑시다! 내 딸이에요!"

오펠리는 엄마가 불타는 붉은 드레스 차림으로 귀족 무리에서 모습을 드러내자 깜짝 놀랐다. 아빠와 작은할아버지, 로즐린 이모 그리고 아가타 언니가 엄마 뒤로 몰려왔다.

"그러니까 농담이 아니구나?"

"정말로 널 토른과 혼인시킨 거니?"

"감옥에서?"

"우리도 없이?"

"식도 올리지도 않고?"

"레이스 웨딩드레스도 없이?"

이번에는 아르쉬발드가 행렬에 모습을 드러냈다. 대사의 실크해트가 뒤로 넘어가며 벗겨지려 했다. 누군가 막 터지려는 폭죽을 건넨 것처럼 팔을 쭉 펴고 베르닐드의 아기를 안고 있었다.

"여기 계시면 안 됩니다. 토른이 제게 상황이 안 좋게 흘러가면 여러분 모두를 대피시켜달라고 부탁했어요. (아르쉬발드는 지하로 밀려드는 귀족 무리를 감상하듯 바라보았다.) 제가 보기에 상황이 결코 좋게 흘러가는 것 같지 않네요."

"오펠리, 집으로 가자!" 아가타는 오펠리의 목도리를 잡아당기며 애원했다. "상상했던 궁정과 달라도 너무 달라!"

얼이 나간 오펠리는 모두에게서 등을 돌리고, 눈을 감고, 소음을 차단하고, 정신을 집중했다. 파루크는 정말로 닿을 수 없는 존재가 된 걸까?

오펠리는 귀족들이 부딪치며 지나갈 때마다, 사투리로 욕을 하는 할아버지 쪽으로 다가갔다.

"할아버지가 보내 준 사물들 이야기 중에서…. 인형 이야기만큼 파루크를 당황하게 한 건 없었어요."

"인형?" 할아버지가 콧수염을 달싹이며 웅얼거렸다. "여배우를 꿈꿨던 인형 말이니?"

오펠리는 고개를 끄덕였다. 할아버지에게 답한다기 보다는 자신이 그 내용을 인정한다는 표시였다. 마지막에 가서 인형은 자신이 꾸던 꿈이 실은 주인의 꿈이었음을 깨닫는 이야기였다.

"파루크는 자신의 이야기와 책 속 이야기를 혼동해요. 그에게 다른 결말을 지어줄걸 그랬어요."

오펠리가 이 말을 하는 순간 고통이 섬광처럼 이마 여기저기를 관통했다. 그녀가 읽은 기억이 토른 집안의 능력의 힘을 받아 되살아났다. 머리 없는 군인. 옛 학교. 미모사의 향기. 부서진 창문. 천으로 가린 거울들. 오펠리는 시간의 소용돌이에 휩쓸려 무릎을 꿇고 자신을 멍한 눈으로 올려다보고 있는 어린 파루크를 보았다. 왜 쓰여 있는 걸 해야 해? 신, 네게 난 뭐지?

"알겠어요." 오펠리가 베르닐드 쪽을 바라보며 중얼거렸다. "무슨 말을 해야 할지 이제 알겠어요. 아기를 데리고 여기서 멀리 떨어져 계세요. 나중에 따라갈게요."

오펠리가 계단을 급히 내려가는데, 엄마가 딸의 소매를 붙잡았다.

"잠깐 기다려!"

오펠리는 가는 것을 막을 테면 막아보라는 단호한 눈으로 엄마를 보았다. 하지만 엄마는 어쩔 수 없다는 듯 다가와 팔에 둘러맨 목도리 매듭을 세게 묶고, 얼굴이 보일 수 있도록 헝클어진 머리카락을 매만져주었다.

"토른은 못 말리는 괴짜야. 네가 그에게 매달리고 있다는 생각이 떠나질 않는구나, 난 토른을 견딜 수 없거든. 그래도 뭐 이제는 네 남편이고, 네가 있을 자리는 그의 곁이지. 그리고 내 자리는 여기서 널 기다리는 거고. 부디 조심해."

오펠리는 엄마 손을 꼭 쥐었다 놓았다.

"고마워요, 엄마."

오펠리는 인파를 거슬러 올라가며 자신이 갖고 있는 메시지는 오늘 밤에 본 신의 모든 것과 배치된다고 생각했다. 하지만 어떤 실수도 용납되지 않는다는 것에 대해서는 한 치의 의심도 없었다. 파루크에게 전해야 할 말, 그것만이 있었다.

오펠리는 복도 끝에 넘실대는 가발 물결 가운데 눈 쌓인 산봉우리처럼 우뚝 서 있는 파루크를 보았다. 그는 토른의 감방 앞에서 문이 열리기를 기다리고 있었다. 당황하는 분위기가 역력했다. 헌병들은 바닥에 잠들어 있는 동료와 금이 녹았다 굳은 흔적을 발견했다. '탈옥'이라는 단어가 사람들 입에 오르내렸지만, 부대장은 단호했다.

"감방은 완전히 닫혀 있습니다, 폐하. 불법 침입의 시도가 있었으나 문은 여전히 바깥에서 잠겨 있습니다. 문을 열기 위해서는 세 개의 특별 열쇠가 필요한데, 그중 하나는 제가 개인적으로 보관하고 있습니다."

맨 앞으로 온 오펠리는 부대장이 목에 걸고 있는 반짝이는 열쇠 더미를 자랑스럽게 내보이는 모습을 바라보았다. 그에게 열쇠 없이도 이 방을 드나드는 방법이 많다고 말해줄 수도 있겠지만, 그녀에게 이로울 게 없어 보였다.

"문을 열어라." 파루크는 무기력한 목소리로 명령했다.

"기다려요!"

오펠리는 수많은 인파를 뚫고 나왔다. 주변으로 퍼져나가는 비난의 웅성거림을 무시하고 파루크와 방탄 문 사이에 섰다. 끝없이 높은 꼭대기 위에 있는 파루크의 시선을 어떻게든 끌 수 있기를 바라며 고개가 꺾일 정도로 머리를 들고 까치발로 섰다.

하지만 소용없었다. 파루크는 힘없이 실눈을 뜨고, 정면만을 바라보았다. 오펠리는 비굴한 아첨꾼이라도 될 수 있을 것 같았다.

"길을 비켜 주세요, 부인." 부대장이 끼어들었다.

그는 예의를 지키면서도 권위적인 목소리로 명령했다. 그가 갑자기 눈썹을 올렸다. 오펠리가 어떻게 감방에서 나왔는지 의아해하는 것 같았다. 하지만 이미 헌병대가 충분히 비웃음을 샀다고 결론 내린 듯, 이 문제에 대해서는 입도 뻥긋하지 않았다.

"저는 어제 계약을 이행할 수 없었습니다." 오펠리가 파루크에게만 집중하며 말했다. "폐하께서 책과 관련해 기억하고 싶으신 것이 있었지만, 전 알아낼 수 없었어요. 이제 그게 뭔지 알아요."

파루크는 눈을 내리깔고 오펠리를 볼 생각도 하지 않았다. 계속해서 강철과 톱니바퀴와 자물쇠로 잠긴 거대한 원형 문만을 보고 있었다.

"난 쓰여 있는 걸 해야 해." 파루크는 어떤 억양도 없는 목소리로 천천히 말했다.

오펠리의 안경이 어두워졌다. 천의 얼굴이 파루크를 자신의 영향 아래 두려고 무슨 짓을 했는지 너무나 잘 알고 있었다. 파루크의 책에 손을 댄 것이다. 오펠리가 이해하지 못했던 건, 왜 그렇게 했을까였다. 신이 과거 파루크에게 전하려고 했던 진실에 완전히 반하는 일이었다.

"당신은 인형이 아니에요." 오펠리가 온몸의 힘을 다해 외쳤다. "당신은 다른 이의 꿈을 이룰 필요가 없어요."

"난 쓰여 있는 걸 해야 해." 파루크는 동요하지 않고 같은 말만 되풀이했다. "문을 열어라."

문의 개폐 장치를 담당하는 헌병 세 명이 오펠리 앞으로 다가왔다. 하지만 그녀는 꼼짝하지 않았다. 설명할 수 없지만, 신의 말이 항상 거기 있었던 것처럼, 오펠리 안에 항상 숨어 있다가 나오기만을 기다린 것처럼, 그녀의 몸을 통해 나왔다.

"네 책은 네 이야기의 시작일 뿐이야, 오댕. 그 책의 결말은 너만이 쓸 수 있단다."

여기저기에서 탄성이 터져 나왔다. 오펠리 입을 통해 나온 말들은 너무도 갑작스러우면서 극적인 효과를 만들어냈다. 파루크가 뒤로 비틀거리며 한 손을 가슴에 갖다 댔다. 황제의 망토 안에 책을 보관하는 바로 그 위치였다. 파루크는 마치 심장이 갈기갈기 찢긴 것처럼, 머리카락과 모피를 흩날리며 무릎을 꿇고 쓰러졌다. 너무나 강렬한 감정에 사로잡혀 파루크는 완전히 평정심을 잃었다. 그는 이제야 오펠리를 발견한 것처럼 눈을 크게 뜨고 그녀를 바라보았다.

평소라면 오펠리는 두려움을 느꼈을 것이다. 그녀가 파루크에게 한 것으로 인한 두려움, 그가 오펠리에게 할 수 있었을 것에 대한 두려움을. 그러나 그렇지 않았다. 오펠리는 자신이 읽은 기억으로 파루크의 개인적인 이야기의 내밀한 곳으로 들어가, 더 이상 그의 과거와 그녀의 과거를 구분할 수 없게 되었다.

오펠리는 그에게 다가가, 궁정 전체를 발칵 뒤집어놓을 만한 몸짓으로, 엄마가 계단에서 자신에게 했던 것과 똑같은 손길로 파루크의 긴 백발을 쓰다듬었다. 대리석에 무릎을 꿇고 책을 손으로 꽉 쥔 파루크의 얼굴에 형언할 수 없는 혼란이 가득했다. 그의 정신 현상이 눈에 보이지 않는 강력한 오라처럼 주위로 다시 퍼져나갔다. 오펠리는 갑작스러운 고통이 온몸을 관통하는 게 느껴졌다. 그녀의 신경계는 충격을 받았지만 잘 버텨주었다. 파루크는 더 이상 불멸의 폐하가 아니었다. 그는 길 잃은 어린 아이일 뿐이었다. 그러니 이 순간 그에게 등을 돌리는 것이 그에게는 치명적일 수 있었다.

"아르테미스의 아이여." 그가 당황한 목소리로 속삭였다. "내가 무엇을… 무엇을 해야 할까?"

"당신이 우리에게 말씀해주셔야 합니다."

오펠리는 기억 도우미에게 다가오라는 신호를 보냈다. 잠시 머뭇거리던 청년이 평소의 노련한 모습으로 돌아와 수첩을 가져왔다. 그들 주위로 헌병들과 궁정 사람들이 끼어들고 싶은 욕구와 도망가고 싶은 욕구 사이에서 조심스럽게 시선을 주고받았다.

파루크는 대리석 위로 늘어져 수첩을 열고 천천히 페이지를 넘겼다. 수첩에는 토른의 재판 기록과 그와 맺은 읽기 계약 사본 그리고 알아보기 힘든 글씨로 휘갈겨 쓴 메모들이 섞여 있었다. 파루크는 격렬한 감정에 사로잡힌 얼굴로 노트를 다시 읽었다. 모순되는 말들 사이에서 갈팡질팡하며, 내적 분열에 휩싸인 듯 보였다. 그가 손가락으로 종이를 넘기는 소리와 군중 가운데 들리는 신경질적인 기침 소리 외에는 지하 납골당처럼 고요했다.

메모를 읽던 파루크가 갑자기 꼼짝도 하지 않았다. 그의 눈은 신문에서 오려 붙인 기사에 멈춰 있었다. 오펠리는 기사를 거꾸로밖에 볼 수 없었지만, 요람 옆에 앉아 있는 베르닐드의 실루엣을 알아볼 수 있었다.

마침내 파루크가 수첩을 닫고 일어서자 모두 소스라치게 놀랐다.

"문을 열어라." 그가 명령했다.

오펠리는 순간 숨을 멈췄다. 그녀는 파루크가 체중을 실은 거대한 손이 자기 머리에 얹힌 것을 느꼈다. 하지만 이 손짓은 지배가 아닌 안심의 제스처였다. 이제 역할이 바뀌었다. 그가 부모가 되고 그녀는 아이가 되었다.

"아르테미스의 아이여, 당신은 계약을 지켰다. 토른에게 귀족 칭호를 수여하고, 사생아 신분을 소멸시켜 주겠다. 그는 적법한 새로운 재판을 받게 될 것이다. 문을 열어라." 파루크가 헌병들에게 다시 명령했다.

미라주들 사이에서 반발하는 목소리가 들렸지만, 파루크의 겨울같이 차가운 눈길에 웅성거림이 사그라들었다. 가슴이 두근거렸고, 처음으로 파루크가 진정한 집안의 정령이라는 생각이 들었다. 갑자기 몰려드는 안도감에 다리가 버터 녹듯 풀려, 오펠리는 남은 모든 의지를 끌어 모아 겨우 버티고 서 있었다. 곧 토른을 다시 보게 될 것이다. 그는 치료받고, 공정한 재판을 받고, 그녀와 함께 새롭게 시작할 수 있을 것이다.

헌병 세 명이 금으로 된 무거운 문을 여는 동안, 덜컹거리는 쇳소리가 끝나지 않을 것처럼 들렸다. 오펠리는 단 한 가지 생각에만 몰두하고 있었다. 천의 얼굴도, 후견인도, 그녀가 풀어줘 아슈의 붕괴를 유발했다고 말하는 타인도 생각하고 싶지 않았다. 아니다, 아직은 이 모든 것들을 생각하고 싶지 않았다. 그저 잠시만이라도 토른과 순수한 기쁨의 순간을 만끽하고 싶었다.

감방 문이 마침내 열리자 오펠리는 온몸의 피가 굳는 것 같았다.

방 안 여기저기 가구들이 엎어져 있었다.

램프는 바닥에서 청승맞게 깜박였다.

세면대에서는 끝없이 물이 넘쳐흘렀다.

토른은 어디에도 없었다.

거울로 드나드는 남자

오펠리의 목도리가 바람에 깃발처럼 나부꼈다. 작은 손가방을 든 오펠리는 플랫폼을 따라 걷는 내내 풍경에서 눈을 떼지 못했다. 비행선 선착장은 시타시엘 가장자리에 걸쳐져 있고, 그 밑으로 아슈가 내려다보였다. 오펠리는 언제 다시 보게 될지 모를 이곳의 소나무 숲과 눈 쌓인 산들을 보며 송진과 눈, 소금과 석탄이 한데 섞인 독특한 공기를 마지막으로 한껏 들이마셨다.

그런데 토른에겐 무슨 일이 생긴 걸까? 토른은 대체 어디 있는 걸까?

'당신도' 토른이 그녀에게 말했었다. '당신도 내게 많은 걸 가르쳐 줬어.'

시간이 흐르고 나서야 오펠리는 그 말의 의미를 알게 되었다. 토른은 읽는 남자가 되지는 못했지만, 거울로 드나드는 남자는 될 수 있었다. 그는 오펠리와 같은 방식으로 반사되는 벽면을 통해 감방을 빠져나갔다. 그런데 어떤 거울로 나와 부러진 다리를 끌고 어떻게 자취를 감출 수 있었을까? 여전히 미스터리로 남아 있었다.

역장의 첫 번째 호각 소리에 오펠리는 현실로 돌아왔다. 가방을 들어주겠다고 조르는 남동생에게 결국 가방을 맡기고, 비행선 트랩으로 향했다. 식구들이 한 명씩 올라오고 있었다. 작별 인사를 하기 위해 플랫폼 끝에 모여 있는 친구들을 보자 목이 메어왔다.

아르쉬발드가 먼저 앞으로 나오며 안쪽이 입처럼 여닫히는 모자를 들어 올리며 인사를 건넸다.

"다음번에 납치되면 잊지 않고 당신께 도움을 청할게요. 토른 부인, 제발 그런 표정 짓지 말아요." 아르쉬발드는 윙크하며 오펠리 쪽으로 몸을 숙였다. "빨리 폴로 돌아오지 않으면, 폴이 당신에게 갈 겁니다, 대사로서 하는 약속이에요!"

오펠리는 별로 믿지 않았지만, 미소로 답한 뒤 있는 대로 토라진 르나르에게 손을 뻗었다.

"제발, 르놀드, 우리 얼굴 붉히며 헤어지지 말아요."

바람이 불자 눈썹, 구레나룻, 머리카락 그리고 머리 위에 올려놓은 앙두이의 털까지, 르나르 몸에 난 빨간색이 하나같이 흩날려 평소보다 심술궂은 인상을 풍겼다.

"아니, 그래도 너무 많은 걸 요구하시면 안 되죠." 르나르가 투덜댔다. "당신은 제 주인이잖아요. 당신이 가는데 함께 가지 못하는 제 삶은 이제 어떻게 되는 거죠?"

"잠시뿐이에요." 오펠리가 약속했다.

이 말을 하자 오펠리는 목이 더 메는 것 같았다. 사실 그녀는 이 잠시가 얼마나 길어질지 짐작도 할 수 없었다. 오펠리는 몇 발자국 떨어진 곳에서 정의의 화신처럼 검은 드레스를 입고 날카로운 눈길로 쏘아보고 있는 리포터를 보았다. 리포터 모자에 달린 풍향계가 단호하게 오펠리를 가리켰다. 최근에 벌어진 사건의 소식을 접한 두아엔들이 즉시 오펠리를 아니마로 송환할 것을 명령했고, 오펠리에게는 선택의 여지가 없었다. 토른은 감방에서 사라진 뒤로 생사의 기별도 없고, 전보도 보내지 않았다. 그는 공식적으로 무법자가 되었고, 아니마의 가족위원회는 이를 구실 삼아 오펠리를 소환했다. 아니마와 폴 간의 외교적 긴장 상태를 악화시키지 않기 위해서 오펠리는 명령에 따를 수밖에 없었다. 그러나 겉으로 보이는 강경한 태도 이면에 완전히 다른 의도가 있을지 모른다는 생각이 들었다. 오펠리는 다시 두아엔들의 손에 꼼짝없이 붙잡혀 보다 적극적인 감시를 받게 될 것이다.

'신만이 당신을 지켜보고 있는 게 아니야.'

토른은 두아엔들을 염두하고 오펠리에게 이 같은 경고를 한 걸까?

"당신이 있을 자리는 여기에요." 오펠리는 끈질기게 르나르에게 손을 내밀며 말했다. "가엘을 보게 되면 제가 외알 안경을 하나 빚지고 있다고 전해주세요."

르나르의 커다란 손이 오펠리의 손을 집어삼켰다.

"아니요. 다시 만나면 직접 말하세요."

역장이 두 번째 호각을 불었다. 오펠리는 베르닐드와 아름다운 흰 유아차 쪽으로 몸을 돌렸다. 그 즉시 미리 정성껏 준비했던 말들을 잊어버렸다.

"부인, 저는… 부인께서 제게…."

베르닐드는 오펠리를 품에 꼭 안았다. 너무 세게 안아 그녀의 향수가 오펠리를 겉옷처럼 감쌌다.

"알아." 베르닐드가 오펠리 귀에 속삭였다. "내게 모두 털어놓지 않았다는 것도, 아직은 다 털어놓을 수 없다는 것도. 오펠리, 다 알지는 못하지만, 나도 토른처럼 너를 전적으로 믿어."

리포터가 마른 잔기침을 하고, 오펠리는 더 이상 참을 수 없었다.

"정말로 저와 아니마로 함께 가지 않으시겠어요?" 그녀가 베르닐드의 품에 안겨 물었다.

"내가 여기 있는 것이 내 의무야. 네가 폐하에게 놀랄 만한 영향을 끼쳤지만, 그는 너무 쉽게 잊어! 딸과 함께 그의 곁에서 네가 알려준 것을 상기시켜줘야 해. 게다가" 베르닐드가 목소리를 낮춰 덧붙였다. "토른을 위해서도 여기 있어야 해. 우리가 대화를 나누고 있는 지금 그가 어디 있는지 모르겠지만 걱정하지 마. 시간 약속은 칼같이 지키니, 때가 되면 우리에게 돌아올 거야. 그때까지 부디 그를 잊지 마."

오펠리는 조용히 웃으며 안경 아래로 눈물을 훔쳤다.

"토른이 있었다면 '난 결코 아무것도 잊지 않아'라고 말했을 거예요. 말이 나와서 말인데, 제가 한 약속도 잊지 않았어요. 대녀에게 이름을 지어줘야죠."

역장이 마지막으로 세 번째 호각을 불었다. 오펠리가 비행선에 탑승해야 할 시간이 임박했다. 점점 더 초조해하는 리포터의 기침 소리와 트랩 위에서 자신을 부르고 있는 엄마의 목소리를 무시하면서, 오펠리는 유아차 쪽으로 몸을 기울였다. 아기 피부는 파루크의 피부만큼이나 새하얬다.

오펠리는 대녀에게 작은 목소리로 약속했다. 토른을 되찾을 거라고. 그러기 위해서 두아옌들에게, 인류의 신에게, 아니 세상의 파괴자에게 맞서야 한다면 그렇게 하겠다고.

"아기의 이름은 빅투아르*예요."

* victoire는 '승리'를 의미한다.

조각, 추신

신이 처벌받은 날이 떠오른다. 그날 나는 신이 전지전능하지 않다는 사실을 알았다. 그 이후로, 다시는 그를 볼 수 없었다.

"네 눈부심을 닫아라." 토른은 이제 안다. 그의 삶에서 신이 사라지기 전 마지막으로 남긴 말이었다. 네 눈부심을 닫아라. 네 눈물을 닦아라. 신은 세상을 지배하고, 말실수한다.

이제 토른에게는 퍼즐의 마지막 한 조각, 완전한 진실을 보지 못하게 하는 그 한 조각이 부족하다. 파루크는 왜 신이 처벌받았다고 확신했을까? 만약 그가 맞는다면, 이 질문은 한없이 혼란스러운 또 다른 질문으로 이어진다.

누가 신을 처벌한 것일까?

작가의 경고

난 이 이야기에 나의 개인적인 감정들을 전부 살려서 글을 썼다. 설렘, 의심, 흥분, 당황, 행복 등. 편의상 읽는 사람용 장갑을 끼고 책을 만지기를 권한다. 주의를 기울였음에도 불구하고, 이상(책이 손가락을 꼬집거나, 너무 빨리 책장이 넘어가는 등)이 발견되면 www.passe-miroir.com 사이트를 방문해볼 것을 권한다.

감사의 말

이 책의 페이지마다, 문장 하나하나, 단어 하나하나마다 나를 도와준 친애하는 티보에게. 진정한 수호천사가 되어준 가족 모두에게. 멋진 조언을 해준 스테파니 바바라를 비롯해 프랑스와 벨기에에 있는 '은 펜촉Plume d'Argent' 친구들에게. 거울로 드나드는 여자가 비상할 수 있도록 도와준 갈리마르 주니어의 모든 분께. 세상에서 가장 아름다운 표지를 그려준 로랑 가파이라르에게. 마지막으로 매일매일 열정과 코멘트 그리고 질문을 던지며 내게 동기를 부여해준 읽는 사람들에게. 당신들이 없었다면 이 책은 이렇게 쓰여지지 않았을 것입니다.

옮긴이 이슬아

연세대학교 불어불문학과와 한국외국어대학교 통번역대학원 한불과를 졸업했다. 한불 통번역사, KBS월드라디오 프랑스어 방송 진행자, 코리아헤럴드학원 강사로 활동하며 프랑스어 콘텐츠 전문채널 '멜리멜로프랑세'를 운영하고 있다. 〈두더지와 들쥐〉 시리즈와, 『아빠! 아빠! 아빠!』 『롤라의 바다』 등의 프랑스어 책을 우리말로 옮겼고, 『그래서 당신은 어떻게 생각나요?』와 『세상이 온통 회색으로 보인다면 코끼리를 움직여 봐』를 공역했다.

@melimelo_francais

거울로 드나드는 여자
2. 클레르들륀에서 사라진 사람들

초판 1쇄 발행 2022년 9월 24일

지은이 크리스텔 다보스
옮긴이 이슬아

펴낸이 윤석헌
편집 이승희
제작처 민언프린텍

펴낸곳 레모
출판등록 2017년 7월 19일 제 2017-000151호
주소 서울시 서초구 서초대로 33길 99, 201호
이메일 editions.lesmots@gmail.com
인스타그램 @ed_lesmots

후원 PLATFORM P

ISBN 979-11-91861-12-9 (04860)
세트 979-11-91861-11-2 (04860)